STERREN IN HET ZAND

Patricia Shaw

STERREN
IN HET ZAND

Uitgeverij Areopagus

Oorspronkelijke titel
Orchid Bay
Uitgave
Headline Book Publishing
Copyright © 1999 by Patricia Shaw
Copyright voor het Nederlandse taalgebied © 2001 by The House of Books,
Vianen/Antwerpen

Vertaling
Gea Scheperkeuter
Omslagontwerp
Julie Bergen
Omslagdia
Fotostock bv

ISBN 90 5108 503 6
NUGI 340

Voor Evangeline en Benjamin Shaw.

Met liefde.

The Times, Londen, 4 oktober 1867

De beschermvrouwen en leden van het Genootschap voor Emigratie van Vrouwen uit de Burgerstand hebben deze week afscheid genomen van wederom zes gouvernantes, die zijn vertrokken naar de Koloniën om daar een betrekking te zoeken in het door hen gekozen beroep.

Vier van deze dames zijn aan boord gegaan van de Pacific Star en twee anderen voeren uit aan boord van de City of Liverpool.

Leden van het Genootschap voor Emigratie van Vrouwen uit de Burgerstand moeten worden geprezen vanwege hun toewijding aan het welzijn van hun minder gelukkige zusters, want triest genoeg is er in dit land weinig geschikt werk voor ontwikkelde dames, die zware tijden hebben te verduren.

Wij hebben vernomen dat het Genootschap, de laatste keer dat het een advertentie plaatste waarin het gouvernantes voor het buitenland zocht, het verbazingwekkende aantal van driehonderdzes sollicitatiebrieven heeft ontvangen, waarbij veel vrouwen gedwongen waren toe te geven dat zij tot armoede waren vervallen.

Hoewel het Genootschap graag al deze sollicitanten zou willen bijstaan, houden financiële beperkingen het aantal geslaagden relatief laag.

Met als gevolg, echter, dat de vrouwen die wél door de selectie zijn gekomen erop kunnen bogen dat zij deskundig zijn in het geven van Engelse taal- en letterkunde, Latijn, Frans of Duits, muziek, schilderen en voordrachtkunst.

We moeten constateren dat ons verlies voor de Koloniën een winst is, want welke familie zou zichzelf niet als gezegend beschouwen als ze een dergelijk toonbeeld van ontwikkeling in haar huishouden zou mogen verwelkomen? We wensen de emigranten een behouden vaart en veel succes in het land van de tegenvoeters.

Hoofdstuk 1

De verblindend witte vuurtoren van Kaap Moreton vormde al flonkerend een hartelijk welkom voor de vermoeide passagiers en bemanning van de *City of Liverpool* toen het schip op deze prachtige zonnige morgen energiek de baai in voer, en zij waren op een bijna aandoenlijke manier dankbaar voor diens geruststellende aanwezigheid. De dreigende gevaren van de grote oceaan lagen achter hen. De reis van op één dag na vijftien weken liep ten einde.

Ze waren gewaarschuwd dat de zee in deze brede baai erg ruw kon zijn, maar vandaag was hij kalm toen het schip de beschutting van het eiland Stradbroke verliet en koers zette richting het vasteland, slechts licht deinend op de golven. Hoog boven hen, in de uitgestrektheid van de strakblauwe hemel, zweefden pelikanen, en glanzende dolfijnen schoten door het heldere water alsof ze het vaartuig wilden uitdagen tot een wedstrijd naar de monding van de rivier de Brisbane.

Twee jongedames, gehuld in donkere capes en met donkere dameshoeden op, stonden aan de overvolle reling van het kleine dekgedeelte dat was toegewezen aan tweedeklaspassagiers en volgden hun vorderingen met enthousiasme.

'Het duurt nu niet lang meer,' zei Emilie tegen haar zuster, met opwinding in haar stem.

'Godzijdank. Ik kan nauwelijks wachten om dit afgrijselijke schip te verlaten.'

Ze passeerden verscheidene eilanden en Emilie raadpleegde haar aantekenboekje.

'Hier staat dat een van die eilanden Sint-Helena heet en dat het tevens dienst doet als gevangenis. Wat eigenaardig. En dat andere is een leprakolonie. Wat een afschuwelijke plek zal dat zijn, Ruth.'

'Schrikwekkend. Maar ik veronderstel dat die arme schepsels het erger konden treffen. De eilanden zelf ogen best aangenaam.'

Andere passagiers begonnen zich ook te roeren, brachten hun bagage aan dek, verzamelden familie en vrienden om zich heen om breedvoerig afscheid te nemen en toekomstige reisplannen te vergelijken. Maar de gezusters Tissington hielden zich afzijdig. Ze waren op weg om in Brisbane of de nabije omgeving daarvan een betrekking als gouvernante te zoeken en, uit eerbied voor hun roeping, achtten

9

zij het van groot belang zoveel mogelijk over dit nieuwe land te weten te komen. Ze hadden tijdens de reis allebei een dagboek bijgehouden en alles gelezen wat ze over Australië hadden kunnen vinden, maar nu konden ze hun kennis eindelijk fysiek uitbreiden door geen minuut te verspillen, terwijl ze over de rivier voeren en notie namen van haar loop en de ongebruikelijke flora langs haar modderige oevers.

Het moet echter gezegd worden dat, hoewel ze de indruk wekten wereldwijs te zijn, geen van beiden zich te hoog achtte om diezelfde oevers met een bijna kinderlijke geestdrift af te speuren op zoek naar een glimp van de beroemde kangoeroes of koala's, maar helaas was er nergens in het groen ook maar een neus van een buideldier te ontwaren. Vogels waren er evenwel in overvloed. Bij het passeren van de mangroves langs de kust herkende Ruth statige eucalyptusbomen die hoog boven het struikgewas uitstaken en opgelicht werden door trossen opzienbarend rode bloemen, die kennelijk een bron van nectar vormden voor de duizenden felgekleurde vogels die krijsend en klapwiekend langs de oevers vlogen.

Emilie was verrukt. 'Moet je die papegaaien zien! Zijn ze niet ronduit schitterend?'

'Volgens mij is het de kleine soort. Het is geweldig om ze nu eens in het wild te zien. Een uitstekend onderwerp voor jouw aquarellen.'

Ieder verviel weer in haar eigen gedachten, al starend naar het onbekende landschap, waarbij Ruth onwillekeurig moest terugdenken aan de ongelukkige reeks van gebeurtenissen die hen ertoe had gedwongen om in het buitenland een fatsoenlijk bestaan te zoeken. Ze huiverde. Als ze geen steun hadden gekregen van het Genootschap voor Emigratie van Vrouwen uit de Burgerstand, zouden ze in Londen inmiddels vast en zeker aan het eind van hun Latijn zijn geweest en zouden ze in bittere armoede hebben moeten leven, werkloos en wanhopig. Ze treurde om hun dierbare moeder. Alice Tissington zou zich in haar graf hebben omgekeerd, als ze op de hoogte was geweest van de ellende die haar dochters te incasseren kregen na haar dood. Ze was een ontwikkelde vrouw geweest, van wie de vader filosoof en wiskundige was, en ze had erop toegezien dat Ruth en Emilie uitgebreid onderricht in de schone kunsten hadden genoten, naast de kennis die ze opdeden in de dorpsschool van Brackham.

Drie jaar geleden... het leek een mensenleven geleden, peinsde Ruth... was hun vader hertrouwd. De verlegen meisjes ontvingen hun stiefmoeder hartelijk, om daarna te moeten vaststellen dat deze vrouw hun aanwezigheid in het kleine huishouden duidelijk betreurde. Om niet lang daarna in het dorp te ontdekken dat ze roddels over hen rondstrooide, bewerend dat zij lui en traag waren, een stel oude vrijsters in de dop die een blok aan het been van hun arme vader vormden. De drieëntwintigjarige Ruth was ontzet en in verlegenheid gebracht. Op de voor haar kenmerkende rustige manier herinnerde ze de nieuwe Mrs. Tissington eraan dat ze met haar verdiensten als muzieklerares een bijdrage leverde aan het huishouden en dat Emilie, die nog maar negentien was, nu al privé-lessen gaf in Frans en kunstzinnige vorming.

'Dat is ook zoiets,' had de vrouw vinnig geantwoord. 'Ik heb geen zin om van mijn huis een leslokaal te laten maken waar Jan en Alleman de deur platloopt. Geef die lessen maar ergens anders.'

Ruth deed vervolgens een beroep op William Tissington, die haar erop wees dat zijn vrouw in haar recht stond. 'Hoe kan ze gasten onderhouden in haar eigen ontvangkamer als jullie daar jongelui op de piano laten pingelen? En trouwens, de arme vrouw krijgt hoofdpijn van al die herrie.'

De confrontaties tussen de vrouwen deden zich steeds vaker voor. Emilie verzette zich hevig tegen het voortdurende gevit van hun stiefmoeder, terwijl Ruth trachtte de problemen op te lossen zoals een echte dame betaamt, maar het hielp allemaal niets. Naïef genoeg begrepen de zusters niet dat een echtgenote hen kon ondermijnen, dat ze langzaam maar zeker stukjes van hun zekerheid kon afhakken totdat hun basis wel erg breekbaar was.

Toen Emilie aankondigde dat ze een aantal vrienden had uitgenodigd voor een van hun muzikale avonden, weigerde Mrs. Tissington domweg haar toestemming te geven.

'Ik informeer u slechts uit beleefdheid,' reageerde Emilie woest. 'Onze muziekavonden worden zeer gewaardeerd in het dorp, dat is altijd zo geweest. Ruth en ik hebben recht op een sociaal leven. We hebben uw toestemming niet nodig om vrienden uit te nodigen. Dit is ook óns huis, moet u weten.'

'Dat zullen we nog wel eens zien. Ik neem het op met Mr. Tissington.'

'Doe dat vooral!'

De beslissing van hun vader deed nog steeds pijn.

'Ik kan niet tegen dat voortdurende gekibbel. Deze dame is mijn vrouw. Ze verdient dit evenmin. Ze heeft haar uiterste best gedaan voor jullie, meisjes, maar kennelijk werken jullie niet mee aan haar poging een goede verstandhouding te kweken. Het is beter dat jullie uitkijken naar een ander onderkomen.'

Nadat ze de aanvankelijke schok te boven waren, kwamen de twee jonge vrouwen tot de slotsom dat verhuizen misschien geen slecht idee was. Het zou plezierig zijn een eigen huis te hebben, onafhankelijk te kunnen zijn, en bevrijd te worden van dat vreselijke mens. Ze besloten echter dat ze liever geen woning in het dorp wilden huren, omdat het dan snel algemeen bekend zou zijn dat ze – in feite – uit hun ouderlijk huis waren gezet. Geen van twee was bereid die vernedering te moeten doorstaan. Beter was het om rechtstreeks naar Londen te gaan, waar ze een aantal kennissen hadden en waar zoveel meer mogelijkheden waren om een betrekking als privé-lerares of gouvernante te vinden.

Tissington gaf Ruth twintig pond om hen op weg te helpen en zegde verdere financiële hulp toe, die overigens uitbleef. Hij regelde een vrachtrijder die hun koffers en meubels naar Londen zou vervoeren. Meubels die ze, zo maakte de echtgenote hun duidelijk, uit de goedheid van haar hart uit haar eigen huis aan hen meegaf.

Nu ze eraan terugdacht, realiseerde Ruth zich hoe dwaas ze was geweest om te veronderstellen dat ze in Londen meteen een geschikte betrekking zouden vinden, enkel op basis van persoonlijke referenties. Keer op keer kregen ze van potentiële werkgevers te horen dat ze ervaring misten.

Ze onderdrukte een snik in haar keel. Maar wat hadden ze anders moeten doen? In de steek gelaten door hun vader, met een slinkend budget, lukte het hen om links en rechts een paar shilling te verdienen door als invaller in de bibliotheek te assisteren, brieven te schrijven op kantoren, op kinderen te passen in de afwezigheid van hun kindermeisje en met tal van andere onbeduidende baantjes. Niettemin sloeg de wanhoop toe. Ze verkochten hun boeken en al het meubilair dat ze konden missen, verhuisden naar een troosteloze souterrainkamer en zaten 's avonds in het donker, half uitgehongerd, te bang om ook maar één kaars te verkwisten, en ondertussen werden al hun smeekbedes aan het adres van hun vader genegeerd.

Het was Emilie die hoorde van het bestaan van het Genootschap voor Emigratie van Vrouwen uit de Burgerstand, Emilie die het eerste contact legde en aanliep tegen het eerste sprankje hoop op geluk dat de meisjes in lange tijd waren tegengekomen. Een van de leden bleek, toen ze hun aanmeldingsformulieren doornamen, hun overleden moeder gekend te hebben. Het deed haar verdriet te moeten constateren dat de dochters van haar vriendin zo'n moeilijke periode doormaakten en ze regelde meteen de aanbeveling dat ze in het emigratieprogramma zouden worden opgenomen. Ze werden al snel bevoegd geacht om in Queensland een betrekking als gouvernante te aanvaarden, waarbij ze onder de bescherming van het Genootschap reisden en een lening van tweehonderd pond kregen aangeboden om de reis en andere uitgaven te bekostigen. De twee meisjes waren dolblij. Ze waren niet alleen ternauwernood aan een armoedig leven ontsnapt, maar kregen bovendien te horen dat ze als gouvernante in de Koloniën minstens op honderd pond per jaar konden rekenen. Echter, ze kwamen erachter dat ze nog één hindernis te nemen hadden. Ze moesten iemand vinden die borg wilde staan voor de lening, voor het geval ze niet in staat bleken het geld zelf binnen de afgesproken termijn van drie jaar terug te betalen. Daarna werd degene die borg stond aansprakelijk.

'Wat moeten we doen?' had Emilie gejammerd. 'Wie wil er nou voor zo'n groot bedrag garant staan voor ons?'

'Vader.'

'Wie? Geen denken aan! Ik zou niet bij hem aankloppen al hing mijn leven ervan af.'

'We moeten het proberen,' zei Ruth somber. 'Ons leven zou er inderdaad wel eens van af kunnen hangen.'

'Hij zal niet reageren op het verzoek.'

'Misschien wel. Snap je het dan niet? Als hij weet dat wij het land verlaten en dat het Genootschap ons heeft verzekerd dat er werk voor ons is in de Koloniën, dan is hij van ons verlost. Geen brieven met smeekbedes meer. We zullen in staat zijn de lening zelf terug te betalen, waarvoor we drie jaar de tijd krijgen. Hij heeft niets te verliezen. Ik denk dat hij best borg voor ons zal willen staan. Dat is wel het minste wat hij op dit moment kan doen.'

Emilie stemde er uiteindelijk mee in het hem te vragen, maar ze had een alternatief plan in haar achterhoofd om op terug te vallen. 'Goed dan, Ruth, schrijf hem maar. Maar als hij weigert, schrijf ik de brief zelf en vervals ik zijn handtekening.'

'O, mijn God! Dat meen je niet!'

'Dat meen ik wel degelijk. Tegen de tijd dat hij erachter komt, hebben wij het land allang verlaten.'

Uiteindelijk bleek William Tissington inderdaad garant te willen staan, met als gevolg dat zijn dochters hem nog dieper gingen verachten.

Emilie gaf haar zuster een duwtje met haar elleboog. 'Waar zit je met je gedachten?'

Het verleden van zich afschuddend, glimlachte Ruth flauwtjes. 'Ik hoop dat we niet al te ver van elkaar zijn verwijderd als we straks onze verplichtingen op ons nemen. Ze zeggen dat de afstanden hier enorm zijn en dat reizen duur is.'

'Kop op. Wie weet worden we door buren in dienst genomen. Ik geloof dat we de buitenwijken van de stad naderen, te oordelen naar die boerderijen daar.'

Hoezeer ze haar best ook deed, Ruth kon Emilies enthousiasme voor deze riskante onderneming niet evenaren. Ze was alleen meegegaan omdat ze geen keuze hadden. Toen het schip aanlegde in de haven van Brisbane ervoer ze ineens een golf van opluchting. De stad leek niet onaardig, hoewel enigszins boers, met lage witte gebouwen en op de achtergrond, in de verte, talrijke heuvels.

Toen ze aan boord gingen van de *City of Liverpool* hadden ze enkele onkosten moeten maken voor de uitrusting van hun hut. Ze hadden de helft van een hut voor zichzelf weten te regelen – waarin ze door een linnen gordijn werden gescheiden van twee lawaaierige vrouwen – verder nog matrassen voor de kale kooien gekocht alsmede de reddingsvesten, lantaarns, een toiletemmer en verschillende andere benodigdheden voor aan boord. Ze hadden echter geld uitge-spaard door hun eigen linnengoed en aardewerk, lampen en kaarsen mee te nemen. Al deze artikelen hadden ze eenmaal aan land evenwel niet meer nodig, aangezien ze een betrekking op basis van kost en in-woning zouden aanvaarden, en dus was Emilie belast met de verkoop van de spullen aan de tweede stuurman, die ze op zijn beurt, ongetwij-feld met winst, aan vertrekkende passagiers zou proberen te slijten.

Ruth wachtte in de hut op haar zuster om zich ervan te verzekeren dat hun eigendommen het schip niet zouden verlaten in de handen van de andere vrouwen, die sterk waren in het lenen en minder goed in het retourneren van spullen. Ze maakte van de gelegenheid ge-bruik om de brief af te maken die ze aan Jane Lewin, directeur van het Genootschap, had geschreven; een brief waarin ze haar bedankte voor haar vriendelijkheid, de belofte deed de lening zo spoedig moge-lijk terug te betalen en de reis beschreef als een aaneenschakeling van doffe ellende, van begin tot eind. Ze liet in duidelijke bewoordingen weten dat echte dames nimmer tweede klasse zouden moeten reizen.

Het gezelschap waarmee ze het de afgelopen maanden hadden moeten uithouden, was ongepast en onverdraaglijk geweest. Ze be-schreef hen als proleten van de laagste klasse, en hun houding tegen-over de enige twee *dames* in hun midden als absoluut schandelijk. Ze kende geen gewetensbezwaren om dit soort informatie op te sturen, daar Miss Lewin duidelijk had gezegd dat rapportages van hun gou-vernantes bijzonder op prijs werden gesteld.

Toen Emilie weer beneden kwam, mopperend dat ze de tweede stuurman niet meer dan twee pond afhandig had weten te maken, bloosde Ruth.

'Ach, nou ja, dat moet maar voldoende zijn. Je kunt moeilijk gaan pingelen.'

'Maar ik héb gepingeld. Hij wilde me aanvankelijk maar één pond geven. We kunnen nu gaan, de steward zal onze koffers naar boven brengen. We zijn er, Ruth, besef je dat wel? We zijn aan de andere kant van de wereld beland. Is het niet verbazingwekkend? Ik kan nauwelijks wachten om op verkenning uit te gaan.'

'En ik kan nauwelijks wachten tot we weer vers voedsel zullen proeven,' zei haar zuster droogjes.

In tegenstelling tot hun verwachtingen, was er niemand om hen af te halen. Ze stonden wat verloren op de kade in de zinderende hitte, wachtend op de bemiddelaar of ten minste een bekende van het Ge-nootschap die hen kwam halen, maar er kwam niemand, noch was er iemand geweest die aan boord van het schip naar hen had geïnfor-meerd. Dus zat er niets anders op dan de kapitein van het schip om advies te vragen, die hen vervolgens een pension in Adelaide Street aanraadde.

14

'U kunt zich maar beter terugtrekken voor de nacht, dames, zodat ik weet waar u bent als uw vertraagde vrienden u komen zoeken. Morgenvroeg schijnt de zon weer en dan komt alles in orde.'

Hij regelde een koets voor hen, die hen naar het pension met de vreemde naam – Belleview Boarding House – zou brengen, en ze genoten van de korte rit, tot ze erachter kwamen dat hen drie shilling plus zeven pence voor de koffers in rekening werd gebracht.

'We hadden moeten lopen,' fluisterde Ruth.

'Dat kon toch niet, dan hadden we de koffers misschien nooit weer teruggezien.'

Ze werden begroet door de pensionhoudster, een zekere Mrs. Medlow, die hun meedeelde dat het tarief vier shilling en zes pence per persoon per nacht was, of een guinea (21 shilling) voor een hele week, volpension. Ze besloten het nachttarief te betalen en legden uit dat hun plannen nog onduidelijk waren, waarna ze naar een grote kamer op de begane grond werden geleid.

De kamer, met zijn uitnodigende eenpersoonsbedden en onberispelijke inrichting, was een godsgeschenk voor de jongedames Tissington, maar ze accepteerden hem gelaten, niet bereid op enige manier te laten merken dat ze zojuist uit de tweede klasse waren gekomen.

'Het eten wordt om zes uur geserveerd. De bel kan elk moment luiden,' zei Mrs. Medlow voor ze hen alleen liet.

'Mijn hemel!' riep Emilie uit. 'Echte bedden! Privacy. Properheid ligt inderdaad dicht bij goddelijkheid. Weg met de stank en de luchtjes.' Ze sloeg de witte sprei op een van de bedden terug. 'Voel die lakens eens, Ruth. Ze zijn zacht en ruiken lekker en staan niet stijf van het wassen met zout. Ik zou hier eeuwig kunnen blijven.'

Ruth lachte. 'Ik ruik het eten al. We moeten ons snel omkleden voor ik van de honger flauwval.'

Passend gekleed in japonnen van donkere tafzijde en met kleine dameshoedjes op hun hoofd, werden de dames Tissington onder de nieuwsgierige blikken van de andere gasten naar hun tafel in de hoek van de eetkamer geleid. Een wat oudere heer die alleen aan een tafel vlakbij zat, begroette hen.

'Goedenavond, dames. Net van de boot zeker?'

Er niet aan gewend om zo stoutmoedig te worden aangesproken door een volstrekt vreemde, wist alleen Emilie met een kort knikje te reageren, terwijl Ruth naar haar servet zocht, geschokt als ze was door zijn vermetelheid. Het diner bestond uit een vast menu, maar het eten was uitstekend: goedgevulde bouillon, geroosterd lamsvlees met een terrine van verse groente, en citroenpudding als dessert. De meisjes aten zo keurig mogelijk en lieten met enige tegenzin, uit fatsoensoverwegingen, een klein beetje van elk gerecht op hun bord liggen.

De serveerster liet hun weten dat de koffie in de zitkamer werd geserveerd, maar ze sloegen het aanbod beleefd af. Ze waren allebei ineens erg moe; de inspanning van de lange, uitputtende reis leek zijn tol op te eisen.

'Ik ben eigenlijk blij dat we niet zijn afgehaald,' verzuchtte Emilie, toen ze de slaapkamerdeur achter zich dichttrok. 'Het is voor ons zelf veel beter dat we even de tijd hebben om bij te komen van de reis.'

Voor ze zich ter ruste begaven, knielden ze om te bidden en de Heer te danken dat ze veilig waren overgekomen, maar van de rest van hun gebeden kwam vanwege hun vermoeidheid weinig terecht. Binnen enkele minuten sliepen ze allebei vast, zich badend in de rust en het comfort van de bescheiden pensionkamer.

Julius Penn, arbeidsbemiddelaar, glunderde toen hij de lange rij wachtende vrouwen voor zijn kantoor aan Ann Street zag staan en groette enkele van zijn vaste klanten bij hun naam.

'Ben je er weer, Dulcie?' zei hij tegen een blonde vrouw, toen hij de voordeur openmaakte. 'Wat is er dit keer misgegaan?'

'Ze hebben me nooit betaald, dat is er mis. Ik heb daar twee weken staan koken en het enige dat ze kunnen is voortdurend klagen en zeggen dat ik moet wachten op mijn loon. Hoe moet ik dan in vredesnaam mijn huur betalen?'

'Goed, goed, ik zal ze uit mijn administratie schrappen. We vinden wel iets anders.'

'Me dunkt dat de helft van alle bazen die in jouw boeken staan doorgestreept kunnen worden,' snauwde ze, maar hij wierp slechts een blik op de muurklok in zijn kantoor en sloot de deur achter zich, zodat ze haar klachten met de andere hoopvol gestemden buiten kon uitwisselen. Nog tien minuten voor openingstijd.

Hij hing zijn hoed en wandelstok aan een houten kapstok, trok zijn colbert uit en hing die aan een andere kapstok alvorens hij in hemdsmouwen achter zijn bureau plaatsnam. Terwijl hij een sigaar opstak, nam hij de rijen lege stoelen tegenover zich in ogenschouw en schudde zijn hoofd. Dulcie had gelijk: de helft van de werkgevers in zijn boeken haalde allerlei trucs uit om hun dienstboden maar niet te hoeven uitbetalen. Anderzijds wist de helft van de vrouwen die hij op pad stuurde niet hoe ze fatsoenlijk werk moesten leveren, dus het was leer om leer. Hij stuurde ze enkel van de ene naar de andere baan en streek voor elke afspraak een shilling op, zowel van werkgever als werknemer. Het was wonderbaarlijk hoe snel die shillingen zich vermenigvuldigden. Julius, die onderhand vijftig was, vroeg zich af waarom hij deze aanpak niet jaren geleden had bedacht. Hij had een hard leven achter de rug, gewend als hij was zich te beklagen, niets leek ooit goed te gaan, al had hij talloze baantjes uitgeprobeerd, van kantoorbediende tot handelsreiziger die door het hele binnenland zwierf. Hij had ook tal van grootse plannen bedacht, die hem gegarandeerd als de bliksem rijk zouden maken, maar ze waren stuk voor stuk mislukt. Bijvoorbeeld zijn uitvinding van alcoholvrij bier. Hij wist nog steeds niet waar zijn formule de mist in was gegaan. De Vereniging van Geheelonthouders had hem verjaagd uit Parramatta, toen een aantal van de bij de vereniging aangesloten dames straalbezopen was geworden.

Hij zuchtte en trok aan zijn sigaar. Deze vorm van dienstverlening had hij puur bij toeval ontdekt. Hij was naar Brisbane gekomen om de last van de dringende schulden in Sydney van zich af te schudden en was op zoek gegaan naar een arbeidsbemiddelaar, om tot de ontdekking te komen dat zo iemand hier niet bestond. Binnen enkele dagen had Julius zijn kantoor ingericht, met een bureau in het midden, daar tegenover de rijen stoelen voor sollicitanten en achter hem een gehavend Chinees kamerscherm, dat de hoopvolle werkgevers – voor wie betere zitplaatsen beschikbaar waren, in de vorm van een paar sjofele banken – enige privacy moest bieden. Vervolgens was het een kwestie van de fijne kneepjes van het vak leren, zo vertelde hij de aangrenzende caféhouder, die het beste personeel mocht uitzoeken in ruil voor een gratis glas cognac zo nu en dan. Julius zette een paar keer een advertentie in de *Brisbane Courier*, maar dat was voldoende gebleken. Mond-tot-mondreclame deed de rest. Iedereen klaagde over zijn honorarium, maar zoals hij verduidelijkte met zijn mooiste bankdirecteursstem, was dat onvermijdelijk. Wat dat ook mocht betekenen.

De klok sloeg acht uur en die verdomde Dulcie begon op de voordeur te bonken, dus schreeuwde hij dat ze verder mocht komen, terwijl hij met de duimen achter zijn bretels achteroverleunde en zag hoe een lawine van vrouwen zijn kantoor in stormde, elkaar verdringend om een baantje.

'Ik ben het eerst,' gilde Dulcie, neerploffend in de interviewstoel tegenover zijn bureau, terwijl de anderen stonden te kakelen en geleidelijk aan rustiger werden alsof de avond viel in het hoenderhok.

'Eens even kijken.' Hij sloeg de bladzijden in zijn keurig bijgehouden werkgeversregister om. 'Je zou naar herberg Ship Inn kunnen gaan. Zij zoeken een kok.'

'Geen haar op mijn hoofd. Die klootzak ramt je al in elkaar als je hem een keer aankijkt.'

'Voor de rest is er eigenlijk weinig voor een kok momenteel. Tenzij je bereid bent het binnenland in te gaan.'.

'Bekijk het maar. De meesten daar hebben twee koppen.'

'De steden op het platteland vallen best mee. Ik krijg vaak genoeg brieven van mensen in de provinciesteden, ze hebben een wanhopig tekort aan bedien... personeel.' Julius moest oppassen wat hij zei. Als hij met werkgevers sprak, had hij het altijd over 'bedienden', maar na tien maanden in dit vak wist hij wel beter dan dit woord tegenover deze vrouwen te gebruiken. Koks waren koks, kamermeisjes waren kamermeisjes of zelfs huishoudsters, maar ze weigerden zich bedienden te laten noemen. Het was voor deze schoonheden te nauw verbonden met onderdanig zijn. Sterker nog, het werkte als een rode lap op een stier.

'Welke steden?'

'Toowoomba, Maryborough.'

'Nou, nee. Ik blijf liever nog een poosje hier.'

'Ik zou je als dienstmeid kunnen plaatsen. Bij het Victoria Hotel.'

'Ik ben verdomme geen dienstmeid, ik ben kok. Hoe vaak moet ik je dat nog zeggen, Julius?'

'Oké. Maar ik heb verder niks geschikts. Hou vast aan je huidige betrekking, zou ik zeggen.'

'Zonder betaald te worden, terwijl zij alle fijne meneren onthaalt met zeekreeft en oesters en champagne alsof ze een Russische keizerin is?'

Julius begreep het. Mrs. Walter Bateman, echtgenote van hoofdinspecteur Bateman van de douane, was een ambitieuze vrouw, beroemd om haar feestjes maar bij personeel en winkeliers ook berucht om haar vrekkigheid.

'Zeg dat je de deurwaarders op haar afstuurt,' mompelde hij.

Dulcie staarde hem aan. 'Jezus. Dat is slim. Ik zou meteen op straat worden geschopt.'

'Wat heb je te verliezen?' grinnikte hij, zijn kortgeknipte grijze snor strelend. 'Ze is heel goed in het ontslaan van mensen tegen de tijd dat ze hun salaris moet ophoesten. Het zal moeilijk zijn om een ander te vinden. Je zou haar kunnen waarschuwen.'

'Ik zou haar gezicht wel eens willen zien als ik dat probeer.'

'Het is aan jou.'

Dulcie trok een roze gehaakte omslagdoek over haar schouders en stond op. 'Denk erom, het wil niet zeggen dat ik daar blijf. Loon of geen loon.'

Hij knikte. 'We zullen zien. Wie is er aan de beurt?'

Nog voor Dulcie de stoel had vrijgemaakt, stond er een mager meisje tegenover hem. 'U moet me helpen, meneer, ik ben verdorie wanhopig...'

De gouvernantes wierpen een ongelovige blik door het kantoorraam van de arbeidsbemiddelaar.

'Hier kan het toch niet zijn,' zei Ruth, achteruitdeinzend.

'Jazeker. Dit is het adres dat Miss Lewin ons gaf, en daar staat zijn naam.'

'Hier ga ik niet naar binnen. Het is duidelijk een organisatie voor bedienden. We kunnen ons niet in dergelijk gezelschap laten zien.'

'Nou ja, blijf jij dan maar hier! Misschien is er nog een ander kantoor. Ik zal eens informeren.'

Julius was bezig een mollige vrouw, die een baan als kinderjuffrouw zocht, te interviewen. Hij knikte opgeruimd, terwijl hij door haar referenties bladerde. Het zou geen moeite kosten haar te plaatsen.

Toen de deur openging, keek hij niet op, maar de beroering in het kantoor trok zijn aandacht. Een jonge vrouw met een gezaghebbende houding naderde zijn bureau; een heel mooie jonge vrouw, goedgevormd ook, in een mooi vallende marineblauwe jurk die werd opgefleurd door een van linten voorziene hoed boven op haar dikke, donkerbruine haar.

Aannemend dat zij een potentiële werkgever was, sprong Julius meteen op uit zijn stoel om haar naar zijn heiligdom te begeleiden.

'Bent u Mr. Penn?'

De stem was gecultiveerd, even lieflijk als de eigenaresse zelf.

'Tot uw dienst, geachte dame. Neem plaats, alstublieft. Het is erg warm vandaag. Kan ik u een glas water aanbieden?'

'Nee, dank u, Mr. Penn. Ik ben bang dat ik aan het verkeerde adres ben, en misschien kunt u mij de weg wijzen. Ik ben Miss Tissington. Mijn zuster en ik zijn door het Genootschap voor Emigratie van Vrouwen uit de Burgerstand naar u verwezen. Wij zijn de gouvernantes die u nodig had, maar we zijn kennelijk bij de verkeerde afdeling van uw bureau beland.'

'Allemachtig!' mompelde Julius. Hij herinnerde zich dat Genootschap ineens weer. Ze hadden hem maanden geleden geschreven – wellicht zo'n zes maanden terug – met de vraag of hij enkele zeer ontwikkelde gouvernantes kon helpen aan een geschikte positie, en hij had bevestigend geantwoord, gevleid dat zijn roem zich helemaal tot Londen had uitgespreid. Hij nam aan dat iemand hun zijn advertentie had opgestuurd. Aangezien hij er daarna niets meer van had vernomen, was hij de jongedames totaal vergeten.

'Geachte dame, u bent niet op de verkeerde plek terechtgekomen en ik moet me verontschuldigen voor dit pand. We zijn hier relatief klein. Mijn hoofdkantoor bevindt zich in Sydney.'

Van vrouwen die verschillende staten hadden bezocht, had hij gehoord dat er afzonderlijke arbeidsbureaus waren voor vrouwen uit de betere klassen, maar hij kon zich niet veroorloven twee kantoren te huren. De paar goed opgeleide vrouwen die bij hem aanklopten op zoek naar een betrekking rechtvaardigden een dergelijke buitensporigheid niet, hoewel zijn prestige erdoor zou stijgen.

'Juist, ja.' Niet onder de indruk, overhandigde ze hem een keurig ingebonden dossier. 'Dit zijn mijn introductiebrief van het Genootschap en de originelen van mijn referenties. U verwachtte ons toch? Miss Lewin heeft u toch geschreven?'

'Tja, dat is heel goed mogelijk, Miss Tissington, maar ik heb al een hele tijd niets meer van het genootschap vernomen. Waarschijnlijk is het bericht waarin uw aankomst staat aangekondigd nog ergens op

zee, onderweg naar hier. Wie weet is het met hetzelfde schip aangekomen als u. Wanneer bent u gearriveerd?'
'Gisteren. Het verontrustte ons dat we niet werden afgehaald. Ons was gezegd dat we van de boot zouden worden gehaald en onmiddellijk naar onze respectievelijke werkgevers zouden worden gebracht.'
Haar zelfvertrouwen nam met de minuut af. 'Is er dan niemand die ons verwacht?'
'Momenteel niet, maar dat is uiteraard van tijdelijke aard. Ik heb even tijd nodig om dit uit te zoeken, dat begrijpt u.'
'Mijn zuster is buiten. Zal ik vragen of ze binnenkomt? Of hebt u het momenteel te druk? Er zitten zoveel mensen te wachten.'
Julius wilde hen graag tevredenstellen en hij had medelijden met haar, maar de wachtende mensen leverden shillingen op – mits hij het kaf van het koren wist te scheiden. 'Weet u wat, waarom maakt u niet even een wandeling, zodat u de stad wat beter leert kennen? Ik weet zeker dat u Brisbane heel interessant zult vinden. Dan zie ik u om twaalf uur in het cafeetje hier verderop in de straat, zodat we alles kunnen bespreken. In een wat rustiger omgeving.' Zijn wachtende cliënten begonnen ongedurig te worden.

'Heeft hij nog geen betrekking voor ons geregeld?' Ruth was vervuld met afschuw. 'Weet je het zeker?'
'Nee, ik weet het niet zeker. Het was verwarrend. Hij verwachtte ons in elk geval niet.'
'Maar hij heeft wel gepaste posities beschikbaar? Dat heeft hij het Genootschap verzekerd. Je had erop moeten staan dat hij zich nader verklaarde over mogelijke betrekkingen, dan hadden we het nu kunnen bespreken.'
'Waarom ben je zelf niet naar binnen gegaan, als je zo slim bent? Ik heb tenminste contact gelegd met het bureau.'
'Mooi bureau,' snoof Ruth. 'Ik heb wel het een en ander op te merken over deze stand van zaken tegenover Miss Lewin. En hoe durft hij van ons te verwachten dat we in deze hitte op hem wachten tot we een ons wegen.'
'Ik betwijfel of het zover komt.'
'Maak er geen woordgrapje van.'
'Het was geen woordgrapje. We zouden op zoek kunnen gaan naar het postkantoor, dat vult de tijd tenminste.'
Het was een warme, klamme ochtend. Toen ze door de hoofdstraat wandelden, kreeg Ruth spijt van de korte cape die ze over haar dagelijkse japon had aangetrokken, maar ze kon hem moeilijk uittrekken en op haar arm door de stad dragen. Zo onopvallend mogelijk bette ze de zweetdruppeltjes onder haar ogen met haar gehandschoende hand, ondertussen de etalages van de winkels bekijkend. Ze waren allemaal ruimschoots gesorteerd met kwaliteitsproducten, ver-

rassend eigenlijk voor een buitenpost als deze, hoewel de prijzen hoog waren.

'Is het je opgevallen dat de dames hier veel grotere hoeden dragen?' vroeg Emilie aan haar. 'Denk je dat de onze uit de mode zijn?' 'Nee. Ik vermoed eerder dat het te maken heeft met het zonlicht. We kunnen in de nabije toekomst maar beter hun voorbeeld volgen, anders riskeren we door de zon verbrand te worden.'

Ze vonden het postkantoor, deden Ruths brief op de post en verkenden het keurige maaswerk van straten waaruit het zakencentrum bestond. Op een paar blokken afstand van de rivier belandden ze echter in steile straten met woonhuizen, en dus besloten ze terug te keren. Toen ze een andere route heuvelafwaarts namen, ontdekten ze bemoedigend genoeg een stadhuis en een kathedraal en ze waren het eens dat de stad veelbelovend leek. Ze vonden bewijzen van cultuur: een museum, een theater en zelfs een aankondiging van een optreden van het Filharmonisch Orkest van Brisbane. Niet gewend aan de hitte waren ze allebei al behoorlijk moe toen ze aankwamen bij het indrukwekkende parlementsgebouw, dat omringd door hoge bomen op de rivieroever stond. Maar ze hadden nog meer dan een uur om door te komen.

'We kunnen beter terugkeren om Mrs. Medlow te laten weten dat we waarschijnlijk nog een nacht in het pension zullen blijven,' zei Ruth.

'Nog niet. Laten we eerst afwachten of we iets definitiefs te horen krijgen van die verachtelijke Mr. Penn. Misschien kunnen we toch beter het weektarief betalen.'

'Het weektarief? Nee toch, zeker.'

'We weten het gewoon niet. En het tarief per nacht is duurder.'

'Minder duur dan betalen voor een kamer die we mogelijk niet langer nodig hebben.'

Uiteindelijk wandelden ze naar het nabijgelegen openbare park, waar ze troosteloos op een bankje in de schaduw neerzegen.

Penn zat al op hen te wachten toen ze in het café aankwamen en hij wapperde met een brief, toen ze eenmaal aan de hoektafel hadden plaatsgenomen.

'Wat heb ik gezegd, dames? Hier is de brief van Miss Lewin. U had hem evengoed persoonlijk mee kunnen nemen. Ik meen dat ik nu kan kennismaken met de andere Miss Tissington. Een genoegen. Het komt niet vaak voor dat ik op één dag twee van zulke charmante dames leer kennen.'

Ruth deed koeltjes. Terwijl ze stijfjes in haar stoel zat, beantwoordde ze zijn begroeting met een kort knikje. Haar referenties zaten in haar handtas, opgerold en vastgemaakt met een koord, maar ze was niet van plan die in het openbaar tevoorschijn te halen.

'Welnu,' zei hij, 'wilt u een kopje thee nuttigen? Ja, thee en wat hartige scones, denk ik. Die zijn hier voortreffelijk.' Hij wuifde naar de serveerster en plaatste zijn bestelling, waarna hij zich tot Emilie wendde.

'Ik moet zeggen, Miss Emilie, mag ik u Miss Emilie noemen? Om u te onderscheiden, begrijpt u wel – uw referenties zijn uitstekend. Heel opvallend zelfs. Ik zie dat u, afgezien van lezen, schrijven en rekenen, les geeft in muziek – pianolessen mag ik hopen? Er is geen fatsoenlijk huishouden in deze buurt waar een piano ontbreekt.'

Emilie boog haar hoofd om de woordenstroom te onderbreken. 'Piano. Ja, we geven allebei pianoles en ook zangles.'

'Zo is het. En Frans, voordrachtskunst, dansen en tekenen.'

'Nee, schilderen. Mijn zuster geeft tekenen.'

'Precies, maar natuurlijk. Zeer getalenteerde dames.'

'Dank u, Mr. Penn,' zei Ruth. 'Maar ik vroeg me af of u nieuws voor ons heeft?'

'Vooralsnog niet, het was vanochtend buitengewoon druk.' En hij kletste maar door terwijl de serveerster hen kwam bedienen, over de geneugten van Brisbane en de families die ze wellicht zouden treffen, in de stad of op het platteland, totdat Ruth hem onderbrak.

'Maar u heeft niets definitiefs?'

'O, daarvoor is het nog te kort dag.'

Tijdens het theedrinken stelde hij tal van vragen. Hoeveel kinderen ze aan zouden kunnen? Van welke leeftijd? Of ze liever in de stad of op het platteland woonden? Wat voor vergoeding ze in gedachten hadden? Emilie gaf braaf antwoord, totdat ze zich begon te realiseren dat hij enkel tijd probeerde te winnen.

'Al dit soort informatie heeft u toch zeker van het Genootschap ontvangen, Mr. Penn?'

'Ja, maar het is beter als ik het uit eerste hand verneem. Ik wil dat u zich hier gelukkig zult voelen, Miss Tissington.'

Vermoeid keek Ruth toe hoe hij de laatste scone in zijn mond stopte. 'We hadden gehoopt dat u voor vanmiddag enkele sollicitatiegesprekken had weten te regelen, maar klopt het als ik veronderstel dat u op dit moment geen vacatures voor gouvernantes heeft openstaan?'

'Tijdelijk niet, Miss Tissington. Maar dat wil niet zeggen dat ze er niet zullen komen. Nu u eenmaal in dit land bent aangekomen, zal het nieuws zich snel verspreiden. Daar zal ik voor zorgen. Nu meteen zelfs. Goed, waar verblijft u momenteel?'

Ze gaven hem het adres en hij knikte goedkeurend. 'Een uitstekende keuze. Mrs. Medlow staat in hoog aanzien. Helaas moet ik u nu verlaten, dames. De plicht roept. Maar ik zal contact met u opnemen. Geniet vooral van deze korte vakantie, voordat u uw plichten op zich neemt.'

Ze zagen hoe hij bij de toonbank stilhield om te betalen, een gehavende hoge hoed ophaalde en zich naar buiten haastte.

'Het is een praatjesmaker, die vent,' zei Ruth geërgerd, toen ze ineens zag dat Emilie overstuur was. Kennelijk was ze tot dezelfde conclusie gekomen. 'Ik durf echter te wedden dat hij zich nu wel zal inspannen.'

'Stel dat we hier geen werk kunnen vinden, Ruth? Moeten we het allemaal opnieuw meemaken?'

'Absoluut niet. Je hebt gezien hoe hij reageerde op jouw referenties. Ik denk niet dat er hier al te veel dames zijn die zo goed ontwikkeld zijn als wij. O, ik moet hem mijn referenties nog overhandigen, maar goed, dat kan morgen wel.'

Toen ze het café, dat ondertussen drukbezet was, wilden verlaten, klonk er bij de voordeur een belletje en de serveerster kwam op hen af gesneld.

'Dames. U bent vergeten te betalen.'

Ruth wierp haar hoofd in haar nek. 'Helemaal niet. De heer die ons vergezelde heeft betaald.'

'Mr. Penn? Welnee, die heeft alleen voor zichzelf betaald. Hij wilde niet dat u voor hem zou betalen. U bent mij vier shilling verschuldigd.'

In verlegenheid gebracht, zochten ze de munten bij elkaar en vertrokken overhaast.

Die middag, toen hij zijn kantoor had gesloten, deed Penn inderdaad de nodige moeite. De gezusters Tissington waren voorname cliënten en hij was ervan overtuigd dat hij hen kon plaatsen en bovendien iets meer in rekening kon brengen. Hij begaf zich allereerst naar de herensociëteit in het Victoria Hotel om inlichtingen in te winnen en het nieuws over de twee nieuwkomers te verspreiden. En hoewel hij voldoende belangstelling wist te wekken voor de jongedames persoonlijk, vond hij niets dat in de richting van een mogelijke betrekking wees. Maar zoals hij hen al had gewaarschuwd, het was kort dag. Hij bezocht ook de bar van het Royal Hotel, aangezien dat de ontmoetingsplaats was van rijke schapenfokkers, maar ook daar had zijn bezoek weinig resultaat. Niet uit het veld geslagen besloot hij zijn inlichtingenwerk de volgende dag voort te zetten in de Turf Club, waar hij – aangezien het morgen zaterdag was – wellicht meer succes zou hebben bij de welgestelde types uit de hogere kringen die in grote getale afkwamen op de paardenrennen. Ze zouden het nieuws aan elkaar doorgeven.

Op de terugweg naar pension Belleview kocht Emilie een krant, verheugd dat ze zich weer eens op de hoogte kon stellen van het wereldnieuws, maar toen ze de krant opvouwde viel haar oog op de datum.

'O, mijn hemel. Het is vrijdag! Tenzij hij ons morgen ergens kan plaatsen, moeten we tot maandag wachten voor we potentiële werkgevers kunnen ontmoeten. Ik denk dat we toch maar beter het week-tarief kunnen betalen.'

Hun gastvrouw stond toe dat ze het weektarief betaalden, tot de eerstvolgende vrijdag, benadrukte ze.

'Nee, tot en met donderdag,' sprak Emilie vastberaden. 'Gezien het feit dat we gisteren zijn aangekomen. Hier is het bedrag voor de rest van de week alvast.' Ze was, na hun problemen in Londen, slim genoeg om te beseffen dat betaling vooraf altijd een gunstig gebaar was waar het pensionhoudsters betrof, en Mrs. Medlow vormde geen uitzondering op die regel.

'Dit is hoogst ongebruikelijk,' mopperde ze, 'maar ik veronderstel dat het moet kunnen. U kunt dezelfde kamer houden.'

'Dank u.'

'Denkt u daarna nog langer te blijven?'

'Nee.'

'Heeft u vrienden hier in Brisbane, Miss Tissington?'

'Maar natuurlijk,' loog Emilie, en Ruth, die zich op de achter-grond hield, was geschokt.

'Waarom zei je dat? Mr. Penn kent haar. Straks vertelt hij haar de waarheid.'

Emilie haalde haar schouders op. 'Nou, én? Ze moet niet zo nieuwsgierig doen.'

Mrs. Medlow zag hen op haar beurt de gang in verdwijnen, op weg naar hun kamer, en mompelde: 'Hooghartig stel!'

Ze keek naar de keurige handtekeningen in haar gastenboek. De langere met het donkere haar was Emilie en de oudste van de twee, die blonder was en wat molliger, heette Ruth. Als ze had moeten kie-zen, ging haar voorkeur uit naar Ruth, maar ze waren allebei te arro-gant naar haar zin. Niettemin was ze immens nieuwsgierig wat de jongedames betrof. Hun kleren waren van goede kwaliteit – grote rokken met weinig hoepels, volgens de laatste mode – maar ze droe-gen geen juwelen, zelfs geen ringen of oorbellen. Enkele van haar kostgangers dachten dat ze missionarissen waren, maar Mr. Kemp had hen uitgelachen.

'Welnee, zij niet. Daarvoor zijn ze te verstandig. Ik vermoed dat het onderwijzeressen zijn.'

'Je hebt het mis,' zei zijn vrouw. In haar herinnering waren onder-wijzers altijd oud, lelijk en smakeloos gekleed, niet deftig zoals deze meisjes. Ze was zich er al van bewust dat haar eigen wijde strokenrok uiteindelijk aangepast zou moeten worden. 'Ik denk dat het voorna-me dames zijn die slechts wachten op vervoer naar een van de grote schapenfokkerijen in het westen, daar waar alle rijke heren wonen. We moeten ze leren kennen.'

Mrs. Kemp was verheugd toen bleek dat de nieuwkomers langer bleven. Haar man was nog maar onlangs vanuit Brisbane overgeplaatst en had zijn nieuwe baan als hoofdinspecteur van politie aanvaard om zijn neef Charles Lilley, de procureur-generaal van Queensland, een dienst te bewijzen. In dit late stadium van zijn carrière was Jasper Kemp liever in zijn geliefde Sydney gebleven, een stad die opviel vanwege haar schoonheid en tegendraadsheid, maar zijn vrouw leed aan een ernstige vorm van artritis, en de artsen hadden hun geadviseerd naar een warmere omgeving te verhuizen. Bovendien had Lilley hem een uitstekend salaris geboden, alsmede een nieuw huis in Fortitude Valley, vlak bij het stadscentrum, waaraan momenteel druk werd gebouwd. De procureur-generaal had een goede reden gehad om een ervaren politieman uit New South Wales te halen, omdat – zoals iedereen besefte – de zware jongens uit die staat de grens overstaken om in Queensland eenvoudiger hun slag te slaan; de afstanden tussen de steden en de goudvelden maakten de communicatie er namelijk niet gemakkelijker op, en bovendien was de kans dat ze hier herkend werden ook kleiner.

Kemp wist dat hem een zware klus stond te wachten, het handhaven van gezag en orde in een staat die niet eens helemaal was verkend, met behulp van slechtgetrainde mannen en een belabberde administratie – zeker nu de Britse troepen werden teruggetrokken. Sinds de eerste kolonie was gevestigd, waren die troepen in het hele land de voornaamste macht die toezag op handhaving van de wet, maar de tijd was gekomen dat de Koloniën zelf het roer overnamen.

De procureur-generaal had toegestemd met de instroom van meer politiemensen, maar over een andere kwestie waren hij en Kemp het nu al oneens. Een maatregel die bekendstond als de Criminelen Arrestatiewet was in New South Wales al van kracht, en Lilley was vastbesloten diezelfde wet in Queensland te introduceren, ondanks het verzet van Jasper Kemp. In deze wet stond dat struikrovers vogelvrij verklaard werden en zonder waarschuwing neergeknald mochten worden. Kemp was ontzet. Hij debatteerde lang en nadrukkelijk dat het elke schietgrage politieman, of zelfs elke burger, de vrijheid zou geven om het recht in eigen handen te nemen. Maar de hoofdinspecteur had hier net zo weinig invloed op een dergelijke beslissing als wanneer hij hoofdcommissaris van politie in het zuiden zou zijn.

Op zaterdagmorgen stond hij op de veranda van het pension een luchtje te scheppen en te piekeren over dit probleem alvorens te vertrekken naar een vergadering met een aantal plaatselijke inspecteurs, toen de Engelse dames naar buiten kwamen, linea recta op het tuinhek af liepen, rechtsaf sloegen en de stad in wandelden. Ondanks hun rustige voorkomen kon hij aan hun gezicht zien dat ze zich ergens zorgen over maakten, en hij vroeg zich af waarover. Zijn vrouw kwam achter hen de voordeur uit, nijdig als een prikkelbare, strijdlustige kip.

'Die meisjes!' zei ze tegen hem. 'Zo onbeleefd als ze zijn. Ik vroeg

alleen of ze een wandeling gingen maken en ze negeerden me gewoon. Liepen straal aan me voorbij, alsof ik niet bestond. Wat heb ik gedaan dat ze me zo onfatsoenlijk bejegenen?'
'Niets, lieverd. Volgens mij hebben ze heel wat aan hun hoofd. Zorgen maken mensen nogal terughoudend, moet je weten.'
'Dat hoor ik ook voor het eerst.'
'Nou, dan weet je het nu. Ik ben tegen lunchtijd terug, heb je zin om daarna mee te gaan kijken hoe de bouw vordert?'
'Maar natuurlijk. Mrs. Medlow wil ook graag mee. Ze is erg geïnteresseerd.'
Dat zal wel, dacht hij. Het leven in een pension beviel hem niet, er waren te veel nieuwsgierige Aagjes, en Mrs. Medlow liet zich niet met een kluitje in het riet sturen.

Ruth en Emilie beseften niet dat ze zich behoorlijk zouden moeten aanpassen. Ze waren zich niet bewust van het feit dat kolonialen de gewoonte hadden vreemden naar goeddunken aan te spreken, en evenmin van de noodzaak om daarop beleefd te reageren. Ze konden de nieuwsgierige houding van de vrouw niet waarderen, vragend naar hun plannen, en hun eigen fatsoensnormen geboden hun dat ze zwijgend verder liepen. Tegen de tijd dat ze het tuinhek achter zich hadden gesloten, waren ze haar alweer vergeten.
'Heb je je referenties meegenomen?' vroeg Emilie aan Ruth.
'Ja. En deze keer gaan we er rustig voor zitten in zijn kantoor om de zaak eens goed te bespreken. Hij heeft Miss Lewin tenslotte toegezegd dat er betrekkingen beschikbaar waren.'
'Maar dat is maanden geleden.'
'Evengoed zijn er misschien nog enkele posten vrij. Mogelijk hebben ze nog geen geschikte gouvernantes gevonden. We moeten die kerel dwingen zijn plannen op tafel te leggen.'
Maar vandaag zou er geen discussie gevoerd worden. Penns kantoor zat stevig op slot en de jaloezieën waren neergelaten.
'Het is zaterdag,' zei Emilie ontmoedigd. 'Kennelijk is hij in het weekend helemaal niet open.'
'Dat had hij ook wel eens mogen zeggen! Zo zie je maar weer wat voor futloze stumper hij is. Nou ja, we staan hier maandagochtend als eerste weer op de stoep.'
Een laag wolkendek onttrok de zon aan het zicht, maar zorgde niet voor afkoeling. Sterker nog, de wolken lagen als een deken over de stad en veroorzaakten een klamme atmosfeer. Ruth voelde een zweetdruppeltje tussen haar borsten lopen en het ergerde haar dat Emilie er zo koel uit bleef zien. Het jongere meisje transpireerde lang niet zo erg, weer een voordeel – hoe onbeduidend ook – dat ze op haar zuster had.
Ze zuchtte. 'We kunnen net zogoed terug naar onze kamer gaan.'

'Nee.' Emilie klonk vastberaden. Het was Ruths reactie op elke tegenslag, in Londen en ook op het schip, maar Emilie had er genoeg van om zich achter gesloten deuren op te sluiten, weggekropen voor de wereld.

'Wat moeten we anders?'

'We kunnen een wandeling maken.'

'In deze hitte? De vochtigheid is verstikkend.'

'Ik weet het, maar daar moeten we sowieso aan wennen. Dat blijft. En tenslotte is het hier nu zomer.'

'Dat kan wel zijn, maar dat betekent niet dat we er onverstandig mee om moeten gaan. Trouwens, we hebben de stad gisteren al bekeken.'

'Als jij niet wilt wandelen, ga je maar terug. Ik heb zeeën van tijd. Ik wil verder, om te kijken wat de buitenwijken te bieden hebben.'

Lichtgeraakt draaide Ruth zich om. 'Als je er zo over denkt, ga dan, maar wees voorzichtig en verdwaal niet.'

Toen ze uit elkaar gingen, voelde Emilie zich opgelucht. Ruth en zij konden het prima met elkaar vinden, hun genegenheid voor elkaar groeide door gedeelde tegenspoed, maar in werkelijkheid was Emilie hun gedwongen intimiteit zo langzamerhand enigszins beu. Ze hadden zo nu en dan onenigheid, maar dat was niet het probleem, ze had het gevoel dat haar zuster zich meer en meer terugtrok, waarbij ze Emilie met zich mee sleurde, haar verstikkend. Emilie vergeleek hun relatie met deze benauwde hitte, waar ze net als Ruth last van had, maar dat moest je gewoon van je afschudden, het overwinnen. Doorgaan. Ze zou blij zijn als ze allebei een betrekking hadden gevonden, zodat ze afzonderlijk verder konden met hun leven, niet zo gebonden, onafhankelijk van elkaar. Ze liep naar de hoofdstraat, die Queen Street heette, zoals ze inmiddels wist, vastbesloten om die helemaal uit te lopen en het gebied daarachter te verkennen. Het was heerlijk om even alleen te zijn en zonder discussie te kunnen gaan en staan waar ze wilde.

Charles Lilley mocht dan procureur-generaal zijn, hij was tevens afgevaardigde in het parlement voor de beste mensen van Fortitude Valley, een electoraat op een steenworp afstand van het veel betrouwbaarder kiesdistrict Brisbane. Aanvankelijk, toen hij was verkozen om zitting te nemen in de wetgevende macht van de staat, was hij trots op de kiezers in Fortitude Valley vanwege hun vertrouwen in hem, maar sindsdien had hij er een zware dobber aan om zich staande te houden in het drijfzand waaruit de publieke opinie bestond. Hij kreunde toen hij al worstelend een gouden knoopje op zijn zwaar gesteven boord – die in de zweterige holte onder zijn baard overigens alweer zacht werd – probeerde te bevestigen. In het begin was Fortitude Valley een bijna vorstelijke buitenwijk, maar de hoofdstraat was al snel volgelopen met winkeliers die in het centrum van Brisbane geen voet aan de grond kregen. Ook stallen, zadelmakers en kleine fabrieken hadden gebruikgemaakt van deze wijk binnen handbereik, en binnen afzienbare tijd stonden de lieflijke open akkers eromheen vol met allerlei arbeidershuisjes. De bewoners langs de oevers lieten zich niet verjagen, wakend over hun mooie uitzicht, verkoelende briesjes en prachtige vijgenbomen aan de Moretonbaai, en keerden het gekrakeel van de mensheid in het handelscentrum van de Valley de rug toe. Hotels en gokhuizen waren er in overvloed aanwezig; geheimzinnige Chinezen brachten hun op de goudvelden vergaarde rijkdom mee maar maakten er geen ophef over, ze verkozen de duisternis van wasserijen en smoezelige winkeltjes. Huizen met een slechte reputatie verdrongen zich schaamteloos op de voorgrond, tussen de manufacturenzaken en de kleermakers, terwijl hun dames luidruchtig over de hoge balkons hingen en de wereldwijze zeelui van koopvaardijschepen nariepen, waarop de mannen met een geslepen blik naar hen opkeken.

En dit was de roofzuchtige en eigenzinnige kliek waarover de weledelgeboren Charles Lilley regeerde. Hij wenste vurig dat hij een kiesdistrict had uitgekozen aan de andere kant van Brisbane, waar nieuwe wijken als Paddington en Toowong en Yeronga bedaard en uiterst fatsoenlijk bleven, maar het was niet anders. Hij had gewonnen in Fortitude Valley, en daar zat hij nu aan vast. Opgescheept met de schreeuwende arbeiders die liever vochten dan aten. Opgescheept met de deftige inwoners die niets te maken wilden hebben met zijn ruzies met socialistische elementen, die hem op elke straathoek lastigvielen. Gelukkig hadden vrouwen, huurders en jonge lastposten geen stem, hoewel men zou denken van wel, gezien hun massale aanwezigheid bij openbare bijeenkomsten waar ze allerlei rechten voor zich opeisten – wat feitelijk neerkwam op een eis voor meer geld. Charles verbaasde zich telkens weer over de aanwezigheid van vrouwen, die zich achter hun mannen schaarden en hem overschreeuwden alsof ze een of ander toneelstuk over de Franse revolutie opvoerden.

'Gruwelijk volk!' zei hij snuivend tegen de spiegel, terwijl hij zijn knoopje eindelijk op de juiste plek had zitten.

Zijn trouwe aanhangers van de rivieroever stonden achter hem, evenals – vreemd genoeg – de Chinezen. Het had Charles met afschuw vervuld toen hij ontdekte dat er zoveel – Joost mocht weten hoeveel precies – in zijn kiesdistrict kwamen wonen, maar eigenaardige oude heren met lange vlechten en buigende dienaren waren op afspraak bij hem thuis langsgekomen en hadden hem op hun typerende terughoudende manier het een en ander duidelijk gemaakt.

Ze wilden geen problemen.

Ze waren, ondanks wilde geruchten die het tegendeel beweerden, gehoorzame burgers.

Ze hadden hun bescheiden huizen en bedrijven gekocht en waren daarmee tevreden. Het grootste deel van hun geld, zo kwam hij te weten, werd naar China gestuurd om familieleden te ondersteunen. Het zou hen een eer zijn om hem, een voornaam heer, hun eerbied te betuigen als echte heren en vertegenwoordigers van eervolle families.

'En bij God,' zei hij tegen de spiegel, terwijl hij zijn geklede jas rechttrok en de vouwen in zijn zwarte das schikte, 'ze hebben gelijk. Hoeveel spleetogen zitten er in de nor? Niet één. Waarschijnlijk pakken ze hun eigen schurken zelf aan.' Charles huiverde. Hij wilde liever niet al te veel weten over hun methodes. Zo op het eerste gezicht waren het modelburgers, die bijdroegen aan zijn verkiezingsfonds en zich verder met hun eigen zaken bemoeiden. Ze zouden zich niet onder de lawaaischoppers bevinden die vanochtend gegarandeerd kwamen opdraven op de openbare bijeenkomst.

Zijn secretaris, Daniel Bowles, stond hem bij het hek op te wachten.

'Wat doe jij hier? Ik dacht dat ik je gevraagd had rechtstreeks naar het park te gaan...'

'Dat heb ik gedaan, meneer. Het podium is opgebouwd. Het staat vrij stevig...'

'Ik hoop dat het in de schaduw staat.'

'Ja. En ik heb de vlag opgehangen aan de boom achter de plek waar u straks staat. Maar Mr. Lilley, de burgemeester heeft besloten geen toespraak te houden.'

'Wat? Hij zou me introduceren. Typisch iets voor die dwaas om terug te komen op een aangegane verplichting. Gisteren nog heeft hij me beloofd dat hij er zou zijn.'

Daniel schudde zijn hoofd. 'Hij was er daarnet zelf ook. Er verzamelt zich een grote menigte, Mr. Lilley, en de stemming is niet positief. De burgemeester vroeg me om u te adviseren de bijeenkomst af te gelasten.'

'Afgelasten? Nadat we een advertentie in de plaatselijke krant hebben gezet waarin uitdrukkelijk staat vermeld dat ik om tien uur vanochtend zou spreken? Dat kan ik niet maken. Dat is ronduit ongehoord.'

Hij plantte zijn zwarte hoge hoed stevig op zijn hoofd en liep met grote passen de straat uit.

Daniel haastte zich om zijn baas bij te kunnen benen. 'Mr. Lilley, aangezien ik de onordelijke menigte heb gezien, ben ik geneigd met de burgemeester in te stemmen. Zoals hij zei, moed bestaat grotendeels uit tact.'

'Tact, onzin! Die man is een lijntrekker. Ik ben me ervan bewust dat de mensen een goede reden hebben om verontrust te zijn, en daarom is het noodzakelijk dat ik mij uitspreek. Ik moet uitleggen dat, hoewel er momenteel grote werkloosheid heerst, de zaken vanzelf weer in orde komen.'

Boos sloeg hij de hoek om. 'Het is niet onze schuld dat die vervloekte bank failliet ging en het regeringskrediet meesleurde in haar ondergang. We konden onze arbeiders domweg niet betalen. Maar we zijn hard bezig het krediet te herstellen, zodat alles op zijn pootjes terechtkomt.' Hij keek op zijn gouden horloge, dat met een gouden kettinkje dwars over zijn vest was bevestigd. 'Het is tien voor tien. Kom op, Daniel, we moeten opschieten. Jij zult me moeten introduceren.'

'Ik? Ik ben geen redenaar.'

'Vanaf dit moment wel.'

De menigte hield zich onheilspellend stil toen Lilley met zijn secretaris door het park schreed, onderweg zijn hoed vrolijk optillend ter begroeting van de norse gezichten van mensen die uiteenweken om hem te laten passeren, maar in dit stadium was Daniel eerder bezorgd om zijn nieuwe rol dan om de vijandigheid waarmee ze werden geconfronteerd.

Toen hij het podium opstapte, keek hij achterom en zag Lilley een ernstig gesprek voeren met Joe Fogarty, een havenarbeider en een oproerkraaier van de eerste orde. Kennelijk verliep het allemaal niet zo soepel, want Fogarty stond te schreeuwen en te gebaren tegen Mr. Lilley, die uiteindelijk zijn schouders ophaalde en in navolging van zijn secretaris het podium beklom.

'Ga je gang.' Hij gaf Daniel een duwtje. 'Diep ademhalen. Luid spreken.'

'Wat moet ik zeggen?'

Nerveus deed Daniel een stap voorwaarts. Hij stak zijn armen in de lucht, zoals hij politici wel had zien doen. Vlug liet hij zijn blik over de mensenmassa dwalen, om zich geschrokken te realiseren dat er zóveel waren dat ze zelfs in een aangrenzende straat stonden. Het was een kleurloos zootje, armzalig, haveloos gekleed, hoewel het niet allemaal arbeiders waren; er stonden ook kantoorbedienden en onderwijzers tussen, van wie hij een aantal kende, en zelfs een aantal vrouwen. Dat bepaalde voor hem de toon.

'Dames en heren,' riep hij met een stem die al te hoog klonk, 'hartelijk dank voor uw komst hier vandaag. Dit is een belangrijke bijeenkomst, zoals u ongetwijfeld allemaal weet, en ik...'

'Wie bent u?' schreeuwde een stem, waarna Daniels poging om zichzelf voor te stellen, wat hij nodig had geacht, volledig werd overstemd door bulderend gelach.

Een vrouw gilde tegen hem: 'Ga toch naar je moeder!'

Met een rood hoofd en zijn strohoed stevig in zijn hand geklemd, ploeterde Daniel voort, hoewel hij zijn eigen stem nauwelijks boven de gebrulde, spottende opmerkingen uit kon horen. 'Het is mij een groot genoegen om aan u voor te stellen de heer Charles Lilley, lid van de wetgevende macht van de staat Queensland, en...' Eindelijk kwam Mr. Lilley hem redden.

Er viel even een stilte toen Lilley zijn opwachting maakte en Daniel met een knikje bedankte, die zich snel uit de voeten maakte.

'Dames en heren, uw regering is zich terdege bewust van de problemen waarmee u worstelt...'

'Sinds wanneer?' schreeuwde een rauwe stem, en anderen volgden zijn voorbeeld, maar Lilley wachtte tot het geroep wegstierf.

'Ik ben hier om te luisteren naar wat u te zeggen hebt en om samen met u naar oplossingen te zoeken, maar dat gaat niet als opruiers onder u vastberaden zijn om niet naar rede te willen luisteren.'

'Kom op dan met die redenering,' schreeuwde Fogarty. 'De banken draaien weer. Waarom duurt het zo lang om de arbeiders die zijn ontslagen hun baan terug te geven?' Hij beantwoordde het gejuich van de menigte door een keer met zijn pet te zwaaien.

'Zo simpel ligt het niet. We zullen binnenkort met openbare werken beginnen: nieuwe wegen, een nieuw postkantoor dat aan Queen Street gebouwd zal worden...'

'Wanneer?'

Een groepje nors kijkende mannen had zich door de menigte een pad naar voren weten te banen. Daniel zag het met wantrouwen aan en vroeg zich af of Mr. Lilley hen had opgemerkt.

'Dat zit op dit moment allemaal in de ontwikkelingsfase.'

'En ondertussen verhongeren de mensen, terwijl jullie naar de paardenrennen gaan,' riep een van de mannen, Mr. Lilley opzettelijk verkeerd begrijpend toen deze zijn hoofd schudde om aan te geven dat hij er nu toch stond.

'Lieg niet! Je gaat vandaag naar de rennen. Je hebt zelf een paard in de race, Lilley.' De vreemdeling klom op het podium om de aandacht voor zich op te eisen, tot grote ergernis van Fogarty, die het volk zo voor zijn eigen doeleinden wilde wakker schudden, door van leer te trekken tegen Lilley, hem af te schilderen als een charlatan, een schreeuwlelijk en een rijke dwaas die geen zier om de arbeiders gaf.

Lilley riep naar Fogarty: 'Wie is die kerel?'

Maar Fogarty haalde zijn schouders op, gefrustreerd door de wetenschap dat de bijeenkomst ieder moment uit de hand kon lopen, nu mannen in de voorste gelederen zich voor elkaar verdrongen en de mensen met protestborden achteraan ook begonnen te duwen.

Het viel Daniel op dat een ruiter bij de toegang tot het park zijn paard had bestegen en dat een ander zich bij hem voegde; beiden keken nieuwsgierig toe, maar namen geen deel aan de onrust. Fogarty stond daar beneden nog steeds, rustig, maar met een dreigende blik op zijn gezicht, en Daniel besefte dat de havenarbeider waarschijnlijk zo zijn eigen plannen had gehad om het publiek toe te spreken, aan-

31

gezien bekend was dat hij politieke ambities had. Kennelijk had hij zijn voornemens in de huidige verwarring laten varen, en Daniel wenste dat Lilley hetzelfde zou doen, maar zijn baas stond nog altijd te spreken, te schreeuwen inmiddels, even kwaad als zijn toehoorders.

Plotseling barstte de menigte in woede los en stormde iedereen naar voren, al schreeuwend: 'Grijp die schoft.'

'We zouden hem moeten ophangen!'

'Lynch hem!' gilden ze, terwijl ze het podium probeerden te bestormen.

Daniel sprong opzij en belandde te midden van de menigte die het podium omgaf, maar niemand lette op hem. Fogarty stond ook te schreeuwen, maar hij probeerde deze woeste aanval juist tegen te houden, mannen die de trap wilden bestijgen grijpend en hen terugtrekkend, terwijl Lilley het onderspit begon te delven, gevangen in de hevig duwende mensenmassa.

Op dat moment schoot een van de ruiters vooruit, roekeloos en zonder enige aandacht voor de omstanders die snel een veilig heenkomen zochten, op weg naar het podium. Na een paar minuten besloot de tweede ruiter kennelijk om ook te hulp te schieten. Het was nog maar een jonge vent, groot, met blond haar, die met een knallende veedrijverszweep door de menigte draafde, en terwijl hij achterwaarts rennend aan het strijdgewoel probeerde te ontkomen, constateerde Daniel dat de jongen lachte. Hij had overduidelijk de grootste lol.

'Dit is een ernstige kwestie,' mompelde Daniel, die zich zorgen maakte om Lilley en zich schuldig voelde dat hij wegvluchtte, maar wat kon hij inbrengen tegen zo'n woeste menigte?

Het parlementslid zelf was woedend dat hij zo ruw werd behandeld door deze schurken, en hij verweerde zich zo goed hij kon, wild om zich heen stompend, en hij hoorde zijn jas scheuren terwijl hij handen van zich af sloeg en met zijn harde leren laarzen tegen kwetsbare enkels schopte, vloekend en tierend tegen zijn aanvallers dat ze moesten ophouden. Hij hoorde de kreten van dwazen die riepen dat ze hem wilden lynchen wel, maar was eerder bezorgd dat hij zich niet staande zou kunnen houden en onder de voet zou worden gelopen. Dat hij niet van het podium werd gesleurd, kwam doordat hij aan alle kanten werd omgeven door de zwetende mensenmassa die het op hem had voorzien.

Hij ving een glimp op van een ruiter met een rode baard die ter hoogte van de vechtpartij ineens opdoemde, en hij veronderstelde dat ook hij een van de onruststokers was, deel uitmaakte van de menigte die hem bedreigde. Maar de man leunde voorover juist op het moment dat Lilley besefte dat hij in het gedrang wel heel erg dicht bij de rand van het podium was terechtgekomen. Hij voelde dat de ruiter zijn arm in een ijzeren greep beetpakte.

'Kom aan boord, kameraad!' schreeuwde hij, wijzend op de rug van het paard.

De verrassende actie zorgde even voor een tijdelijke stilte, waarin Lilley de kans kreeg de situatie in te schatten.

'Ik peins er niet over!' schreeuwde hij. Hij was niet van plan zich als een dwaze maagd te laten redden.

In plaats daarvan sprong hij op de veilige plek die tussen het paard en het podium was ontstaan en greep de stijgbeugels om zichzelf in evenwicht te brengen.

Het paard begon al te lopen en beschermde hem, maar de meute was geenszins van plan het zo gemakkelijk op te geven. Modderkluiten werden in zijn richting gesmeten en mannen begonnen aan hem te rukken.

Toen hoorde hij het knallen van een zweep en verscheen er aan de andere kant naast hem een tweede ruiter; hij negeerde de pijnkreten die opstegen, terwijl de venijnige zweep willekeurig doel raakte. Zijn tweede redder sprong van zijn paard, gaf Lilley de teugels en dook weg in de menigte voor iemand besefte wat er was gebeurd. Deze keer zwichtte Lilley. Hij hees zichzelf in het zadel, en de twee stampende paarden deden de menigte al snel uiteenwijken en galoppeerden weg richting de uitgang van het park, de meute aan haar lot overlatend.

Eenmaal bevrijd, reden ze naar een rustiger straat, waar Lilley zijn paard inhield en zich tot de andere ruiter wendde.

'Ik ben u mijn dank verschuldigd, meneer. Die schurken hadden me echt flink te grazen kunnen nemen.'

'Hoezo?' vroeg de man.

'Politieke onrust. Broodrellen noemen ze dat ook wel.'

'Ik snap het. Ik dacht al dat u een politicus of iets dergelijks zou zijn.'

'Ik ben Charles Lilley. De vertegenwoordiger van dit kiesdistrict. Ik probeerde aan die dwazen uit te leggen...'

'De volgende keer kunt u maar beter een gewapend escorte meebrengen. Ik heb nog nooit een politicus ontmoet. Aangenaam kennis te maken.' Hij stak zijn hand uit en schudde die van Lilley. 'Woont u in de buurt? Ik kan u maar beter naar huis vergezellen. Ik vermoed dat u de dames zou laten schrikken, als ze u zo op straat zouden tegenkomen.'

Pas op dat moment dacht Lilley eraan zijn gehavende voorkomen in ogenschouw te nemen. Hij was zijn hoed kwijt en zijn kleren waren smerig en gescheurd.

'O, mijn God! Ik ben mijn horloge kwijt.'

'Veel waard zeker?'

'Erg veel waard. Horloge en ketting zijn van goud. Maar voor mij was het waardevol, omdat het aan mijn overleden vader toebehoorde.'

'Het heeft geen zin om het te gaan zoeken,' zei de vreemdeling spijtig. 'Iemand heeft het allang opgepakt. Men zal er een heleboel brood en boter van kunnen kopen.'

'Verdomd jammer. Nou ja, we kunnen maar beter gaan. Wie was die vriend van u? Ik zou hem ook graag bedanken.'

'Nog nooit in mijn leven gezien. Het was nog maar een jongen. Wel een slimmerik, trouwens. Zo slim dat hij ervoor zorgde zelf ook snel weg te komen. Hij was verdomd vrijmoedig met die zweep.'

'Dat hadden ze verdiend,' mompelde Lilley. 'Maar zijn paard dan? Wat moet ik daarmee?'

'Maakt u zich geen zorgen. U kunt erop naar huis rijden en dan neem ik hem mee terug. Ik vind hem wel.' Hij wierp een vluchtige blik op het kastanjebruine paard met de witte bles op zijn voorhoofd. 'Het is nog een jonkie en al even brutaal als zijn baas. Hij gaf geen krimp in die mensenmassa. Mijn oude knol heeft altijd vee gedreven; hij laat zich niet van de wijs brengen door tweebenige dieren.'

Toen ze bij het hek van Lilleys woning aankwamen, rende Daniel net vanuit de andere kant de straat in.

Lilley had zijn kalmte hervonden. Hij stapte af en gaf zijn secretaris een klap op diens schouder. 'Je bent er tenminste heelhuids uitgekomen. Heb je toevallig geld bij je?'

'Ik heb ongeveer tien shilling.'

'Dat moet voldoende zijn. Geef ze aan deze heer hier. Een kleine bijdrage voor alle moeite.'

Daniel hoopte dat de vent een echte heer zou zijn en het geld zou weigeren. Het was moeilijk om dit soort leningen aan de beste man terugbetaald te krijgen, want meestal vergat hij het gewoon. Maar dit was geen heer. Hij accepteerde de tien shilling als zijn rechtmatig verdiende beloning, pakte de teugels van het andere paard, wenste hen goedendag en reed weg.

James McPherson beschouwde vandaag als een geslaagde werkdag. Hij had tien shilling en een nieuw paard verdiend.

Emilie lette erop dat ze niet zou verdwalen door de rivier steeds aan haar rechterhand te houden, alleen door er nu en dan tussen de gebouwen door een blik op te werpen, want volgens haar was er geen wandelpad langs de rivier. Zodra ze het centrum achter zich had gelaten, behoorden ook de voetpaden tot het verleden en dus wandelde ze verder langs de kant van de weg, vanwege de schaduw en uit veiligheidsoverwegingen. De paar ruiters en voertuigen die haar passeerden, schoten voorbij met een snelheid die haar verwonderde, gezien de slaperigheid van de dag. Maar wellicht, zo besloot Emilie, was ze nog niet gewend aan het verkeer na haar maandenlange verblijf op het schip. Na al die maanden van nietsdoen was het heerlijk om vrijuit te kunnen wandelen; de lichaamsbeweging deed haar nu al goed. De hitte leek ook minder erg, nu haar gezicht werd beschermd door een strohoed met een zijden lint en ze werd vergezeld door een licht briesje.

De flora was verbazingwekkend gevarieerd. De percelen onbewerkt land waren begroeid met warrige struiken, hoog gras en lange, dunne bomen – eucalyptussen – die eruitzagen alsof ze er zojuist tussenuit waren geknepen voor een beetje frisse lucht, met dikke groene ranken die meedogenloos als boosaardige boeien aan weerszijden naar beneden hingen. Als ze niet beter had geweten, zou Emilie dit bijna onneembare struikgewas als rimboe bestempelen. Dat er geen palmbomen of andere tropische planten waren, verbaasde haar echter. Nu ze erover nadacht, had ze in de veronderstelling verkeerd dat deze stad overspoeld zou zijn met wuivende palmen, maar die waren er nauwelijks te bekennen, behalve daar waar ze in privé-tuinen waren geplant. Ze bekeek die tuinen geïnteresseerd en het viel haar op dat ze, afgezien van een enkele palm, evengoed thuis in Engeland had kunnen zijn, aangezien de bewoners duidelijk een voorkeur hadden voor rozen, lavendel, hortensia's en gelijksoortige inheemse planten. Emilie vond dat jammer en erg onavontuurlijk, zeker nu ze in de wilde overvloed langs de kant van de weg enkele heerlijk geurende inheemse planten had zien staan.

Aangetrokken door hun hemelse geur kon Emilie de verleiding niet weerstaan om een paar takjes van de fijne, witte jasmijn te plukken om mee te nemen naar hun kamer, maar toen ze in het droge gras een stap naar voren deed in de richting van de enorme struik, slaakte ze een enorme gil. Ze schrok van zichzelf! Nooit in haar leven had ze zo hard en vulgair gegild, maar ze werd geconfronteerd met de kop van een reusachtige slang, die haar met open bek en kille ogen aanstaarde. Het beest bewoog niet. Emilie evenmin. Ze kon het niet, durfde het niet, de slang hield haar als aan de grond genageld. Emilie had wel vaker slangen gezien, maar nooit eentje met zo'n enorme kop. De huid leek zo grijs en taai als een maliënkolder en zijn ogen bleven haar onheilspellend aanstaren.

Er kwam een vrouw aangerend. 'Wat scheelt er?'

'Slang,' fluisterde Emilie, die nauwelijks kon ademhalen.

'Ben je gebeten?'

'Nee.'

'Sta je erop?'

'Nee.'

'Ik kan nergens een fatsoenlijke stok vinden,' mompelde de vrouw, alsof ze in zichzelf praatte. 'Je zult moeten wegspringen. Ze zijn banger voor jou dan jij voor hen.'

Emilie geloofde dat voor geen meter, en bovendien kon ze zich niet verroeren.

De vrouw bleef achter haar staan wachten, maar toen duidelijk werd dat noch de slang, noch het meisje wilde wijken, zei ze: 'Nou, goed...'

Een seconde later was het achter de rug. De vrouw had Emilie bij de arm gegrepen en haar weggetrokken. Het tweetal struikelde bijna over elkaar heen, maar toen ze hun evenwicht hadden hervonden, deed de vrouw Emilie versteld staan door terug te gaan: 'Om die kwajongen eens goed te bekijken.'

Toen lachte ze. 'Kom eens kijken, meisje. Dat is geen slang. Dat is een grote, oude leguaan, waarschijnlijk de boef die mijn kippenhok leegrooft.'

Slang of geen slang, Emilie was niet van plan zich weer in de buurt van dat monster te wagen. Ze schudde haar hoofd en hield zich op de achtergrond.

'Wegwezen, jij!' De vrouw zwaaide met haar armen en stampte met haar voeten en de leguaan verdween ritselend in het gras, waarna ze hem even later tegen een boom omhoog zagen schieten.

'Daar gaat hij.' Haar redder was opgewonden. 'Zie je. Het is een kanjer. Heb je er nooit eerder een gezien?'

'Nee.'

'Onthoud dan dat hagedissen poten hebben en slangen niet. En hagedissen doen je geen kwaad.'

Ter verdediging wilde Emilie erop wijzen dat ze de poten van de leguaan in het struikgewas niet had kunnen zien, maar dat leek haar nogal onbeduidend en dus bedankte ze de vrouw voor haar behulpzaamheid. Ze bleven nog even geboeid staan kijken, terwijl de leguaan aan de boomstam kleefde en zijn kop langzaam van de ene naar de andere kant bewoog, alsof hij vast wilde stellen dat zijn waardigheid niet nog eens zou worden aangetast.

De twee vrouwen namen glimlachend afscheid en Emilie liep verder, weg van de rivier, ingenomen dat ze Ruth straks iets te vertellen had. Ze was nog maar een paar blokken verder toen ze een jongeman in haar richting over straat zag rennen. Hij wekte de indruk dat iemand hem achternazat, maar er was niemand te zien. Toen hij bijna bij haar was, keek hij echter achterom en vertraagde zijn pas, hijgend, praktisch buiten adem, waarna hij haar aansprak.

'Ik zou die kant niet uit gaan, mejuffrouw. Er is een boze menigte in het park en die zal zich wellicht via de straten verspreiden.'

'Pardon!'

Hij grijnsde. 'Het is maar een suggestie, mejuffrouw. Een omweg is misschien wel zo verstandig.'

Emilie staarde hem aan, geloofde hem maar half, maar een omweg? Waarlangs? Ze was confuus.

'Kom, ik breng u terug naar de hoek.'

Hij was ongeveer van haar leeftijd, lang, met lang blond haar dat onder een grote hoed uitstak en – dat moest ze toegeven – de zonnigste lach die ze ooit bij een man had waargenomen. Zijn gezicht was gebruind en hij had glinsterende blauwe ogen. Maar hij was geen heer: zijn kleren waren eenvoudig, en opgerold rond zijn schouder droeg hij een lelijke leren zweep.

Zijn advies ter harte nemend, wenste Emilie niet verder te lopen, maar ze wilde ook niet samen met hem gezien worden. Hij liet haar echter geen keus. Met een lichte aanraking draaide hij haar om, hoewel hij haar gelukkig niet bij de arm nam, want dan had ze hem echt van zich af moeten schudden. Vervolgens wandelde hij, zo nonchalant als maar kon, een stukje met haar op.

'Even een luchtje scheppen, mejuffrouw?'

'Ja.'

'Prachtige dag voor een wandeling.'

Emilie weigerde een gesprek aan te gaan met deze parvenu, maar het leek hem niet te deren; hij slenterde eenvoudig naast haar. Er stonden maar zo'n twaalf huizen tussen de plek waar hij zijn gezelschap aan haar had opgedrongen en de eerstvolgende straat, maar het leken er in Emilies ogen, die zich doodschaamde, wel veertig.

Eenmaal op de hoek, bleef hij staan. 'Welke kant gaat u op?'

Emilie had meer dan genoeg van hem. 'Terug naar het centrum,' snauwde ze.

'Uitstekend. Dan zult u niet gehinderd worden. Deze straat in en dan aan het einde links.' Hij lachte. 'U ging sowieso de verkeerde kant uit.'

Bij die opmerking verloor ze haar geduld. 'Helemaal niet! Ik ga en sta waar ik wil.'

Zijn gezicht betrok alsof ze hem had gekwetst. Emilie was boos. En haar gevoelens dan? Zomaar aangesproken worden door een wildvreemde met een of ander verhaal over een woeste menigte.

'Dan laat ik u verder met rust,' zei hij schaapachtig, tikte ten afscheid even zijn hoed aan en liep met grote passen weg.

Toen ze verder liep, in de richting die hij haar had gewezen, kon ze de verleiding niet weerstaan om even een blik over haar schouder te werpen, en ineens bloosde ze. Hij had haar betrapt! Ze zag hoe leuk hij het vond, toen hij naar haar zwaaide. Hoezo gekwetst? Om hem uit haar gedachten te bannen, hield Emilie haar dameshoed krampachtig vast met een gehandschoende hand en liep stampend verder, haar neus in de lucht.

'Dat is pas een knappe jongedame,' zei de jongeman bij zichzelf. Met zijn gedachten nog bij het Engelse meisje, gaf hij een oude dienstmeid die naar haar tuinhek strompelde een waarderende knipoog.

'Ach, scheer je weg!' reageerde ze met een grijns.

Hij wou dat hij langer bij het meisje had kunnen blijven. Hij had haar de hele route naar het centrum begeleid, als ze het hem had gevraagd; als ze niet zo hooghartig had gedaan. Hij zou haar zelfs zijn echte naam hebben gegeven, Mallachi Willoughby, en dat deed hij zelden, bedacht hij al peinzend. Een bijzondere gebeurtenis, zou je kunnen zeggen.

Terwijl hij voortslenterde, zonder haast dit keer, overwoog hij een volgende straat in te duiken zodat hij haar – als bij toeval – opnieuw zou tegenkomen, maar hij wist wel beter dan zoveel risico te nemen. Ze was een echte dame, dat was duidelijk, en hij twijfelde er evenmin aan dat ze geen omgang wilde hebben met lieden als hij. Hij kon het haar eigenlijk niet kwalijk nemen. Tenslotte was hij maar een zwerver. De afgelopen vijf jaar, sinds zijn vader zich had doodgezopen op de Gurundi-ranch, was hij voortdurend onderweg geweest.

Ooit had de familie Willoughby een kleine boerderij gerund, op twee dagen rijden van Sydney. Vanaf het allereerste begin had zijn zuster hem Sonny genoemd, en die naam was blijven hangen. Dat was een mooie tijd geweest, herinnerde hij zich.

Hij was dol geweest op die kleine houten boerderij met zijn warme keuken, de piepkleine slaapkamer waarin pa en ma sliepen, en de uitbouw waarin de twee kinderen 's nachts verbleven. In de zomer was het droog en stoffig op de boerderij, in de winter koud en vochtig, maar dat was hem nooit opgevallen. Hij was altijd bezig, vond in de schuren en stallen dingen om zichzelf mee te vermaken of zwierf door het veld aan de andere kant van de kreek.

'Een vrolijk kind,' zeiden ze altijd, en, nu hij eraan terugdacht, knikte Sonny. Dat gold ook nu nog. Hij zag niet in waarom hij zich neerslachtig zou moeten voelen. Hij was een vreemde eend in de bijt geweest op de school met slechts één klaslokaal, zo'n anderhalve kilometer van de boerderij, waar elf kinderen van diverse leeftijden op zaten. Ze hadden allemaal gruwelijk de pest aan school en deden eindeloze pogingen om hun leraar, Mr. Patterson, wiens enige leermiddel de riem was, een hak te zetten. Niet dat ze er ooit in slaagden. Sonny was de enige die het leuk vond op school; hij had zelfs weinig problemen met de oude Patterson, die, als hij aan het eind van het jaar – zoals altijd – een prijs had gewonnen, zijn trotse ouders meedeelde dat hij het ver zou schoppen. Sonny was dat nooit vergeten. Hij was er werkelijk van overtuigd dat hij het ver zou schoppen. Het had alleen tijd nodig.

Ze waren arm geweest, straatarm zoals ze dat noemden, maar dat had geen invloed op de jongen. Dat gold ook voor de anderen in zijn vriendenkring. Toen hij tien was, werd zijn moeder echter ziek. Haar ziekte hield haar lange tijd aan bed gekluisterd en ze werd met de dag bleker en magerder, tot ze hem op een dag bij zich riep en vertelde dat ze binnen afzienbare tijd naar de hemel zou gaan. Dat was een schok, een zware schok, want hij kon zich het leven niet voorstellen zonder zijn lieve moeder, en voor het eerst in zijn leven was Sonny bang. Maar ze praatte met hem, kalmeerde hem, legde uit dat ze, wanneer ze naar de hemel ging, bevrijd zou worden van de pijn die ze maar niet van zich kon afschudden, pijn die haar tijdens de eindeloze nachten deden kreunen en huilen, dus hij moest niet overstuur raken. Pa zou voor hem zorgen en zijn zuster ook, en zij zou boven in de hemel zijn, eindelijk veilig en gerieflijk, terwijl ze op hem neerkeek met een glimlach om haar mond en engelen als gezelschap, alsmede haar eigen pa en ma die haar waren voorgegaan. Dus hij moest een brave jongen zijn en niet huilen als ze was overleden.

Sonny had zich bevoorrecht gevoeld dat ze met hem had gepraat, omdat ze kennelijk was vergeten de anderen dit alles uit te leggen. Ze huilden en huilden en pa had een goede smoes om weer eens bedroevend dronken te worden.

Niet lang daarna was zijn zuster Maggie getrouwd en vertrokken en had zijn vader de boerderij verkocht. Dat had er altijd al ingezeten, omdat hij niet hield van het werk op de boerderij en zeker niet van dat op een veehouderij, waarvan de opbrengsten niet in verhouding stonden tot de lange werkdagen, zo riep hij altijd.

Hij ging zwerven en nam Sonny als zijn beste kameraad op sleeptouw mee, een besluit dat Maggie razend maakte en haar boze brieven deed sturen waarin ze eiste dat hij de jongen naar haar zou sturen, maar pa negeerde de brieven en het was Sonny om het even. Hij vond het opwindend als zijn pa weer eens pochte dat ze zo vrij waren als de wind. In het seizoen werkte pa als schaapscheerder, trekkend van de ene ranch naar de andere, waarbij de tienjarige Sonny verantwoordelijk was voor hun twee paarden en hun persoonlijke spullen. De rest van het jaar reisden ze rond, terwijl zijn vader in steden en dorpen allerlei klusjes aannam. Al snel droeg de knaap zijn eigen steentje bij als manusje-van-alles in de schuren waar werd geschoren en later als arbeider, omdat hij groot en sterk begon te worden.

Sonny was pa's trouwe metgezel. Zijn beste vriend en achtervanger, die weldra ook zijn hoeder werd omdat pa telkens weer aan de drank raakte. Hij stal geld van pa als hij dronken was en verstopte dat in een spleet van zijn zadel, zodat ze tenminste eten konden kopen. In de weken dat er geen werk was of wanneer de oude man te kortademig was om het kamp te verlaten, ging hij op rooftocht uit, er altijd in slagend met iets van voedsel terug te keren: gegapt op boerderijen of onder de neus van een winkelier weggegraaid. Pa vroeg nooit waar de eieren of het vlees of de andere proviand vandaan kwamen, en Sonny zou die informatie nooit vrijwillig geven voor het geval hij met de riem zou krijgen. Naarmate hij ouder werd, kreeg Sonny steeds vaker een vaste baan aangeboden, maar hij gaf altijd hetzelfde antwoord.

'En mijn vader dan?'

Het leek of niemand plaats had voor Joe Willoughby, en weinig mensen hadden een goed woordje voor hem over, dus zijn zoon kon hem moeilijk in de steek laten. Zwerven werd voor hen een manier van leven. En niet eens een slecht leven. Ze kenden voor- en tegenspoed, hij en pa, maar zoals pa altijd placht te zeggen: 'Er is altijd iemand die minder goed af is.' En daar moest Sonny het wel mee eens zijn. Hij had in zijn leven al heel wat echte ongelukkigen gezien.

Ze begroeven pa op de begraafplaats van de Gurundi-ranch, op de heuvel bij de grote oude peperboom en zetten een houten kruis op de bewuste plek. Een van de schaapscheerders graveerde zijn naam erin met de letters RIP, wat zoveel betekende als 'rust in vrede' zei hij tegen Sonny, die dat een toepasselijke spreuk vond.

Aan het eind van de week, toen hij in de rij ging staan voor zijn loon, keek de pachter hem woest aan.

'Welk loon? Die ouwe van jou was me nog meer dan tien pond schuldig, om nog maar te zwijgen van de rekening voor drank en tabak die hij bij mijn magazijnmeester heeft opgebouwd. Jij bent mij het een en ander schuldig, jongen, maar je mag blijven om ervoor te werken. Ondertussen leg ik voor de zekerheid beslag op jullie paarden.'

Sonny was woedend op zijn vader. Door dit soort openstaande rekeningen en leningen hadden ze altijd op zwart zaad gezeten. Had hij op hun gezegende ma niet gezworen dat het afgelopen zou zijn? En dat was vorige maand pas, voor de zoveelste keer. Niettemin liet hij de pachter weten dat hij niet verantwoordelijk was voor de schulden van een ander, zelfs al betrof het zijn eigen vader.

Dat ontlokte een spottende lach aan de pachter. 'De rekeningen staan op naam van Willoughby, en zo heet jij, jongen. Je moet leren je verantwoordelijkheden op je te nemen. En trouwens, voor de begrafenis heb je niets hoeven betalen, dus kom niet bij mij klagen.'

Dat lesje had hij goed geleerd, dacht de oudere en wijzere Mal – een afkorting voor Mallachi – op dit moment. Hij had inmiddels een hele reeks namen om op terug te vallen; ze rolden van zijn tong alsof hij ermee geboren was, zodat hij verder kon trekken zonder telkens over zijn schouder te hoeven kijken.

Maar hij had de pachter te grazen genomen. Mal Willoughby was niet van plan voor niks te werken. Hij was naar het magazijn gegaan en had er een fles whisky en twee flessen rum op de pof gekocht.

De magazijnmeester had zijn wenkbrauwen gefronst. 'Ach, jongen, ik dacht dat jij een geheelonthouder was. Ik wil niet de oorzaak zijn dat jij, net als je pa, over dezelfde weg naar de verdommenis gaat.'

'Welnee. Dat zou ik nooit doen, Charlie. Daar heb ik toch zeker genoeg van meegemaakt? Maar er wordt gefluisterd onder de schaapscheerders dat mijn vader niet eenzaam kan vertrekken. Ze willen een nachtwake voor hem houden.' Hij lachte bedroefd. 'Ik ken mijn verantwoordelijkheden. Namens de familie heb ik een bijdrage te leveren. De drank is voor de mannen.'

En dat was ook zo. Mal verkocht de drank voor de helft van de prijs aan de gretige scheerders en stopte de contanten in zijn zak. En 's avonds, toen de wake ongeveer halverwege was en het gezang bestond uit valse klaagliederen, verzamelde hij zijn spullen en tuigen – ook het zadel en de toom die van zijn vader waren geweest – en sloop weg in de duisternis. In zichzelf lachend maakte hij het hek open en floot naar zijn paarden. Tegen de tijd dat ze morgenvroeg wakker werden, zou hij zoveel kilometers van de hardvochtige pachter zijn verwijderd dat het niemand nog iets zou kunnen schelen.

Mal Willoughby was dit keer maar voor een paar dagen in Brisbane, gewoon om wat rond te kijken. Hij was een man van het platteland, geen liefhebber van grote steden zoals deze, maar hij had voldoende geld op zak om wat uit te rusten alvorens hij weer verder trok.

Hij had de menigte in het park wel gezien, maar de reden van hun aanwezigheid daar interesseerde hem niet. Hij had gehoord dat er een paardenrodeo was aan de andere kant van de stad en daar reed hij op zijn paard naartoe om een kijkje te nemen. Niet dat hij van plan was zelf mee te doen; al die moeite en uiteindelijk waarschijnlijk met gebroken ribben naar huis.

'Wol in plaats van hersenen,' zei pa altijd over dat soort kerels. Nee. Dat soort bijeenkomsten bood altijd een goede gelegenheid om erachter te komen waar hij wat geld kon verdienen. Onofficiële paardenrennen, hardloopwedstrijden, kermissen en allerlei andere voordeeltjes waar hij onderweg tegenaan liep. Mal werkte voor niemand meer. Hij werkte voor zichzelf. Hij was een toegewijde eenling met een gezicht dat hem geluk bracht; een gezicht zo onschuldig dat vrouwen hem onder hun hoede namen en stoere kerels dachten dat hij een gemakkelijke prooi was. Een amateur. Wat hij, op de door hem gekozen terreinen, uiteraard niet was. Hij kon rennen als de wind. Hij had altijd eersteklas paarden, maar wanneer hij meedeed aan een race op een geïmproviseerde baan kwam hij opdagen met een erbarmelijk uitziende knol om die later om te wisselen. Of hij smeerde de manen en staart van zijn paard in met vet, zodat die er onverzorgd uitzagen, en bracht wat grijze plekken op het paard aan of leerde het dier mank te lopen. Mal kende zoveel trucs, vooral met kaarten – de enige vorm van vermaak die hij en zijn vader tijdens hun eenzame nachten hadden gekend – dat hij de uitdaging soms leuker vond dan de opbrengst zelf.

O, nee. Hij was totaal niet geïnteresseerd in het overvolle park; hij was er bijna voorbijgereden toen zijn blik viel op een kerel die schrijlings op zijn paard zat en de gebeurtenissen in ogenschouw nam. En hij herkende hem.

Wel allemachtig! Het was McPherson. In levenden lijve.

Mal kende McPherson niet persoonlijk, maar hij had van hem gehoord en was een aantal keren zó dicht bij hem in de buurt geweest dat hij inmiddels wist hoe hij eruit moest zien. Nu stond hij daar, levensgroot, nog altijd met rood haar en een ruige baard, rustig kijkend naar een of ander halfbakken oproer.

James McPherson was een struikrover, die in de zuidelijke staten werd gezocht voor tal van misdaden, van paardendiefstal en gewapende overvallen tot de moord op een man bij de Houghton-rivier. Of alle verhalen die Mal over McPherson had gehoord waarheidsgetrouw waren, wist hij niet, maar hij had genoeg gehoord om te weten dat deze kerel een echte, doorgewinterde crimineel was. En hij was nog altijd op vrije voeten.

'Niets is hem te gortig,' zeiden ze over hem. 'Blijf bij hem uit de buurt, jongen.'

Het volgende moment speelde McPherson ineens de galante ridder. Hij schoot op zijn paard de menigte in om die idiote spreker met zijn deftige kleren te redden, en dus besloot Mal puur voor de aardigheid mee te doen. Lachend keerde hij zijn paard en stuurde het galopperend het park in, recht op het volk af, terwijl hij knalde met zijn zweep.

Mal vergat de Engelse jongedame. Hij moest op zoek naar zijn paard. Hij maakte zich geen zorgen; hij zou het wel vinden. Of de spreker, een of andere politicus, had zijn paard, en zo iemand was gemakkelijk te traceren, waarna hij zijn paard met een dankwoord en een fooi terug zou ontvangen, of McPherson had het dier. Hij gokte op het laatste. Weer op adem gekomen, begon hij te rennen.

Hij wist dat het niet verstandig was een pub binnen te stappen en rond te vragen of iemand een man had gezien die voldeed aan McPhersons beschrijving, voor het geval hij maatjes van de struikrover zou tegenkomen die hem voor een informant zouden houden, maar zoiets zou Mal nooit doen, aangezien hij zelf de wet ook niet al te innig omarmde. Nee, hij doorzocht het hele gebied door van pub naar pub te trekken en te kijken welke paarden er voor en achter aan de paal stonden vastgebonden. Aan de achterkant van het Royal Mail Hotel kwam hij zijn paard uiteindelijk tegen. Hij kon zijn paard natuurlijk domweg pakken en op pad gaan, maar dan had hij weinig plezier van het hele voorval, en stel dat iemand het paard als gestolen had opgegeven? Bovendien wilde hij zijn held dolgraag eens ontmoeten. Dat zou pas echt een spannend verhaal zijn om aan zijn kleinkinderen te vertellen: 'Ik heb de woeste Schot persoonlijk gekend...'

Hij wond zijn lange zweep netjes op en hing hem om zijn schouder, met het gevlochten leren handvat aan de voorzijde – een wapen in een noodgeval. Niet dat hij moeilijkheden voorzag, maar je wist maar nooit. Hij zette zijn hoed af, kamde zijn haren met zijn hand naar achteren en liep naar de achterdeur van de pub.

Niemand schonk aandacht aan de plattelandsjongen, die nonchalant tussen de zaterdagse drinkers in de bar doorliep en knipperde met zijn ogen vanwege de overgang van de felle gloed buiten naar de duistere ruimte. Zelfs McPherson niet, die in een uithoek met een kameraad aan de bar stond en even naar Mal keek, waarna hij zonder een blik van herkenning zijn gezicht afwendde. Hij baande zich een weg naar de bar, kocht een glas limonade, draaide zich om en liep rechtstreeks op McPherson af. 'Hoe gaat het hier?'

De Schot keek hem met een kwade blik aan. 'Wie ben jij?'

Mal grijnsde. Mooi, dacht hij. Dat is mooi. Doe maar net alsof je me niet kent. Maar het zal je niet lukken.

'Mijn naam is Ned Turner. En ik ben hier om u te bedanken dat u op mijn paard hebt gepast.'

'Paard? Welk paard?' gromde McPherson.

'Dat kastanjebruine daarbuiten, met mijn tuig erop.'

'O, dat bedoel je?' De Schot richtte zich tot zijn maat en zei: 'Als iemand zijn paard in het openbaar in de steek laat, zou je toch denken dat hij het niet meer wil, of niet dan?'

'Inderdaad,' antwoordde zijn kale metgezel. 'Alsof hij het aan de eerste de beste weggeeft.'

'Dat zou ik ook denken. Voor de eerlijke vinder.'

Mal lachte alsof hij veronderstelde dat de mannen hem een beetje plaagden. 'Dat mag normaal gesproken het geval zijn, maar niet als het om mijn paard gaat. Wie was die spreker?'

McPherson was enigszins van zijn apropos door de beminnelijke houding van de jongen.

'Een of andere vervloekte politicus,' liet hij weten.

'U heeft zijn leven gered. Ik hoop dat hij fatsoenlijk heeft gehandeld.'

'Sinds wanneer zijn die klootzakken fatsoenlijk?'

Mal gaapte hem met een onschuldige blik aan, zijn ogen wijdopen. 'Dat meent u niet! U zou het daar achtergelaten moeten hebben, meneer. Kan ik u iets te drinken aanbieden? Dat is wel het minste dat ik kan doen.'

De Schot gaf zijn maat een knipoog. Hij keek naar hun bierglazen, die praktisch leeg waren. 'Ja. Doe ons maar een whisky, een dubbele.'

'Gelijk heeft u.' Gehoorzaam liep Mal naar de bar en bestelde de drankjes. Tegen de tijd dat hij terugkeerde, was McPherson van mening veranderd.

'Weet je wat, Ned. Als je een rijpaard nodig hebt, mag je dat van mij hebben.'

43

'Dat is erg aardig van u, meneer, en ik weet zeker dat het een prachtdier is, maar mijn paard en ik – we zijn nogal gewend aan elkaar. U kent dat wel. Ik ben erg gesteld op mijn Pally.' De ergste naam die Mal voor zijn paard Striker kon bedenken, rolde van zijn tong en McPherson schaterde van het lachen.

'Godallemachtig! Wie noemt zijn paard nu zo? Het is een volbloed. Heb je dan geen respect voor het dier? Pally! Zoiets heb ik nog nooit gehoord.'

'We zijn altijd maatjes geweest, snapt u. Hij heeft een lichte neiging tot kreupelheid, maar ik pas goed op hem.'

De Schot wijdde zich aan zijn glas drank om dit alles te overdenken. Mogelijk geloofde hij dat van die kreupelheid niet, dacht Mal, maar aan de andere kant, hoe kon hij daar zekerheid over krijgen?

Uiteindelijk stak hij zijn pijp aan, trok er flink aan en staarde naar Mal.

'Weet je wat ik denk? Ik denk dat je een verdomde oplichter bent met die babyblauwe ogen van je. Je houdt mij niet voor de gek. Weet je wel wie ik ben?'

'Nee, meneer, dat weet ik niet.'

'Jezus-nog-an-toe. Hoor je dat nou?' Hij bootste Mats stem na: 'Nee, meneer, dat weet ik niet. Misschien maar beter ook. Goed, laten we zaken doen. Jij krijgt je paard terug. Maar ik wil het horloge.'

'Welk horloge?'

'Het horloge dat je van Lilley hebt gejat. Mr. Lilley voor jou. Samen met de gouden ketting die ooit van zijn dierbare overleden vader was.'

'Ik weet niets van een horloge. Ik ben alleen toegesneld om hulp te bieden.'

'Lariekoek. Je zag de schittering van dat horloge vanaf de zijlijn, net zo goed als ik. Dus geef hier of je bent je paard kwijt.'

'Het paard is van mij.'

McPherson zuchtte. 'We zouden je ondersteboven kunnen houden en het er hier ter plekke kunnen uitschudden...'

Met enige tegenzin stopte Mal hem het horloge toe, en de Schot liet het soepel in zijn zak glijden. 'Brave jongen. Even goede vrienden. Wil je wat te drinken?'

'Nee, bedankt.'

'Hé! Waar is dat ge-meneer gebleven?' vroeg McPherson grijnzend. 'Waar woon je, Ned?'

'Hier in Brisbane.'

'Heb je werk?'

'Ik werk meestal op de veeboerderijen, als er werk voorhanden is.' Meer leugens. 'Vermoedelijk ga ik naar het noorden.'

'Wij ook, om eerlijk te zijn.' McPherson wierp een blik op zijn maat en zocht goedkeuring. De kale man knikte. 'Je zou een stuk met ons kunnen meerijden.'

Mal groeide van trots. Te worden geaccepteerd door de beroemde
– beruchte – James McPherson, dat was geen kleinigheid. Reizen in
zijn gezelschap was echt een hele eer. En krankzinnig. Mal wist dat
misdadigers zonder waarschuwing vooraf mochten worden doodgeschoten, ook al was hij er niet helemaal zeker van of deze wet inmiddels ook in Queensland gold. In zijn ogen waren wetten overal hetzelfde en hij had veel respect voor zijn eigen hachje. Hij was niet van
plan in een kruisvuur doodgeschoten te worden.

Hij schudde zijn hoofd. 'Kan niet. Ik heb hier een meisje. Ik hoop
dat ze met me mee zal gaan.' Hij zag het Engelse meisje weer voor
zich en grinnikte. 'Ze wil me koste wat kost op het rechte pad helpen.'

Ze lachten. Samenzweerderig.

'Dat zal enige moeite kosten,' merkte McPherson op en stuurde
Mal weg. 'We zien je wel eens weer, jongen.'

'Ik hoop het.' Mal glimlachte. Hij hoopte van niet. Genoeg was genoeg. Het speet hem van het horloge, maar er kwamen wel weer andere, en wie konden er allemaal zeggen dat ze de woeste Schot niet alleen kenden, maar zelfs vriendschap met hem hadden gesloten? Hij
had nota bene een vriend gemaakt van de kerel. En hij had zijn paard
terug. Eerlijke ruil.

Dankzij hun bittere ervaringen in Londen waren de gezusters Tissington zich bewust van het feit dat ze mogelijk via andere kanalen werk
moesten zoeken, mocht Mr. Penn hen in de steek laten. Terwijl Emilie
haar wandeling maakte, speurde Ruth de advertenties in de krant na
op zoek naar een passende betrekking, maar werkgevers zochten alleen vrouwen voor de huishoudelijke sector en voor in de fabriek. Ze
vond echter wel een advertentie van een gouvernante met uitstekende
referenties die een betrekking zocht bij een gezin, inclusief kost en inwoning. Loon in overleg.

Ruth knikte. Het zou nog beter kunnen. Als ze gedwongen waren
om te investeren in een advertentie, zou ze daarin expliciet noemen
dat ze Engelse gouvernantes waren. Niet dat ze in meervoudsvorm
zouden adverteren. Het was beter de mensen niet te verwarren door
toe te geven dat er twee dames geïnteresseerd waren in een dergelijke
post. Hoe dan ook, nadrukkelijk aangeven dat een gouvernante van
Engelse komaf was, moest toch zeker een werkgever uit de betere
klasse – en mogelijk een rijkere – opleveren.

Verder had je de mensen van de kerk. Mogelijk konden zij hulp
bieden. Via de predikant van de anglicaanse kerk aan Edgware Road
hadden ze destijds baantjes in Londen gevonden die hen in hun levensonderhoud voorzagen, en hier hadden ze wellicht betere kansen.
Ze beschikten in elk geval over de benodigde, uitstekende referenties
van het Genootschap.

Helaas bleek de fraaie kathedraal waar ze eerder tegenaan waren gelopen een rooms-katholieke kerk, en dus besloten de twee meisjes op zondagmorgen de anglicaanse dienst in de Sint-Johnkerk bij te wonen. Ze vonden het nooit prettig de zondagsdienst te missen, maar bij deze gelegenheid vonden ze het zelfs niet beneden hun waardigheid om een plekje te zoeken in een kerkbank vlak bij de kansel, zodat ze zouden opvallen als nieuwkomers. Het was niet meer dan een klein en mogelijk behulpzaam plan. Ze gingen ter communie en trachtten hun gedachten bij het gebed te houden en niet alleen te denken aan de dringende noodzaak om de kost te verdienen.

Na de dienst bleven ze wat rondhangen in de kerk, waarna ze met de laatste kerkgangers de kerk verlieten, ingenomen dat de predikant buiten al met leden van zijn gemeente stond te praten. Het was een vrolijke man met piekerig wit haar en een opgewekt karakter.

Toen ze het zonlicht in stapten, kwam hij hen meteen begroeten.

'Aha, jongedames, u bent hier nieuw, zie ik. Welkom in Sint-John's.'

Ze kwamen erachter dat hij dominee Forrester was, die bijzonder geïnteresseerd was in zijn nieuwe parochianen.

Toen ze hadden verteld wie ze waren en waar ze vandaan kwamen, en ook hun lange reis hadden besproken – waarbij het hun moeite kostte te beweren dat deze uiterst aangenaam was verlopen – maakte Ruth duidelijk dat ze allebei gouvernantes waren.

'Allebei. Gouvernantes! Nee maar. Ik weet zeker dat jullie jongedames een opmerkelijke bijdrage kunnen leveren aan de opvoeding van onze jeugd. We zijn erg bevoorrecht dat u Brisbane als standplaats heeft uitgekozen.'

Plotseling stond Ruth met de mond vol tanden. Het leek haar niet passend om hem buiten de kerk met hun zorgen op te zadelen, terwijl andere mensen stonden te wachten om even met hem van gedachten te wisselen, maar Emilie had het gevoel dat ze geen tijd te verliezen hadden.

'Dat hoop ik, dominee. Ik hoop echt dat we in staat zullen zijn een bijdrage aan deze gemeenschap te leveren. We zijn echter erg in de steek gelaten. Ons werd te kennen gegeven dat er een vaste betrekking voor ons zou zijn, maar toen we hier aankwamen bleek dit niet het geval.'

'Maar goed, het is nog kort dag, neem ik aan.' Ruth hoorde zichzelf de woorden van Mr. Penn herhalen, terwijl Emilie haar een fronsende blik toewierp.

'Maar natuurlijk,' reageerde hij. 'Ik weet zeker dat het voor twee jongedames als u geen enkel probleem zal zijn een passende werkkring te vinden.'

'Precies.' Ruth knikte beleefd.

'Mocht u iets horen over een geschikte betrekking,' zei Emilie, 'we verblijven voorlopig in pension Belleview.'

'Uitstekend. Alleszins,' antwoordde hij ietwat vaag, duidelijk kenbaar makend dat hij nu graag anderen te woord wilde staan. 'Maar u zult me nu moeten excuseren, dames.'

'Weinig kans hier,' bromde Emilie, toen ze door de verlaten Ann Street terugliepen.

'Je weet maar nooit.'

'Wie waren dat?' vroeg Mrs. Walter Bateman aan de dominee, die, nu hij zijn plicht had vervuld, graag het gesprek met haar man over het bouwfonds wilde hervatten.

'Engelse jongedames. Ze zijn pas donderdag aangekomen. Op de *City of Liverpool*. De gezusters Tissington.'

'Werkelijk? Ik had verscheidene vrienden aan boord van dat schip zitten en die heb ik zaterdagavond op een schitterend welkom-thuisfeest getrakteerd. Ze brachten ook verschillende andere passagiers mee, maar die naam heb ik hen niet één keer horen noemen. Wat is hun achtergrond?'

'Het zijn gouvernantes, en charmante jongedames bovendien.'

Annie Bateman was bijzonder geboeid. 'Mijn hemel, ze zien er veel te deftig uit om bedienden te zijn.'

Haar echtgenoot zuchtte. 'Gouvernantes kun je geen bedienden noemen, schat. Zeker hun soort niet. Zij leiden kinderen in stijl op.'

'Wel heb ik ooit van mijn leven. En ik veronderstel dat ze daarvoor goed betaald worden. Voor wie werken ze, dominee?'

'Ik geloof niet dat ze al een betrekking hebben geaccepteerd. Ze zullen wel behoorlijk kieskeurig zijn. Goed, Mr. Bateman, we moeten echt zo snel mogelijk een vergadering van de bouwcommissie beleggen...'

'Dat moet inderdaad, dominee, maar een kathedraal bouwen is een immense taak, in meerdere opzichten. Ik heb het steeds uitgesteld, omdat we de gouverneur en de premier van de staat nodig hebben als beschermheren. Zodra zij op de stippellijn hebben getekend, kunnen de advocaten het fonds registreren en onze commissie als een officieel orgaan installeren. En niet meer dan één commissie; er zijn momenteel te veel bereidwillige figuren die zelf proberen centen bijeen te sprokkelen. Alles moet beter worden georganiseerd.'

'Jij kunt voorzitter worden van die commissie, Walter,' stelde zijn vrouw voor.

Hij gromde. 'Dat valt nog te bezien.'

'Ik zie wel dat ons grootse project nu al in goede handen is,' zei de dominee opgetogen.

Terwijl de twee mannen verder praatten over architecten en de noodzaak om wereldwijd op zoek te gaan naar een geschikte, interesseerde Annie zich meer voor de gouvernantes. Ze vroeg zich af wie zich dergelijke briljante onderwijzeressen in huis kon veroorloven en wat voor slimme zet het sociaal gezien zou zijn om een Engelse gouvernante aan het personeel toe te voegen. Er waren al enkele scholen in de stad, dus veronderstelde ze dat de twee dames naar welvarende families op het platteland zouden gaan. Maar naar wie?

Dankzij de inspanningen van Mr. Penn, de inlichtingen die de dominee op behoedzame wijze had ingewonnen en de roddels van Annie Bateman, had iedereen in de stad het over de Engelse gouvernantes. Maar ze hadden er zelf geen notie van. Aangezien hun middelen zo langzamerhand afnamen, lieten ze Mr. Penn weten dat ze bereid waren naar het platteland te vertrekken. Ongeacht waarheen.

Het verbaasde hem. 'Daarom duurt het ook zo lang. Het kost tijd om het nieuws van uw komst te verspreiden en een reactie te krijgen, dames. In de stad zijn geen vacatures voor gouvernantes. Ik dacht dat u dat wel had begrepen.'

Toen ze een tweede week in het pension boekten, was Ruth gedwongen de eigenaresse te vragen of ze het goed vond dat ze haar adres noemden in de advertentie die ze in de krant de *Courier* wilden plaatsen.

Mrs. Medlow was onder de indruk. 'Ze mogen dan verwaand en echte kouwe kikkers zijn,' zei ze tegen Mrs. Kemp, 'maar mijn hemel, wat hebben ze goede manieren. Niemand anders zou de moeite nemen om me op de hoogte te brengen van een advertentie, laat staan dat ze toestemming zouden vragen om pension Belleview te noemen.'

'Wat hebben ze in de krant te zoeken?'

'Werk. Ik was er helemaal ondersteboven van. Ze willen een baan als gouvernante, en ik maar denken dat het dames van stand waren. Ik ben reuze benieuwd wat er in die advertentie kom te staan.'

Tegen vrijdagochtend had iedereen in het pension de advertentie gelezen, en toen de dames kwamen ontbijten, rustig en bedaard zoals altijd, heerste er in de ontbijtzaal een enigszins schuldbewuste beroering. Hoewel Mrs. Medlow een exemplaar van de *Courier* binnen handbereik had, informeerden zij niet naar de krant.

'Koele klanten, dat stel,' zei ze, teleurgesteld.

Ze begon de post in de gaten te houden, terwijl de andere kostgangers en de kok over haar schouder meekeken.

Annie Bateman had de advertentie ook gezien. Ze had zelf geen kinderen, maar ze had haar zuster op Lindsay Downs – in de buurt van Nandango – een brief geschreven met daarin alle roddels uit de stad, waaronder het nieuws dat er twee voorname gouvernantes waren gearriveerd. Ze had links en rechts inlichtingen ingewonnen en was erachter gekomen dat de Engelse gouvernantes de normale vakken gaven en daarnaast goed waren in muziek, talen, voordrachtkunst en allerlei sociale vaardigheden. Deze informatie speelde ze door aan haar zuster Leonie, die twee dochters had, met daarbij het addertje onder het gras: de Engelse gouvernantes vroegen ten minste honderd pond per jaar, exclusief kost en inwoning. Iets dat Leonie zich helaas niet zou kunnen veroorloven.

48

Meer dan honderdvijftig kilometer verderop las Leonie Stanfield deze brief en lachte droevig. Haar dochters van twaalf en tien jaar hadden een gouvernante, die echter inmiddels haar ontslag had gekregen. Ze was een nichtje van haar man en nog niet de helft van de vijftig pond per jaar die ze haar betaalden waard. Als onderwijzeres was ze hopeloos. Het had Leonie niet lang gekost om te constateren dat ze de lessen nog beter zelf kon geven. Ze was het met Annie eens. Het zou heerlijk zijn als de meisjes een echte gouvernante hadden. Maar niet als een sociaal slimme zet; dat soort dwaze denkbeelden wees Leonie resoluut van de hand.

Lindsay Downs was een gevestigde veeboerderij, weliswaar niet de grootste in de streek maar aanzienlijk, waarbij hun grondgebied zich uitstrekte over ruim vijftig vierkante kilometer. De woning op het erf was gerieflijk, meer een uit de kluiten gewassen huis bedekt met dakspanen, maar – zoals Leonie heel goed besefte – niets bijzonders, maar dat vond ze geen probleem. Ze was tevreden: ze waren een intiem, gelukkig gezin, en ondanks een lange periode van droogte en een keldering in de rundvleesprijzen wist Jack Stanfield de zaak draaiende te houden. Hij was een onverbeterlijke optimist, die zich niet uit het veld liet slaan door dit soort tegenslagen en de grillen van de natuur altijd als vanzelfsprekend aanvaardde.

'Alles komt altijd weer op zijn pootjes terecht,' placht hij meestal met zijn geduldige glimlach te zeggen. 'We kunnen de slechte jaren opvangen door in de overvloedige jaren voldoende te hamsteren.'

Hij was een goede manager en een prima echtgenoot en Leonie hield zielsveel van hem. Ze wist echter dat honderd pond voor een gouvernante een extravagantie was die Jack niet kon billijken. Niemand op de boerderij verdiende zoveel, zelfs de opzichter niet. Maar in haar hart treurde ze. Soms, als het rustig was, werd ze overvallen door een verlangen, een vaag verlangen dat ze graag meer wilde weten van de wereld... Ze wenste dat ze wat meer – het woord alleen al deed haar ineenkrimpen uit angst dat ze bespot zou worden – ontwikkeld was. Zo, dat was eruit. Ze had voor dit woord gekozen op een zachte avond tussen schemering en zonsondergang, toen de hemel zulke fantastische rode en gouden tinten tentoonspreidde dat ze vurig wenste dat ze een schilderij van het tafereel zou hebben, om het voor altijd vast te houden.

Er waren wel enkele boeken in huis, hoewel alleen de Heer wist waar die vandaan waren gekomen: poëzie van Wordsworth, haar persoonlijke favoriet, bijbels, de biografieën van invloedrijke generaals, de geschiedenis van Engeland, een bloemlezing van Shakespeare, Jacks boeken over landbouw en veeteelt en een paar romantische romans, die de huidige gouvernante als luchtig leesvoer aan de kinderen cadeau had gegeven.

Leonie zou graag meer boeken bezitten. Literaire romans. Boeken over kunst en allerlei mooie dingen. Maar ze wist niet wat ze moest bestellen, net zomin als iemand anders in haar kennissenkring – ook al zou ze hun om advies vragen. Maar het ging niet alleen om boeken, er waren zoveel andere dingen, onbenoembare zaken voor een plattelandsvrouw die op een kleine dorpsschool alleen de meest noodzakelijke dingen had geleerd. Zaken waarover ze meer wilde weten, waar ze de meisjes op wilde wijzen, kortom, kennis die een Engelse gouvernante allemaal paraat zou hebben. Ontwikkeling. Ze durfde het woord niet te noemen tegenover Jack, want hij zou haar uitlachen, veronderstellend dat ze dezelfde kant uit ging als Annie, wier aanstellerij hij soms vermakelijk en soms irritant vond.

Ze beantwoordde Annies brief en vergat niet te noemen dat hun huidige gouvernante zou vertrekken. Ze zei er niet bij dat ze het meisje hadden ontslagen, want ze wilde niet dat ze een slechte naam zouden krijgen in Brisbane. Annie kletste te veel. Ze vermeldde ook dat een Engelse gouvernante ideaal zou zijn voor Jane en Jessie, en vroeg zich meteen daarna af wie zich zo iemand kon permitteren. De Stanfields in elk geval niet.

Niettemin had Leonie in haar dagdromen een prachtig beeld voor ogen van haar dochters die, gekleed in witte mousseline jurkjes, buiten onder de wisteria kunstlessen kregen van hun elegante gouvernante. Verf, kwasten en ezels maakten het lome tafereel compleet. Op andere momenten zag ze hen aan de piano zitten, prachtig spelend voor hun gasten, terwijl de gouvernante ernaast stond en straalde vanwege haar getalenteerde leerlingen. Momenteel was Jack de enige die piano kon spelen en hij improviseerde alleen. Ze zuchtte. Wat zou het heerlijk zijn als haar dochters opgroeiden tot elegante, beschaafde dames met een gevuld leven dat zich niet beperkte tot boerderijpraat over het weer, het vee en de kinderen.

Toen kwam er weer een brief van Annie, vol opwinding, met dit keer slechts één onderwerp.

Luister, Leonie... Wat betreft de gezusters Tissington, over wie ik je onlangs schreef. De gouvernantes. Ze hebben helemaal nog geen betrekking. Ze zijn middels een advertentie op zoek naar werk. Dat betekent dat ze nog geen aanbiedingen hebben. Ik zal het in de gaten houden, en als ze nog eens adverteren, zou je wel eens kunnen boffen. Ik bedoel, misschien kun je een van de twee wel goedkoper krijgen. Ik weet dat je jullie niet vijftig pond betaalden. Stel dat je een van deze Engelse dames voor vijftig pond kon inhuren? Wat volgens mij trouwens heel redelijk is. Stuur me een telegram als je wilt dat ik inlichtingen ga inwinnen...

50

Leonie was verheugd. Jack zou geen bezwaar hebben tegen vijftig pond. Ze stuurde het telegram maar verwachtte er niet al te veel van. Aangezien de dames een advertentie hadden geplaatst, werden ze waarschijnlijk overstroomd met aanbiedingen. Ze vertelde Jack wat Annie dit keer had bedacht.

'Annie en jij,' corrigeerde hij haar. 'Maar als ze een van hen kan overhalen om voor dat bedrag hierheen te komen, vind ik het best. Wat vinden de meisjes ervan?'

'Ik heb het hun nog niet verteld. Ik wil hen niet teleurstellen.'

De reacties op de advertentie werden persoonlijk door de pension-houdster bij hen aan de deur afgeleverd, die ook telkens vroeg of er iets bij zat. Ruth, in verlegenheid gebracht, gaf telkens hetzelfde antwoord.

'We hebben nog geen beslissing genomen, Mrs. Medlow, dank u.'

Elke dag ontvingen ze ten minste drie à vier brieven, die ze vol verwachting openmaakten maar die telkens weer teleurstelden. De meisjes dachten dat ze hun eisen heel duidelijk hadden gesteld, maar de mensen die schreven leken het niet te begrijpen. Ze kregen baantjes aangeboden als kindermeisje en zelfs als keukenmeid. Een vrouw schreef dat ze weduwe was, dat ze een heel mooi huis had en wat gezelschap in huis zou waarderen, maar ze kon zich niet veroorloven hen daarvoor te betalen. Ze ontvingen twee huwelijksaanzoeken van onbekende mannen die hen, ondanks de ernst van de situatie, flinke lachbuien bezorgden. Iemand wilde nieuws van zijn zuster die naar Londen was vertrokken en hoopte dat de Engelse gouvernantes hem het een en ander konden vertellen, en twee vrouwelijke onderwijzeressen hadden geschreven met het verzoek of zij hen konden helpen met het vinden van een betrekking. Die verzoeken waren om depressief van te worden.

De tweede advertentie die ze aan het einde van de week lieten plaatsen, sprak voor zich, en Mrs. Medlow haastte zich om te vragen:

'Nog steeds geen geluk?'

Ruth gaf toe dat ze nog geen passende betrekking hadden gevonden. Ze vroeg zich af of Mrs. Medlow misschien een goedkopere kamer had.

'Een goedkopere kamer? Dat weet ik niet, hoor. Al onze kamers zijn even duur, behalve een achterkamertje naast de keuken. Daar staan twee eenpersoonsbedden, maar verder eigenlijk niets. Meestal verhuur ik die aan handelsreizigers. Want u weet hoe die zijn. Die zien hun bed sowieso maar heel weinig. Maar uw koffers zouden er niet eens bij in passen.'

'O.' Ruth was geneigd de kamer te nemen, maar ze wist dat Emilie er nimmer mee in zou stemmen. 'Ach, het maakt ook niet uit. We blijven gewoon waar we nu zijn.'

51

'Het spijt me,' zei Mrs. Medlow, die zich oprecht bezorgd maakte over haar, en Ruth was geroerd. Tegen de tijd dat ze de slaapkamerdeur achter zich had gesloten, biggelden de tranen over haar wangen.

Ze bezochten het kantoor van Penn nog altijd veelvuldig, meer uit gewoonte en tijdverdrijf dan in de hoop een baan te vinden. Maar deze ochtend wachtte hij hen op met goed nieuws.

'Heb ik niet gezegd dat ik een betrekking zou vinden?' kraaide hij, het woord gebruikend dat hij uit hun woordenschat had opgepikt. 'En ik heb er niet een, maar twee. In dezelfde stad. Kom verder, dames.'

Ze namen plaats op de sjofele banken in de achterkamer, staarden elkaar aan en wisten uit vrees nauwelijks een woord uit te brengen, terwijl ze luisterden naar zijn snelle, onpersoonlijke onderhandelingen met diep ongelukkige vrouwen die – afhankelijk van hun situatie – lachten, huilden of naar hem schreeuwden.

Emilie trok haar wenkbrauwen op en fluisterde sarcastisch: 'De normale gang van zaken.'

Hij kwam terug met een groezelig register. 'Welnu, eens even kijken. Maryborough, zo heet de stad. Het is ten noorden van Brisbane, op een paar honderd kilometer afstand. Het is een wolhaven. Een belangrijke bovendien, sommigen zeggen dat de haven groter is dan die van Brisbane. Ziet u wel, u had uw geld beter niet kunnen verkwisten aan die advertenties. Ik heb ze gelezen. Het is niet kwaad bedoeld, dames. Maar ik heb die van mij in de *Maryborough Post* laten zetten. Dat moet ik u in rekening brengen. Drie shilling. Akkoord?'

Ze knikten.

'Die is sowieso goedkoper dan de *Courier*. Goed, zoals ik al zei: er zijn dus twee posten. En het zijn allebei pareltjes. De eerste is bij Mrs. Manningtree. Ze heeft drie kinderen, van zeven, acht en tien, van wie de oudste een jongen is. Ze woont in het centrum van de stad. In een smaakvol huis, dat zal u een plezier doen. Althans dat beweert ze. Er zijn geen fatsoenlijke scholen in de buurt en dus zitten ze te springen om een gouvernante.'

'Maar dat is geweldig,' fluisterde Ruth.

'Mooi. Nou had ik het loon dat jullie vragen in de krant gezet...'

'Dat meent u niet!' Ruth was ontzet.

'Het heeft geen zin tijd te verspillen. Uw tijd, noch de hare. Hierover kan men beter meteen duidelijk zijn. Hoe dan ook, ze is bereid tachtig pond neer te tellen – honderd is te veel. Is dat goed?'

'Ja. Emilie zal die betrekking vervullen.'

'Nee. Neem jij hem maar, Ruth.'

'Geen denken aan. Ik heb mezelf beloofd dat jij de eerste baan aanneemt, wat er ook gebeurt.'

'Mooi zo,' zei Penn. 'Dan is Miss Emilie onderdak. De andere betrekking is bij Mrs. Mooney. Ook met kost en inwoning. Ze is bereid zeventig pond te betalen. Niet meer. Maar ze heeft maar één kind. Een dertienjarige dochter. Zegt dat ze geen tijd heeft om het meisje zelf in de gaten te houden...'

'Zei u Mooney?' vroeg Ruth. 'Is dat een Ierse naam?'

'Ja. Vreemd dat er maar één kind is, maar ik neem aan dat daar een reden voor is...'

'Mr. Penn,' onderbrak Emilie hem in zijn gepeins, 'Ruth probeert duidelijk te maken dat het niet onze bedoeling was om voor de papen te werken.'

Hij knipperde met zijn ogen. 'Waarom niet? Ze zullen u echt niet proberen te bekeren.' Hij wachtte hun reactie niet af. 'Welnu, deze Mrs. Mooney is eigenaresse van het Prince of Wales Hotel. Ik heb er eerder van gehoord. Een van de beste hotels in de stad, zeggen ze, de logeerkamers, de eetzaal, alles.'

'En waar wonen zij?' vroeg Ruth.

'In het hotel natuurlijk. U zou daar ook een eigen kamer krijgen. U zou er goed van kunnen leven.'

Ruth schudde haar hoofd. 'Ik ben bang van niet. Ik moet er niet aan denken om in een hotel te wonen. Of bij die mensen. U zult iets anders moeten vinden.'

Penn toonde zich geërgerd. Hij leunde voorover. 'Het lijkt mij, dames, dat lieverkoekjes niet worden gebakken. Ik heb twee posten voor u gevonden, zoals ik had toegezegd. Of u neemt de betrekkingen, of u staat er alleen voor.'

'Mogen we er een dag over nadenken, Mr. Penn?' vroeg Emilie.

'Morgen. Ja, tot morgen. Anders zet ik zelf een advertentie met daarin de baan bij Mrs. Mooney. Dat is mijn beroep, dat zult u begrijpen. Ik mag een post als deze niet onbenut laten.'

De Tissingtons waren geen geheelonthouders. Bij gelegenheid werd er bij het eten wijn geserveerd en William hield van zijn ritueel na het avondeten, dat bestond uit pijproken en genieten van een glas port. Op het schip hadden de meisjes hun eigen ritueel van een glas wijn per dag, een van de weinige genoegens onderweg. De wijn was tamelijk goed, vonden ze, en de prijs was relatief laag; ze hadden hem gekocht van de eerste stuurman zonder accijns te hoeven betalen. Ze werden bovendien bemoedigd toen hij hun een excuus gaf om te drinken, door te verklaren dat de artsen wijn als geneeskrachtig middel adviseerden tijdens lange zeereizen om zo het gebrek aan verse groente te compenseren.

'Veel artsen in de koloniën bezitten tegenwoordig een wijngaard en ze boeren uitstekend,' vertelde hij hun. 'Maar aanvankelijk begonnen ze met hun wijnproductie om schepen op de terugreis van wijn te kunnen voorzien.'

Maar hoewel ze alcohol – op z'n tijd – niet afkeurden, overwoog geen van de twee meisjes om daadwerkelijk in een hotel te gaan wonen. Afgezien van hun persoonlijke afkeer van zo'n idee vreesden ze voor hun goede reputatie. Toen ze bijna bij het pension waren, worstelden ze nog steeds met dit dilemma. Emilie had een plek, zij zou naar Maryborough gaan, maar hoe moest het met Ruth? Moest zij achterblijven en erop gokken dat ze alsnog een betrekking zou vinden, of moest ze dit vreselijke aanbod als een laatste redmiddel accepteren?

Emilie liep door naar de waslijn om hun was op te halen en Ruth was op weg naar hun kamer, toen Mrs. Medlow haar staande hield.

'Miss Tissington, ik heb op u staan wachten. Er is een dame die u wil spreken. Ze zit in de salon. Loop maar mee, dan zal ik u aan elkaar voorstellen. Ze heeft een baan voor u.'

Ruth huiverde. Ze wilde dat de vrouw niet zou spreken van *banen*, alsof ze arbeiders waren.

Zodra ze werd voorgesteld aan Mrs. Bateman, herkende Ruth haar als een vrouw die ze bij de kerk had gezien op de dag dat ze de dominee hadden ontmoet. Hoe zou ze haar kunnen vergeten, dacht ze. De vrouw droeg dezelfde opzichtige hoed met overdreven veel gestreepte linten.

'Wat ontzettend fijn u te ontmoeten,' dweepte Mrs. Bateman. 'En te horen dat u nog steeds beschikbaar bent, als gouvernante, bedoel ik. Mrs. Medlow zei al...'

Geïrriteerd door de brutaliteit van de pensionhoudster, die nog steeds naast hen stond alsof ze van plan was deel te nemen aan het gesprek, keek Ruth haar streng aan.

'Dank u, Mrs. Medlow. U kunt wel gaan.'

Weggestuurd en ontevreden stoof de gastvrouw de salon uit en Mrs. Bateman trok haar wenkbrauwen even op, duidelijk onder de indruk van de gezaghebbende toon van de gouvernante.

'Ik moet allereerst zeggen, Mrs. Bateman,' begon Ruth, 'dat mijn zuster en ik juist vanochtend twee uitstekende betrekkingen aangeboden hebben gekregen.'

'Ach, nee. Zeg niet dat ik te laat ben.'

'Niet per se. We hebben tot morgenochtend om een beslissing te nemen. Misschien kunt u mij vertellen wat u in gedachten heeft. Deze stoel bij het raam is erg comfortabel. Neem plaats, alstublieft.'

'Dank u, Miss Tissington.'

Terwijl Mrs. Bateman zich met haar omvangrijke rokken in de stoel nestelde, nam Ruth vormelijk plaats op een stoel met een rechte rugleuning tegenover haar en gaf haar potentiële werkgeefster de kans om het woord te nemen.

'Mijn zuster, Mrs. Stanfield, heeft een gouvernante nodig. Ze woont op een veeboerderij in het westen. Let wel, het is niet ver van hier. Ongeveer honderdvijftig kilometer. Ten noordwesten van Bris-

bane, eigenlijk. Ze heeft een prachtig huis en twee geweldige jonge dochters. Ze bezit bovendien een piano en zou graag willen dat de meisjes ook muziekles krijgen. Geeft u muziekles, Miss Tissington?'
Ruth knikte.
'Dat veronderstelde ik al. Ze wonen in de buurt van de stad Nanango. Of eigenlijk is het een kleine stad. Eerder een nederzetting. Maar het is er aangenaam vertoeven. En het is in die streken veel droger. Minder vochtig dan in Brisbane. Wij zitten hier in een dal, weet u, daarom krijgen we op hete dagen zo weinig wind. Mijn eigen huis is heel ruim en koel, eerlijk waar, maar op het platteland kunt u dat eigenlijk niet verwachten. Althans niet in een gemiddeld huishouden, bedoel ik. Mijn geliefde echtgenoot is inspecteur bij de douane in Brisbane. Hij heeft zijn kantoor in het douanegebouw, een prachtgebouw, zoals u wellicht is opgevallen...'
Ruth liet haar doorratelen, omdat ze het onbeleefd achtte deze persoon, onder de huidige omstandigheden, te onderbreken. Mrs. Bateman stond haar niet aan, ze vond haar nogal ordinair, maar ze was uiteindelijk niet de werkgeefster zelf. De betrekking leek ideaal en misschien viel de zuster mee.
'Wilt u verder nog iets weten?' vroeg Mrs. Bateman haar ten slotte.
'Ik vroeg me zo af: ligt Nanango enigszins in de buurt van Maryborough?'
'Maryborough? Tja, dat is een havenstad. Nanango ligt in het binnenland. Nee, er zit een behoorlijke afstand tussen. Ik neem aan dat Maryborough in vogelvlucht eens zo ver naar het noorden is. Als het ware.'
'O. Mijn zuster overweegt een post in Maryborough te aanvaarden, maar ik twijfel of ik de andere betrekking die daar beschikbaar is zal aannemen. Ik moet zeggen dat het werk dat Mrs. Stanfield voor ogen heeft veel meer in mijn lijn ligt.'
Mrs. Bateman was dolenthousiast. 'Dus u doet het?'
'Er zijn meer zaken die ik moet afwegen. Wat voor salaris is Mrs. Stanfield bijvoorbeeld bereid te betalen, mocht ze mij geschikt achten voor de positie. Ik heb uitstekende referenties, Mrs. Bateman. U mag ze zien, indien u dat wenst.'
'Nee, nee, nee, dat is niet nodig. Ik ben een uitstekende mensenkenner, al zeg ik het zelf. En ik weet zeker dat u, als hoog opgeleide dame, zeer bekwaam zult zijn. En laat me u dit zeggen: u zult er geen spijt van krijgen als u deze betrekking accepteert. Mr. Stanfield is een charmante man, de meisjes gedragen zich goed, u zou uw eigen kamer hebben en mijn zuster zou het geweldig vinden als u bij hen kwam wonen. Een grote, gelukkige familie, als het ware.'
'En het salaris?'
'Ze biedt vijftig pond per jaar. Een behoorlijk bedrag, vindt u ook niet?'

'O. Dat is ver beneden het standaardtarief.'
'Maar u zou maar twee leerlingen onder uw hoede hebben en u bent eigen baas. En natuurlijk gratis kost en inwoning.'
'Dat is vanzelfsprekend.'
'Ik weet zeker dat u van het buitenleven zou genieten. Als ik moest kiezen, zou ik veel liever naar Nanango gaan dan naar Maryborough.'
'Werkelijk? Waarom?'
'Nou ja, Maryborough is tenslotte een havenstad. Aan de rivier. Nogal ruig, niet te vergelijken met de fatsoenlijke mensen die u op het platteland zou tegenkomen.'

Daarmee had het hotelaanbod voor Ruth afgedaan. Daar kon duidelijk geen sprake van zijn. Emilies werkgevers klonken heel redelijk, aangezien ze een groot huis bezaten. Er moesten daar toch ook fatsoenlijke mensen wonen. Ze maakte zich zorgen over het lage salaris, omdat ze besefte dat ze de lening van het Genootschap terug moest betalen. Zelfs met gratis kost en inwoning zou er weinig overblijven om van te leven. Er waren altijd allerlei extra uitgaven, zoals kleding en dergelijke. Emilie zou een dergelijk laag salaris zeker van de hand wijzen.

Ze keek Mrs. Bateman aan. 'Zou Mrs. Stanfield zeventig pond in overweging nemen?'

'O, dat zou ze niet kunnen. Het is een prima gezin, maar ze zijn niet rijk. Ze hebben het goed, zou u kunnen zeggen, meer niet. Ze hebben slechte seizoenen gehad, met veel droogte, die zwaar op hun financiën hebben gedrukt. Vijftig pond, meer zit er niet in.'

In Mrs. Batemans oplettende ogen lag een 'graag-of-niet'-uitdrukking, en Ruth nam een besluit. Ze zou tegen Emilie zeggen dat de familie Stanfield zeventig pond bood – om te voorkomen dat ze zich zorgen ging maken – en ze zou zelf zo zuinig mogelijk zijn om geld apart te kunnen leggen voor het Genootschap.

'De beschrijving van het werk en de familie maakt dat ik het aanbod moeilijk kan weigeren,' zei ze tegen Mrs. Bateman. 'Het zou me een eer zijn de betrekking te aanvaarden.'

'Voor vijftig pond?'

Ruth knikte. 'Wanneer zou ik moeten beginnen?'

'Meteen, Miss Tissington! U weet niet half hoe blij ik voor u ben.' Plotseling stond Mrs. Bateman op, bang als ze was dat de gouvernante van gedachten zou veranderen. 'Ik zal mijn zuster berichten en uitzoeken wanneer u per koets die kant op kunt. U zult er geen spijt van krijgen, dat beloof ik u, en Mrs. Stanfield zal met veel genoegen naar uw komst uitkijken.'

'Een momentje, Mrs. Bateman. Zou u me kunnen vertellen hoe mijn zuster het beste naar Maryborough kan reizen? We hebben er niet aan gedacht dat te vragen. Is het verstandig dat zij ook per koets reist?'

'Dat zou kunnen, maar het zou een lange tocht zijn, met veel tussenstops. Ze kan beter per schip gaan. Dat is veel gerieflijker.'

Toen de vrouw was vertrokken, ging Ruth meteen naar Emilie om te zeggen dat ze eindelijk allebei werk hadden, maar in haar hart was ze niet echt tevreden. Ze zouden nu van elkaar gescheiden worden; ieder zou voor zichzelf moeten opkomen in een vreemde omgeving, omringd door vreemden. Ze bad tot de Heer dat Hij over haar jongere zuster zou waken en zou zorgen dat ze gezond en gelukkig zou blijven.

Hoofdstuk 2

De drukkende hitte bracht onvermijdelijk motregen met zich mee, die al snel overging in zware buien, en tegen de tijd dat Mal bij het geïmproviseerde kermisterrein aankwam, kwamen de tenten naar beneden en stapten de bezoekers op. Maar niets kon zijn opgewekte stemming op deze zaterdagmiddag bederven. Het was een boeiende dag geweest. Hij keerde zijn paard en reed in telgang terug door de straat, de regen negerend, want er zat geen venijn in, geen kilheid die de botten martelde, niet zoals bij de gure regenbuien in het diepe zuiden.

Op een straathoek zag hij een bijzonder eigenaardig voertuig staan, en weer verwonderde hij zich over de vreemde dingen die een man kon tegenkomen in een de stad waar iedereen de ander probeerde te overtreffen. Het leek een grote vrachtwagen, getrokken door vier paarden, maar de bak was gesloten door een hoge linnen huif, waardoor het een beetje weg had van een overdekte boerenkar. Nieuwsgierig als altijd en met niets beters te doen, stapte Mal van zijn paard, bond de teugels vast aan een paal en slenterde onder de luifels door om het voertuig nader te bekijken.

Tegen een van de wielen stond een groot bord, waarop stond: IN-STAPPEN VOOR GYMPIE, DE SPECTACULAIRE GOUDSTAD.

'Wat is dit?' vroeg hij aan een man in een witte jas, die bezig was met een aantal klanten af te rekenen, terwijl zich een kleine groep belangstellenden had verzameld die de gebeurtenissen in ogenschouw namen of misschien alleen schuilden voor de regen.

'Goud!' zei de man. 'En jij ziet eruit als een veelbelovende knaap. Je hebt de spieren ervoor, maar bezit je de benodigde twee pond ook?'

'Beter nog, ik heb mijn eigen paard, meneer. Maar waar ligt Gympie?'

'In het noorden, kameraad. Niet al te ver weg voor iemand met een paard, maar te ver voor delvers die te voet moeten. Tenzij ze zichzelf willen afmatten vóór ze bij de goudvelden komen natuurlijk.'

'En u neemt ze mee alsof ze per bus gaan?'

'Als een snelbus. Het is de goedkoopste manier om er te komen. De enige andere manier is om per koets te gaan, en dat is te duur voor de gewone arbeider.'

'Wel asjemenou. En er is echt goud te vinden in die spectaculaire goudstad?'

'De rijkste bron tot nu toe, zeggen ze. Mijn klanten keren als miljonair terug. Wil je soms meerijden?'

'Misschien.' Mal wilde zich nergens op vastleggen. Deze vent klonk in zijn oren te veel als een praatjesmaker om zomaar te vertrouwen, maar misschien was het niet zo'n slecht idee om eens een kijkje te gaan nemen op de goudvelden. Hij deed een paar stappen achteruit en zag het gekwelde enthousiasme van de mannen die de twee pond in munten uittelden, waarbij sommigen zelfs de hoed rond lieten gaan om het benodigde geld voor een kaartje bij elkaar te sprokkelen, al klagend over hun armoede en hun verhongerende gezinnen. Ze deden hem denken aan de krankzinnige beroepsgokkers bij de paardenrennen.

Toen er een hoed onder zijn neus werd gehouden, haalde Mal vijf shilling tevoorschijn.

'Denk je dat het een goede gok is, kameraad?' vroeg hij.

'Zeker weten! Een man zou wel gek zijn om niet te gaan. Nooit komt er weer een kans als deze.' Hij zag het muntstuk in de hoed vallen en keek dankbaar op naar Mal. 'Je bent een echte heer, jongeman. Barney Magee zal je niet vergeten wanneer hij fortuin heeft gemaakt.'

Mal grijnsde. Hij was een geboren cynicus, en Mal constateerde dat Magee niet de moeite nam om de naam van zijn donateur te noteren zodat deze niet vergeten zou worden als hij zijn fortuin had vergaard in Gympie, de spectaculaire goudstad.

Terwijl Magee aan boord klom, was de eigenaar van de vrachtwagen nog steeds bezig passagiers te werven: 'Maak voort! Maak voort! Nog enkele plaatsen vrij! Zorg dat u niet achterblijft. Is het niet iets voor u, meneer?'

Een magere kerel met een ingevallen, treurig gezicht vroeg of hij het tarief aan de andere kant mocht betalen, maar hij werd genegeerd. Mal slenterde terug naar zijn paard. Hij had geen last van goudkoorts, zoals dat werd genoemd, en dat zou waarschijnlijk ook nooit gebeuren, maar zijn belangstelling was gewekt. Hij kon evengoed een kijkje gaan nemen.

De reis naar het noorden was er een met vele hindernissen, zo ontdekte Mal algauw, te beginnen bij de route zelf, die alleen voor mannen die de streek kenden duidelijk was. Ruwe sporen van tweewielige wagens liepen in alle richtingen, en vele ervan liepen dood in het eeuwenoude struikgewas, waar zich dikwijls plunderende aboriginals verscholen hielden. Veedrijversroutes die enkel leidden naar schapenfokkerijen in het binnenland zorgden voor nog meer verwarring en boze buien. Ook de rivieren, die met de komst van het regenseizoen – een nieuw fenomeen voor de wanhopige zuiderlingen – sterk waren verbreed, zorgden voor het nodige oponthoud, en aan de oevers verrezen doorweekte kampementen waar reizigers onderhandelden met veerlieden over de prijs van de oversteek. Geteisterd door de onophoudelijke regenval en de modder trokken zowel voetgangers als voertuigen in slakkengang verder, gedreven door angst. Mal realiseerde zich dat angst erger was dan koorts. Angst dat het goud op zou zijn voor ze ter plekke waren. Angst voor een onverhoedse overval door aboriginals op eenzame kampeerders, die ertoe leidde dat men uit veiligheidsoverwegingen in groepjes reisde. Maar het samenklitten veroorzaakte enkel meer ontberingen. Talloze mannen werden 's ochtends, na een nacht vol afschuwelijke dromen over moord en doodsstrijd, wakker om te ontdekken dat ze waren beroofd van hun onontbeerlijke proviand en uitrusting of, erger nog, van hun wapen. Op de plattelandswegen, waar het gebruikelijk was de dag door te brengen in het gezelschap van vreemden, overheersten zelfzuchtigheid en wantrouwen. Iedereen wist dat struikrovers deze armzalige reizigers de moeite van het beroven niet waard vonden, omdat de echte buit voor het oprapen lag op de route tussen de goudvelden en de haven van Maryborough, en dus keek men zogenaamde vrienden altijd recht in de ogen. Ze meden de Duitsers en de Zweden onderweg, maar reageerden hun frustraties voornamelijk af op de raadselachtige Chinezen, die hen dapper voorbijstapten alsof ze zich niet bewust waren van de gevaren. In de kampen en hutten langs de weg braken regelmatig gevechten uit, maar de Chinezen – die vastbesloten waren voort te maken – zorgden ervoor dat ze daarbij niet betrokken raakten. Ze slopen weg in de duisternis en verdwenen, omgeven door de angst voor hun messen, die zó scherp waren dat ze iemands keel ermee konden doorsnijden.

Mal reed in zijn eigen tempo. Als het goud op was, was het op. In dat geval zou hij zich voor een paar pond per week verhuren als veerhulpje en zo de overtocht voor zichzelf en zijn paard verdienen. Hij dwaalde af naar een veedrijversroute en stuitte op de grootste kudde schapen die hij ooit was tegengekomen. Verbaasd sprak hij de eigenaar aan, die hem vertelde dat hij zo'n twaalfduizend schapen meevoerde om in het uiterste westen van de staat een schapenfokkerij te beginnen, met de mededeling dat hij nog wel een extra veedrijver kon gebruiken...

'Aangezien een aantal van die schoften van mij zijn doorgereisd naar Nashville.'

'Waar ligt Nashville?' vroeg Mal.

'Ongeveer honderd kilometer stroomopwaarts van Maryborough, waar Nash zijn goud vond. Ze noemen het tegenwoordig Gympie. Dat is een aboriginalwoord voor "stekende boom". Ga je daar soms naartoe, net als de rest van die malloten?'

'Het is te proberen.'

'Luister, zoon. Geef me een week. Ik zal je ruimschoots belonen. Dit is een grote kudde en het kustterrein is een grote ramp. Zodra we de heuvels over zijn, is het land vlak en open. Dan kun je teruggaan.'

Zoals hij had verwacht toen ze met veel moeite de heuvels hadden overgestoken, werd hem gevraagd aan te blijven, maar hij voelde er weinig voor om maandenlang schapen te drijven over land dat nauwelijks eerder verkend was, en dus nam hij zijn loon in ontvangst en reed terug. Eenmaal weer op de route naar Gympie, sloot hij zich aan bij een stel gouddelvers om samen met hen op te rijden en naar het laatste nieuws te informeren. Tot zijn genoegen kreeg hij te horen dat er nog steeds goudvondsten werden gedaan. Bij de schapendrijvers had hij zich op zijn gemak gevoeld. Hij sprak hun taal en genoot van hun kameraadschap, waardoor hij – terug in dit gebied – niet echt op zijn hoede was. Bovendien was hij, op de weg terug door het ongebaande platteland, twee keer een groepje zwarte stamleden tegengekomen. Het waren woest ogende kerels, uitgerust met speren en knuppels. Hij vermoedde – en hoopte – dat het jachtgezelschappen waren en had hen lachend en wuivend begroet. Ze hadden hem niet lastiggevallen, maar voor het geval ze besloten dat de eenzame ruiter een gemakkelijke prooi was, had hij twee nachten niet geslapen, maar alleen gerust naast zijn paard, met steeds een oog open en zijn geweer binnen handbereik. Hij was moe. Stom, zo zei hij later bij zichzelf.

De kok van de schapenboer had hem wat gezouten schapenvlees en wat blikvoeding meegegeven voor onderweg, en Mal deelde het met zijn nieuwe kameraden voor hij zijn slaapspullen uitrolde en wegzonk in een gezegende, ontspannen slaap bij de nagloeiende kooltjes van hun kampvuur.

De volgende ochtend waren de delvers verdwenen. Net als zijn geld, zijn voedselvoorraad, zijn geweer en zijn munitie. Amateurs als ze waren, hadden ze zijn paard achtergelaten.

Mal bedacht dat die kerels mogelijk gewoon ouderwetse struikrovers waren en geen echte delvers, die het voorzien hadden op andere goudzoekers terwijl ze zich tijdelijk in noordelijke richting begaven, dus – in de hoop hen weer tegen te komen – reed hij een stuk terug. Toen hij een groep Chinezen tegenkwam, gaf hij hun de beschrijving en jawel, zijn voormalige vrienden waren inderdaad op weg naar het zuiden. In tegenstelling tot veel van zijn collega's die onderweg waren, had hij geen moeite met Chinezen. Op talloze boerderijen werkten Chinezen als kok, en die waren altijd vriendelijk geweest tegenover het jochie dat met zijn vader meereisde, met als resultaat dat Mal waarschijnlijk meer over de Chinezen wist dan zijn vader.

Mal ging op zoek naar de oudste van de groep Chinezen en knoopte een formeel gesprek met hem aan, waarin hij het trieste feit van de diefstal noemde en hem om een kleine gunst vroeg. Na enig beraad sprak Mr. Xiu in rap tempo tegen een koelie, die terugkeerde met een klein flesje pillen. Vervolgens stopte hij een aantal pillen in een stukje rijstpapier, dat hij na een knikje van zijn meester aan Mal overhandigde.

Het weer was opgeklaard en de brandende zon maakte van de modderige sporen ongelijkmatige groeven, wat het leven van de lopende reizigers bemoeilijkte, maar een vooruitgang betekende voor de ruiters. Mal was nu in staat zich snel te verplaatsen, op zoek naar de rovers, maar hij had al meer dan dertig kilometer afgelegd voor hij ze in het vizier kreeg bij een kroeg langs de weg, die ze verlieten met een suikerbaal vol proviand.

'Waarschijnlijk van mijn geld gekocht,' mompelde hij, terwijl hij hen vanuit het struikgewas begluurde.

Ongeveer anderhalve kilometer verderop sloegen ze hun kamp op, en dus maakte Mal een omtrekkende beweging door het struikgewas, liet zijn paard daar achter en sloop stilletjes door het kreupelhout om hen in de gaten te houden. Toen er eindelijk een potje kookte boven het vuur en de pan met vlees spetterde, sloeg hij zijn slag. Eerst de paarden.

Hij maakte hun halsters los, gaf de dieren een klap op hun achterste en trok zich terug om te genieten van het feest. De twee mannen hoorden de verstoring en stonden onmiddellijk op en renden achter hun paarden aan, die zigzaggend en geschrokken naar de doorgaande weg vluchtten. Ze vingen de dieren al snel, maar waren lang genoeg bij het kampvuur weg om Mal de tijd te geven die hij nodig had. Hij liet de opiumpillen in de thee vallen en maakte zich uit de voeten, in de hoop dat ze hun werk zouden doen. Het zou zinloos geweest zijn om twee gewapende mannen aan te vallen met de twee enige wapens die hem restten, een zakmes en zijn zweep.

Maar zo te zien wist Mr. Xiu wat hij deed. Het duurde namelijk niet lang of het stel lag languit bij het smeulende vuur, snurkend in een diepe slaap.

De dieven werden beroofd van hun geld, de beste spullen uit hun voorraden en van hun paarden. Mal reed de hele nacht door, helemaal terug naar de laatste veerboot. Toen de veerlieden uit hun hutten kwamen om aan het werk te gaan, verkocht hij de twee paarden voor tien pond per stuk aan de baas, vijf pond minder dan de gangbare prijs, maar zonder dat iemand lastige vragen stelde.

Daarna beperkte Mal zich, uit veiligheidsoverwegingen, tot de veedrijversroutes die weliswaar verder landinwaarts lagen, maar – zo veronderstelde hij – een stuk vreedzamer waren dan de wagenroutes.

Hij reed door de heuvels bij Gympie, zijn ogen wijd opengesperd van verbazing bij het zien van de drukte in de tentenkampen en de gapende hellingen, ontdaan van bomen. Hij volgde een spoor tussen twee rijen tenten en stapels puin door, waar arbeiders met grote zeven als mieren langs de rivier krioelden en anderen er met houwelen en schoppen op los hakten alsof hun leven ervan afhing. Vanaf het allereerste begin had de plattelandsjongen een hekel aan de plek. Het was erger dan de achterbuurten van een echte stad. Er hing een verschrikkelijke rioollucht. Er hing rauw vlees voor geïmproviseerde slagerswinkels, honden en geiten trokken, lastiggevallen door kraaien, aan het afval dat tussen de tenten lag; dronkaards liepen wankelend rond de illegale dranktenten, met aan hun armen slonzige vrouwen die hoopten dat er nog iets te halen viel.

Maar nu hij er toch was, besloot hij, kon hij maar beter kijken of er iets te doen viel.

Terwijl het hele gebied de indruk wekte uit een grote chaos te bestaan, ontdekte Mal al snel dat er wel degelijk regels bestonden en dat gemoedelijke gouddelvers royaal met hun adviezen waren. Hij kocht een mijnwerkersvergunning bij het registratiekantoor, een vierkante keet opgebouwd uit dakspanen, en hij stond nog maar amper weer buiten of hij werd aangesproken door een jonge Engelsman.

'Bent u alleen, meneer?'

'Dat zou kunnen. Wie wil dat weten?'

'Clive Hillier. Tot uw dienst.'

'Als wat?'

'Als uw partner. Het heeft geen zin om hier zonder partner te werken.'

'En u biedt zichzelf aan?'

'Precies.'

'Waarom?'

'Omdat ik een mijnconcessie bezit en iemand nodig heb om mee samen te werken. Misschien kunnen we in die kroeg daar een borrel drinken en de zaken bespreken?'

Mal lachte. Daar trapte hij niet in. Een profiteur, die op een gratis drankje uit was. 'Het spijt me, ik drink niet.'

'Nog beter,' zei de Engelsman met zijn vlotte babbel, 'als u wilt, kunnen we naar mijn tent gaan en daar een kop thee nuttigen.'

Het was geen onguur ogende vent; hij had donker haar, was goedgeschoren, slank gebouwd en droeg zijn broek van Engels leer in zijn knielaarzen, die een aardig bedrag gekost moesten hebben voor ze door dit gebied ploeterden. Hij deed Mal denken aan de Engelse kerels die rechtstreeks vanuit het Oude Land naar de schapenfokkerijen kwamen, vrienden van de kolonisten, nieuwe maatjes, die dolgraag wilden leren hoe ze hun fortuin moesten maken.

Mal besloot dat hij niets te verliezen had en dat een kop thee er wel in zou gaan.

Wat hij tijdens het theedrinken in de keurige tent te horen kreeg, was dat Hillier blut was. De pachttermijn van zijn concessie was verlopen en hij kon het zich niet veroorloven die te verlengen. Sterker nog, hij kon zich het niet permitteren om te blijven, maar ook niet om te vertrekken.

'Maryborough ligt zo'n honderd kilometer stroomafwaarts,' zei hij. 'Als laatste redmiddel, en met meer geluk dan ik de afgelopen periode heb gekend, zou ik misschien een lift kunnen krijgen...'

'Heb je dan geen paard?'

'Dat heb ik verkocht, beste man. Het is moeilijk afscheid te nemen als er dagelijks, naast de deur, een of andere vervloekte kerel als een bezetene begint te gillen dat hij beet heeft. Je wordt erdoor gegrepen, geloof me.'

'Ik niet, echt niet. Wat wil je dat ik doe? Moet ik een fonds voor je oprichten?'

'Investeren zou ik het liever noemen, als je tenminste over wat geld beschikt.'

Mal had onderhand meer dan veertig pond in zijn riem, maar als de Engelsman iets in zijn schild voerde had hij wederom geen geluk.

'Een paar pond,' erkende hij.

'Waarom verleng je de mijnconcessie dan niet, maar dan op onze beide namen? In ruil daarvoor mag je mijn tent delen. We delen fifty-fifty, mocht de mijn iets opleveren. En om eerlijk te zijn, zou ik het ook bijzonder waarderen als je wat te bikken voor ons zou kunnen regelen. Mijn provisiekast is leeg, anders had ik je zeker een lunch aangeboden.'

Mal knipperde met zijn ogen. Deze kerel, die hij zo rond de vijfentwintig schatte, zat niet alleen op zwart zaad, hij had kennelijk ook niets meer te eten, en toch kwam hij opgewekt over. Hij bracht beslist niet het gebruikelijke smartelijke verhaal.

'Wat heeft het voor zin om de concessie te verlengen als de mijn niets oplevert. Je hebt net gezegd dat je nog geen kruimeltje goud hebt gevonden. Waarom zet je er geen punt achter? Ik ga me niet inkopen in een opgedroogde bron.'

'Ga je met me samenwerken dan?' vroeg Hillier opgelucht.

'Niet op die plek. Kunnen we geen betere plek uitzoeken?'

'Nee. Ik zit helemaal beneden, bij de rivier. Aan weerszijden van mijn perceel wordt telkens goud gevonden. Ik heb gewoon de juiste ertsader nog niet gevonden. Heb alsjeblieft vertrouwen in me en blijf, al was het maar voor een paar weken. Zodra ik die mijn opgeef, gaat iemand anders er zoeken en ik vermoord mezelf als ze dan hun slag slaan.'

Mal stak een sigaret op en bekeek de tent. Hij was nog in goede staat, nergens tekenen van lekkage te zien en groot genoeg voor twee. Hillier moest comfortabel zijn begonnen, want hij bezat zelfs een tafel met twee stoelen, en ook een paar lantaarns. En een extra slaapplaats.

'Wat is er eigenlijk met je vorige partner gebeurd?'
Hillier haalde zijn schouders op. 'Ach, ja. Mijn partner. Ze is vertrokken.'
'Ze?' Mals wenkbrauwen schoten omhoog.
'Ja. Ik was erg gesteld op Fleur. Een struise jongedame. Ik heb haar in Brisbane ontmoet. We zijn hier samen naartoe gereisd, per schip. Erg romantisch. Vrouwen kunnen zich erg nuttig maken hier, mits ze voldoende pit in zich hebben, en daaraan heeft het Fleur nooit ontbroken. Het was een mooie meid, geloof me. Maar helaas sloeg een van mijn buren zijn grote slag, waarna hij afscheid nam van de goudvelden. Tot mijn spijt moet ik bekennen dat Fleur met hem meeging. Dwaas kind.'
'Ze lijkt me helemaal niet zo dwaas.'
'Ach, misschien heb je wel gelijk. Maar ik gaf oprecht om haar. Hoe zei je dat je naam was?'
'Dat heb ik niet gezegd. Mal Willoughby.' Hij zou zich moeten registreren onder zijn echte naam.
'Word jij mijn nieuwe partner in de concessie?'
'Waarom ook niet.'
Hillier barstte in lachen uit. 'Eindelijk heb ik ook eens geluk. Heb je de andere mannen gezien die bij het registratiekantoor rondhingen?'
'Ja. Ik heb er wel een paar gezien. Hoezo?'
'Die behoren ook tot de bedeling. Daar ga je op de uitkijk staan als je een nieuwe partner zoekt, die zich nog niet heeft vastgelegd. Jij viel kennelijk niet in de smaak bij de ruwe veldarbeiders. Ze vonden je waarschijnlijk te jong, te zacht. Ik hoop niet dat ze gelijk hebben.'
'Ik zou in elk geval een vooruitgang moeten zijn ten opzichte van een vrouw,' zei Mal schouderophalend, zich afvragend hoe gek hij was om met deze *loser* in zee te gaan. Maar Hillier had karaktereigenschappen die hem tot goed gezelschap zouden maken, dus een paar weken op de goudvelden konden geen kwaad.

Mal stond niet afkerig tegenover hard werken, hij hield alleen niet van lange, onafgebroken periodes van afzien. Het zwaaien met de houweel en het scheppen van puin in zware emmers stelde zijn spieren zwaar op de proef, maar hij wist al snel zijn ritme te vinden en ging vrolijk aan de slag, goed oplettend of hij de beroemde glinstering van goud niet ergens op hun rotsachtige stuk grond opmerkte. Hij zag ook in waar een vrouw zich nuttig kon maken, namelijk door het puin in de schudgoot te storten om het fijn te maken en het eindeloos te wassen, op zoek naar alluviaal goud en verder door allerlei lichtere taken uit te voeren, waarvan hij inmiddels wel had geconstateerd – zonder commentaar te geven – dat Hillier zich die klusjes had toebedeeld.

Nu hij tijd had om na te denken, vroeg Mal zich af wat voor meisje die Fleur moest zijn. Afgezien van de hoeren waren de vrouwen op de goudvelden echtgenotes, harde, afgetobde vrouwen die wanhopig naast hun mannen voortploeterden op zoek naar die ene pot met goud, maar Hillier bleef volhouden dat Fleur anders was geweest. 'Een echte schoonheid,' beweerde hij dan treurig. 'Prachtig koperkleurig haar, een mooi gezicht en figuur, en vol levenslust.'

Een avonturierster, zul je bedoelen, dacht Mal, die knap genoeg was om Hilliers verstand te benevelen. Omdat de Engelsman tot de lagere adel behoorde – dat was overduidelijk – was het überhaupt verwonderlijk waarom hij het met zo'n soort type vrouw aanlegde. Mal dacht vaak terug aan zijn Engelse jongedame, het meisje dat hij op de dag van het oproer in Fortitude Valley had ontmoet. Hillier zou haar gemogen hebben. Ze was jong en mooi, en een dame bovendien. Ze zou er niet over peinzen om ook maar een stap in een omgeving als deze te zetten, laat staan dat ze zich zou vernederen door er te gaan werken. Op een avond toen Clive hem begon te vervelen met zijn dagdromen over het moment dat ze rijk zouden zijn en hij Fleur terug zou vinden, vertelde Mal hem over *zijn* vriendin.

'Ze is Engels. Heel knap en bevallig. Met een uiterst prettige stem. En ze kleedt zich heel modieus. Heel intelligent.'

'Echt waar. Ze lijkt me betoverend. Hoe heet ze?'

'Gaat je niks aan,' snauwde Mal, liever dan te moeten toegeven dat hij geen flauw idee had.

Haar geheime bewonderaar zou diepbedroefd zijn als hij had kunnen zien hoe het zijn Engelse jongedame op dit moment verging. Hij zou zijn houweel en schop vermoedelijk meteen hebben neergegooid om haar te hulp te snellen.

Emilie was in de haven en vocht tegen de opkomende tranen toen ze afscheid nam van haar zuster; ze was niet meer zo happig om op eigen houtje dingen te doen.

'Het spijt me dat het zover heeft moeten komen,' sprak Ruth kreunend.

'Niet nodig. We wisten dat dit een groot land is en dat het moeilijk zou zijn om een betrekking bij elkaar in de buurt te vinden. Ik zal uitkijken naar een plek voor jou in Maryborough, en jij kunt hetzelfde voor mij doen in dat plattelandsstadje.'

'Maar je bent nog zo jong.'

'Ik ben inmiddels twintig.'

'Ja, een leeftijd waarop je zou moeten genieten van een fatsoenlijk sociaal leven in plaats van rond te zwerven in de wildernis.'

'Alsjeblieft, Ruth. Draaf niet zo door. Je maakt jezelf nog ziek. Brisbane kun je moeilijk de wildernis noemen, en ze beweren dat het in Maryborough nog drukker is. Jij bent degene die de wildernis in trekt.'

'Vergeet niet, Emilie, dat je zult vertrekken als je ongelukkig bent. Je kunt terugkeren naar het pension van Mrs. Medlow, en ik zal je wat geld sturen. Ze heeft erin toegestemd jou onderdak te verschaffen.'

'Dat heb je me al eerder verteld. Maar ik moet nu echt gaan, Ruth... iedereen gaat aan boord.'

Emilie moest toegeven dat ze enige opluchting ervoer toen ze de overvolle schoener *Miriam* betrad, omdat hun budget alweer flink was geslonken. Ze hadden luchtiger kleren moeten kopen vanwege de hitte, praktisch een compleet nieuwe garderobe, die boven op de uitgaven voor de huur kwamen, maar die zorg behoorde nu tot het verleden. Eindelijk salaris in het vooruitzicht.

Aangezien de reis slechts enkele dagen in beslag zou nemen, had Emilie de goedkoopst mogelijk overtocht geboekt – negentien shilling – en zich vooraf gehard voor de afschuwelijke accommodatie, maar op de chaos die op dit schip heerste was ze niet voorbereid geweest. Behalve een paar gezinnen bestonden de passagiers voornamelijk uit mannen, die stonden of lagen te luieren tussen de stapels bagage aan dek, alsof ze bereid waren de hele zeereis daar door te brengen.

Ze vond een steward, die haar de weg wees naar een smal gangetje dat in haar verwachtingspatroon zou leiden naar een hut, om er te belanden in een soort slaapzaal voor vrouwen. En het wemelde er al van de vrouwen, die zich naar beneden hadden gehaast om de beste slaapplaatsen op te eisen. Ze zagen er stuk voor stuk arm, maar niet vervelend uit.

Een Ierse vrouw wenkte haar en wees haar op een lege kooi.

'Neem deze zolang het nog kan, liefje. In het mannenkwartier is weinig ruimte, en ik vermoed dat ze hier binnen afzienbare tijd ongebruikte bedden voor de jongens zullen weghalen. En waar moet je je dan te ruste neerleggen?'

Emilie plofte met een bons neer op de harde tijk. 'Er is geen beddengoed. Mij is verteld dat het schip daarin zou voorzien.'

'Ze maken je van alles wijs, zo gaat dat. Maar maak je geen zorgen. Bid alleen dat we veilig overkomen.'

'Maar mijn koffer dan? Die staat hier niet. Waar moet ik hem zoeken?'

'De koffer komt wel bij jou.'

En inderdaad, de koffer werd benedendeks gebracht, samen met de andere bagage, en op een hoop gegooid naast een waterdicht schot. Er was geen enkele privacy; elke keer als Emilie iets uit haar koffer moest hebben, moest ze de eigendommen van andere vrouwen opzijschuiven om hem op te diepen.

De Ierse vrouw, Mrs. Delaney, maakte de reis echter enigszins draaglijk voor Emilie. Ze legde uit dat de meeste passagiers immigranten waren die op uitnodiging van de gemeenteraad van Maryborough waren gekomen, omdat deze zat te springen om havenarbeiders en boerenknechten voor de boerderijen in het binnenland. Zelf zou ze zich daar bij haar man voegen, die inmiddels een goede baan had als houthandelaar, en ze was zo gelukkig dat ze zich door niets en niemand liet storen.

Tijdens de korte reis – die Ruth met afschuw zou hebben vervuld – sliep Emilie in haar onderrok op een kaal matras, waste ze zich in emmers met zeewater achter een hoog gordijn, dat door een paar inventieve vrouwen was opgehangen, en stond ze samen met anderen in de scheepskeuken in de rij voor voedsel. Al met al moest ze toegeven dat deze gewone vrouwen heel wat vriendelijker en guller waren dan de poserende tweedeklaspassagiers die ze op haar vorige zeereis was tegengekomen. Als ze zich onder de mannen begaven, om een luchtje te scheppen, vond ze Mrs. Delaney steeds aan haar zijde, die zichzelf had opgeworpen als een soort chaperonne en verontwaardigde blikken wierp naar mannen die haar knappe, jonge pupil ongegeneerd nastaarden.

'Dat zijn geen types voor u, Miss Tissington,' waarschuwde ze. 'U moet het vizier beslist hoger richten.'

De haven was een regelrecht plaatje op de dag dat ze arriveerden, met talloze grote zeilschepen die er voor anker lagen, lange treinen die volgeladen met wol langs de kades reden en vrachtwagens die hoge stapels hout vervoerden; er heerste bedrijvigheid alom onder de menigte aan land. Het leek een veel drukkere haven dan die van Brisbane.

Mrs. Delaney zag erop toe dat Emilies koffer aan land werd gebracht alvorens zij vertrok met haar echtgenoot, die al verlangend op haar had staan wachten. En wederom stond Emilie hoopvol op een vreemde kade. Pas toen ze om zich heen keek om de nieuwe gemeenschap op te nemen en zich realiseerde dat er honderden zwarte mannen op de kade aanwezig waren, schrok ze. Zij en Ruth hadden – zonder te gaan staren – heel wat aboriginals in Brisbane gezien, arme, onverzorgde mensen die overigens duidelijk onschadelijk waren. De mannen hier, echter, waren lichter van kleur en brutaler – ze staarden haar breed grijnzend aan, terwijl ze rondsjouwden. Ze zou weggelopen zijn, maar ze kon haar koffer niet achterlaten en dus riep ze een bemanningslid op een van de schepen.

'Ik wacht op ene Mr. Manningtree. Kent u hem misschien?'

'Niet dat ik weet, juffrouw.'

'Kan ik hier blijven staan?'

Hij zag haar nerveus kijken in de richting van de inlanders die haar omgaven. 'Maakt u zich niet druk over die Kanaken. Die zullen u geen haar krenken. Hun bazen zullen hen sowieso weldra bij elkaar roepen. Ze zijn van de eilanden gehaald om hier op de suikerplantages te gaan werken.'

Hij was nog maar nauwelijks uitgepraat toen een stevig gebouwde man met een rood gezicht op hen kwam aflopen, de inlanders opzij-duwend alsof het levenloze dingen waren. 'Bent u misschien Miss Tissington?' vroeg hij.

'Ja. Mr. Manningtree, neem ik aan?'

'In levenden lijve,' zei hij, terwijl hij haar van top tot teen bekeek op een manier die Emilie niet kon waarderen. 'Welnu, ik had niet zo'n jong meiske als u verwacht. Maar welkom in Maryborough. Is dit uw koffer?'

Emilie knikte ongelukkig. Ze mocht deze man niet: hij was ruig en onhandig, droeg een overhemd zonder kraag, geen colbert en opzich-tige bretels. Hij droeg niet eens sokken, alleen een paar raffia sanda-len. Ze keek om zich heen, wanhopig op zoek naar iemand die ze kende, wensend dat Mrs. Delaney een reden had om hier terug te ke-ren, wensend dat ze terug aan boord van de *Miriam* kon vluchten, maar dat was niet mogelijk.

Mr. Manningtree vatte twee Kanaken in de kraag en liet hen haar koffer naar een klaarstaand rijtuigje dragen, waarna hij ze voor de moeite een muntje toewierp en moest lachen toen ze er allebei tegelijk op af doken. Vervolgens klom hij bedaard op de bok en pakte de teu-gels, roepend dat Emilie er ook op moest klimmen.

Toen ze wegreden, hield haar nieuwe werkgever meteen een preek voor haar. 'Ik ben eigenaar van de houtzagerij, die goed draait, en be-zit daarnaast een aantal andere zaken. Verder zit ik in de gemeente-raad, en mogelijk word ik binnen afzienbare tijd zelfs burgemeester, maar ik houd niet van aanstellerij. Is dat duidelijk?'

Ze knikte. Overduidelijk.

'En ik wil ook niet dat mijn vrouw zich hooghartig opstelt, dus praat haar geen malle ideeën aan. Het was haar idee om een onder-wijzeres voor de kinderen te zoeken, omdat hier geen scholen zijn die de moeite van het onderhoud waard zijn, en daarmee heb ik inge-stemd. Ik heb zelf nooit een opleiding genoten, en zij evenmin, maar je moet in deze wereld vooruitkijken. Er vroeg bij zijn, zoals ik ook was bij mijn bedrijven. Rondkijken wat er zoal nodig is. Mijn kinde-ren zullen vermogend opgroeien, geld van de tweede generatie, dus het geeft geen pas als ze onwetend opgroeien, als u begrijpt wat ik be-doel. Voor mij maakt het niet uit, ik ben succesvoller dan de meeste mensen hier, maar deze stad ontwikkelt zich ook. Over een paar jaar is dit een echte stad, let op mijn woorden, en ik wil niet dat mijn kin-deren vanaf het begin kansloos zijn.'

Terwijl hij zat te praten, tuurde Emilie vanonder de rand van haar hoed naar de stad. Het was een afschuwelijke plaats. De stad leek in niets op Brisbane. Kennelijk reden ze nu door de hoofdstraat, een brede, lelijke straat, omzoomd door onregelmatige gebouwen die va-rieerden van keten tot panden van twee verdiepingen die hoognodig geschilderd moesten worden, met daartussen lege, door onkruid overwoekerde percelen die als gaten in een gebit het stadsbeeld vorm gaven. Het was erg heet, warmer dan in Brisbane, maar er viel geen boom te bekennen, alleen deze miserabele, smerige straat zonder behoorlijke winkels en met volk dat er net zo akelig en onaantrekkelijk uitzag als dit lid van het gemeentebestuur.

'Ze beweert dat u ze ook manieren bij kan brengen,' merkte hij op. 'Dat is prima, het zal ze geen kwaad doen om wat manieren te leren, maar u moet ze ook leren om netjes te spreken. Dat is erg belangrijk. Ik heb mezelf leren lezen en schrijven en optellen, en ik ben goed in optellen.' Hij lachte. 'Daar durf ik mijn broek om te verwedden. Ik hoef niet netjes te praten, ik ben mijn eigen baas, snapt u, maar ik wil niet dat mijn kinderen zichzelf voor schut zetten. Volgt u mij?'

'Jawel, Mr. Manningtree.'

'Die vent die bemiddelde schreef vol enthousiasme aan moeder de vrouw dat u ook Franse les geeft. Klopt dat?'

'Ja, Mr. Manningtree.'

'Nou, daar komt niets van in. Zonde van de tijd. Wat hij niet heeft gezegd en wat ik graag wil weten... speelt u misschien ook piano?'

'Ja, Mr. Manningtree.'

'Echt waar? Mijn God. Dat is pas goed nieuws.' Hij liet de paarden abrupt tot stilstand komen, gooide haar de teugels toe en sprong van het rijtuigje.

'Wacht hier.'

Hij verdween in het plaatselijke warenhuis en liet Emilie alleen achter, die de leren riemen stevig in haar hand klemde en hoopte dat het paard niet op hol zou slaan. Ze zag allerlei vreemde mensen voorbijkomen: vrouwen met rechte, stevige rokken zonder hoepels, slappe hoeden, ruige kerels – soms zelfs met rinkelende sporen – groepjes aboriginals en erger nog, Chinezen. Een aantal van die Kanaken hing rond op een straathoek. En alsof dat allemaal niet genoeg was, reden er ruiters in handgalop door de hoofdstraat alsof ze zich op een plattelandsweg bevonden, met als gevolg dat haar paard onrustig werd en ongeduldig begon te hinniken.

Het volgende moment was hij alweer terug, ingenomen met zichzelf. 'Ik heb zojuist een piano aangeschaft,' riep hij juichend.

De vraag brandde op Emilies lippen. 'Verkopen ze daar piano's, Mr. Manningtree?'

'Welnee, meisje. Ik heb er een besteld. De beste die hij kan vinden. Hij laat hem per schip overkomen. Ik heb altijd al een piano gewild. En mijn vrouw ook, maar ik vond het geldverkwisting omdat niemand erop zou kunnen spelen.' Hij veegde het zweet van zijn snor en droogde zijn hand aan zijn overhemd.

'Het is heet buiten, we kunnen maar beter gaan.'

Ze reden door een openstaand hek, over een modderige oprijlaan die zich als een tunnel door een dampend bos van lusteloos groen boorde. Een bos dat Emilie onaangenaam trof. Talloze varens en grotere planten met brede bladeren stonden opgepropt bij elkaar op een slecht onderhouden gazon, onder een overkapping van nevelige bomen. De tuin had iets griezeligs, alsof geesten uit het verleden er nog altijd in de schemering rondwaarden. Ze dacht dat dit misschien de buitenste rand van een landgoed zou zijn, maar ineens kwamen ze bij een open plek waar het huis voor haar ogen opdoemde. Het was een groot houten huis, net als de andere gebouwen die ze in de stad had gezien, ongeschilderd, waardoor het een grijze, lusteloze indruk maakte. Ze begon zich af te vragen of er in deze regionen misschien geen verf verkrijgbaar was.

Het was een huis met een verdieping, relatief groot, met een brede, overdekte veranda over de gehele lengte van de voorkant, maar aan die kant betraden ze het huis niet. Mr. Manningtree dirigeerde het rijtuigje naar de achterzijde van het huis, waar ze terechtkwamen op een groot, onomheind erf dat werd omgeven door talloze schuurtjes en achterin werd begrensd door enkele rijen verwaarloosde bananenbomen.

Mrs. Manningtree stond met haar drie kinderen bij de keukendeur toen het rijtuig tot stilstand kwam, en terwijl Emilie hen met een lach begroette, zag ze de vrouw in een flits even fronsen, en intuïtief wist ze wat dat inhield. De dame des huizes, die hoewel enigszins opgedirkt best aantrekkelijk was, kon geen waardering opbrengen voor deze jonge, knappe gouvernante.

Emilie behield haar glimlach toen ze door de echtgenoot werd voorgesteld, maar ze wist nu al dat ze op haar tellen zou moeten passen bij deze vrouw. Zich bescheiden moest opstellen. Mrs. Manningtree was ongeveer dertig, ten minste twintig jaar jonger dan haar man. Ze droeg een opzichtige roze bloemenjurk die strak was aangesnoerd, zodat haar weelderige boezem en haar smalle taille goed zichtbaar waren, en daarnaast een parelsnoer om haar nek – wat Emilie nogal vreemd vond op dit tijdstip van de dag. Haar eigen donkerblauwe reiskleding, in combinatie met een witte blouse, stak sober af naast deze verschijning en Emilie was dankbaar dat ze – uiteindelijk – was bezweken voor Ruths overtuiging dat gouvernantes nimmer mochten opvallen. Haar mooiste japonnen, relikwieën van de goede oude tijd in Engeland, had ze diep onder in haar koffer weggeborgen.

De kinderen, alledrie gekleed in schone kieltjes maar op blote voeten, grijnsden enthousiast naar haar toen hun moeder hen voorstelde.

'Dit is Jimmy, dit Alice en dit hier is de kleine Rosie. Zeg eens goedendag tegen Miss Tissington.'

'Goedendag,' klonk het vrolijk en vriendelijk in koor, waarop Emilie reageerde door te zeggen dat ze het fijn vond hen te ontmoeten. Mrs. Manningtree onderbrak haar echter en stuurde de kinderen weg om te gaan spelen.

In tegenstelling tot de vervallen tuin zag het huis er netjes en schoon uit; de vloeren glansden en roken geruststellend naar bijenwas. Ze hadden het huis via een keurig schone keuken betreden en terwijl haar werkgeefster haar rondleidde door het huis, vroeg Emilie zich af of het de bedoeling was dat ze altijd gebruikmaakte van de achteringang of dat ze puur uit gemak aan de achterkant was afgezet.

Terwijl ze rondliepen, wierpen ze in elke goed gemeubileerde kamer een blik; in de salon, de eetkamer, de zitkamer, enzovoort. Emilie moest vechten tegen een overweldigende vermoeidheid om plichtsgetrouw naar haar werkgeefster te kunnen luisteren.

'Ik ontvang regelmatig gasten, Miss Tissington. We hebben een sociale status op te houden. U komt uit Engeland en verkeert misschien in de veronderstelling dat we ons hier in een uithoek bevinden, maar vergis u niet. Ik heb mezelf een zekere standaard opgelegd en ik verwacht van mijn personeel hetzelfde.'

'Maar natuurlijk,' zei Emilie knikkend, er diplomatiek aan toevoegend: 'Uw huis is erg elegant, Mrs. Manningtree. Na alle ongemakken aan boord van een schip prijs ik mezelf gelukkig dat ik ben uitgenodigd om me bij uw gezin aan te sluiten, en ik zal dan ook mijn uiterste best doen voor uw kinderen.'

De vrouw liet zich enigszins vermurwen door deze toespraak. 'Echt waar? O, nou, mooi. Maar u moet wel streng tegen ze zijn en ik wil elke week een verslag. Ze gingen eerst naar een kleine privé-school in de buurt, maar dat vervloekte mens is er met een of andere ordinaire kerel vandoor gegaan en heeft ons in de steek gelaten.'

Ze keek Emilie achterdochtig aan. 'Ik hoop niet dat u erop uit bent een echtgenoot te strikken.'

Onthutst staarde Emilie haar aan. 'Nee, mevrouw.'

Mrs. Manningtree leek zeer tevreden over haar reactie. 'Dat zal ook wel niet, u ziet er niet uit als het type dat in deze stad achter de mannen aan zal lopen. Maar pas op, fatsoenlijke vrouwen zijn hier schaars en dus zullen ze het zeker proberen. Leg vooral duidelijk uit dat u onder geen beding heren in of rond mijn huis kunt ontvangen, dan begrijpen ze het snel genoeg. Kom, dan zal ik u nu uw kamer wijzen.'

Ze liepen door een gang en Emilie kwam tot de conclusie dat haar kamer grensde aan de keuken, maar ook hier was het zoals in de rest van het huis: keurig netjes. Haar bed, voorzien van een wit sprei, werd omhuld door een groot muskietennet, onder een openstaand raam stond een wastafel en tegen de verste wand stonden naast elkaar een robuuste kleerkast en een bijpassende toilettafel.

'Een heel fraaie kamer,' zei Emilie toen Mr. Manningtree met haar koffer naar binnen sjokte.

'Al een beetje ingeburgerd?' vroeg hij, terwijl hij de koffer op een geschikte plek neerzette, maar voor ze kon antwoorden wees zijn vrouw hem al de deur.

'Je had beloofd om het dak van de wasserij te repareren, Bert, dus maak eens voort. Anders stroomt de boel bij de eerste de beste hoosbui weer onder en dan is al mijn wasgoed naar de filistijnen.'

Uit de manier waarop ze tegen hem sprak, maakte Emilie op dat er meer dan slechts een leeftijdsverschil tussen deze twee mensen bestond, maar ze koos vooralsnog de kant van de vrouw. Mrs. Manningtree mocht dan aanmatigend zijn, ze had een fatsoenlijk niveau in haar huishouden aan weten te brengen, wat in een vreselijk oord als dit een hele opgave moest zijn, en ze probeerde tenminste goed voor de dag te komen, al had ze gebrek aan goede smaak. Haar echtgenoot daarentegen was lomp. Een bullebak. Misschien was het een gearrangeerd huwelijk geweest.

In de opluchting dat ze een vriendin had gevonden, trok Emilie haar handschoenen uit en stak Mrs. Manningtree spontaan haar hand toe.

'U weet niet half hoe blij ik ben u te ontmoeten. En hoe gelukkig ik ben om hier te zijn.'

De vrouw knipperde met haar ogen, maar gaf haar niettemin een stevige handdruk. 'Ik ben niet gewend om vrouwen de hand te schudden. Is dat misschien etiquette?'

Niet echt, dacht Emilie. Het was een spontaan gebaar, in het verlangen iemand te willen omhelzen. Iemand om van te kunnen houden. Iemand die om haar zou geven.

'Ja,' loog ze, in verlegenheid gebracht.

'Dat is fijn om te weten. Ik hoop dat u zich hier thuis zult gaan voelen, Miss Tissington. En dan nog iets. U noemde me daarnet mevrouw. Dat kan ik wel waarderen. Ik hoop dat u dat zult blijven doen. Een goed voorbeeld voor mijn kokkin en mijn dienstmeid. Dat zijn daghulpen en die zijn bijzonder moeilijk op te voeden. Het zijn namelijk plaatselijke inwoners. Heeft u een horloge?'

'Nee,' gaf Emilie toe, zich herinnerend dat zij en Ruth hun horloges en de paar sieraden die ze bezaten in Londen hadden verpand. 'Ik ben hem op het schip kwijtgeraakt.'

'Waarschijnlijk gestolen. U moet leren dat u oppast voor lui van eenvoudige komaf. Ik zal zorgen dat de meid u om zes uur voor de warme maaltijd roept en ik zal een klok laten ophangen in het klaslokaal: dat is aan de achterkant, waar u niet gestoord zult worden.'

Emilie, die in de deuropening stond, dacht dat de vrouw haar nooit alleen zou laten, nu ze het onderwerp klaslokaal had aangesneden en doordramde over de dure, nieuwe aankleding met schoolborden en leien en schrijftafels en wereldkaarten...

Een uur later lag ze op bed, geboeid door de wazige sluier die het muskietennet vormde, en ze vroeg zichzelf af wat Mrs. Manningtree had bedoeld met haar opmerking over de jacht op een echtgenoot. Was ze op zoek naar een man? Dit was een kwestie die zij en Ruth nooit hadden besproken, omdat de verarmde toestand waarin zij zich bevonden ertoe had geleid dat overleven hun eerste zorg was. En uitzetting hun tweede. Voor hun vader was hertrouwd, hadden de meisjes een normaal sociaal leven geleid en al hadden ze misschien geen vaste verkering, ze hadden zeker heren in hun vriendenkring. Vrienden die ze hun hele leven hadden gekend. En zoals gebruikelijk, zou een van die vrienden uiteindelijk een aanzoek hebben gedaan. Ruth was nogal gecharmeerd geweest van de verlegen John Perigree, de zoon van dokter Perigree, en – eerlijk gezegd – hij ook van haar, maar John was in de voetsporen van zijn vader getreden en studeerde inmiddels medicijnen in Birmingham, waardoor hij het dorp steeds minder vaak kon bezoeken. Ze hadden weliswaar gecorrespondeerd, maar dat was afgelopen toen Ruth John liet weten dat zij en Emilie naar Londen gingen verhuizen.

Emilie had zich dikwijls afgevraagd of Ruth hem had toevertrouwd waarom ze moesten vertrekken, maar Ruth wilde niet over hem praten. Ze was ongelooflijk koppig wat dat soort dingen aanging. John, een student, had weinig geld en zeker niet genoeg om een vrouw te kunnen onderhouden, en Ruth was haar huis en haar erfenis kwijtgeraakt. Het was op alle fronten een hopeloze situatie. Misschien was dat de reden dat Ruth niet over hem wilde praten. Te droevig. Te persoonlijk.

Emilie, op haar beurt, had in die zorgeloze dagen kostbare tijd verspild – dat besefte ze nu wel – door de onbezonnen jongedame uit te hangen met aanbidders in overvloed. Bals, feestjes, picknicks... Emilie Tissington had nooit te klagen over gebrek aan aandacht van jongeheren, van vrienden, vrienden die trouwens een voor een afhaakten toen het nieuwe tijdperk van de stiefmoeder aanbrak, die de vrolijke bijeenkomsten in het gastvrije Tissington-huishouden aan banden legde en ervoor zorgde dat algemeen bekend werd dat, hoe sociaal acceptabel de dochters ook waren, zij een kleine bruidsschat met zich mee zouden brengen.

'Welke vrienden?' vroeg ze zich neerslachtig af. 'Zowel mannen als vrouwen, het bleken allemaal schijnvrienden.'

Toen ze hun vrienden vanuit Londen hadden geschreven en overdreven opgewekt verslag deden van hun leven in de wereldstad, hadden ze van niemand een reactie ontvangen, met uitzondering van Biddy Halligan, een buurvrouw, die het droevig stemde toen ze van hun stiefmoeder, Mrs. Tissington, hoorde dat ze geen werk konden vinden in Londen. Dat had hen enorm gekwetst. Biddy was een aardige meid maar vermaard om haar tactloosheid. Dat zij medelijden met hen had was het toppunt. Ze stuurden geen brieven meer naar huis.

Maar een echtgenoot strikken? Uiteindelijk misschien, dacht Emilie. Als ze eerste klas hadden kunnen reizen, waren ze wellicht enige geschikte heren tegengekomen van het soort dat er niet over peinsde om tweede klas te reizen. En ineens drong het tot Emilie door dat het Genootschap mogelijk zo zijn redenen had – en niet eens uit spaarzaamheid – om de goed opgeleide burgervrouwen op deze manier te laten reizen. Zodat ze niet in contact zouden komen met geschikte huwelijkskandidaten. Zodat ze ongebonden zouden aankomen in de koloniën, erop gebrand om zich aan de regels van het Genootschap te houden, kortom als vrijgezel.

Emilie was moe, maar hoewel het bed lekker lag en hoewel het een snikhete middag was, kon ze de slaap niet vatten.

Zonder de relativerende invloed van Ruth zag ze zichzelf als slachtoffer van een wrede samenzwering, als een jonge vrouw die in de bloeitijd van haar leven was veroordeeld tot een leven in dienst van anderen en moest buigen voor de wil van een onbekende vrouw en haar brute echtgenoot. Er stroomden geen tranen. Er was alleen woede, waarbij Emilie zich overgaf aan een zeldzame aanval van zelfbeklag.

Een echtgenoot strikken, vroeg Emilie zich opnieuw af. Misschien wil ik dat wel. Maar Mrs. Manningtree heeft gelijk. Niet in deze armzalige stad. Niet in deze onbeschaafde omgeving, waar men niet eens de huizen schilderde.

Onbewust had Mrs. Manningtree haar ertoe aangezet zich te verheffen boven het matte gevoel tot dienstbaarheid gedoemd te zijn dat ze sinds hun verschrikkelijke verwijdering uit hun ouderlijk huis had ervaren. De frons die ze bij de eerste blik op haar nieuwe werkgeefster had waargenomen, was het enige bemoedigende teken geweest dat Emilie in lange tijd had waargenomen. Het was een teken van jaloezie geweest. Zo simpel lag het.

Emilie stond voor de spiegel en maakte de vlechten los die ze in een nette ring op haar kruin droeg, zodat haar haar in donkere, glinsterende lokken over haar schouders viel. De reizen hadden haar goed gedaan. Ze had geen puistjes meer; haar huid was fris, gaaf, zelfs een tikje gebruind. Glanzend en gezond. Emilie wist nu dat er iets in haar voordeel werkte. Ze was uitgegroeid tot een aantrekkelijk meisje. Vrouw.

Miss Ruth Tissington was verrast door de hartelijkheid waarmee ze in Nanango werd begroet na een fascinerende rit per koets door het binnenland, die tweeënhalve dag in beslag had genomen. Alle vier leden van het gezin Stanfield en hun twee enthousiaste honden stonden haar bij het station op te wachten en stormden op haar af alsof ze een verloren gewaande vriendin was. Mrs. Stanfield omhelsde haar zelfs.

'Ik ben zo blij dat u er bent, Miss Tissington. Hebt u een goede reis achter de rug? Ik hoop niet dat het reizen u te veel inspanning heeft gekost. Hebben ze goed voor u gezorgd?'

'Absoluut, ja, men was erg aardig...'

Ze maakten van haar aankomst een compleet circus en zorgden voor zoveel ophef dat mensen hen aanstaarden, waarbij ze ook nauwelijks de kans kreeg om afscheid te nemen van haar vriendelijke medepassagiers. Toen ze eenmaal hadden ontdekt dat ze nieuw was in het land, hadden de twee stellen die met haar meereisden hun uiterste best gedaan om haar bij de diverse halteplaatsen behulpzaam te zijn, alsmede om haar te wijzen op herkenningstekens en de meest prachtige fauna. Ruth was verrukt dat ze eindelijk grote kuddes kangoeroes had gezien en emoes die over het land raceten, behoorlijk wat slaperige koala's en meer vee dan ze in haar hele leven bij elkaar had gezien. De reis was echt een avontuur geweest waarover ze, als ze er de tijd voor kon vinden, uitgebreid in haar dagboek zou schrijven.

Mrs. Stanfield had haar aan haar echtgenoot Jack en aan de twee jonge meisjes, Jane en Jessie, voorgesteld en eraan toegevoegd: 'En je moet mij Leonie noemen.'

Ruth schrok ervan. 'Dank u, maar dat doe ik liever niet. Het zou een slecht voorbeeld zijn voor de meisjes.' Ze betwijfelde of Mrs. Stanfield zich bekommerde om die aanwijzing, en hoewel het een kleinigheid betrof, stoorde het Ruth. Ze was vastbesloten om haar uitmuntende eigenschappen als gouvernante te bewijzen en ze kon niet meteen gaan buigen voor de brutale koloniale manieren als ze van enig nut wilde zijn voor deze meisjes. Ze had inmiddels geconstateerd dat Jane en Jessie, die negen en elf waren, hoognodig enige opvoeding behoefden, zoals ze hun ouders telkens onderbraken en rondrenden op het station alsof het een speeltuin was.

Uiteindelijk werd ze begeleid naar een boerenwagen, waar Mr. Stanfield tussen de dozen en tassen met voorraden een plaatsje voor haar koffer wist te vinden, waarna hij haar bij de arm pakte.

'Ga jij maar voorop zitten, Ruth,' zei hij, die haar voornaam kennelijk van zijn schoonzuster had vernomen.

Maar dit was niet het juiste moment om duidelijk te maken dat ze niet kon goedkeuren dat haar voornaam werd gebruikt, dus zuchtte ze en liet ze zich door hem op de wagen helpen, om vervolgens getuige te zijn van een ruzie.

'Nee, pap. We willen dat Ruth hier bij ons komt zitten,' riep Jessie uit. 'Ze is onze lerares.'

Hun moeder maande hen tot stilte. 'Wees stil en zit rustig.'

'Nee, jij moet met haar ruilen.'

'Dat is nu te laat. Houd je mond.'

Hun vader negeerde hen en de wagen verliet het station en sloeg rechtsaf een lange landweg in.

'De stad ligt daarginds,' zei hij tegen Ruth, naar achteren wijzend

76

met zijn zweep. 'Een andere keer nemen we je wel mee, zodat je wat kunt rondkijken. Er is nu vanuit het oosten een storm op komst en ik wil zo snel mogelijk naar huis.'

Jane begon te jammeren. 'Gaan we niet de stad in? Ik wilde met Elsie spelen. Je had beloofd dat we de stad in zouden gaan.'

Haar zusje sloot zich al snel bij haar aan en klaagde dat het niet eerlijk was, terwijl hun moeder met hen ruziede in plaats van dit soort gedrag een halt toe te roepen, dacht Ruth stijfjes. Stanfield reed onverstoorbaar verder en schonk nergens aandacht aan.

Daarop besloot Jessie de eeuwenoude kindersmoes in te zetten. 'We moeten wel de stad in. Ik moet plassen.'

'Welnee. Je bent op het station nog geweest,' zei haar moeder.

'Ik moet echt. Als je me niet naar de stad brengt, plas ik in mijn broek.'

Mrs. Stanfield zuchtte. 'Stop eens, Jack. Ik ga wel even met haar achter die bosjes.'

Ze hielp het kind haastig op de grond en terwijl ze zaten te wachten in de wagen, begon Jane te giechelen. 'Ik wil wedden dat ze niet hoeft. Wedden van niet.' Toen ze terugkwamen, gaf ze haar zusje een elleboogstootje. 'Je bent zeker niet gegaan, of wel?'

'Ik kan het niet achter de bosjes, dat is alles.'

'Zit niet te liegen. Dat kun je best.'

Ruth luisterde vol afgrijzen naar het gesprek, terwijl ze met rechte rug op de bok zat, met haar gehandschoende hand de leuning vasthield en toekeek hoe de paarden voortsjokten over de weg.

Dit deel van de reis nam twee uur in beslag en Mr. Stanfield had gelijk: ze waren nog maar nauwelijks binnen in het huis dat – tot Ruths genoegen – grote gelijkenissen vertoonde met de grote boerderijen in haar vaderland, toen de storm losbarstte. De lucht betrok, oorverdovende donderslagen werden gevolgd door felle bliksemschichten en het begon te regenen. Even later kwam het met bakken uit de hemel. Ze zocht beschutting in de kleine slaapkamer die haar was toebedeeld, volkomen van haar stuk gebracht – niet alleen door de beangstigende storm maar vooral door die gruwelijke kinderen.

Een van de heren die ook per koets had gereisd en die de jonge Engelse vrouw enthousiast met allerlei informatie had bestookt, had een recente kaart van Queensland voor Ruth gekocht, die ze nu uit haar reistas tevoorschijn haalde om exact haar positie te bepalen ten opzichte van Emilies reisdoel. Maryborough was veel verder naar het noorden, verder zelfs dan ze zich had voorgesteld. Pas nu begon tot haar door te dringen hoe immens groot dit land was, want tijdens haar driedaagse reis hadden ze slechts een nietig deel van de staat bestreken.

Ze hoopte dat Emilie de zeereis zonder haar steun goed had doorstaan en dat haar leerlingen een minder grote uitdaging zouden vormen dan het Stanfield-stel.

Het is maar goed dat ik deze betrekking heb aangenomen. Emilie had deze kinderen wellicht niet aangekund. Ze hebben behoefte aan leiding en daar ga ik voor zorgen. Ik wil Mr. en Mrs. Stanfield niet teleurstellen. Ondanks hun overdreven hartelijke houding waren het best aardige mensen. Het salaris was niet wat ze had gehoopt te ontvangen, maar Ruth besloot dat dat niet van invloed mocht zijn; ze was een verantwoordelijk persoon en ze zou zich voor honderd procent inzetten.

Ze was onderhand klaar met het uitpakken van haar koffer en pantserde zich om zich bij het gezin te voegen. Ze was inmiddels gekleed in haar uniform, dat bestond uit een witte blouse met een marineblauw strikje hoog om haar nek en een marineblauwe rok. Haar haar had een keurige scheiding in het midden en de twee vlechten had ze opgerold over haar oren. Miss Tissington, de Engelse gouvernante, was gearriveerd.

Hoofdstuk 3

De levendigheid en de enorme werklust die hij aantrof op de goudvelden hielden Mal langer vast dan hij van plan was geweest, tevreden als hij was over zijn samenwerking met Hillier, maar zodra hij zich bewust werd van de verborgen invloed van geweld besloot hij dat het tijd was om te vertrekken.

'Het wordt te groot hier, te druk,' waarschuwde hij Clive. 'We kunnen beter verder trekken. Het levert toch allemaal niets op.'

Maar Hillier wilde er niets van weten. 'Je hebt hier geïnvesteerd, Mal. Je kunt je handen er nu niet van aftrekken. Wat maakt het uit dat er meer gouddelvers komen?'

Een heleboel, constateerde Mal, die gevechten zag uitbreken, prijzen van concessies omhoog zag schieten en alledaagse ruzies zag ontaarden in gewapende conflicten. De Chinese kampen werden aangevallen door groepen boze mijnwerkers die geen enkele logische reden daartoe hadden, behalve dat ze vonden dat er voor de Chinezen geen plaats was in de blanke wereld; diefstallen waren aan de orde van de dag, niet alleen op de goudvelden maar ook op de wegen. Struikrovers bedreigden de diligences die met ladingen goud onderweg waren naar Maryborough en de politie had het voortdurend druk met het zoeken naar hun schuilplaatsen in de heuvels in een vergeefse poging het gestolen goud terug te krijgen, met als gevolg dat vuist en wapen in het veld tegelijkertijd voor handhaving van de wet en voor ongeregeldheden zorgden. Colt-revolvers werden een betaalmiddel op zich en Mal werd boos toen hij op een middag terugkeerde in de tent en tot de ontdekking kwam dat Hillier er trots met eentje stond te zwaaien.

'Wat moet je daar in vredesnaam mee?'

'Je weet wat er hier gaande is, ouwe jongen. We moeten onze concessie beschermen.'

'Ben je gek geworden? We hebben niets te beschermen. En wat heb je er eigenlijk voor betaald?'

'Ik heb tegen die vent gezegd dat jij er tien pond voor zou betalen. Dat is goedkoop, de helft van de gangbare prijs. En je moet weten dat ik heel redelijk kan schieten. Hij heeft de munitie er gratis bij gegeven.'

De kerel die met twee maten het geld kwam halen, was niet in de stemming om het wapen terug te nemen, maar het lukte Mal om de prijs omlaag te krijgen naar een realistischer bedrag van vier pond, door te mopperen dat de goudcommissaris had gedreigd hulpsheriffs te sturen die naar gestolen wapens moesten speuren, wat niet waar was maar de verkopers voldoende nerveus maakte om de prijs te laten zakken, op voorwaarde dat Mal zijn mond erover hield.

'Ik heb ervoor betaald, hij is van mij,' zei hij tegen Hillier. 'En ik verkoop het ding zodra ik de kans krijg. Maar met ingang van heden geef ik je nog veertien dagen, dan stap ik op. Je kunt blijven of met me meegaan, dat moet je zelf weten.'

Later die avond zaten hij en Hillier uit te rusten in hun tent, met de tentdoeken omlaag om enigszins bescherming te bieden tegen allerhande insecten, toen ze gegil en geschreeuw hoorden: het zoveelste gevecht.

Plotseling wankelde er een Chinese koelie hun tent in, die diverse wonden had en bloedde als een rund.

Clive sprong op en schreeuwde tegen de koelie dat hij moest oprotten, maar Mal snoerde hem de mond.

'Laat hem met rust!'

Ze hoorden mannen rennen, schreeuwen, zoeken, en Mal schoof de koelie snel opzij en stapte de tent uit. 'Wat is er aan de hand?'

'Heb je ergens zo'n vervloekte spleetoog gezien?'

'Nee. Hoezo?'

Maar ze stormden alweer verder, een groepje van ongeveer tien man, zwaaiend met dikke stokken en touwen.

'Nu heb je de poppen aan het dansen,' klaagde Clive. 'Stel dat ze terugkomen? Dan slaan ze ons ook tot moes.'

Mal negeerde hem en tilde de jonge koelie op zijn bed. 'God allemachtig, die heeft een flink pak slaag gehad! Volgens mij heeft hij een schedelbreuk, en een van zijn armen is ook gebroken. Ruim jij het bloed op, dan ga ik hulp halen.'

'Bij wie? Niemand wil een spleetoog helpen.'

Mal haalde de revolver onder zijn slaapplek vandaan, deed er munitie in en overhandigde hem aan Clive.

'Deze zul je nu nodig hebben.'

'Waarvoor?'

'Om jezelf te beschermen. Mochten ze terugkomen. Maar als je hem eruit gooit, heb je meer dan dat wapen nodig om jezelf tegen mij te beschermen. Vooruit, maak jezelf nuttig. Zorg voor hem.'

Hij sloop de duisternis in, op weg naar het Chinese kamp, maar bij het naderen van hun tenten besefte hij dat ze waakzaam zouden zijn. Een blanke zou misschien niet eens de kans krijgen uitleg te geven. Aan de rand van het kampement floot hij een paar keer om hun aandacht te trekken, maar die kreeg hij sneller dan verwacht. Een Chinees doemde naast hem op in een kruipende gevechtshouding, dus Mal schreeuwde de enige naam die hij kende.

'Mr. Xiu! Mr. Xiu!'

De wachtpost leek te twijfelen, maar hij viel niet aan.

'De baas!' hield Mal vol. 'Mr. Xiu. Ik, vriend. Jij mij meenemen, snel.'

Er klonk geruis in het kreupelhout en er kwamen twee andere mannen tevoorschijn, die Mal op afstand hielden terwijl ze de situatie in hun eigen taal bespraken.

'Spreken jullie Engels?' vroeg hij, meteen beseffend dat dat bij koelies tevergeefse hoop was. Als zij hem in hun taal hadden gevraagd of hij Chinees sprak, dan had hij hen even onbegrijpend aangekeken.

Daarom rechtte hij zijn rug en gaf met een dringend gebaar aan dat hij Mr. Xiu wenste te spreken.

Ze lieten hem voor de tent van Mr. Xiu wachten tot deze heer klaar was om hem te ontvangen, en toen hij eindelijk naar binnen mocht, begreep hij waarom. De Chinees van adellijke geboorte was van top tot teen gehuld in een ornamenteel gewaad, liet in geen enkel opzicht merken dat hij mogelijk had geslapen, en zat op een prachtige stoel van houtsnijwerk in de meest luxueuze tent die Mal ooit had gezien. Lampen van goudkleurig filigreinwerk verlichtten een toevluchtsoord met op de grond tapijten en rondom rode en goudkleurige zijden gordijnen. Van de buitenkant, toen hij onder bewaking onder het tentzeil stond, was hem niet opgevallen hoe groot deze tent was of hoe weelderig, omdat het buitenste vaalbruine tentdoek volledig opging in de over het algemeen donkere en overvolle omgeving.

De geur van wierook opsnuivend, die afkomstig was van enkele kaarsen in de verste hoek, staarde hij verwonderd naar het formele zwarte meubilair, de lage tafeltjes, de stoelen van houtsnijwerk en een lange, lage zit/slaapbank bekleed met rood satijn. Zijn nieuwsgierige blikken werden onderbroken door Mr. Xiu.

'Dus we ontmoeten elkaar opnieuw, Mr. Willoughby.'

'Ja, meneer. Ik wist niet tot wie ik me anders moest richten. Een van uw gouddelvers is gewond. Ze hebben hem in elkaar geslagen. Hij heeft dringend hulp nodig.'

Xiu leek niet onder de indruk, dus vervolgde Mal: 'Nou ja, ik weet niet of hij inderdaad een van uw mannen is, maar...'

'Waar is hij?'

'In mijn tent.'

'En waar staat die?'

'Beneden, bij de rivier. Bij de zogenoemde Elbow Bend.'

Tot op dat moment had Mal zich niet gerealiseerd dat er verscheidene, in het zwart gehulde Chinezen achter hem de tent hadden betreden; zo geruisloos bewogen ze zich allemaal voort.

81

Mr. Xiu sprak tegen hen en richtte zich daarna langzaam weer tot Mal.

'Wijst u hun de weg?'

'Ja. Hij heeft een dokter nodig.'

Mr. Xiu knikte. 'U hebt de schuld vereffend.'

'Dat had ik sowieso gedaan.'

'Ja, Mr. Willoughby, dat geloof ik ook. Als u zo vriendelijk wilt zijn, mijn mannen staan op u te wachten.'

De audiëntie was voorbij en Mal draaide zich prompt om voor zijn vertrek, maar het lag niet in zijn aard om op zo'n manier weggestuurd te worden.

'Prettig u weer gezien te hebben,' zei hij grijnzend tegen Mr. Xiu, waarop hij werd beloond met wat uitgelegd kon worden als een glimlach van de oudere Chinees met de smalle lippen.

Hij was zich nauwelijks bewust van de zwijgzame mannen die achter hem aan kwamen, terwijl hij door de moddersporen op straat en tussen de afvalhopen door richting Elbow Bend en zijn tent snelde.

Clive deed een stap naar achteren, verbaasd als hij was toen er achter Mal aan vier Chinezen in glanzende, pyjama-achtige pakken de tent in schoten, hun verwonde kameraad oppakten en zonder een woord weer in de nacht verdwenen.

'Waar heb je die in 's hemelsnaam vandaan gehaald?'

'Vrienden.' Mal haalde zijn schouders op. 'Zij zullen voor hem zorgen. Ik ben moe. Laten we gaan slapen.'

Het stoorde Mal, nee, het ergerde hem dat Hillier degene moest zijn die het goud aantrof en niet de man die de hele onderneming had gefinancierd en bovendien het gros van het werk had verzet. Het was een principekwestie, zou je kunnen zeggen. Hij had staan bikken in de mijn, daarbij een steeds grotere boog beschrijvend, terwijl zijn partner geacht werd om het waardeloze gesteente te verwijderen met een geleende kruiwagen, maar in plaats daarvan wat had rondgescharreld in de koele schaduw langs de rivieroever. Hij was er letterlijk over gestruikeld. De oevers hadden zoveel verkeer en ondiep gespit te verduren gehad dat een deel ervan onder het gewicht van Hillier was bezweken, waardoor hij in een modderig gat gleed. En daar lag het, glinsterend als sterren in de donkere aarde... stukjes goud zo fijn als stof, heerlijke goudkorrels vermomd als zandkorrels, dikke gouden kiezelstenen, onbezoedeld door de modder.

Hillier had dikwijls de neiging loos alarm te slaan en om hulp te gillen als hij weer eens werd geconfronteerd met gladde waterslangen en hele families venijnige ratten die de afgegraven goudvelden bevolkten, dus toen Mal zijn geschreeuw hoorde, nam hij de tijd en slenterde op zijn gemak naar de rivier om te zien wat er aan de hand was. Maar dit keer was Hillier totaal in vervoering, gilde hij als een mager varken en produceerde allemaal onverstaanbare klanken, behalve dat ene woord dat ook andere mannen deed aanstormen.

'Goud!'

Mal liet zich op zijn knieën vallen, ongelovig starend, terwijl zijn partner zijn handen door de schat in de modder haalde.

'Bij de heilige Maria! Het ís goud!'

'Natuurlijk, ik zei toch dat hier goud lag!' schreeuwde Hillier opgewekt. 'Haal een wasgoot, vlug. Leen er nog eentje. Maak daar een sluisdeur om te voorkomen dat er iets van deze erts wegstroomt. Haal een schop. Bouw een bevloeiingsdijk. Schiet op, Mal, haast je.'

Clive werd de baas en Mal zijn bereidwillige arbeider. Ze vergaten de opgedroogde holte en begonnen, achter de hoge dijk die Mal voorzichtig had aangelegd, stukje bij beetje het goud – hun goud – aan de grond te onttrekken: een langdurig en langzaam, maar uitermate lonend proces.

De volgende ochtend in alle vroegte bracht Mal hun eerste goudvondst naar de barak waarin de bank huisde: zuiver alluviaal goud in lucifersdoosjes en de rest onder in een schoongemaakt en gedroogd jamblikje. Hij keek achterdochtig toe hoe het goud werd gewogen, om er zeker van te zijn dat er geen stukjes goud aan plakkerige vingers bleven zitten en slaakte een zucht van verwondering toen hem negentig pond werd overhandigd.

Maar de kassier was niet onder de indruk. 'Even wachten, meneer. Ik moet de gegevens nog opnemen en in het register noteren.'

Terwijl hij stond te wachten tot het bewuste boek was opgediept, betrad een lange, grijsharige man via de achterdeur de bank die Mal met een joviaal knikje begroette en vervolgens naar de kassier liep. Na een paar minuten had de kassier een dossier voor hem opgezocht en vertrok de oudere man weer.

Het verbaasde Mal dat de man op een of andere manier aan de bank verbonden was, omdat hij wist dat het een vrij zware gokker was. Om de verveling van het saaie tentleven enigszins te doorbreken, had Mal regelmatig een potje kaart gespeeld in de nabijgelegen kroeg, bescheiden spelletjes met een paar betrouwbare spelers, waarmee hij weinig schade kon oplopen en niet in moeilijkheden kon raken en daar had hij de oudere man gezien. Hij speelde echter aan de achterste tafel, tegen de grote jongens. Soms was Mal er zelfs even bij gaan staan om te kijken hoe de contanten en de zakjes goud zich opstapelden op de groene lakenstof, een luxe die deze heren zich konden veroorloven.

'Wie is dat?' vroeg Mal aan de kassier.

'Goudcommissaris Carnegie,' antwoordde hij, zijn register openslaand. 'Welnu, ik heb nodig het nummer van uw vergunning, dat van uw concessie, de namen van de eigenaar of eigenaren, uw handtekening of een duimafdruk, als u niet kunt schrijven.'

83

Mal verschafte hem de benodigde informatie en tekende het register, zich verbazend over het feit dat zo'n belangrijke heer zich inliet met het gewone volk, maar goed, grote baas of niet, hij had 's avonds waarschijnlijk evenmin weinig te doen in een godvergeten oord als dit, veronderstelde Mal.

Er was weinig over van Clives helft van de negentig pond tegen de tijd dat Mal al zijn onkosten ervan af had getrokken, maar dat maakte hem niet uit; morgen was er weer een dag.

Tegen het einde van de week had Mal een extra zakje in zijn geldriem genaaid waarin meer dan vierhonderd pond zat, het resultaat van hun voltreffer, maar de goudbron raakte langzamerhand uitgeput. De opbrengst daalde per dag totdat Mal, na een paar vruchteloze dagen, de kassier niet meer dan een ons goud kon overhandigen.

Commissaris Carnegie was wederom aanwezig in de bank en hij observeerde Mal met belangstelling.

'Raakt het op?'

'Ja, meneer. Daar heeft het alle schijn van. Maar ik klaag niet. We hebben goed geboerd.'

'Prima houding, zoon. De slimme jongens koesteren hun fortuin en vertrekken zolang het nog kan.'

Mal zette zijn hoed terug op zijn hoofd en grijnsde. Hij vond het altijd vermakelijk als mannen tegen hem praatten alsof hij de korte broek amper was ontgroeid. 'Ik denk dat ik dat ook maar doe,' zei hij, om indruk te maken op de grote baas.

'Laat even weten als je besluit te vertrekken. Misschien heb ik wel een baantje voor je.'

Mal knikte, beleefd als altijd, maar een baantje was het laatste waarop hij zat te wachten. Het was iets te vroeg om te stoppen, maar zodra de goudmijn niets meer opleverde, maakte hij zich uit de voeten. Ze zeiden dat Maryborough een prima stad was; hij wilde er een kijkje nemen en zou daarna verder, richting de oceaankust, trekken. Zijn kaartspelende maatjes hadden hem verteld dat de kust mooier was dan welk ander gebied ook.

'Niet zozeer wat gezelschap betreft, trouwens,' waarschuwden ze hem. 'Er is amper een blanke te vinden, afgezien van een paar kolonisten die al het land hebben ingepikt.'

Maar dat vond Mal geen punt. Een van zijn genoegens was om tijdens zijn rondreizen alle mooie plekjes te bezoeken, om plaatsen waar veel over gesproken werd met eigen ogen te aanschouwen. Zijn favoriete plek waren de Blue Mountains, even buiten Sydney, die werkelijk schitterende uitzichten kenden, maar aangezien hij een man van het platteland was, had hij een blijvende belangstelling voor de zee en werd hij gedreven door nieuwsgierigheid hoe het zou zijn om aan zee te wonen, ook al was het maar kortstondig...

Clive was geschokt. 'Je kunt niet zomaar vertrekken! We verlengen de concessie en gaan dieper graven. We mogen nu niet opgeven.'

'We zijn niet op een goudader gestuit, maat, we hebben een restje gevonden, meer niet. We zoeken nu al weken en er is geen sprankje meer te ontdekken. Het concessieterrein ziet eruit alsof er een dolgedraaide boer heeft lopen ploegen. We zouden de vergunning niet eens kunnen verkopen.'

'Dan zetten we in op een ander stuk grond, verder stroomafwaarts.'

'Zo ver die kant uit is geen goud te vinden, en dat weet je.'

'Ergens anders dan. Deze goudvelden zijn nog niet uitgeput, Mal. Kijk om je heen. Er komen elke dag nieuwe delvers bij.'

Mal haalde zijn schouders op. 'Dat kan ik niet ontkennen, maar ik wil niet langer blijven. Het is geen leven, hier op deze mierenhoop. We hebben ons fortuin gemaakt. Tijd om te gaan.'

'Maar we kunnen nog veel meer verdienen. Wat is een paar honderd pond als iemand met een echt grote slag voor de rest van zijn leven binnen is? Ze vinden hier nog dagelijks echte goudklompjes, Mal... grote... we zouden rijk kunnen worden. Begrijp je dat dan niet? We hebben de middelen om te kunnen blijven.'

Mal schudde zijn hoofd. Hij was bijna gewend geraakt aan de stank van de kampen, maar hij verlangde naar frisse lucht, naar eenzaamheid, naar vers voedsel, naar zijn oude leven. Clive kon blijven, hij vertrok.

Die avond slenterde Mal, liever dan nog langer naar Clives betoog te luisteren, naar de bar voor een spelletje kaart.

Carnegie kwam met grote passen aangelopen en stond op het punt de bar te betreden, toen hij Mal zag, die buiten stond te wachten tot hij werd geroepen dat hij aan de beurt was om te spelen.

'Nog steeds hier, Mr. Willoughby?'

Mal knipperde met zijn ogen. 'Hoe weet u mijn naam?'

'Het is mijn taak om ieders naam te kennen. Ik dacht dat u allang was vertrokken.'

'Morgen.'

'Aha. Dat is interessant. Wilt u niet even een ommetje met mij maken?'

'Een ommetje? Waarom?'

Carnegie fronste zijn wenkbrauwen. 'Omdat er altijd veel luistervinken in de buurt zijn. Laten we deze kant op gaan.'

Ze liepen naar het eind van het smerige weggetje en gingen onder de luifel van een verlaten slagerskraam staan. Hoewel de houten werkbanken leeg waren, stonk het er naar rauw vlees en vlogen er hele zwermen vliegen rond. Walgend stelde Mal voor dat ze een stuk verder zouden lopen.

'Hoor me even aan,' zei Carnegie. 'Aangezien je vertrekt, meld ik even dat mijn aanbod voor dat baantje nog staat.'

'Met alle respect, Mr. Carnegie, ik ben niet op zoek naar een baan.'
De commissaris veegde de vliegen uit zijn gezicht. 'Ga je naar het zuiden of trek je verder, richting Maryborough?'
'Ik trek verder.'
'Goed dan, het enige dat ik van je vraag, is om jezelf onderweg nuttig te maken. Daar zul je bovendien voor worden betaald.'
'Hoe dan?'
'Zoals je weet, is het mijn taak om de goudzendingen onder begeleiding naar Maryborough te brengen. Ik vertrek binnenkort weer met een transport en ik heb een hulpsheriff nodig. Je lijkt me een eerlijke vent, dus als je wilt is de baan van jou.'
'Waarom ik? U beschikt toch zeker over uw eigen personeel?'
Carnegie schudde zijn hoofd. 'Ze komen en gaan. Het goudescorte vertrekt slechts eens per drie weken, dus voor de meesten van hen is het niet meer dan een los baantje, behalve voor Mr. Taylor. Hij werkt fulltime bij mij op kantoor en is uiterst betrouwbaar, maar ons beleid is om elke keer andere mannen in te huren. Mannen die elkaar niet kennen, zodat we niet bang hoeven zijn voor samenzweringen.'
'U bedoelt dat er een kans is dat ze een bende gaan vormen?'
'Dat is eerder voorgekomen. Niet bij mij natuurlijk, maar Mr. Taylor en ik nemen zo onze voorzorgsmaatregelen, en we zijn altijd goed bewapend.'
'Waarom maakt u geen gebruik van de politiemacht?'
'Dat doen we ook als er politie beschikbaar is, maar dat is zelden het geval.' Hij sloeg wederom naar de vliegen. 'Dit is een afschuwelijke plek. We moeten gaan.'
Voor ze bij de bar aankwamen, wendde Carnegie zich nogmaals tot Mal.
'Wat zeg je ervan? Neem je het baantje aan?'
'U wilt dat ik voorrijder bij een goudtransport word? Zomaar ineens.'
'Niet bepaald. Maar heb je belangstelling?'
Mal hield stil, stopte een duim in zijn riem en leunend op een heup overdacht hij het aanbod. Als hij onder begeleiding zou reizen, zou hij tevens bescherming hebben voor het aanzienlijke bedrag dat hij zelf had verdiend. Feitelijk was ook hij een wandelende bank, nu hij erover nadacht. Hij kon al dat geld niet eindeloos bij zich blijven dragen en aangezien hij niet het type was om het in de kroeg te verbrassen, zoals de meesten van die gekke mijnwerkers hier, zou hij vroeg of laat moeten bedenken wat hij met het geld ging doen. Hij zou het op de bank kunnen zetten. Dat was een nieuwe gedachte.
'Nou?' vroeg Carnegie.
'Waarom ook niet? Wanneer vertrekken we?'
'Dat beslis ik. Maar eerst wil ik dat je je gaat melden bij Mr. Taylor. Hij wil nog het een en ander van je weten. Ik doe in dit stadium

86

alleen het voorstel. Als je zijn goedkeuring kunt wegdragen, heb je de baan. Maar ik wil niet dat je dit met wie dan ook bespreekt. Als ik er lucht van krijg, dat je je mond voorbij hebt gepraat, lig je eruit.'

Taylor was een veertiger met magere kaken, een kil ogend heerschap met donker haar, een donkere snor en kille grijze ogen die dwars door de jongeman heen leken te kijken toen deze over de kale planken naar het bureau van de plaatsvervangend commissaris liep. Mal vond dat hij eerder een politieman leek dan een ambtenaar en voelde zich meteen ongerust.

'Wat moet je?'

'Mr. Carnegie zei dat ik me bij u moest melden. In verband met het baantje, als begeleider. Voor het goud...'

'Zo, zei hij dat?' Taylor keek hem met een woeste blik aan en Mal kreeg de indruk dat Carnegie niet geliefd was bij zijn assistent.

'Wie ben je?'

'Mal Willoughby, meneer.'

Zijn beleefde toon deed de woeste blik enigszins verzachten maar had geen invloed op de gesnauwde vragen die volgden. Waar kwam Mal vandaan? Had hij familie? Wat voor werk deed hij? Was hij ooit in aanraking geweest met de politie? Dronk hij? Gokte hij? Was hij geslaagd bij het zoeken naar goud? Hoe heette zijn partner? Wat was zijn achtergrond? En zo voort.

Geamuseerd verzon Mal een prachtig verhaal over een familiehotel in Ipswich, zijn leven als schaapscheerder op de grote fokkerijen en over zijn uitvalsbasis bij zijn oom Zilver, die in het zuidelijke Chinchilla woonde. Dat zou pas nieuws zijn voor Zilver.

Taylor beet op zijn lip, probeerde hem te taxeren. 'Waar heb je de goudcommissaris ontmoet?'

'Hij heeft mij een keer in de bank gezien. En waarschijnlijk een paar keer in de bar, aan de kaarttafel.'

'Ik dacht dat je daarnet beweerde dat je niet gokte?'

'Ik? Welnee, meneer. Ik speel alleen wat kaart, hier en daar een vriendschappelijk potje met wat vrienden. Om de tijd te doden, zeg maar. Ik zou nooit deelnemen aan de grote spelen zoals Mr. Carnegie altijd doet.'

Dat kwam hard aan. Taylor keek Mal dreigend aan en smeet zijn pen op het bureau. Hij schoof het aantekenboekje, waarin ondertussen de details van zijn sollicitant waren opgenomen, opzij.

'Het is een gevaarlijke baan,' knarste hij. 'Je bent niet zo nat achter de oren om dat niet te beseffen. Waarom zou je de baan aannemen?'

Mal grijnsde. 'Als u naar uw aantekeningen kijkt en in het bankregister, zult u zien dat ik meer geld bij me draag dan ik ooit in mijn leven heb verdiend. Ik wil hier weg nu het nog kan. Mijn partner blijft. Ik kan voor een eenzame ruiter met geld op zak geen betere manier om te reizen verzinnen dan samen met een goudtransport. U wel?'

Taylor knikte. 'Je zult je verstand er goed bij moeten houden. Maar je lijkt me een waakzaam type, niet zoals al die dronken boerenkinkels die hier rondhangen. Kun je met een geweer omgaan?'

'Erewoord.'

'Goed. Ik neem wel contact op.'

'Wanneer gaan we?'

'Wanneer ik het sein geef. Ik weet waar ik je kan vinden. Reken af met je partner en houd je mond dicht.'

Commissaris Carnegie verliet de pokertafel al vroeg, de temperatuur de schuld gevend, die inderdaad verstikkend was – nog steeds boven de dertig graden Celsius, hoewel de zon al uren onder was – zonder dat er ook maar een zuchtje wind waaide. Hij veegde zijn zweterige gezicht af met een grote zakdoek en bestelde een glas cognac om zijn kloppende hoofdpijn te verlichten.

'Ik word oud,' zei hij. 'Ik heb niet meer het uithoudingsvermogen dat jullie, jonge honden, bezitten. Deze hitte is vernietigend voor mijn hoofd, ik zweer het.'

Dat hij hoofdpijn had was waar, maar die werd vooral veroorzaakt doordat hij achter elkaar verloor aan de kaarttafel en niet opnieuw durfde te lenen bij de kroegeigenaar. Tot Taylor een paar maanden geleden op zijn dak was gestuurd, had Carnegie de boeken zelf bijgehouden, keurige berekeningen die hem in staat stelden om hier en daar wat contanten in zijn zak te steken en wat steekpenningen aan te nemen – hij sprak overigens van bezoldiging – van mijnwerkers die een gunst van hem wilden. Het aanvullende inkomen was buitengewoon nuttig gebleken, want Carnegie had elke cent nodig om deze baan te laten lonen; schuldeisers in Brisbane drongen per brief aan op betaling. Gokschulden waren, dat spreekt voor zich, het privilege van een heer en het zou ongetwijfeld nog een tijd duren voor een van hen in actie kwam, omdat Allyn Carnegie een goede naam en machtige vrienden had.

Die vervloekte Taylor, die als een havik boven de journaals en registers rondcirkelde, zou het nog opvallen als er een halve penny verdween of als concessiejagers plotseling in het bezit kwamen van legale mijnen. Die bron was dus opgedroogd.

Hij zuchtte. Dankzij Taylor was hij genoodzaakt zich tot Chinese geldschieters te wenden om het hoofd boven water te houden, en inmiddels zat hij zo diep in de schulden dat alleen een wonder hem van de ondergang zou kunnen redden.

Aangezien wonderen niet voor het grijpen lagen, was de commissaris bezig met de voorbereidingen van zijn eigen gewaagde plan, dat zo simpel was dat het niet fout kon gaan. Het enige dat hij nodig had was de moed, nee, de brutaliteit om het uit te voeren. Om het besluit te nemen.

Carnegie liep zo vreselijk te zweten dat hij bij het betreden van de houten barak met twee kamers, beter bekend als de commissariswoning, al bezig was zijn colbert en stropdas uit te trekken. Hij gooide ze op een stoel en zocht naar lucifers om een lamp aan te doen toen hij gerommel in zijn slaapkamer hoorde.

'Wie is daar?' riep hij. 'Kom eruit en laat jezelf zien.'

Een potige, kale vent doemde op in de deuropening. 'Rustig, ik ben het maar.'

'Verdomme, Perry! Wat moet je hier? Ik had toch gezegd dat je hier niet mocht komen.' Niettemin opgelucht, ontstak Carnegie de lamp, deed de deur dicht en liet het linnen rolgordijn voor het kleine raam naar beneden.

'Niemand heeft me gezien. Ik wil weten of je gaat toeslaan of niet. Ik kan hier niet eeuwig blijven rondhangen.'

'Er is een aantal dingen die ik moet overwegen...'

'Dat roep je al weken. Schiet maar eens op met dat overwegen en verspil mijn tijd niet langer. Wanneer wordt de eerstvolgende lading weggebracht?'

'Wanneer ik dat zeg,' antwoordde Carnegie kortaf, maar hij was ineens nerveus. Hij stak zijn hand in een doos en pakte een sigaar, waarna hij hem met trillende handen aanstak.

Perry nam ook een sigaar. 'Waarom ook niet?' sprak hij grijnzend. 'Begint u 'm te knijpen, commissaris? Het was niet mijn idee, het was uw plan, weet u nog? En volgens mij hebt u mij niet uitgekozen vanwege mijn fraaie uiterlijk. U wilt goede ondersteuning, en die hebt u. Ik ben uw man. Dus wat is het probleem?'

Carnegie zoog hard aan zijn sigaar. Perry was inderdaad bij uitstek degene die hem kon helpen; het was een afstotelijke bruut, een crimineel zelfs, maar precies het type man dat hij nodig had. En als hij nu niet met Perry in zee ging, met wie hij het plan had besproken, kreeg hij nooit meer een kans. Hij zou nooit met iemand anders zo'n goede slag kunnen slaan, omdat Perry er lucht van zou krijgen en vanuit een onschuldige positie met de vinger naar commissaris Carnegie zou wijzen. Er niet bij betrokken, en dus gevaarlijk.

Hij had Perry zorgvuldig uitgekozen, precies zoals hij die boerenpummel Willoughby als dekmantel had uitverkoren. Die jongen was dommer dan dom.

'Ik heb het bijna rond,' zei hij langzaam. De eerstvolgende lading die de goudvelden zou verlaten, bedroeg zo'n achtduizend pond. Hij zou de helft aan Perry moeten geven, zoals beloofd, omdat de kranten het bedrag zouden vermelden, maar met vierduizend pond waren al zijn problemen opgelost.

'Ik moet jou kunnen vertrouwen,' zei hij. 'Ik moet je al het goud meegeven. Hoe weet ik dat je niet op de vlucht slaat? Met al dat goud op zak.'

Perry leunde nonchalant tegen de muur. 'Geen zorgen. U krijgt uw helft. Daar kunt u op vertrouwen. En weet u waarom? Omdat dit het slimste vuile zaakje is dat ik ooit ben tegengekomen. Ik moet het u echt nageven, commissaris, het is een sterk staaltje. Hoeveel denkt u dat ik kan verdienen?'

'Ongeveer vierduizend,' zei Carnegie somber.

'Jezus! Vierduizend! Ik zou voor de helft nog meedoen. Jezus! We slaan onze slag en daarna ziet u me nooit weer. Ik ga naar huis, naar Tasmanië, en u zult een held zijn, terwijl de politie in de heuvels op jacht gaat naar een paar kwaadaardige bandieten.' Hij lachte. 'Listig is het gewoon. Echt listig. Maar ik neem aan dat iemand niet zo'n verantwoordelijke baan als de uwe krijgt als hij niet slim genoeg is.'

Carnegie had dat soort vleierij nodig en was opgelucht te horen dat Perry begreep waarom hij hem beter niet kon bedriegen. Dat was van cruciaal belang. Hij zou beweren dat ze waren overvallen door struikrovers, maar hij zou geen beschrijving geven van Perry. Tegen de tijd dat de politie lucht kreeg van de overval, zou Perry veilig in Maryborough zitten en niet de heuvels zijn ingevlucht.

Er zou tegelijkertijd een bescheiden hoeveelheid contanten van de kleine gouddelversbank naar de stad worden gestuurd, een extraatje. Het was Perry's taak om het goud en de contanten mee te nemen, dat te verstoppen op de onlangs overeengekomen plek om vervolgens in Maryborough zijn werk weer te hervatten.

Over vier weken, precies achtentwintig dagen nadat de ophef er-over afgezwakt zou zijn, moest hij de zakken goud en munten weer opgraven en die naar de bungalow van de goudcommissaris in Mary-borough vervoeren. Ze wisten allebei dat het erg belangrijk was dat er nooit enig verband zou worden gelegd tussen de twee mannen, dus de bezorging moest 's nachts plaatsvinden. Het enige dat Perry moest doen, was dat hij de buit onder de trap aan de achterzijde van de bun-galow moest verstoppen, om daarna ongezien weg te sluipen. Ze moesten elkaar vertrouwen; er mochten geen fouten gemaakt wor-den, daarvoor stond er te veel op het spel, en geen van beide mannen kon het risico nemen de ander te bedriegen.

In de beslotenheid van de bungalow zou Carnegie de opbrengst naar eer en geweten verdelen, aangezien hij ervaring had met goud, waarna hij het aandeel van Baldy Perry opnieuw zou inpakken. Dit pakketje zou hij onder dezelfde trap terug plaatsen, zodat Perry het de volgende nacht kon komen ophalen en meteen kon vertrekken. Zonder dat er ooit rechtstreeks contact tussen hen had plaatsgevon-den. Het moest lukken. Het plan was onfeilbaar.

Carnegie was blij dat hij de bungalow destijds had gekocht; het zorgde telkens voor een verademing na de ellendige leefomstandighe-den op de goudvelden. En nu bleek het helemaal van nut. Hoewel het huisje niet te vergelijken was met zijn ruime herenhuis in Brisbane, was het een prettig onderkomen, weg van thuis.

Hij lachte. Geknipt ook voor zijn plan.

Al piekerend concludeerde hij dat Perry zijn enige echte zorg was. Hij moest vertrouwen op Perry.

Op wie anders? Het moest Perry worden of iemand anders van hetzelfde slag.

Hij drukte zijn sigaar uit. 'Zaterdag. We gaan aanstaande zaterdag.'

Perry zat wijdbeens op een stoel. Hij gooide de stoel in zijn opwinding omver. 'Meent u dat? Gaat het gebeuren?' Hij was opgesprongen. 'Ik zal u dit zeggen, Mr. Carnegie, u zult er geen spijt van krijgen. We slaan onze slag en daarna zijn we zo vrij als een vogel. Geen sterveling zal een van ons aan kunnen wijzen als een van de daders. Mijn God, we zullen steenrijk zijn.'

Vierduizend pond was voor Carnegie niet steenrijk, maar het was een leuk begin. 'Laten we het nog eens doornemen. Jij wacht ons op bij de Blackwater-kreek. Op zondagavond. Met de roeiboot.'

'Ja, dat is goed. Die zal ik klaarleggen. Met hoeveel man reist u?'

'Met Taylor en drie hulpsheriffs. Twee die eerder zijn mee geweest en een nieuwe.'

'En wie mag dat zijn?'

'Een jongen met de naam Willoughby.'

'En hoe zit het met Taylor?'

'Die doet alles volgens het boekje.' Carnegie lachte gemaakt. 'Precies zoals ik. We wachten bij de Blackwater-kreek op politieversterking.'

De koets, met extra sterke metalen banden om het ruwe spoor aan te kunnen, vervoerde deze reis geen passagiers. Hij was beladen met grote stalen koffers en stond op zaterdagmorgen al voor dag en dauw klaar om te vertrekken. Taylor zelf nam de teugels in handen en de andere ruiters, aangevoerd door de goudcommissaris, begeleidden het transport. Ze werden niet uitgezwaaid. Ze verlieten de opgravingen eenvoudig door een achterafweggetje in te slaan en gingen op pad.

Mal was opgewonden. Dit was pas iets totaal anders: belast zijn met de bewaking van een goudtransport, hoewel hij en de andere hulpsheriffs slechts gewapend waren met geweren.

Hij was vooraf niet ingeseind. Een van de hulpsheriffs, die zich niet eens had voorgesteld, was domweg de tent in gestevend toen het nog donker was.

'Willoughby?'

'Dat ben ik.' Mal was verdwaasd geweest, maar niettemin wakker genoeg.

'De commissaris zoekt je. Opschieten.'

Het was zover! Hij had amper tijd om zijn spullen te pakken en Clive te wekken om te zeggen dat hij ervandoor ging. Natuurlijk had hij Clive al laten weten dat hij een baantje als bewaker had aangenomen, zodat hij veilig in Maryborough zou aankomen. Clive was teleurgesteld geweest, maar Mal was vastbesloten. Ze schudden elkaar de hand en namen als vrienden afscheid.

Even later stond hij voor het woonhuis van de commissaris, waar hij zijn paard stil probeerde te houden toen de koets uit zijn schuilplaats kwam en de andere ruiters, die niet aan hem werden voorgesteld, ook wat heen en weer stapten omdat hun paarden eveneens roken dat er actie in het verschiet lag. Mr. Taylor mende de koets, maar de commissaris – die een groot grijs paard bereed – was de aanvoerder. Hij gaf zijn paard de sporen en ze schoten allemaal weg, nog voor er in het kamp ook maar enige beweging te bespeuren viel.

De dames van het Genootschap voor Emigratie van Vrouwen uit de Burgerstand hadden hun gouvernantes niet alleen voorzien van referenties, ze hadden hen ook op het hart gedrukt hoe belangrijk het was een zekere standaard op te houden, zodat al hun werkgevers en ook toekomstige werkgevers zouden begrijpen en accepteren welke status een gouvernante in het huishouden zou moeten hebben.

Emilie had de lijst met regels gelezen en in zich opgenomen zonder zich erom te bekommeren, want ze vond ze allemaal vrij normaal en verstandig, precies wat men zou verwachten bij het levenspatroon van een gouvernante. Ze kwam er evenwel al snel achter dat Mrs. Manningtree deze regels niet kende, en Emilie was te zeer geïntimideerd door de vrouw om op haar eerste dag al een poging te doen de zaken recht te zetten.

Om vijf uur die middag kwam de dienstmeid haar halen.

'Ik ben Nellie. Mrs. Manningtree vroeg me om u naar de kinderen te brengen. Ze zijn al in bad geweest, mejuffrouw, dus u hoeft enkel hun haren te doen en ze naar de eettafel te begeleiden.'

Emilie noteerde de eerste fout. Gouvernantes waren geen kindermeisjes, ze waren onderwijzers. Maar ze volgde gehoorzaam naar de slaapkamer waar haar drie pupillen haar in een hinderlaag opwachtten, waarna ze alledrie door elkaar begonnen te praten. Ze overstelpten haar met vragen, duidelijk gefascineerd door het feit dat ze zo'n lange reis per schip had gemaakt.

Ze hield haar handen omhoog om hen tot stilte te manen. 'Ik kan niet al jullie vragen tegelijkertijd beantwoorden,' zei ze lachend. 'Morgen zal ik jullie alles over het schip en de lange, lange reis vertellen. Het zal een goede aardrijkskundeles voor jullie zijn. Maar nu moeten jullie je aankleden.'

De kamer met de drie bedden op een rijtje leek op een kleine, slordige slaapzaal waar overal kleren en handdoeken rondslingerden. Ze begon ze op te rapen. 'Wat dragen jullie tijdens het eten?'

'Wat we aanhebben,' zei Alice, 'maar Rosie heeft de hare achterstevoren aan.'

Emilie snakte naar adem. 'Maar dat zijn nachtjaponnen.'

'Ja, omdat we al in bad zijn geweest. We wachtten op u, maar Nellie zei dat u een dutje deed.'

'Gaan jullie altijd in jullie nachtkleding aan tafel?'

Ze knikte en Emilie haalde haar schouders op. 'Goed dan. Jullie moeten eerst allemaal jullie haar borstelen. Heb je een borstel voor me, Alice, dan zal ik Rosies haar doen.'

Ze nam het jongste kind terzijde, trok haar de nachtjapon goed aan en wachtte tot Alice al rommelend in de laden van de toilettafel een vuile borstel en een gebroken kam had gevonden, waarna ze Rosies in de war geraakte krullen zo voorzichtig mogelijk probeerde te borstelen.

Rosie was tevreden. 'U doet mijn haar echt goed. Nellie doet me zeer, ze trekt aan de klitten.'

Emilie vroeg zich ineens af of de dienstmeid een van haar taken op de gouvernante probeerde af te schuiven. Dat moest ze naderhand maar eens uitzoeken.

Het was sneller om het haar van alledrie onder handen te nemen dan om te wachten tot de onhandige pogingen van Jimmy en Alice resultaat opleverden. Toen alles klaar was, zette Emilie de kinderen op een rijtje naast elkaar.

'Mooi. Waar zijn jullie pantoffels?'

Ze staarden haar aan. 'We hebben niet pantoffels,' zei Jimmy.

'We hebben geen...' corrigeerde ze.

'Dat klopt,' klonk het in koor.

Ze ontdekte weldra dat ze alleen op zondag schoenen droegen, dat die warm en onprettig zaten en grote blaren veroorzaakten die met een naald doorgeprikt moesten worden, waarna ze nog meer pijn deden. Emilie wist alles van blaren – ze had ze vroeger zelf ook vaak gehad – maar zaten de kinderen dan blootsvoets in het klaslokaal? Dat leek haar niet gepast.

In plaats van Miss Tissington voor te gaan naar de eetkamer begeleidden de kinderen haar naar de keuken, waar ze Kate de kokkin ontmoette, een kundig uitziende vrouw met blond haar in een strak knotje en een mager lachje. Het trio hield echter nauwelijks de pas in, maar marcheerde langs de provisiekast naar een kamer zonder ramen, waar een kale tafel stond die voor vier personen was gedekt.

Toen de kinderen hun plaats hadden ingenomen, kwam Nellie binnen.

'Gaat u hier maar zitten, mejuffrouw,' zei ze vriendelijk. 'De kokkin en ik eten later wel. Wilt u soep?'

Emilie knikte overdonderd, maar ze bleef onzeker naast de tafel staan. Gouvernantes gebruiken hun maaltijden in de familiekring, niet in de kinderkamer met de kinderen.

Maar dit was erger dan dat. Dit was duidelijk de eetruimte voor de bedienden. Begreep Mrs. Manningtree dan niet dat ze noch een kindermeisje, noch een bediende was? Emilie had het gevoel dat ze de kokkin duidelijk moest maken dat dit een misverstand was, maar ze wist wel beter dan het huishoudelijk personeel te beledigen. Dit moest ze morgenvroeg met haar werkgeefster opnemen. Ondertussen had ze behoorlijk honger gekregen.

Het klaslokaal, gehuisvest in een schuur met een ijzeren dak, was een regelrechte oven, maar het leek de kinderen niet te deren. Hun ouders hadden in elk geval moeite gedaan om de ruimte te meubileren: er stond een lange tafel voor de leerlingen en voor in de klas, daar recht tegenover, stond een keurige tafel voor de onderwijzeres. Op een plank onder het raam lagen schriften, een doos met potloden, leien en griffels en een warboel aan schoolboeken. Daarnaast stond een groot nieuw schoolbord op een ezel met een doosje gekleurde krijtjes erbij.

Alice, die de rol van leider kennelijk op zich had genomen, haalde stoelen van achteren en zette die bij de tafel en nam er tevens een voor 'juf' mee, die haar bedankte terwijl ze haar eigen verzameling lees- en leerboeken voor bezichtiging neerzette. Boeken die zij en Ruth – voor hun vertrek – in Londen hadden gekocht in de hoop dat ze geschikt zouden zijn.

De nieuwe onderwijzeres vroeg de aandacht van haar kinderen en informeerde of ze een favoriet ochtendgebed hadden. Toen bleek dat ze dat niet hadden, liet ze hen samen met haar het onzevader opzeggen. Ze begon de dag vervolgens met een kort praatje over haarzelf, tevreden dat haar leerlingen zo aandachtig luisterden. Tot dusver, in elk geval.

Ze was van plan om ze elk een kleine schrijftest te laten doen om te kijken waar ze met hen moest beginnen, maar voor ze de kans kreeg verscheen Mrs. Manningtree in de deuropening.

'Goedemorgen, Miss Tissington. Ik ben verheugd te zien dat u meteen bent begonnen. Het heeft geen zin tijd te verspillen. Gedragen ze zich?'

'O, maar natuurlijk, Mrs. Manningtree. Het zijn heel zoete kinderen.' Ze zag hen stralen vanwege dit compliment, maar het leek hun moeder niet op te vallen.

'Hebt u alles wat er nodig is?'

'Ik geloof het wel. Ja.'

'Mocht u nog iets te binnen schieten, geef het dan maar door aan Kate. Zij regelt het verder.'

'Dank u.' Emilie haalde een keer diep adem. Ze moest voor zichzelf opkomen, het moest gewoon. Nu of nooit.

'Mrs. Manningtree, ik vroeg me eigenlijk iets af. Over het nuttigen van de maaltijden. Wilt u dat ik de maaltijden samen met u en Mr. Manningtree gebruik?'

'Wat? Mijn hemel, nee. De kinderen eten in de bijkeuken. Ik dacht dat u dat wist.'

'O ja, dat begrijp ik. Maar waar wilt u dat ík mijn maaltijden nuttig?'

De vrouw reageerde stekelig. 'Suggereert u dat u in de eetkamer wilt eten? Bedoelt u dat?'

'Nou ja... dat is gebruikelijk,' stamelde Emilie.

'In mijn huis niet. We hebben vaak eters te gast. Zakenmensen. Belangrijke mensen. Ze zouden uw aanwezigheid beschouwen als een inbreuk. Ik weet niet waar u dat idee vandaan hebt. Geloof me, het zou ver boven uw positie zijn. Ik hoop niet dat u nog meer van dit soort denkbeelden koestert...'

Emilie stond versteld van deze stortvloed van berispende woorden. 'Ik dacht alleen...'

'U zult merken dat de maaltijden in de bijkeuken even goed zijn als die aan mijn tafel, als u zich daar zorgen om maakt.'

'Welnee...'

'Dan wil ik er verder niets meer over horen.' Ze draaide zich met een grote zwaai abrupt om en liep over het tuinpad naar het huis.

De tranen stonden in haar ogen door de onrechtvaardigheid van deze beledigingen, en Emilie hield haar hoofd gebogen terwijl ze naar haar tafel liep, maar de kinderen hadden meegeluisterd.

'Wij vinden het fijn dat u bij ons bent, juf,' zei Alice, in een poging haar op te vrolijken.

Emilie slikte en dwong zichzelf te kalmeren. 'Dat is erg lief van je, Alice. Ik vind het ook fijn om bij jullie te zijn. Misschien kunnen jij en Jimmy wat schrijfoefeningen doen, zodat ik kan kijken wat Rosie allemaal kan.'

De kinderen raakten bevriend met Emilie. Ze waren alledrie openhartig maar niet onbeschaamd en het waren ijverige leerlingen, mits ze ervoor zorgde dat ze zich niet verveelden. Dikwijls doorbrak Emilie de dagelijkse routine door hun verhalen te vertellen of door natuurwandelingen met hen te maken door de reusachtige tuin, waarvan ze al spoedig ontdekte dat het een deels ontruimd regenwoud was, en hen gymnastische oefeningen liet doen – wat ze heel leuk vonden – hoewel ze moest toegeven dat het een gezond stel was dat nauwelijks extra lichaamsbeweging nodig had, aangezien ze dagelijks na schooltijd het hele erf over renden.

Na afloop van school vond Emilie de tijd echter eindeloos duren. Ze maakte wandelingen, waarbij ze de kinderen meestal meenam, om verlost te zijn van haar sombere kamer en omdat ze kennelijk niet welkom was in het voorhuis. Ze had onderhand nog maar een paar shilling over en durfde niet te vragen wanneer ze haar salaris kon verwachten, uit angst haar humeurige werkgeefster te irriteren. Ze ontdekte al snel dat Mrs. Manningtree nog lelijker deed tegen de dienstmeid en de kokkin, die een grondige hekel aan haar hadden, maar Emilie waakte ervoor mee te gaan in hun klachten over de vrouw des huizes. Ze besefte bovendien dat haar verbanning naar het personeelskwartier mogelijk een verhulde zegen was.

Haar werkgevers ontvingen inderdaad vaak gasten. Lunches met schorre vrouwen namen hele middagen in beslag, maar de avonden waren nog erger. Dan weerklonken het dronken gebral en lawaai door het hele huis. Kate en Nellie moesten tot diep in de nacht in de keuken blijven, maar daarna konden ze tenminste ontsnappen en uitwijken naar hun eigen huis, terwijl Emilie achterbleef en vurig wenste dat ze een slot op haar deur had als ze weer eens mannen door de gangen hoorde strompelen of op het erf onder haar raam hoorde foeteren.

Soms sloop Rosie, bang geworden van alle herrie, Emilies slaapkamer binnen en kroop bij haar in bed. Emilie kon het niet over haar hart verkrijgen om haar weg te sturen.

Op een ochtend, na een bijzonder lawaaierig feestje, maakte Nellie een opmerking tegen Kate terwijl Emilie zich ook in de keuken bevond.

'Ik vraag me af waarom ze juf niet uitnodigt op haar feestjes. Er zijn altijd meer mannen dan vrouwen en je zou denken dat ze dat wat meer in balans zou willen brengen, zeker omdat juf minstens zo beschaafd is als wie van hen ook.'

De kokkin trok sarcastisch een wenkbrauw op. 'Dat is nou net de reden. Ze wil geen concurrentie. Omdat onze juf knapper is dan wie van hen ook.'

'Goeie genade,' riep Emilie uit. 'Dat kan ik me echt niet voorstellen.'

'Het is waar. Let op mijn woorden. U hebt meer stijl dan die lui allemaal bij elkaar, en dat weet dat mens. Nellie hoort haar daarbinnen wel opscheppen over haar gouvernante, maar u wordt aan niemand voorgesteld. Uit pure angst.'

'Zo is ze nu eenmaal,' protesteerde Emilie.

'Dat kun je wel zeggen. Maar u moet uitkijken voor de baas, juffie. Ik heb wel gezien hoe hij naar u kijkt. Hij komt tegenwoordig regelmatig even langs in het klaslokaal, of niet?'

'Ja, alleen om te zien of de kinderen vorderingen maken.'

'Maak dat de kat wijs!' zei Kate lachend. 'Houd de hoedenspeld maar bij de hand.'

Zelfs Emilie moest daarom lachen, en de kokkin knikte goedkeurend. 'Het is goed u te zien lachen. U bent veel te serieus, juf. U zou er eens wat vaker uit moeten. Een jonge meid als u. Het klopt niet dat u elke avond in dat kamertje zit.'

Emilie was het roerend met haar eens, maar ze kon geen kant op. En ze peinsde er niet over om zich 's avonds in het donker over straat te wagen. Erger was dat ze, gebonden aan haar kamer, niets te doen had. Ze had geen geld om boeken of zelfs een eenvoudig borduurwerkje te kopen. In de hoop dat ze wat zou kunnen schilderen, diende ze via Kate een verzoek in voor de aanschaf van wat verf, kwasten en vellen papier om aquarellen te maken, met het argument dat het voor Alice van belang was de basisbeginselen te leren. Het verzoek werd echter genegeerd.

Toen, na enkele weken, gonsde het in huis van de opwinding. De piano was gearriveerd! Emilie was het alweer helemaal vergeten, maar Mr. Manningtree liep druk heen en weer terwijl twee mannen het instrument naar binnen droegen, hen waarschuwend dat ze de piano onder geen beding mochten beschadigen, want dat zou hen hun hachje kosten, en ondertussen ruziënd met zijn echtgenote over waar de piano in de salon precies moest komen te staan. Toen de piano eindelijk op zijn plek stond, scheurde hij het beschermende teerpapier eraf om zijn oogappel aan de wereld te tonen: een glanzende zwarte buffetpiano, versierd met bronzen kaarsenhouders.

Mrs. Manningtree deed een stap achteruit, Nellie en Kate staarden er vol ontzag naar en de kinderen dansten eromheen, eisend dat ze hem mochten uitproberen, maar hun vader gebaarde dat ze opzij moesten gaan.

'Nee. We hebben een echte pianiste in ons midden. Miss Tissington! Kom naar voren, jongedame, en laat ons horen hoe hij klinkt.'

Emilie voldeed met alle plezier aan het verzoek. Voor haar was de piano als een oude bekende. Ze deed het deksel omhoog, pakte Nellies stofdoek en veegde de toetsen zorgvuldig schoon alvorens ze haar handen erover liet glijden.

'O, hij klinkt prachtig,' zei ze.

Ze begon met een etude van Chopin en schakelde vervolgens over op een melodieus stuk van Liszt, waarop iedereen – behalve Mrs. Manningtree – enthousiast reageerde.

'Kunt u niet iets spelen dat we kennen?'

'Ik denk het wel.' En dus speelde Emilie een aantal Ierse ballades die ze de mensen op het schip had horen zingen, om tot haar verbazing te horen dat Mr. Manningtree met een behoorlijke tenorstem ineens meezong.

'Kom op allemaal, zing eens mee,' riep hij, en het duurde niet lang of iedereen had zich rond de piano geschaard en zong uit volle borst. Iedereen behalve Mrs. Manningtree, die bij de deur stond met een gezicht dat op onweer duidde.

'Hoe laat kunnen we de lunch vandaag verwachten?' vroeg ze bits.

Kate begreep de hint, gaf Nellie een elleboogstootje en maakte zich uit de voeten, maar de baas had zijn nieuwe speeltje en wilde Emilie niet laten gaan tot ze alle liedjes die hij kende vrolijk hadden afgewerkt.

'Lieve deugd!' zei hij. 'Wat een geweldige dag. Er gaat niets boven een piano in huis. Denkt u dat u de kinderen kunt leren spelen, Miss Tissington?'

'Maar natuurlijk. We kunnen met lessen beginnen wanneer u maar wilt. Hoewel Rosie misschien nog iets te jong is.'

'Nee, dat ben ik niet!' sprak ze dapper.

'U kunt met de lessen beginnen als ik het zeg,' verkondigde Mrs. Manningtree. 'En dat wil zeggen, als de salon niet in gebruik is. En niet tijdens schooltijd. U kunt nu gaan, Miss Tissington, en neem de kinderen mee. Ze hebben onderhand de helft van hun ochtendlessen gemist.'

Emilie was nog steeds in vervoering door de komst van de piano. Niet op haar hoede. 'O, ik weet zeker dat we die tijd zullen inhalen,' zei ze lachend.

'Dat zult u zeker. Er ligt een hele berg strijkgoed in de wasserij. Nellie heeft er geen tijd voor. U kunt het strijkgoed vandaag na schooltijd doen.'

Lomp als hij was, merkte Mr. Manningtree niet wat er gaande was. Hij bedankte Emilie voor het 'dopen' van de piano en deed haar beloven dat ze nog eens voor hen zou spelen.

'Dat zou me een groot genoegen zijn,' zei ze rustig, niet van plan zijn vrouw te laten merken hoe woedend ze was over haar laatste bevel. 'Als u me nu wilt excuseren...'

Het was de piano die voor verandering in Emilies leven zorgde, maar helaas niet in haar voordeel.

De eerstvolgende zaterdagavond laat, toen ze zojuist een brief aan Ruth had afgerond waarin ze de deugdzaamheden van dit beroep prees, meest leugentjes, bonkte Mr. Manningtree op haar deur.

'Bent u daar, juffrouw? Bert hier. We willen dat u iets voor ons komt spelen.'

Ze sloeg haar kamerjas stevig om zich heen en opende de deur een paar centimeter. 'Mr. Manningtree, dat kan echt niet. Ik ben er niet op gekleed.'

'Maakt niet uit. We wachten wel.'

'Misschien een andere keer.' Ze kon ruiken dat hij had gedronken.

'Geen beter moment dan het heden. Alstublieft. Wees niet zo verlegen...'

'Ik kan echt niet...'

'Dat kunt u best.' Zijn stem klonk nu resoluter. 'Kom, wees geen spelbreekster. U komt er echt niet onderuit. Ik geef u vijf minuten.'

De gasten van mevrouw hadden de eetkamer in wanorde achtergelaten en zich al in de salon verzameld toen Emilie in de deuropening verscheen. De vrouwen waren allemaal in hun mooiste kleren gehuld, waarbij de mode werd geregeerd door opzichtige tafzijde, zoals ze chagrijnig opmerkte, terwijl de heren in hemdsmouwen rondliepen. Ze wachtte met opzet en zweeg in alle toonaarden tot iemand haar ontdekte en ze overijld door de kamer werd meegevoerd en onder luid gejuich achter de piano werd gezet. Beleefd speelde ze alle verzoeken, de druk van allerhande lichamen om haar heen amper verdragend terwijl haar baas het gezelschap aanvoerde in het gezang. Telkens weer sloeg ze de glazen wijn die haar werden aangeboden af en tegelijkertijd moest ze de avances afweren van een wazig kijkende jongeman met achterovergekamd haar en een dunne snor.

De andere mannelijke gasten waren grijsaards, stadsbestuurders, zo giste ze, die tevreden meededen aan de samenzang, maar de jongeman, wiens naam Curtis was, was een lastpost die onnozele opmerkingen in haar oor fluisterde en zijn arm om haar schouders vlijde.

'Ik heb liever niet dat u dat doet,' zei ze, ophoudend met spelen om zijn arm voor de derde keer van zich af te schudden, maar haar reactie veroorzaakte enkel gelach.

'Kijk uit, Miss Tissington,' waarschuwde een grijsaard haar met een glimlach. 'De kapitein staat bekend om zijn charmes.'

Schaamteloos richtte Curtis zich tot zijn gastvrouw. 'Wat moet ik anders nu we zo'n lieflijke Engelse roos in ons midden hebben? Je hebt haar voor ons verborgen gehouden, Violet. En ze is zo getalenteerd...'

Mrs. Manningtree haalde haar schouders op. 'Ik geloof dat we genoeg muziek hebben gehoord voor een avond. Dank u wel, Miss Tissington, we hebben erg genoten van uw korte optreden.'

Emilie was blij dat ze het gezelschap kon ontvluchten, ondanks de beledigende manier waarop ze werd heengezonden, en smeet haar kamerdeur hard achter zich dicht, woest dat ze gedwongen was geweest zo'n uitermate vervelende avond te verdragen.

De volgende ochtend was ze nog steeds woedend, en omdat ze behoefte had met iemand te praten, vertelde ze de kokkin haar ervaringen, maar haar reactie was deprimerend.

'Nou, volgens mij is de teerling geworpen, juffrouw. Nu slepen ze u erbij zoals het hen belieft. Daar is niets aan te doen, dat gebeurt ook met Nell en mij. Altijd wanneer ze een diner organiseert moeten we tot laat in de avond blijven. Geen extra loon en nooit een woord van dank. Er valt weinig aan te doen.'

Ze had gelijk. Ten minste een keer per week, en soms vaker, werd Emilie – zonder waarschuwing vooraf – geroepen om te komen spelen. Ze was inmiddels zover dat wanneer ze feestelijkheden in het voorhuis hoorde, ze zich niet omkleedde maar bleef wachten tot het onvermijdelijke klopje op haar deur klonk. Door deze optredens, tijdens welke ze de gebeurtenissen om haar heen nauwlettend gadesloeg, leerde Emilie in elk geval haar werkgevers beter kennen. Mr. Manningtree was, ondanks zijn grove manieren, eigenlijk heel aardig. Hij was trots op haar, en op nuchtere momenten wist hij haar oprecht te bedanken. Hij kwam zelfs eens met een doos bonbons naar het klaslokaal.

'U bent een lieve jongedame,' zei hij. 'Deze zijn voor u. Onze burgemeester vindt u een topmuzikant, dus dat is een mooi schouderklopje, of niet dan? Kan ik verder nog iets voor u betekenen?'

Emilie bloosde. 'Eigenlijk wel, meneer, als u het niet erg vindt. Kunt u me misschien zeggen wanneer ik mijn salaris kan verwachten? Ik ben hier nu zes weken...'

'Pardon? Krap bij kas dus? Waarom hebt u dat niet eerder gezegd? Mijn vrouw houdt de boekhouding voor het huishouden bij.' Hij voelde in zijn broekzak en telde vijf shilling uit. 'Kunt u hiermee weer even uit de voeten?'

'Ja, dank u wel. Ik vroeg me overigens af op welke datum ik telkens betaald zal worden.'

'Ik zal het aan mijn vrouw vragen. Laat het maar aan mij over. Hoe doen de kinderen het?'

'Heel goed, meneer, het is een genoegen hun les te geven. Misschien kan ik u een keer laten horen hoe goed ze lezen en rekenen...'

'Ja. Een andere keer. Uitstekend. Heel goed.'

Kennelijk was onderwijs haar afdeling, niet de zijne, en dus drong Emilie niet verder aan.

Anderzijds vond Emilie de vrouw des huizes tijdens sociale aangelegenheden erg boeiend. Terwijl ze een poging deed de voorname dame uit te hangen, dronk ze veel en flirtte ze heimelijk met Curtis, beter bekend als kapitein Morrow, die legerofficier was en een vaste klant tijdens dit soort partijtjes. Ze had bovendien veel kritiek op haar man en commandeerde hem alsof hij de butler was; hem leek het niet te deren. Het was duidelijk dat hij verzot was op zijn vrouw en dat ze in zijn ogen geen kwaad kon doen.

Die avond, toen Emilie zoals gewoonlijk met de kinderen zat te eten, stormde een woedende Mrs. Manningtree naar binnen.

'Hoe durf je je tegenover mijn man te beklagen dat je niet wordt betaald, jij kleine omhooggevallen slet!'

Emilie stond uiterst kalm op. 'Ik heb niet geklaagd, mevrouw. Ik heb enkel geïnformeerd wanneer ik een deel van mijn salaris kon verwachten.'

'Ik zal je zeggen wanneer je wordt betaald. Elk kwartaal. Om de drie maanden ontvang je een vierde van het afgesproken salaris. Is dat duidelijk?'

'Ja, mevrouw. Als u dat aan mij had uitgelegd, had ik het niet hoeven vragen.'

'Probeer je me terecht te wijzen?'

'Absoluut niet.'

'Dat hoop ik niet, want je bent hier op proef. Drie maanden proeftijd, dus ik zou me maar niet zo verwaand opstellen. Mijn echtgenoot heeft je vijf shilling gegeven; die trek ik af van je eerste salaris, en ik wil niet dat je nog eens bij hem gaat bedelen.'

'Bedelen? Ik heb werkelijk niet gebedeld, Mrs. Manningtree, en van een dergelijke beschuldiging ben ik niet gediend. Als u klaar bent, zou ik nu graag met de kinderen aan het dessert beginnen.'

De vrouw bleef een paar seconden beledigd staan en stoof toen naar de keuken, waar ze de kokkin uitschold vanwege een pastei die ze tijdens de lunch had geserveerd. Ze reageert zich af op Kate, dacht Emilie, maar ze beefde, want ze maakte zich zorgen dat ze te ver was gegaan. Zorgen dat er aan het einde van deze drie maanden een grote kans was dat deze feeks haar zou ontslaan.

Emilie wenste dat ze de vrouw op een of andere manier te snel af kon zijn. Want hoewel ze erg dol op de kinderen was, was dit geen leven: in een achterkamertje en voortdurend bang zijn dat ze zou worden weggestuurd. Ze realiseerde zich gaandeweg dat hoe meer Mr. Manningtree haar verrichtingen prees, hoe meer aanmerkingen zijn vrouw op haar had. Ze stond erop wekelijkse rapporten te ontvangen over het schoolwerk van haar kinderen en begon hen persoonlijk op kennis te testen. Maar de tests waren veel te zwaar en deden Alice in huilen uitbarsten en Jimmy ineenkrimpen. Emilie had medelijden met hen, in de wetenschap dat deze kille vrouw hen als wapen tegen haar gebruikte. Ze probeerde hen te troosten, zonder hun moeder te bekritiseren, die zich op geen enkel ander moment met hen bemoeide; hun vader zagen ze sowieso zelden. Maar goed, kinderen vergaten snel – zo ontdekte Emilie weldra – en omdat ze niet beter wisten, waren ze tevreden onder de goede zorgen van de kokkin, Nellie en juf.

Uiteindelijk schreef Emilie een lange, ellendige brief naar Ruth waarin ze zich beklaagde over haar verschrikkelijke baan, de eenzaamheid en, erger, het feit dat ze de komende zes weken moest rondkomen van slechts acht shilling, terwijl ze op twintig pond had gerekend. Maar stel dat ze werd ontslagen? Zou ze dan in haar recht staan om de negentien pond en vijftien shilling op te eisen? Of betekende ontslag aan het einde van de proeftijd dat ze geen recht had op salaris? Ze stortte haar hart uit bij Ruth, die in alle tevredenheid functioneerde in een ideaal gezin, hoewel de kinderen erg verwend en doldriest waren.

Ze mag zich gelukkig prijzen, verzuchtte Emilie, toen ze de brief opnieuw las. Daarna scheurde ze hem in stukken. Wat had het voor zin om Ruth met haar problemen op te zadelen? Wat kon zíj eraan doen?

Op een zekere zondagmorgen maakte de gouvernante een rustige wandeling door het centrum van Maryborough, waar ze stilhield voor het indrukwekkende Prince of Wales Hotel, een gebouw dat twee verdiepingen telde met aan de voorzijde over de gehele breedte een veranda. Zich herinnerend dat Ruth daar een betrekking had aangeboden gekregen, vroeg Emilie zich af of het werken in een hotel én voor de papen erger kon zijn dan haar huidige situatie. Ze overwoog naar binnen te gaan om te vragen of de post nog beschikbaar was, maar besloot het uiteindelijk – om diverse redenen – niet te doen. Stel dat Mrs. Manningtree erachter kwam? En trouwens, de kinderen zouden vreselijk gekwetst zijn als ze hen in de steek liet. Maar mogelijk werd ze over een tijdje sowieso gedwongen hen te verlaten. Durfde ze naar binnen toe te stappen, gewoon om te informeren? Nee, beter van niet.

Toen ze verder wandelde, hoorde ze een stem die haar riep.

'Miss! Miss! Wacht eens even!'

Van de overkant van de straat zag ze een jongeman van zijn paard springen en op haar af stormen, terwijl hij de teugels gewoon los liet hangen.

Emilie keek om zich heen, in de verwachting dat hij op iemand anders doelde, maar er liepen alleen een paar kerkgangers, die bedaard in de tegengestelde richting gingen.

Hij snelde naar haar toe, kwam tot stilstand en rukte toen zijn hoed van zijn hoofd. 'Miss! Herkent u mij niet meer? Ik ben Mallachi Willoughby. Ik heb u in Brisbane ontmoet. In de Valley! Op straat. U ging de verkeerde kant op. Weet u het nog?'

Emilie schudde van niet en probeerde hem voorbij te lopen, maar hij hield vol.

'Het spijt me. U herinnert zich mij niet. Maar ik herinner me u wel.' Hij was buiten adem, verheugd haar weer te zien, alsof hij een lang verloren gewaand familielid was.

'Wilt u me alstublieft excuseren? U moet zich vergissen.' Ze stond op het punt hem te passeren, toen ze het incident in Brisbane ineens weer voor zich zag, en ze was zó verbaasd dat ze stil bleef staan.

'Ziet u nou!' riep hij vrolijk uit. 'U kent me wel.'

'Ik ken u helemaal niet en zeg alsjeblieft niet weer dat ik de verkeerde kant uit ga.'

'Nooit meer! Ik ben gewoon blij u hier te treffen. Ik ben onbekend in deze stad. Wat doet u hier?'

Het was moeilijk boos op hem te blijven, aangezien beleefde manieren kennelijk niet aan hem waren besteed en hij het duidelijk goed bedoelde.

'Ik heb hier werk,' erkende ze.

'Echt waar! Wat een geluk. Wat doet u voor de kost?'

Emilie zuchtte. Ze herinnerde zich zijn gezicht nu weer glashelder – ongelofelijk knap op een argeloze manier, met van die vertrouwen-

102

wekkende blauwe ogen – maar dat was voor haar geen excuus om op deze ordinaire manier met hem op straat te staan praten.

'Ik ben gouvernante en was juist op weg naar huis.'

'Gouvernante, wat leuk. Dan zal ik u naar huis begeleiden.' Hij keek de verlaten straat in en grapte: 'Ik zou niet willen dat u door de menigte onder de voet wordt gelopen.'

Hij floot naar zijn paard en dat kwam er rustig aan kuieren. 'Dit is Striker,' zei hij tegen Emilie. 'Striker, zeg eens gedag tegen Miss...'

Mr. Willoughby liet zich niet afschepen en trouwens, dacht Emilie – die zich voor haar daden probeerde te verantwoorden – waarom zou ik me niet naar huis laten brengen door een jongeman? Ook al was hij een veeknecht; de stad wemelde ervan. De kinderen hadden haar dat woord geleerd en uitgelegd waarom ruiters als hij allemaal zwepen en touwen aan hun zadel meevoerden.

'Tissington,' zei ze.

'Dat kan niet voor een paard. Te moeilijk. Hoe mag hij u noemen?' Ze lachte. 'Emilie.'

'Emilie,' zei hij tegen het paard. 'Is dat geen mooie naam? Past precies bij de eigenaresse.'

Hij pakte de teugels en trok het paard mee de straat uit en de bocht om, op weg naar het huis van de familie Manningtree. Ondertussen kletste Mr. Willoughby vrolijk door, zonder op te merken – of zonder zich erom te bekommeren – dat Emilie te gereserveerd was om ook maar één onbeduidende vraag aan haar metgezel te stellen. Hij had zelf te veel vragen. Maar het verbaasde haar dat het zo vertrouwd aanvoelde om hier naast hem te lopen; hij stelde haar enorm op haar gemak.

'Dus hier woon je?' vroeg hij, de oprijlaan af turend. 'Dat ziet er erg voornaam uit.'

Emilie haalde haar schouders op. Ze zag ertegenop weer terug te moeten naar haar eenzame kamertje.

'Voor mij niet,' flapte ze er plotseling uit. 'Mijn kamer bevindt zich aan de achterkant, vlak bij de keuken. Ik ben maar een werknemer.'

Hij fronste. 'Maar het is toch een goede baan. Ik heb op de veeboerderijen in het westen verscheidene gouvernantes ontmoet. Die leken het een plezierig leven te vinden.'

Emilie was ineens geïnteresseerd. 'Meent u dat? Waar dan?'

'In allerlei plaatsen.'

'En u kent die mensen?'

'Maar natuurlijk.' Mr. Willoughby keek haar verontrust aan. 'Bevalt deze baan niet?'

Ze schudde haar hoofd. Zijn vriendelijkheid veroorzaakte een emotionele golf van zelfmedelijden. 'Ik moet naar binnen.'

'Nee, wacht even. We moeten hierover doorpraten. Als de baan niet bevalt, waarom vertrek je dan niet?'

103

'Dat kan ik niet.'

'Kan niet bestaat niet. Luister. Ik moet nu ook gaan. Maar ik ben vanavond terug in de stad. Het kan trouwens laat worden. Wat zou je zeggen van morgenavond? Mag ik je dan komen opzoeken? Ik bedoel dat niet oneerbiedig, heus niet.'

Emilie kon zich de reactie van Mrs. Manningtree wel voorstellen als hij aan de deur zou komen om naar haar te vragen. Slecht nieuws. Bijzonder slecht nieuws. Maar Mr. Willoughby kende veeboerderijen waar gouvernantes een goede baan konden vinden. Wellicht kon hij haar helpen.

'Kent u de plaats Nanango?' vroeg ze hem.

'Ja. Geen beroerde plek. Land van kolonisten. Hoezo?'

'O. Zomaar. Daar werkt mijn zuster.'

'Wil je dat ik je kom opzoeken?'

'Het spijt me. Dat zou een slecht idee zijn. Ze zouden het niet waarderen.'

'Zullen we dan ergens afspreken? Hier bij de poort? Hoe laat ben je klaar?'

'Ik kan zeker voor zevenen niet weg. Ik moet de kinderen naar bed brengen.'

'Goed dan. Ik zie je hier om acht uur.'

Dit baarde Emilie meteen zorgen. Tegen acht uur was het al donker. Meisjes die 's avonds het huis uit slopen, konden haar goedkeuring niet wegdragen. Het was zo ordinair. En helemaal om een vreemde man te ontmoeten. Ze kon haar leven wel wagen.

'Wat zouden we moeten doen?' vroeg ze, bij wijze van voorzorgsmaatregel.

Hij lachte. 'Bij mij ben je veilig, Emilie. We zouden naar de haven kunnen wandelen om naar de schepen te kijken, of waarheen je maar wilt.'

'Ik zou niet weten waarheen,' reageerde ze. 'Ik weet niets over deze stad.'

'Hetzelfde geldt voor mij. Laten we gewoon wat rondkijken en met elkaar praten, oké? Vind je dat goed?'

'Ja. En Mr. Willoughby...'

'Noem me alsjeblieft Mal.'

'Mal. Dank je wel.'

Hij keek haar na toen ze rustig over de oprijlaan richting huis liep – een knap, fijngebouwd meisje in haar keurige rok en schone witte blouse, een strohoed op haar glanzende haar – totdat ze uit het zicht was verdwenen, waarna hij zich uitbundig omdraaide. Als Hillier hem vandaag toch eens met zijn jongedame had kunnen zien. Had hij hen maar gezien, als een perfect paar dat een zondagse wandeling maakte. Mal wenste dat hij de moed had gehad om haar bij de arm te nemen, in de overtuiging dat dat zo hoorde bij dames, maar Emilie

104

maakte hem zenuwachtig – ze was ook zo mooi. Hij maakte zich zorgen dat hij te veel had lopen kletsen.

Omdat hij de behoefte voelde meer over haar aan de weet te komen, en deze baan haar kennelijk zo ongelukkig maakte, leidde hij zijn paard van de weg en maakte het vast aan een boom voor hij begon aan zijn verkenning van het niet-omheinde landgoed, al sluipend over het terrein. Daar zag Mal de schoonheid van het gebied dat Emilie in eerste instantie zo had afgeschrikt, vanwege zijn donkere voorkomen. Het dichte kreupelhout was verwijderd en had plaatsgemaakt voor een grof soort gazon, althans op plaatsen waar het licht kon doordringen, maar de hoge, oude bomen, die rondom waren bedekt met klimplanten en mos, hadden het overleefd. Hij herkende reusachtige inheemse vijgenbomen en rode gombomen, dikke apenbroodbomen en casuarina's en liep zompend door de halfvergane bladeren onder een brede boom met een deken van rode pluimen. Hij was net op tijd om Emilie naar de achterkant van het huis te zien lopen, langs een wild uitgegroeide heg van banksia's, op weg naar de achterdeur, en dat ergerde hem.

Wat voor soort mensen liet een keurige jongedame de achterdeur gebruiken alsof ze een dienstmeid was? En wat had ze bedoeld toen ze zei dat ze niet weg kon? Op wat voor manier hadden zij macht over haar? Wie die mensen, haar werkgevers, ook waren, Mal wist zeker dat Emilie veel te goed voor hen was.

Toen schoot hem te binnen dat hij zich binnen een uur weer bij het politiebureau van Maryborough moest melden, waarna hij zich haastte om zijn plicht te vervullen.

Op Lindsay Downs, in de buurt van Nanango, was de sfeer aanzienlijk veranderd sinds de komst van de gouvernante, en Leonie maakte zich zorgen. Het was niets voor Jack om zich te beklagen – hij was altijd zo gemakkelijk in de omgang – maar gisteravond na het eten was hij zeer kordaat geweest.

'Ik wil dat je met Miss Tissington praat. Ik kan haar gevit tijdens de maaltijden niet langer aanhoren. Zeg dat ze moet ophouden de kinderen voortdurend te bekritiseren. Het is erger dan op school.'

'O, Jack. Oordeel niet zo hard over haar. Ze bedoelt het goed. Ze heeft het beste met de meiden voor. Probeert hun manieren verbeteren.'

'Het kan me niet schelen wat ze probeert. Ik ben haar gezeur beu.' Hij bootste Ruths stem na: 'Ellebogen van tafel. Houd je mes goed beet. Het soepbord bij jezelf vandaan kantelen. Praat niet met volle mond. Manieren, meisjes, alsjeblieft!'

'Misschien moest jij eens een hartig woordje met de meiden spreken en ze opdragen om haar te gehoorzamen, zodat ze sneller leren en zij er niet steeds over hoeft te zeuren.'

'Ha!' riep hij uit. 'Dus je geeft toe dat ze zeurt.'

'Alleen omdat zij het gevoel heeft dat dat zo hoort. Ze is erg secuur wat haar werk betreft, ze doet erg haar best om ons niet teleur te stellen.'

'Zeg dan dat ze minder hard haar best hoeft te doen. Ik word helemaal zenuwachtig van haar. Ik zet zelf ook een elleboog op tafel en dan voel ik haar kraalogen op mij gericht. Ze maakt ons enkel humeurig op deze manier. Jane en Jessie gedragen zich met opzet slecht. Als jij tegen hen praat, dreinen en pruilen ze en de vrouw weet van geen ophouden en ik moet dat alles aanhoren. Het is verdomd onplezierig, Leonie. De gezelligheid is weg. Als ik me tijdens de maaltijden aan mijn eigen tafel niet kan ontspannen, ga ik wel bij de knechten eten.'

Leonie zuchtte. Ze keek er niet naar uit om Miss Tissington met dit alles te confronteren. Miss Tissington die ronduit weigerde zich door iemand, familieleden noch personeel, met haar voornaam te laten aanspreken. De vrouw intimideerde haar. Vrouw, vroeg ze zich peinzend af. Miss Tissington was amper vierentwintig, maar ze was zo stijf en humorloos, zo overtuigd dat haar Engelse manieren beter waren dan die van de kolonisten, dat ze vroegtijdig oud was geworden. Nu al een typisch voorbeeld van een oude schooljuffrouw.

In de klas deed ze het overigens prima. Onder haar heerschappij was het schoolwerk van de beide meisjes enorm vooruitgegaan. Ze hadden de pest aan haar, maar ze zette hen zonder pardon aan het werk, en de keurige schriften en de wekelijkse proefwerken in tal van onderwerpen bewezen het. Ze combineerde de biologielessen met tekenles en ze waren allemaal verbaasd, verheugd ook, om te ontdekken dat Jane uitblonk in tekenen.

'Goeie genade,' mompelde Leonie bezorgd toen ze door het huis liep. Ze was blij dat Jack niet thuis was tijdens de rampzalige pianolessen die wekelijks plaatsvonden. Luidruchtige uren met veel hard aangeslagen toonladders en een boze gouvernante die klaagde dat geen van beide meisjes voldoende had geoefend. Waarin ze gelijk had. Eenmaal bevrijd uit het klaslokaal renden ze naar de stallen, zadelden hun paarden op en verdwenen – ver buiten het bereik van hun onderwijzeres. Ze hadden geleerd niet in de buurt van het huis te blijven rondhangen, want dan legde ze hen aan banden.

Ietwat nerveus wachtte Mrs. Stanfield tot de meisjes voor hun lunch naar buiten kwamen, waarop ze het klaslokaal inliep om de stoute schoenen aan te trekken.

Nadat ze eerst een alledaags gesprek aanknoopte, waarin ze Miss Tissington liet weten hoe goed ze er vandaag uitzag, dat de plattelandslucht kennelijk bevorderlijk voor haar was en hoe fraai het klaslokaal eruitzag met alle posters, schetsen en weerkalenders aan de muren, bracht Leonie het onderwerp uiteindelijk ter sprake.

'Miss Tissington, ik wilde eens met u praten over de maaltijden.'

'Maar natuurlijk,' reageerde de gouvernante glimlachend. 'Wilt u het tijdstip ervan soms veranderen?'

'Nee. Het is iets anders. Ik vroeg mij af of u het erg vindt om de meisjes aan tafel niet voortdurend te corrigeren.'

'Niet corrigeren? Ik snap niet wat u bedoelt.'

'Ik bedoel dat ik liever niet wil dat u ze aan tafel bevelen geeft... ik bedoel, wat hun manieren betreft.'

Miss Tissington verwerkte de opmerking en zei toen: 'Ze hebben onderricht nodig, Mrs. Stanfield. Hoe moeten ze het anders leren?'

'Misschien zou u ze hier kunnen instrueren.'

'Dat doe ik. Eindeloos. Maar helaas vergeten ze het snel, zodat ik hen eraan moet herinneren. Als we volharden, zult u zien dat het binnen afzienbare tijd hun tweede natuur wordt.'

'Dat besef ik ook wel, maar ik vind de voortdurende verbeteringen nogal verstorend.' Ze was niet van plan geweest het woord 'voortdurend' te gebruiken, het klonk zo streng, maar ze was in haar gedachten zo druk bezig om te voorkomen dat ze haar echtgenoot zou noemen als de bron van deze klacht – en hem in verlegenheid zou brengen – dat het eruit was geglipt.

'Zijn mijn verbeteringen verstorend?' De stem van Miss Tissington klonk ijzig. 'Ik zou denken dat het eeuwige gekibbel tussen Jane en Jessie en hun neiging om hun ouders te onderbreken of zelfs van repliek te dienen veel storender waren. Ik ben erg voorzichtig met mijn commentaar wat dat aangaat, omdat dat aan u is...'

'Natuurlijk, dat begrijp ik, maar toch... ik wou gewoon, ik bedoel, het zou voor alle betrokkenen beter zijn als u zich niet zo druk zou maken over hun tafelmanieren.' Ze probeerde te lachen. 'Ze kunnen soms erg vervelend zijn.'

Leonie wilde de situatie daarmee verlichten, maar zo was het er niet uit gekomen, en nu was Miss Tissington beledigd.

'Bedoelt u te zeggen dat ik hen helemaal niet mag corrigeren? Dat ík de storende factor ben?'

'Niet helemaal,' sprak Leonie met bevende stem.

'Een andere uitleg kan ik er niet aan geven. Toen ik hier destijds kwam, heeft u specifiek gezegd dat u wenste dat de meisjes zich meer als een dame zouden gedragen. Ik beschouw tafelmanieren als een absolute vereiste voor iedere dame.'

'Natuurlijk. U heeft volkomen gelijk. Maar het werkt niet, werkelijk niet. Omwille van de lieve vrede tijdens de maaltijden moet ik u verzoeken om hen niet te corrigeren. Alstublieft.'

Miss Tissington knikte koeltjes. 'Goed dan, als u dat wenst, zal ik ervan af zien. Laten we hopen dat ze het zullen leren doordat wij het goede voorbeeld geven.'

'Dank u. Het is een onbeduidende kwestie, dus maakt u zich daar geen zorgen over.'

Voor Ruth was dit allesbehalve een onbeduidende kwestie. Ze voelde zich vreselijk in verlegenheid gebracht dat ze op het matje werd geroepen vanwege die slechtgemanierde dochters, wier tafelmanieren nog altijd verfoeilijk waren. Ze vond Mrs. Stanfields klacht – want een klacht was het zeker – onredelijk en pijnlijk, terwijl ze zich voor honderd procent had ingezet voor de meisjes. En ze begreep heel goed, door Mrs. Stanfields benadering, dat deze kritiek niet van vandaag was. Dat haar werkgevers al enige tijd ontevreden waren over haar. Dat deed haar ineenkrimpen, want ze meende dat ze hun absolute goedkeuring genoot.

Op haar eigen manier genoot Ruth echt van haar verblijf op Lindsey Downs. De meisjes vormden een beproeving, een uitdaging, maar ze hield zich staande, en na de lessen, in haar vrije tijd, ontdekte ze dat ze het leven op een veeboerderij bijzonder interessant vond. Niemand viel haar lastig als ze rondwandelde en alle bedrijvigheid bekeek die gepaard ging met het houden van duizenden stuks vee en – volgens haar berekeningen – honderden paarden, alsmede een kleine kudde melkkoeien. Het was een typische mannenwereld, gespierd en stoffig en ruig, en hoewel Ruth te verlegen was om alles van dichtbij te observeren, was ze gefascineerd door de talloze ruiters die onafgebroken in beweging waren en het loeiende vee voortdurend door de doolhof van hokken met hoge afrasteringen dreven, om wat voor reden dan ook. Daar ze geen praatziek persoon was, had Ruth geen behoefte aan gezelschap als ze via de boomgaard naar de rivier slenterde die over het landgoed stroomde en genoot van wat ze zelf haar 'natuurwandelingen' noemde.

's Avonds was ze vrij om zich bij de familie in de salon te voegen, maar ze bleven daar nooit lang na het avondeten, omdat Mr. Stanfield bij het aanbreken van de dag alweer opstond. Zodoende ging iedereen vroeg onder de wol. Ruth had de salon dan voor zichzelf, om wat te naaien of te lezen in een van de boeken die Mrs. Stanfield, vriendelijk als ze was, voor haar had besteld. Ze was zelfs uitgenodigd mee te gaan toen het gezin Stanfield vrienden bezocht in het kleine stadje Nanango, en Ruth had de mensen erg aardig gevonden, maar natuurlijk had ze weinig gemeenschappelijks met hen.

Maar nu had Mrs. Stanfield haar overstuur gemaakt. Ruth was niet toegerust om met kritiek om te gaan. Ervan overtuigd dat ze haar rol op een voorbeeldige manier invulling gaf, was de schok die de berisping had veroorzaakt zo groot dat ze zich niet in staat achtte de familie nu alweer onder ogen te komen. Ze had zich naar de keuken gehaast om de kok te laten weten dat ze geen honger had, dat ze de lunch zou overslaan, en was vervolgens teruggevlucht naar het schoollokaal.

Die avond corrigeerde de gouvernante de meisjes niet, maar de sfeer tijdens het eten was slechter dan ooit. Ze zat ijzig stil aan tafel, behalve de paar keer dat Leonie haar een vraag stelde om het ijs te breken. En zelfs dan gaf ze kort antwoord en lag er een grimmige blik op haar gezicht.

'Ze is gekwetst, dat is alles,' legde Leonie later aan haar man uit. 'Ze meende dat ze het goed aanpakte met de meisjes. Maar ze komt er wel overheen.'

'Dat hoop ik wel. Zeg maar dat ze een slecht voorbeeld geeft als ze ten overstaan van haar leerlingen gaat zitten mokken.'

'Ze zit niet te mokken.'

'Daar lijkt het anders wel op.'

Na enkele dagen wekte de zwijgzaamheid van Miss Tissington toch ergernis op. Ze leek weinig te kunnen toevoegen, nu haar het recht om haar pupillen te verbeteren ontzegd was, knoopte nooit zelf een gesprek aan en zat stijf rechtop op haar stoel naast Jane, alsof ze de gebeurtenissen van een afstand observeerde. Leonie wist niet wat ze ervan denken moest. Was ze verlegen? Of wilde ze hen straffen, zoals Jack – die haar Miss Somber noemde – had gesuggereerd? Ongeacht de verklaring, Leonie was het met hem eens dat het zo niet verder kon. Het was de meisjes opgevallen hoe zwijgzaam Miss Tissington was geworden en ze begonnen haar uit te dagen met spottende vragen, waardoor hun vader uiteindelijk in woede uitbarstte om haar te verdedigen.

'Zo is het genoeg!' bulderde hij tegen Jane. 'Als jij en je zuster je niet kunnen gedragen, ga je maar van tafel!'

Miss Tissington verblikte of verbloosde niet; ze at met grote nauwkeurigheid door.

'Regel een vriendje voor haar,' zei Jack tegen zijn vrouw. 'Iemand moet een sprankje leven in die meid brengen. Ze maakt grote kans zo'n typische oude vrijster te worden, en toch is ze niet onaantrekkelijk, als ze zich maar kon ontspannen.'

Ruth wist dat ze tegenwoordig een slechte indruk maakte op Mr. Stanfield – ze had menigmaal een scherpe blik van hem opgevangen – maar ze kon niet bedenken hoe ze de situatie moest veranderen en twijfelde zelfs of ze dat zou willen. Het was eenvoudiger aan tafel te zitten en niets te zeggen dan een of andere dwaze opmerking te maken als bijdrage aan hun gesprekken, die toch vooral over plattelandszaken gingen. Tot haar grote afgrijzen en gêne realiseerde Ruth zich ineens ook dat ze, nu ze was opgehouden de meisjes te corrigeren, waarschijnlijk als een uitermate saai persoon werd beschouwd door zowel ouders als kinderen, omdat ze geen enkele andere bijdrage aan de maaltijd wist te leveren.

Ze was neerslachtig, erg neerslachtig, en hoewel ze het zelf niet besefte, ging ze meer en meer teruggetrokken leven. Ze kreeg nu zo'n vier pond per maand en maakte zich zorgen over de terugbetaling van de lening die het Genootschap haar had verstrekt terwijl ze ook persoonlijke uitgaven had; er leek altijd wel iets te zijn, vooral wat betreft de vervanging van kleding, om haar uiterlijk op peil te houden. Haar doel om een appeltje voor de dorst te verdienen en daarnaast geld voor de reis terug naar Engeland leek ver buiten haar bereik.

Mrs. Stanfield had wederom het initiatief genomen tot een rustig gesprek. Ze had Ruth apart genomen en voorgesteld dat, aangezien ze haar als een familielid beschouwden, ze best minder formeel mocht zijn.

'In welk opzicht, Mrs. Stanfield?'

'Het gebruik van voornamen is hier echt heel normaal. Met uitzondering van mijn dochters natuurlijk. Het zou prettiger voor ons zijn als we je Ruth mochten noemen. Dat geldt voor jou evengoed, ik ben Leonie en mijn man heet Jack.'

'Ik dacht dat we dit al hadden besproken.'

'Ja, maar je zult zien dat het veel plezieriger werkt, heus.'

'Ik zal het proberen.' Ruth keurde het af, maar als ze erop stonden...

'En dan nog iets. Als je eens een kopje thee of koffie wilt, mag je dat te allen tijde uit de keuken halen. Dat hoef je niet aan de dienstmeisjes te vragen.'

'Hebben ze soms geklaagd?'

Leonie slikte. De twee dienstmeisjes hadden inderdaad allebei geklaagd dat ze niet de bedienden waren van 'mevrouw de gouvernante' en niet op haar wenken vlogen. Het huispersoneel had een hekel aan de gouvernante en haar verheven manier van doen.

'Zeker niet,' zei ze. 'Ik wil alleen dat je je wat gerieflijker voelt hier.'

'Ik heb juist mijn uiterste best gedaan om geen inbreuk te maken op het domein van de kok. Waar ik vandaan kom, is het beter om dit soort zaken aan de dienstbode te vragen.'

Leonie schudde verslagen haar hoofd. 'Je bent hier niet waar je vandaan komt, Ruth. Hier werkt alles anders. We leven veel informeler. En trek het je niet aan... maar het is niet nodig om overal zo serieus over te doen. Hier en daar een lach doet wonderen. Welnu, we gaan morgen naar de stad en blijven er een nachtje logeren in verband met een bal. Heb je zin om mee te gaan? Ik regel onderdak voor je.'

'Ik houd niet van dansen,' loog Ruth. De geleverde kritiek deed nog steeds zeer, en ze zou zich een muurbloempje voelen bij zo'n gelegenheid tussen al die vreemden, een situatie die ze niet zou kunnen verdragen.

'Maar ik weet zeker dat je je zou amuseren.'

'Bedankt, Mrs. Stanfield, maar liever niet.'

Ze vertrokken naar Nanango op een droge, winderige ochtend nadat Mr. Stanfield in een laatste smeekbede had geprobeerd Ruth over te halen met hen mee te gaan, wat ze standvastig afwees. Hij reageerde er echter vriendelijk op, met een glimlach.

'De volgende keer, Ruth. Dan accepteer ik geen nee.'

Ze was teleurgesteld in Mrs. Stanfield, niet alleen vanwege de oneerlijke kritiek, maar omdat ze haar eigen plichten verzuimde. Aangezien het de gouvernante niet was toegestaan die lompe meiden te leren zich aan tafel te gedragen, zou de moeder dat moeten doen. Maar dat deed ze niet. Ze had toegestaan dat ze waren vervallen in hun oude slordige gedrag zonder enige vorm van berisping. Het was een obsessie voor Ruth geworden om, terwijl ze hen zwijgend en afkeurend observeerde, al hun dwalingen te tellen. Die schreef ze vervolgens op een steeds langer wordende lijst, die ze in de klas ophing. De meisjes negeerden de lijst en Mrs. Stanfield leek het niet eens op te vallen, maar Ruth had in elk geval het gevoel dat ze haar standpunt duidelijk had gemaakt.

Uiteindelijk verkeerde Ruth in de veronderstelling dat alle vrouwen in huis tegen haar waren, maar ze werd getroost door het feit dat Mr. Stanfield, de baas, zoals hij door het personeel werd genoemd, aan haar kant stond. Hij was altijd vriendelijk. Sterker nog, hij was zo oprecht aardig in zijn aandrang dat ze hen naar het eerstvolgende bal moest vergezellen dat Ruth de mogelijkheid dat ze de uitnodiging misschien zou accepteren openhield. Ze kon haar blauwe zijden japon en haar cape met franje aantrekken, die ze sinds de bootreis niet meer had gedragen. Het was een leuke jurk, die zonder meer geschikt was voor een bal op het platteland.

In de loop van de ochtend nam de wind in kracht toe en dus nam Ruth haar toevlucht tot de salon tot vlak voor lunchtijd, toen de dienstmeid haar hoofd om het hoekje van de deur stak.

'De kok vindt dat u zolang ze weg zijn de maaltijden in de keuken kunt komen gebruiken, dat bespaart mij de moeite van het tafel dekken in de eetkamer,' sprak ze vrolijk.

Ruth werd nijdig. Het was beneden haar stand om de maaltijden in de keuken te nuttigen. 'De eetkamer graag.'

'Wat?'

'Ik gebruik de lunch in de eetkamer, als u het niet erg vindt.'

Het meisje haalde haar schouders op en liep weg, maar toen bedacht Ruth zich. Mrs. Stanfield had gezegd dat ze minder formeel moest zijn. Misschien was dit een concessie die ze kon maken, in hun afwezigheid. Tenslotte was het een grote keuken en de tafel voor het personeel stond keurig in de verste hoek, onder een raam. Ze kon snel eten en zonder veel ophef weer vertrekken.

Het besluit eenmaal genomen, haastte Ruth zich door de gang naar de keuken, zodat ze nog net op tijd was om te horen hoe ze haar uitlachten.

111

'Mevrouw wil niet wijken,' zei de dienstmeid. 'Ik ga niet terug om aan te dringen. Dan zit ze daar in haar uppie met een gezicht als een oorworm.'

'O, nou ja, laat haar maar,' zei de kok. 'Geen wonder dat de baas haar mejuffrouw Somber noemt.'

Ruth was geschokt. De spot van de bedienden deerde haar niet, maar zo zou Mr. Stanfield toch zeker niet over haar praten? Nee toch zeker! Ze kon zich niet meer omdraaien, ze stond al half in de deuropening en ving hun schuldige blikken op.

Ze sprak kalm en dwong zichzelf om hen waardig tegemoet te treden. 'Ik ben van gedachten veranderd. Ik hoef vandaag geen lunch, dank u, ik heb nogal uitgebreid ontbeten. Ik denk dat ik maar een wandeling ga maken.'

In een poging de situatie goed te maken, probeerde de kok behulpzaam te zijn.

'O, Miss. Ik zou vandaag niet naar buiten gaan. De wind is nu al bezig in een zandstorm te veranderen. Ze komen hier soms ineens opzetten, die stormen...'

Ruth draaide zich evenwel abrupt om en ging naar haar kamer. Ze was zozeer van haar stuk gebracht, dat ze het huis per se wilde ontvluchten. Stevige wind zou ze zelfs verwelkomen, want mogelijk zou ze het leed dat deze mensen telkens weer veroorzaakten even kunnen vergeten. Wellicht zou het troost bieden.

Ze trok een mantel aan, bond een sjaaltje onder haar kin vast en vertrok via de zijdeur, over een pad dat naar de schuren leidde. De wind was inderdaad krachtig en er vlogen korreltjes door de lucht, maar het was niet onoverkomelijk. De hemel had een oranje gloed gekregen – een ongewone kleur, zo viel haar op, vastberaden als ze was om afleiding te zoeken – en veranderde aan de horizon in een roodachtig bruine tint. Eigenlijk heel mooi, een schilder zou zich gezegend voelen. Maar hoewel de wind om haar heen geselde, zette Ruth door, in het besef dat ze op weg was naar het perceel waar de mannen normaliter aan het werk waren, maar aangezien er niemand in de buurt was, greep ze de gelegenheid aan om een nieuwe richting te verkennen.

'Iets anders,' zei ze, zacht snikkend in zichzelf. 'Hoe durven ze de gek met mij te steken!'

Ze stevende langs de beschermende schuren, voorbij de verlaten veehokken en dwars door de enorme weilanden die van een afstand heel vlak leken maar in werkelijkheid hobbelig en oneffen bleken, zodat ze nu en dan struikelde. Ze was echter niet van plan zich door dergelijke kleine probleempjes te laten weerhouden. Dit was opwekkend. Ze bevond zich nu in het weidse, open land en leunde tegen de wind in, het huis en die ondankbare mensen achter zich latend – althans tijdelijk.

Boven haar zwiepten de boomtoppen luidruchtig heen en weer nu ze het open land had verlaten en ze moest toegeven dat ze door het uitgedunde struikgewas gemakkelijker vooruit kwam; ze gokte dat ze zou uitkomen bij de kreek, die zich dwars door het hele landgoed leek te kronkelen. Ze besloot dat ze, eenmaal bij de kreek aangekomen, even zou uitrusten en daarna weer terug zou gaan. Hoewel met tegenzin.

Het leek met de minuut donkerder te worden en het rondvliegende stof drong door tot in het struikgewas en creëerde een oranje stofmist. Ruth begon zich af te vragen of ze niet beter terug kon gaan toen ze ineens, door de nevel, geconfronteerd werd met een enorm beest met gigantische hoorns en rode, dreigende ogen.

Ze gilde en rende weg, struikelde over een afgebroken tak maar stond razendsnel weer op – te bang om achterom te kijken en te zien of de stier achter haar aan kwam – en hoorde alleen het bulderen van de wind, die inmiddels dreigde de bomen die haar omringden om te blazen. Ze rende in het wilde weg totdat ze buiten adem was, stortte toen neer, ineengekrompen achter een kale witte boomstam. Hijgend tuurde ze achterom, maar het dier was nergens te bekennen. Hoeveel van dit soort uit de kluiten gewassen runderen zwierf hier eigenlijk rond, vroeg ze zich bezorgd af, zichzelf hekelend dat ze zo stom was geweest blindelings hun territorium in te wandelen. Alleen het gebied rondom de boerderij was omheind. Ze had geluk gehad dat ze niet op een hele kudde was gestuit.

Terwijl de zandstorm voortwoedde, trok Ruth de sjaal over haar gezicht en bleef ineengedoken bij de boom zitten. Aangezien ze een dergelijk fenomeen nooit eerder had meegemaakt, wist ze niet hoelang ze de kwelling van de stoflucht en de akelige jeuk van het fijne, bruine stof dat haar kleren binnendrong zou moeten verdragen, maar ze was vastberaden om – ongeacht hoelang het duurde – te blijven zitten waar ze zat. Niets zou haar kunnen verleiden om het risico te nemen wederom pats-boem oog in oog te staan met die woeste stier; ze zou moeten wachten tot ze tenminste kon zien welke kant ze op moest.

Meer dan een uur later trokken de stofwolken verder, ging de wind liggen en kwam de zon weer tevoorschijn alsof er niets was gebeurd. Vermoeid stond Ruth op, klopte het stof uit haar haar en kleren en deed een stap voorwaarts, om zich vervolgens met een kreet van pijn aan de boom vast te grijpen. Haar enkel was opgezwollen, verstuikt, waarschijnlijk toen ze over die tak was gestruikeld en gevallen.

'Verdorie!' riep ze uit, terwijl ze een grimas trok van de pijn en hinkend op weg ging. Elke stap was een foltering, maar ze kon niet eeuwig in het struikgewas blijven; ze moest terug.

Moeizaam voortbewegend met behulp van een stok, realiseerde Ruth zich dat het haar veel te veel tijd kostte om de open weiden te bereiken, en ze herinnerde zich de verhalen van de familie Stanfield over mensen die verdwaalden in de *bush*, verhalen die haar nu beangstigden.

'Dat komt door de eentonigheid,' had Mr. Stanfield aan haar uitgelegd. 'Honderden en nog eens honderden bomen die er allemaal precies eender uitzien kunnen iedereen die het gebied niet op zijn duimpje kent flink verwarren, zeker als men te voet is.'

'Kom zeg, ik laat me niet in de war brengen,' sprak Ruth zichzelf toe, wild turend naar de troosteloze omgeving om haar heen. Ze hing haar sjaaltje aan een boom.

'Goed, ik wandel eerst een stuk in die richting en als ik dan niet in het open veld beland, kom ik hier terug en probeer een andere richting.'

Toen ze zich gedwongen zag op haar schreden terug te keren, moest Ruth tot haar ontzetting erkennen dat ze de boom waarin haar sjaal hing niet kon traceren. Op een of andere manier was ze hem misgelopen.

Ruth Tissington zou niet huilen. De schaduwen werden langer, vogels daalden fladderend neer in de boomtakken en maakten zich lawaaierig klaar voor de nacht; de namiddag glipte door haar vingers. Ze was verdwaald, maar ze weigerde een potje te gaan zitten huilen.

'Je hebt jezelf in de nesten gewerkt,' zei ze hardop, 'je zorgt ook maar dat je er weer uit komt.'

Uitgeput probeerde ze een omgevallen boomstronk uit en toen die stevig bleek, ging ze zitten om uit te rusten. Haar enkel klopte en ze had barstende hoofdpijn; ze voelde zich duizelig van de angst die deze eindeloze zoektocht veroorzaakte. Het stof was niet bevorderlijk. Ruth had in haar hele leven nooit zo'n dorst gehad. Had ze de kreek nou maar gevonden, treurde ze terwijl ze wanhopig om zich heen staarde naar iets van een aanwijzing die redding zou brengen. Een bescheiden beweging deed haar opschrikken, maar het was slechts een kleine kangoeroe – of misschien een wallaby – dat wist ze niet. Het dier staarde haar met zachte, vochtige ogen aan alsof het medelijden met haar had en sprong toen kalmpjes verder. Ruth wenste dat hij was gebleven. Een tijd later zag ze twee stieren die zich een weg baanden door het struikgewas en ze overwoog om de dieren te volgen, in de hoop dat ze haar uit deze doolhof zouden helpen, maar ze was bang dat ze zich tegen haar zouden keren. Het vee in dit land bestond uit reusachtige wilde dieren, een ras dat niet te vergelijken was met de volgzame koeien die in de weilanden thuis rondstapten. Ze herinnerde zich één forse stier die hen als kinderen angst had ingeboezemd – een miniatuur vergeleken met deze logge beesten. Het was beter om ze met rust te laten. Zodra ze zich beter voelde, besloot Ruth, zou ze dezelfde procedure herhalen, dit keer met een stapel kreupelhout als uitgangspunt. Bovendien zou ze voorzichtiger zijn.

114

Toen om zes uur die avond bleek dat Miss Tissington onvindbaar was, sloeg de kokkin alarm. Daar het zaterdag was, had een groot aantal mannen een halve dag vrij gekregen om naar Nanango te rijden en het jaarlijkse Veehoudersbal in de zaal van de vrijmetselaars bij te wonen, maar er waren wel verscheidene oudere veeknechten in de buurt. Ze hadden zichzelf tijdens de zandstorm vermaakt met wat kaartspelletjes en wilden juist in het kookhuis aan tafel schuiven toen de alarmbel klonk.

Iemand ging informeren, en toen ze vernamen dat de gouvernante kennelijk in de storm was afgedwaald, besloten ze unaniem – ook gezien het feit dat de baas van huis was – dat ze evengoed eerst konden gaan eten. Het zag ernaar uit dat dit een lange nacht zou worden.

En dat werd het. Vijf ruiters met lantaarns in de hand, geleid door de oude Thommo, een veteraan in zijn vak, die tevens enige ervaring had in spoorzoeken – afgekeken van de aboriginals die dit gebied voorheen hadden bevolkt – verspreidden zich in een waaiervorm over het gebied rondom de boerderij. Aangezien de kokkin noch de twee dienstmeisjes hem enige aanwijzing konden geven in welke richting het meiske mogelijkerwijs was vertrokken, kon Thommo de zoekactie slechts op één manier organiseren. Langzaam en methodisch. Ze onderzochten de bush door 'koe-wie, koe-wie' te roepen en maakten de boog die ze beschreven geleidelijk groter, tot het weideland plaatsmaakte voor struikgewas, een terrein waar deze mannen zelden kwamen totdat het tijd was om het vee te verzamelen. Dan reden de veedrijvers in vliegende vaart en bewees een man wat hij waard was door strijdlustige koeien met hun loeiende kalveren – die ten onrechte meenden dat ze verscholen in het struikgewas veilig waren voor de drijfjacht – uit de bosjes te jagen.

Vermoeid en boos, maar geenszins onder de indruk van deze plicht zochten ze uren achtereen, tot een van de mannen de sjaal vond. Op dat moment konden ze hun speurtocht in elk geval beperken tot dat gebied.

Ze vonden haar slapend in het struikgewas en Thommo werd erbij geroepen, omdat ze moeite hadden haar te wekken.

'Ze heeft koorts,' verkondigde hij. 'Gooi haar maar bij mij voorop, dan neem ik haar wel mee.'

Ruth herinnerde zich helemaal niets van haar redding uit de bush. Ze had het erg warm en smeekte om water. Ze kon niet ophouden met rillen; het was zo koud, de nachten waren zo koud buiten in de bush, ijskoud, en ze wikkelden haar in dekens, maar dan had ze het weer te warm, gooide zij ze af en smeekte hen om haar met rust te laten omdat haar hoofd bonkte, net als haar botten – nee, niet haar botten – haar enkel, dat was het. Ze transpireerde vreselijk, alsof ze in bed had geplast, en ze voelde zich zo vernederd dat ze Mrs. Stanfield keer op keer vroeg haar te vergeven, om haar alsjeblieft te vergeven, maar dan vertrokken ze en dan begonnen de nachtmerries opnieuw. Afschuwelijke nachtmerries. Ze riep om haar moeder, om Emilie, maar ze keerden haar de rug toe, beschaamd dat ze zo'n ophef maakte tegenover vreemden. Ontzet door de aanblik van haar, het braaksel, de stank.

'Het is inderdaad gele koorts,' zei de dokter tegen Leonie.

'Geelzucht?'

'Nee, geen geelzucht, daar durf ik op te wedden, maar gele koorts. Sommigen beweren dat het door muskieten wordt overgebracht, en daar vliegen er hier genoeg van rond.'

'Wat kunnen we doen?'

'Haar warm houden. Haar verkoeling brengen.'

'U blijft toch wel? U laat haar toch niet alleen met deze ziekte? Ik zou niet weten wat ik moest doen.'

'Nee, ik laat haar niet alleen. En u ook niet. We kunnen alleen bij haar zitten en afwachten. Ze is jong en sterk. Ik vermoed dat ze over een dag of twee is uitgeziekt.'

Hoofdstuk 4

'Waar heb je verdomme gezeten?' schreeuwde brigadier Pollock tegen Mal. 'Ik zei dat je me een halfuur moest gunnen, geen halve dag.'

'Ik moest mijn paard verzorgen.' Hij keek naar de twee andere mannen van de bereden politie, die naast de brigadier stonden te wachten. 'Hoe dan ook, ik zie dat jullie met z'n drieën zijn; mij heb je niet langer nodig.'

'Je zult je taak volbrengen!' Pollock gaf zijn paard de sporen en de vier mannen galoppeerden de straat uit en sloegen haastig de route richting de Blackwater-kreek in, de weg die naar de goudvelden leidde.

Mal vond het geen punt; het was de moeite van het proberen waard geweest. Hij was nu veilig in de stad en had gehoopt dat hij onder een tweede ontmoeting met de commissaris en zijn ploeg uit zou kunnen komen. Eigenlijk maakte het hem vandaag allemaal niets uit. Dit was de gelukkigste dag van zijn leven tot dusver. En dan te bedenken dat hij vanochtend vroeg had gemopperd, toen Carnegie hem opdroeg om vooruit te rijden.

'Waarom?' had hij slaperig gevraagd, toen Taylor hem met zijn laars wakker had gepord. Het was nog niet eens licht; in het oosten viel slechts een vaag sprankje kleur te ontwaren.

Ze hadden zonder problemen de goudvelden doorkruist. Ondanks de oneffen wegen en de onvermijdelijke hindernissen in de vorm van drooggevallen geulen en rotsachtige beekjes had de koets met zijn waardevolle lading de tocht goed doorstaan en ze waren nergens op struikrovers gestuit, iets dat Mal dankbaar stemde. Ze hadden overnacht op de oever van de kreek. Of eigenlijk was het een bescheiden rivier, dacht hij, omdat er een behoorlijke stroming was, hoewel het zicht sterk werd beperkt door weelderige begroeiing. De andere twee begeleiders waren aangewezen om 's nachts de wacht te houden, terwijl de twee bazen in hun tent sliepen en Mal zijn benen onder de kar mocht uitstrekken. Ook dat stemde hem tevreden.

Pas later begreep hij waarom.

'Je moet alvast vooruit rijden,' zei Taylor tegen hem.

Mal rilde in de koele ochtendbries en dronk wat uit zijn waterfles toen Carnegie zijn tent uitkwam om hem instructies te geven.

117

'Opstijgen, Willoughby, tijd om te gaan. Volg deze weg naar Maryborough, rijd zo snel je kunt en stop nergens. Eenmaal in de stad ga je rechtstreeks naar het politiebureau, vraagt naar brigadier Pollock en brengt hem verslag uit.'

'Waarom? Wat is er loos?' Een van de bewakers grijnsde naar hem, terwijl hij naar het gedoofde kampvuur van gisteravond slenterde en voorbereidingen trof om die weer aan te steken. Voor het ontbijt, dacht Mal boos. Hij had honger.

'Er is helemaal niets loos. En dat wil ik graag zo houden,' zei Carnegie. 'De volgende etappe van de reis kon wel eens moeilijkheden opleveren. Het is de laatste kans voor struikrovers, en zelfs schurken uit de stad hebben hun geluk wel eens beproefd tussen hier en Maryborough. Een paar maanden geleden is er op dit stuk een goudtransport overvallen en diverse mijnwerkers zijn hier beroofd, dus we wagen het niet meer zonder optimale politiebescherming. Dus haast je. Brigadier Pollock en zijn mannen zullen langs de weg patrouilleren en ons veilig binnenloodsen.'

Mal maakte zich geen zorgen om hun goud; hij was eerder bezorgd om zijn eigen verborgen schat. Een geldgordel die bol stond van de contanten.

'Waarom kan een van hen niet gaan?' vroeg hij aan Taylor. 'Zij kennen de weg beter dan ik. Ik heb de route nog nooit gereden.'

Taylor haalde zijn schouders op. 'Bevel van de commissaris. Een voorzorgsmaatregel. Het betreft altijd een beslissing op het laatste moment. Ga nu. Hoe eerder je terug bent, hoe sneller we verder kunnen.' Hij keek om zich heen. 'Ik ben niet erg enthousiast over dit plan. Ik zou veel liever meteen verder rijden.'

Terwijl hij op pad ging, zag Mal dat Taylor en Carnegie hun wapens laadden om de twee vermoeide bewakers dekking te geven. Zelf was hij uitgerust met een geweer, maar hij rekende erop dat hij het niet zou hoeven gebruiken. Hij reed snel maar oplettend. Hij was zich uiterst bewust van alle trucs die werden gebruikt om een paard te laten struikelen of een koets met een goudlading te vertragen, dus dit was niet het moment om van het landschap te genieten. Terwijl hij kilometer na kilometer aflegde en de zon langzaam hoger klom, begon hij zich beter te voelen. En toen hij eenmaal links en rechts wat afgelegen boerderijen zag staan, wist hij dat het ergste gedeelte achter de rug was; hij naderde de beschaafde wereld. Geen struikrovers, geen hinderlagen, de koets had evengoed meteen mee kunnen rijden.

Tot dusver, mijmerde hij, was die vervloekte weg meestal omgeven geweest door dicht struikgewas; op elk willekeurig punt had er iemand op de loer kunnen liggen. Een, of wie weet, twee boeven die evenwel niet geïnteresseerd waren in een eenzame ruiter.

De weg werd gaandeweg beter, platgereden door boerenwagens, en langs de route verschenen bloeiende groentekwekerijen, gedreven door Chinezen met koeliehoedjes. Hij passeerde een span ossen, twaalf logge beesten die een hoge stapel wolbalen voorttrokken, en begroette de voerman met een tikje tegen zijn hoed. Toen hij de bocht omsloeg, zag hij ineens een reusachtige houtzagerij voor zich opdoemen. Hij vroeg zich af waarom het er zo rustig was, tot hij in de gaten kreeg dat het zondag was. Zondag. Geen slechte dag om een lading goud te bezorgen. De meeste jongens zouden nog dronken zijn van de avond ervoor, tenzij ze toegewijde struikrovers waren. Zoals McPherson. Er was overvloedig over hem gepraat op de goudvelden. Hij had de postkoets van Maryborough op minder dan vier kilometer buiten de stad beroofd, niet één maar zelfs twee keer. Die gedachte deed Mal ineens weer rechtop zitten en opletten. Nog geen vier kilometer buiten de stad! Godallemachtig! Geen wonder dat Carnegie zenuwachtig was.

De rivier leidde hem naar de kades, en zijn adem stokte van verbazing dat er zoveel schepen voor anker lagen, maar hij had geen tijd te verliezen. Een visser wees hem de weg naar het politiebureau, dat was gesloten omdat het zondag was, maar Mal vond de politiewoning ernaast en klopte aan.

Een Iers uitziende kerel met rossig haar stak zijn hoofd uit het raam. 'Wat moet je?'

'Bent u meneer Pollock?'

'Brigadier Pollock.'

'Ja, nou ja, Mr. Carnegie heeft me gestuurd.'

'Waar zit hij dit keer?'

'Bij de Blackwater-kreek.'

'Alles in orde?'

'Ja. Hij wacht op u.'

'Oké. Geef me een halfuur, dan trommel ik de jongens op.'

En in dat halfuur kreeg Mal het geschenk van zijn leven. Hij slenterde wat met zijn paard aan de teugel door de stad, op zoek naar een plek waar het dier wat zou kunnen eten, toen hij haar in het vizier kreeg. De Engelse jongedame.

Emilie Tissington. Hij wist nu hoe ze heette en, tot zijn grote vreugde, zou hij haar morgenavond bij de poort opnieuw ontmoeten. Hij durfde te wedden dat ze tien keer zo stijlvol was als Clives meisje.

Mal maakte de brigadier nog bozer toen hij bij een trog stopte om zijn paard te laten drinken.

'Ik dacht dat je dat had geregeld!'

Mal haalde zijn schouders op. 'Het is een dorstig beest.'

Tot op het allerlaatste moment had Baldy Perry verwacht dat het plan zou mislukken. Dat de goudcommissaris de moed zou verliezen. Hij had de hele nacht op de oever van de Blackwater-kreek liggen wachten bij de roeiboot, die hij onder een dak van gebladerte had verstopt, zonder een oog dicht te hebben gedaan. Herhaaldelijk had hij bedacht dat hij het zelf moest proberen als Carnegie van gedachten was veranderd, maar hij wist dat dat nutteloze fantasieën waren. Perry was een volgeling, een voetsoldaat, en hij accepteerde zijn beperkingen. Hij was niet vindingrijk, maar deed wat hem was opgedragen, en als de plannen verkeerd uitpakten – zoals dikwijls gebeurde – lag de schuld niet bij hem.

Toen hij eindelijk stemmen hoorde, sloop hij door het struikgewas de oever op, blootsvoets en met een geweer in zijn hand, om de boel te verkennen en af te wachten. Dat was het enige dat hij kon doen; het goud lag ginder in die koets, maar hij was dapper noch roekeloos genoeg om te proberen vier gewapende mannen in z'n eentje in een hindernis te lokken, dus het was aan Carnegie om het initiatief te nemen. Hij klauterde in een boom en koos positie, zoals Carnegie hem had opgedragen. Hij had beweerd dat de bewakers mogelijk terug zouden schieten, maar hun geweren in de paniek wellicht op het struikgewas zouden richten en niet op de sluipschutter die zich erboven schuilhield, en Perry veronderstelde dat Carnegie waarschijnlijk gelijk had. Hij was niet nerveus en zou ook zeker niet in paniek raken. Dit was gewoon een klus. Een paar kerels neerleggen. Het goud inpikken en wegwezen.

Het eerste schot deed Baldy bijna uit de boom vallen.

Toen hij zich vroeg in de ochtend stilletjes in de takken verschool, hoorde hij een ruiter vertrekken en begon hij aan zijn wacht. Hij zag Taylor uit zijn tent komen en de twee bewakers ontspannen, terwijl ze het kampvuur opstookten voor het ontbijt. Hij controleerde zijn geweer nogmaals en wachtte.

Het spek rook lekker. En ineens viel het schot! Carnegie schoot Taylor in de rug, die naast de koets neerviel. De twee bewakers draaiden zich abrupt om, verward, en grepen naar hun wapens. Een seconde later had Baldy de eerste bewaker neergeschoten, en terwijl de andere rennend dekking zocht, nam Baldy ook hem te grazen. Behoedzaam nam hij het tafereel vervolgens in ogenschouw, maar Carnegie stond als een idioot te gebaren dat hij naar beneden moest komen.

Het was allemaal achter de rug. Zo simpel als wat. Perry knikte waarderend toen hij uit het struikgewas kwam aansjokken. Snugger type, die Carnegie. Had de klus zonder problemen geklaard.

Perry kreeg nauwelijks de kans om te kijken naar de gevelde lichamen die op de open plek lagen, omdat Carnegie panisch reageerde, gejaagd, terwijl zijn stem nauwelijks meer dan een fluistertoon voortbracht. Baldy Perry grijnsde. Je zou denken dat dooien konden horen.

'Vlug, sleep alle koffers eruit, haal ze eruit, schiet op!' snauwde Carnegie, maar Baldy negeerde hem en liep naar de mannen toe om zich ervan te verzekeren dat ze echt dood waren. Taylor was koud,

120

zag hij wel, en de twee bewakers eveneens. Het eerste schot was door het hoofd gegaan en zijn tweede schot had de ander dodelijk in de borst geraakt. Verdomd goede schoten, mijmerde hij, altijd al een scherpschutter geweest, al zeg ik het zelf.

'Kom hier!' Carnegie schreeuwde bijna, terwijl hij zelf aan een van de stalen koffers stond te rukken. 'We moeten ze er allemaal uit trekken.'

'Zit er in al die koffers goud?' vroeg Baldy bezorgd. Dat zou te veel zijn voor hem om te dragen.

'Nee, idioot. Het goud zit in deze. En in die tweede zitten contanten van de bank. De andere koffers zitten vol met registers en verslagen van de bank en het ministerie van Mijnzaken.'

Baldy had de twee interessantste koffers weldra uit de koets en de commissaris zat te prutsen om de sloten te openen.

'De rest ook,' siste hij.

'Die hebben we niet nodig.'

'Haal ze eruit. We worden niet geacht te weten wat erin zit. Pak die vervloekte koffers en keer ze om, alsof we ze doorzocht hebben.'

Boeken, papieren en dikke grootboeken lagen binnen afzienbare tijd in slordige stapels verstrooid naast de omgekeerde koffers, maar Baldy richtte zijn blik gretig op de leren zakjes met goud die Carnegie als een gek op de grond gooide, naast de veel lichtere bankzakjes met daarin het extraatje dat bestond uit ouderwetse contanten. Wat een vangst! Verdomd, wat een vangst!

Carnegie smeet de sleutels van de koffers weg en wendde zich tot hem. 'Je weet wat je te doen staat,' zei hij, terwijl hij een jutezak van een zitplaats in de koets trok, een van de zakken die bedoeld waren om de bekleding te beschermen. 'Verzamel al die zakjes en stop ze hier in.'

Plichtsgetrouw greep Baldy de eerste paar zakjes, die tot zijn verbazing maar halfvol waren. 'Is dit al het goud?'

'Het is meer dan genoeg, ruim 250 gram. In die andere zitten soevereinen en bankbiljetten. En niet vergeten: wanneer je de rivier bent overgestoken, begraaf je de buit onder de vijgenboom die ik je heb aangewezen. Je laat de boot zinken en je smeert 'm. Ga morgen gewoon naar je werk alsof er niets is gebeurd.' Hij stond te hijgen alsof hij een paar kilometer had hardgelopen. 'Wacht achtentwintig dagen, precies achtentwintig, en ga dan terug om de jutezak weer op te graven... Je paard staat daar nog, is het niet?'

'Uiteraard.' Voor Baldy was dit het eenvoudigste onderdeel. En het was ook een fluitje van een cent geweest om de roeiboot stroomopwaarts van Maryborough hierheen te brengen en die klaar voor gebruik aan de overkant te verstoppen, maar zijn aandeel had hij echt verdiend met de lange voetreis van hier terug naar Maryborough. Toen had hij geen paard tot zijn beschikking, en had hij een volle dag en een halve nacht nodig gehad om de veerboot per voet te bereiken.

Terwijl Carnegie de instructies nog eens opsomde, realiseerde Baldy zich dat hij tijd stond te rekken uit angst voor wat komen ging. Bang.

'Let op,' snauwde de commissaris. 'Breng de zak naar mijn huisje in Maryborough en verstop hem 's nachts onder de trap aan de achterkant. Je mag beslist niet in mijn buurt gesignaleerd worden. Ik zal het allemaal eerlijk verdelen, zo goed als ik kan – met behulp van de goudgewichten – en leg jouw aandeel terug onder de trap.'

'Dat is je geraden,' gromde Baldy.

'Elk de helft. Vanaf dit moment zullen we geen contact meer met elkaar hebben. Jij kent me niet, wat er ook gebeurt.'

'Goed, goed, laten we voortmaken.'

'Prima. Maar eerst ga ik liggen en dan moet jij het lichaam van Taylor op mij gooien.'

'Jezus! Waarom?'

'Als dekmantel. Het zal lijken alsof hij boven op mij is gevallen. Net als het bloed.' Hij huiverde. 'En nu ik erover nadenk, hier is mijn geweer. Neem dat mee en gooi het straks in de rivier. Na afloop...'

Carnegie strekte zich uit op de grond, trillend, waarna Baldy Taylors lijk boven op hem wierp. Toen, met een bleek weggetrokken gezicht, schoof hij het lichaam van de hulpsheriff weer van zich af en stond op. 'Mijn God, wat voel ik me beroerd.'

'Het was jouw idee.' Baldy haalde zijn schouders op. Hij pakte Carnegies geweer op, laadde het en wachtte af. 'Klaar?'

'Ja. Ga een beetje verder naar achteren.' Carnegie probeerde zich te harden. Hij sloot zijn ogen terwijl Baldy, grijnzend, het geweer op hem richtte. Even overwoog hij om Carnegie ter plekke dood te schieten, maar het plan was te mooi om te verknallen. Carnegie moest levend gevonden worden om een beschrijving te geven van de overvallers en met een beschuldigende vinger te kunnen wijzen in de richting van de jongeman, die hij als extra bewaker had ingehuurd, en die de overvallers getipt zou hebben. Ze zouden zoeken naar een aantal bandieten, niet naar een man alleen, en bovendien was Carnegie in staat de politie op het verkeerde been te zetten. Ze mochten niet in de richting van de rivier gaan speuren. En trouwens, Baldy wist dat de dingen meestal beter voor hem uitpakten als hij deed wat hem was opgedragen.

Carnegie stak met een strak gelaat zijn arm uit en wachtte op de pijn.

Perry vuurde een kogel af die dwars door Carnegies bovenarm vloog, weliswaar een beetje lager dan was afgesproken, maar goed, wat maakte het uit?

'O, mijn God! Jezus Christus nog aan toe!' Carnegie zakte jankend en kreunend in elkaar, terwijl Perry de jutezak met daarin hun schat greep en door het struikgewas naar de rivier rende, weg van de open plek, de oever af, richting de roeiboot. Hij gooide de zak in de boot, brak een grote, bladerrijke tak van een boom en haastte zich terug om zijn sporen in de modder uit te wissen. Zodra hij in de boot zat, slingerde hij de tak zo ver mogelijk weg, het water in.

Krachtig aan de riemen trekkend, kwam Baldy al snel bij de monding van de kreek terwijl hij in zichzelf zat te grinniken over dit bijzonder gewiekste plan. Zijn oude maatje McPherson zou versteld staan. Baldy had een bijdrage geleverd aan Carnegies verhaal door een beschrijving te geven van de Schot, als zijnde een van de schurken die het gezelschap had aangevallen. Als McPherson werd genoemd als dader en Carnegie ook dat jonge ventje Willoughby als schuldige aanwees, zou de politie er geen gras over laten groeien en meteen na de ontdekking van de overval op jacht gaan, met twee kandidaten voor de strop in het vooruitzicht. En hij, Baldy Perry, had er niets mee te maken. Er was geen enkele reden waarom ze hem zouden verdenken.

De commissaris liep wankelend en bijna ijlend over het bloederige terrein toen Pollock en zijn mannen kwamen aangereden. Ze waren allen met stomheid geslagen en sprongen meteen van hun paard om te controleren of de anderen nog een teken van leven vertoonden, misselijk als ze werden bij de aanblik van de vliegen en de afschuwelijke geur.

Pollock gaf zijn mensen het bevel de lijken in de koets te tillen en te bedekken, terwijl hij de wond van de commissaris bekeek en zijn hoofd schudde bij het zien van de zielige pogingen die Carnegie had gedaan om een tourniquet en een verband aan te leggen. Hij besloot de arme kerel niet erger overstuur te maken door te zeggen dat een tourniquet aan de verkeerde kant van de wond weinig zin had. Maar goed, Carnegie was een stadsmens, en zo te zien had hij veel pijn. De kogel was dwars door zijn linkerarm gegaan en had het bot verbrijzeld. Pollock besloot woedend dat die klootzakken er een zooitje van hadden gemaakt – met die arm zou hierna weinig meer te beginnen zijn – maar hij maakte passende klokkende geluiden terwijl hij de wond schoonmaakte, er wat zout op depte en een verband aanlegde met wat afgesneden takjes als een soort spalk om de arm stevigheid te geven tot de arme man bij de dokter was.

Terwijl hij bezig was, schreeuwde en krijste Carnegie – een belabberde patiënt – tot hij op het punt stond flauw te vallen, en dus riep Pollock Willoughby en vroeg hem in de tent te zoeken naar wat drank om de pijn te verlichten.

Willoughby, die geschokt was en graag iets wilde doen, vond een fles whisky en rende ermee naar de patiënt.

'Hij is een van hen. Wat doe je hier nog, schoft? Hij was bij hen! Hij bracht ze hier! Arresteer hem!'

123

Carnegie viel achterover en van woede stond het schuim hem bijna om de mond, terwijl Mal hem verbijsterd aanstaarde.

'U hebt het mis, Mr. Carnegie. Ik was er niet bij. U had me naar de stad gestuurd, weet u nog?'

Maar Carnegie ging onverminderd door. 'Hij was het, ik zweer het je! Doe maar niet alsof ik me niets kan herinneren. Ik herinner me elke seconde van die gewelddadige aanval.' Hij barstte in snikken uit. 'Je dacht zeker dat ik dood was, hè? Koudgemaakt, net als de rest.' Hij greep Pollock beet. 'Hij was amper een halfuur weg, die Willoughby! Hij! Toen begon de schietpartij. Taylor stond op wacht. Ze schoten hem in de rug, nadat ze mij te grazen hadden genomen. Hij viel boven op me...'

Pollock hielp Carnegie een tweede slok whisky te drinken. 'Ze dachten dat ik dood was. Daar, onder het lichaam van die arme Taylor. Ik dacht dat ik zou gaan kotsen, want hij lag boven op me te bloeden, maar ik hield me gedeisd, deed net of ik dood was. Het kon hen geen moer schelen, ze controleerden niet eens.'

'Willoughby kan er niet bij geweest zijn,' zei Pollock. 'Die hebt u naar de stad gestuurd.'

'Om de dooie dood wel. Natuurlijk vertrok hij. Maar even later keerde hij met dat gespuis terug. Na de schietpartij zag ik hem. We waren als poppen op een schietbaan. We hadden geen schijn van kans. Die klootzakken stonden nog te lachen ook. Toen verdween hij... O, mijn God, Taylor is dood, of niet? En de jongens? Ik vermoed dat die ook dood zijn. Wilt u zich ervan vergewissen, brigadier? Ik heb geprobeerd...'

'Rustig, Mr. Carnegie, probeer te kalmeren. We zullen deze zaak uitzoeken. Mike...' riep hij tegen een van de agenten. 'Zorg dat je Mr. Carnegie voor in de koets krijgt. En Gus, neem Willoughby in arrest tot we alles hebben uitgeplozen.'

Toen de agent zijn revolver trok en hem bij de arm greep, deed Mal woedend een stap achteruit.

'Hij is gek geworden! Ik heb hier niets mee te maken. Ik heb mijn hele leven nog nooit iemand doodgeschoten. Ik zou nooit zoiets aanrichten!'

Carnegie werd naar de koets geholpen. Hij draaide zich kwaad om. 'Je bent een Judas! Ze hebben waarschijnlijk in een hinderlaag op ons liggen wachten, maar jij hebt ze gewaarschuwd dat we hier stonden te wachten op politiebegeleiding. Jij hebt ze hierheen geleid, toen het nog kon.' Hij leunde zwaar op de agent voordat hij op de plek naast de koetsier werd gehesen. 'Ik heb jou en die maat van je wel gezien. Een grote kerel met een rode baard en een Schots accent.'

Pollock was een en al oor. 'Kunt u de struikrovers beschrijven?'

'Of ik dat verdomme kan. Hij was erbij, en die Schot, hen heb ik gezien. Mogelijk waren er meer. Ik durfde mijn hoofd niet op te tillen.

Na de schietpartij werd het gruwelijk stil. Ik hoorde dat ze de koffers uit de koets sleepten. Ik voelde me nogal slap, even later hoorde ik ze wegrijden...'

'En een van hen was onze grote vriend McPherson. Wie nog meer?'

'Ik niet!' schreeuwde Mal. 'Carnegie ziet spoken.'

De commissaris slingerde tegen de koets aan. 'Tot op de dag dat ik sterf, zal ik deze nachtmerrie nooit kunnen vergeten. Joseph Taylor was mijn beste vriend...'

Daarop draaide Mal zich abrupt om en keek Carnegie strak aan. 'Sinds wanneer?' sprak hij honend. 'Taylor had de pest aan u.'

'Houd je muil,' zei Pollock kwaad. 'Bind zijn handen vast en zet hem op zijn paard, Gus. En Mike, jij ruimt de boel hier op. Gooi al die papieren en boeken terug in de koffers en schuif ze voorlopig in de bosjes; niemand zal erin geïnteresseerd zijn. We laten ze later wel door iemand ophalen. We moeten nu eerst zien dat we Mr. Carnegie naar de stad krijgen. En die andere arme zielen.' Hij schudde zijn hoofd alsof hij nauwelijks kon geloven dat deze ramp had plaatsgevonden en slenterde vermoeid door het kamp, waarbij het hem opviel dat de mannen bezig waren geweest ontbijt te maken. Een ketel water hing droog gekookt boven de inmiddels koud geworden kooltjes, en in de pan eronder lag de verbrande bacon waarvan praktisch alleen as was overgebleven. Ongebruikte kroezen en mokken lagen vlak naast de plekken waar de bewakers waren geveld.

'Wie stond er op wacht?' vroeg hij ineens aan Carnegie.

'Taylor. Althans dat was de bedoeling. De begeleiders waren de hele nacht al opgebleven. Die waren moe.'

'Wie heeft u neergeschoten?'

'Hoe moet ik dat weten, brigadier?' riep Carnegie klaaglijk uit. 'Het schot kwam als een donderslag bij heldere hemel. Ik snapte niet wat er gebeurde en werd in het rond geslingerd door de kracht ervan, viel en vrijwel gelijktijdig weerklonken er meer schoten, waarna Taylor boven op me viel. Het gewicht dat op mij neerdaalde was zo plotseling dat ik eerst dacht het een boom was, en u kunt zich mijn afgrijzen voorstellen...'

Pollock had zo zijn eigen gedachtegang. 'Als de schoten elkaar zo snel opvolgden, moeten er meer schutters zijn geweest. Ze kwamen uit verschillende richtingen, dus ten minste twee, misschien drie.'

'Ik heb er maar twee gezien... ik hield me dood, doodsbang om mijn hoofd op te tillen, zoals ik al zei. Ik lag plat op mijn gezicht.' Hij begon te huilen. 'Het spijt me, brigadier. Ik stel me vreselijk dwaas aan.'

'Welnee. Dat geeft niets. Het is de schok.'

'We zouden je hier en nu moeten opknopen,' snauwde Mike, terwijl hij smalle reepjes leer om Mals polsen draaide en zijn handen aan de voorkant aan elkaar bond, het koord met een venijnige ruk strak aansnoerend. 'Drie beste mannen dood, en jij vliegt naar de stad in de veronderstelling dat je ongestraft zult blijven, klootzak.'

Hij ramde met de achterkant van zijn geweer tegen Mals rug, waardoor hij languit in het stof belandde.

'Zo is het genoeg,' schreeuwde Pollock. 'Geen geweld. Help hem op de been, Gus.'

Toen hij overeind was gesleurd, riep Mal naar Pollock: 'Carnegie is niet goed bij zijn hoofd of hij liegt dat het gedrukt staat. Ik heb nooit één struikrover gezien.'

'Vertel dat maar aan de beul,' mompelde Gus, Mal in de richting van zijn paard duwend.

Zodra Mal was opgestegen, bond Gus een touw om zijn linkerenkel, haalde dat onder het paard door en bevestigde het daar aan zijn andere enkel, om zich ervan te verzekeren dat hij stevig aan het dier zat vastgebonden.

'Voor het geval je het in je hoofd haalt om te vluchten, vervloekte moordenaar. Zoiets als dit heb ik nog nooit in mijn leven meegemaakt.'

Mal negeerde hem. Hij probeerde helder na te denken. Waarom gaf Carnegie hem de schuld? Hij was niet zo ernstig gewond dat hij een grove fout als deze kon maken. Het gezelschap kampeerde op deze plek, even buiten de doorgaande route, omdat hij bescherming bood en veilig leek, zo hadden de bewakers hem verteld. Het was een natuurlijke open plek die vooral als kampeerplek werd gebruikt door ossendrijvers met hun dieren, om te voorkomen dat ze een opstopping veroorzaakten op de nauwe, doorgaande weg. Zelfs Pollock had niet precies geweten waar ze zich bevonden. Iemand was getipt. Maar hoe? Mal veronderstelde dat dit in Gympie geen probleem geweest moest zijn. Misschien had een van de bewakers voor hun vertrek zijn mond voorbij gepraat en was het transport gevolgd. Een verkeerd woord in het verkeerde oor had die arme sloeber zijn leven gekost. Dat verklaarde echter niet waarom Carnegie zo onvermurwbaar volhield dat Mal de verrader was geweest.

De mannen braken het kamp op en Pollock tuurde nog altijd om zich heen.

'Ze zijn vast en zeker de heuvels in getrokken, een of meer van hen,' zei hij tegen Gus. 'Het heeft geen zin om de andere kant, richting stad, te onderzoeken. En ze hebben een flinke voorsprong.'

Hij kwam bij Mal staan. 'Hoeveel waren er totaal?'

'Ik zou het niet weten. Ik was er niet bij. Carnegie zei dat ik u moest gaan halen en dat heb ik gedaan. Ik ben niet op mijn schreden teruggekeerd.'

126

'Dus die struikrovers doken ineens op, zeker? Hebben hier weken zitten wachten tot er ineens een goudtransport voorbijkwam.'

'Doe me een lol! Ik heb er niets mee te maken. Ik wil wedden dat er ginds in Gympie iemand is getipt.'

'Verbazingwekkend. Dus het enige wat jij moest doen, was je maatjes tegemoet rijden om hen te alarmeren. Ik heb het woord terugkeren niet genoemd. En Carnegie ook niet. Hij zei alleen dat je er ineens weer was. Hadden ze zich daar verstopt? Op de weg naar Maryborough? Heb je hen gewaarschuwd dat je versterking moest gaan halen?'

'Nee. Carnegie heeft het volslagen mis. Hij moet iemand gezien hebben die op mij leek.'

'O, vast en zeker. Er zijn talloze kerels die op jou lijken. Vooral struikrovers. Maar ik zal de waarheid uit je krijgen, smeerlap die je bent. Ik arresteer je, Willoughby, op verdenking van moord en een gewapende overval. Jij dacht dat ze allemaal dood waren, of niet soms?'

'Nee!' Mal probeerde zich te bevrijden uit de touwen, maar die sneden alleen maar dieper in zijn vlees. Voor het eerst drong tot hem door dat hij ernstig in de problemen zat, grote problemen, en dat allemaal omdat die halvegare Carnegie hem verwarde met iemand anders. Iemand die intussen een heel eind hier vandaan was, samen met McPherson.

Hoe hij ook redeneerde of smeekte, niemand wilde hem geloven. Hij was hun op heterdaad betrapte verdachte, ze hadden een getuige, en de stelligheid waarmee ze hem schuldig bevonden leek in steen gegrift te staan. Ze bonden zijn paard met een touw aan de achterzijde van de koets en het gezelschap begon aan zijn sombere reis naar Maryborough. Ze reden langzaam, bijna in begrafenistempo, uit eerbied voor de vermoorde mannen die in de koets lagen. Mal voelde zich vernederd dat hij rechtop in zijn zadel moest zitten, vastgebonden op zijn paard. Wetende dat alle ogen op hem gericht zouden zijn zodra ze onderweg mensen zouden tegenkomen, voelde hij zich als een clown, een soort afleidingsmanoeuvre voor de politie. Er zou grote verontwaardiging zijn over een misdaad van deze omvang, maar ze hadden tenminste een van de daders opgepakt. Ze konden een gevangene laten zien. Op de goudvelden had hij wel eens gelezen dat mijnwerkers en stadsbewoners klaagden over het gebrek aan politiebescherming tegen struikrovers, en Mal had het gevoel dat hij nu werd gebruikt als schild tegen de macht van de publieke opinie.

Er kwamen wilde gedachten in hem op dat de politie er zelf bij betrokken was. Maar wat viel er dan nog te hopen?

Er stopten een paar ruiters. Hij zag hen met Pollock praten. Zag hoe ze geschokt naar de koets staarden. Zag de haat in hun ogen toen ze hem aankeken. Een man reed om de koets heen en spuugde naar

Mal, spuugde hem recht in het gezicht, en Mal, wiens handen gebonden waren, kon niets anders doen dan de fluim over zijn wang laten rollen. En langzaam maar zeker werd hij gegrepen door angst. Op deze weg zouden ze meer en meer reizigers tegenkomen, die een soortgelijke reactie zouden vertonen of misschien erger. Voor het eerst in zijn leven was hij echt bang. In de stad had je menigtes, en in deze situatie dreigende menigtes. Zoals hij nu was vastgebonden, was hij overgeleverd aan hun genade. Hij vroeg zich af of Pollock en zijn twee agenten bereid waren hem te verdedigen in geval van nood. Waarom zouden ze?

Hij had overwogen om erop te staan dat Pollock zijn wapen zou controleren dat ze eerder al hadden afgepakt. Dan konden ze zelf vaststellen dat er geen schot mee was afgevuurd. Maar dan beweerden ze ongetwijfeld dat hij tijd had gehad het wapen schoon te maken of dat hij een ander wapen had benut.

Hij dacht aan Carnegie, die voor op de bok zat naast Gus, die de koets mende, terwijl zijn eigen paard gehoorzaam naast Striker achter de koets aan stapte. De commissaris was een gokker. Dat wist iedereen, op de goudvelden tenminste. En een verliezer. Hoe groot waren zijn gokschulden? Dat gokkers in de criminaliteit belandden was niets nieuws. Maar de goudcommissaris? Nauwelijks voorstelbaar. En hoe dan ook, een overeenkomst tussen struikrovers en de goudcommissaris was wel erg riskant. Die zouden hem zeker liquideren.

Maar waarom hadden ze het niet gecontroleerd? Pollock was op zijn hoede geweest, had zichzelf er meteen van willen overtuigen dat de drie mannen inderdaad dood waren, ook al lag dat voor de hand. Waarom hadden die overvallers niet hetzelfde gedaan? Zeker te veel haast, giste Mal. Hij herinnerde zich dat pa ooit zei dat de meeste misdadigers, vroeg of laat, tegen de lamp liepen omdat ze gewoonweg dom waren. Dus hij hoopte maar dat ze McPherson snel zouden vangen. Afgezien van Carnegie, was hij de enige die zijn naam kon zuiveren.

'O, mijn God!' mompelde hij, terwijl hij onhandig in het zadel hing. Stel dat ze hem door de stad zouden slepen, voor het oog van iedereen? Stel dat Miss Emilie hem zag? Mal was er kapot van.

Tegen het invallen van de schemering hadden ze de buitenwijken van de stad bereikt, waar ze ruiters, wagenmenners, mijnwerkers, allerlei mensen tegenkwamen, die zich, toen ze het afschuwelijke nieuws vernamen, bij het gezelschap aansloten en met hen mee reisden terwijl ze allerlei scheldwoorden op Mal afvuurden, tot Pollock Mike naar achteren stuurde met de opdracht naast de gevangene te gaan rijden, waarbij zijn paard als een soort buffer fungeerde en het gevaar op afstand moest houden. Als een waarschuwing voor ruiters die te dichtbij kwamen, hield Mike zijn geweer onder de arm en zijn hand pal naast de trekker.

Er was een sprankje hoop voor Mal toen hij een vreemde hoorde zeggen: 'Hij ziet er niet bepaald als een struikrover uit.'

De opmerking werd beloond met spottend geschreeuw, maar Mal dacht dat hij de stem herkende. Hij keek om zich heen maar zag alleen boze bebaarde gezichten en staarde opnieuw strak voor zich uit, naar de achterkant van de koets.

Bij de grote zagerij riep Pollock ineens tegen Mike dat hij moest inhouden, en de koets kletterende de binnenplaats op en kwam tussen de stapels hout tot stilstand.

'Wat is er aan de hand?' vroeg Mike.

'We kunnen de lichamen niet op deze manier de stad binnenbrengen. Dat kan gewoon niet. Hun families zullen het al erg genoeg vinden, zónder ze zo in de koets te zien liggen. En trouwens, het is vragen om moeilijkheden. Willoughby samen met de vermoorde mannen opbrengen zou een complete opstand tot gevolg hebben. Wacht maar even.'

Hij wendde zich tot de mensen die nu al een tijd om hen heen hingen en vroeg een man om de stad in te rijden en de begrafenisondernemer te halen.

'Zeg hem dat hij als de donder hierheen komt en zorgdraagt voor de lichamen.'

Vervolgens beval hij twee mannen om bij de zagerij – die overigens was gesloten – te blijven en over de lichamen te waken tot de begrafenisondernemer er was.

Terwijl dit alles zich afspeelde, hadden de omstanders tijdelijk hun belangstelling voor de gevangene verloren, behalve één man, die vlak langs Mal liep en hem tegen zijn dijbeen stompte. Hij leek de klap te willen laten vergezellen van beledigende taal, maar wat hij feitelijk zei, was: 'Barney Magee vergeet een gunst nooit.'

Mal keek omlaag en herkende de kleine man die destijds met de pet was rondgegaan in de hoop voldoende op te halen om een buskaart naar de goudvelden te kunnen kopen. Mal had hem wat geld toegestopt, hij wist niet eens meer hoeveel.

'Mooie gunst,' antwoordde hij vinnig, maar de goudzoeker was alweer verdwenen in de menigte. Terwijl hij – noodgedwongen met zijn beide handen – over zijn dijbeen wreef, voelde hij een extra gewicht in zijn jaszak en betastte dat met zijn vingers.

Jemig! Een mes. Het was vast en zeker Magee geweest die zei dat hij niet op een struikrover leek. Had hij uiteindelijk toch een vriend. Mogelijk had hij niets aan het mes, maar hij kon het proberen. Hij frunnikte het mes in zijn mouw, terwijl hij deed alsof al zijn aandacht bij Pollock lag, aangezien alle gezichten die kant op keken.

De brigadier was bezig de meute uiteen te drijven, riep dat ze hun eigen weg moesten gaan, vastbesloten als hij was om hen erbuiten te houden. Met tegenzin dropen de toeschouwers af, maar het viel Mal op dat ze allemaal in de richting van de stad liepen, hun oorspronkelijke bestemming vergetend, zodat ze getuige konden zijn van de aankomst van de gevangene.

Samen met een miljoen anderen, dacht Mal somber. Maar het mes was scherp; klein, licht maar erg scherp, zoals het mes dat zijn vader had gebruikt om houtsnippers te snijden, en de touwen om zijn polsen waren zo snel doormidden dat hij ze moest grijpen om te zorgen dat het leek alsof ze nog op hun plek zaten. Ze hadden zijn geweer uit de patroontas naast zijn zadel gepakt maar zijn zweep hing nog steeds werkeloos aan de houten zadelpen. Mal keek ernaar en vroeg zich af wat zijn volgende stap moest zijn.

'Kunt u rijden?' vroeg Pollock aan Carnegie.

'Nee, brigadier, ik voel me te zwak.'

'In orde. U blijft hier bij de koets. Mike zal u naar de stad brengen, zodra de begrafenisondernemer met zijn lijkkoets hier is.'

'Dat zou een opluchting zijn. Het is ondraaglijk om met deze arme zielen te moeten reizen. Ik ben u dankbaar, brigadier. Het is veel passender de doden met enige waardigheid te vervoeren.'

Pollock knikte en keek abrupt naar Gus. 'We voeren Willoughby zelf mee de stad in. We hebben geen woedende menigte met lynchneigingen nodig om ons te vergezellen. En als we dichterbij zijn, gaan we achterlangs, zodat we deze smeerlap in het cachot kunnen gooien voor het stadsvolk wakker wordt. Laten we gaan.'

Mal voelde er weinig voor om te wachten tot ze de achterafstraten hadden bereikt.

Het merendeel van de tijd reden ze met z'n drieën naast elkaar, een politieman aan weerszijden van hem, terwijl Mal zichzelf dwong een besluit te nemen. Hij moest proberen hier weg te komen. Eenmaal in de gevangenis zou er niemand naar hem luisteren; mogelijk wachtte hem de strop. Maar als hij nu zou proberen te ontsnappen, werd hij neergeschoten.

Hij had weinig keus, besloot hij. En de tijd begon te dringen. Er was langs deze weg voldoende struikgewas om dekking te bieden, mocht hij dat halen, maar over een paar kilometer kwamen ze in het open veld.

Hij wachtte tot de drie paarden op voldoende afstand van elkaar liepen, waardoor hij de kans kreeg zijn zweep te benutten.

Zijn beide overmeesteraars werden volledig overrompeld. De zweep tolde plotseling in het rond en knalde over de rug van Gus met zo'n woestheid dat hij het uitgilde en van zijn paard viel, terwijl Mals arm in het rond zwaaide om Pollocks paard een flinke tik op zijn achterste te geven. Het paard schrok en galoppeerde de weg af, terwijl Pollock zijn uiterste best deed het beest weer onder controle te krijgen en het ruiterloze paard erachteraan draafde. Maar Mal schoot weg. Hij durfde niet achterom te kijken terwijl hij zijn paard in de richting van de bosjes stuurde, wild galopperend voor de vrijheid. Voor zijn leven.

Vergeleken met het eindeloze landschap van ongerepte bossen was Maryborough slechts een stipje op de rivieroever, dus Mal wist dat als hij nog een flink eind verder stormde ze weinig kans hadden om hem opnieuw te vangen. Hij dankte God voor de dichte subtropische plantengroei, terwijl zijn paard handig uitweek voor bomen en allerlei hindernissen nam zonder vaart te minderen, zoals paste bij het ervaren veedrijverspaard dat het was geweest voor het Mals vriend en metgezel werd.

Aanvankelijk leek het geschreeuw van zijn achtervolgers gevaarlijk dichtbij te komen, maar al snel nam hun stemgeluid af. Maar Mal wist dat ze het zo gemakkelijk niet zouden opgeven. Er vielen nog steeds straaltjes goudgeel zonlicht tussen de bomen door, die hem kwelden, terwijl hij stilletjes bad dat de zon zou opschieten met ondergaan zodat het woud zich in totale duisternis kon hullen. Hij klemde zich laag om de nek van het paard vast en spoorde het dier aan om door te gaan, als een jockey die een winnende race reed en toen, ineens, was het zover. In het noorden viel amper nog schemering waar te nemen, het licht verdween voor zijn ogen en deed hem knipperen omdat ze moesten wennen aan de duisternis. Het paard minderde vaart, alsof het wist dat de race was gelopen, en dat was inderdaad zo, dacht Mal. Althans voorlopig. Morgen zouden er troepen op jacht gaan naar hem. Grote troepen, goed bewapend, die het recht hadden hem zonder waarschuwing neer te knallen.

Hij had nog nooit zo diep in de nesten gezeten en er leek geen uitweg te zijn. Zijn vlucht had hem waarschijnlijk gebrandmerkt als schuldige, maar wat was het alternatief? Pollock had mogelijk kunnen voorkomen dat hij door woedende burgers was gelyncht, maar wie weet zou de rechtbank dat wel goedkeuren. Mal had geen flauw idee hoe rechtbanken opereerden, maar hij had weinig zin om te wachten hoe de vork in de steel zat.

Hij kwam bij een kreek die lag te glinsteren in het maanlicht en dronk veel om zijn honger te stillen, aangezien hij de hele dag nog geen kruimel had gehad, en bleef even staan om de positie van de maan te bepalen, terwijl ook zijn paard zich te goed deed aan het frisse water.

Als ervaren *bushman* had Mal geen kompas nodig, maar zonder een plan kon hij niet. Uiteindelijk zou hij McPherson moeten traceren, als hij zo lang op vrije voeten wist te blijven, omdat ze hoogstwaarschijnlijk een prijs op zijn hoofd zouden zetten, maar hij moest nu eerst een beslissing nemen. Ze verwachtten waarschijnlijk dat hij het binnenland zou intrekken, op weg naar de heuvels, waar een man zich jaren zou kunnen schuilhouden, dus was het niet onverstandig om terug te keren. Althans, dat hield hij zichzelf voor. Het was riskant maar verstandig als hij alleen 's nachts zou reizen, omdat de politiemacht dit gebied zorgvuldig zou uitkammen in een poging te voorkomen dat hij de heuvels bereikte.

En dan Miss Emilie. Zich schamend over zijn huidige status, was hij haar in gedachten – uit respect – Miss Emilie gaan noemen, en ze was zelden uit zijn gedachten. Als hij terugreed, kon hij haar ondanks alles ontmoeten. Zich aan zijn belofte houden. Haar smeken hem te vertrouwen. Hij bad dat ze nog niets had gehoord van de moeilijkheden waarin hij verzeild was geraakt.

God, wat had hij een honger; zijn buik voelde aan alsof zijn keel was doorgesneden. Dat was een van de favoriete gezegden van zijn pa. In slechte tijden hadden ze dikwijls dagen achtereen niets gegeten.

Slechte tijden? Mal klopte op zijn geldriem en lachte.

'Jezus! Ik ben waarschijnlijk de rijkste verhongerende dwaas aan deze kant van de evenaar.'

Toen dacht hij ineens aan de Chinezen. De groentekwekers. Ze gaven geen sikkepit om wat zich afspeelde in de blanke wereld. Hij zou een van hun hutten binnen kunnen glippen en daar een paar minuten doorbrengen. Ze zouden hem wat eten verkopen, mits hij niet in de buurt bleef rondhangen en hen erbij zou betrekken. Daarna zou hij kunnen leven op wat de bush hem bood, als hij de kans kreeg overdag wat rond te scharrelen.

Hij pakte het toom en aaide de oren van zijn paard.

'Kom op, makker, ik zal je een stuk leiden. Laten we zorgen dat die klootzakken voor niets zoveel moeite doen.'

Die avond tijdens het eten hadden Mr. en Mrs. Manningtree een daverende ruzie. De kinderen waren al naar bed en Emilie, die in haar behoefte aan gezelschap niet langer deed alsof ze boven het huishoudelijk personeel stond, sloop naar de keuken om uit te zoeken wat er aan de hand was.

De kokkin grijnsde toen ze binnenkwam. 'Hebben ze je wakker gemaakt?'

'Nee. Ik sliep nog niet. Ik dacht dat jij allang naar huis zou zijn, trouwens.'

'Ach, nee. Ik moet blijven tot ik het toetje heb geserveerd, maar ze heeft me nog geen teken gegeven. Met een beetje mazzel maken ze elkaar af.'

Emilie hoorde duidelijk het geluid van brekend porselein en vloog naar de andere kant van de keuken toen Nellie de deur opende en binnenkwam met een dienblad vol glazen en borden.

'Wie zijn er binnen?' vroeg ze.

Nellie trok een boze grimas. 'De kapitein kwam dineren. Zo te horen heeft de baas hem beledigd, waarop hij vertrok, en sinds dat moment hebben ze mot. Ze vindt dat hij grof was tegen hun gast en hij stond te schreeuwen dat zij vreemdging met de kapitein. Wat ook zo is.'

'Wat?' Emilie stond versteld.

Nellie haalde haar schouders op. 'Dat is al een tijdje gaande. En hij is niet haar eerste. Het duurde alleen wat lang voor de baas het in de gaten kreeg, dat is alles. Dan bezuipt hij zich en gaat met allerlei spullen smijten. Hij heeft al een stoel kapotgemaakt en de spiegel boven de schoorsteenmantel en daarna ging hij zich afreageren op de dessertborden. Ik zou het toetje maar vergeten, kok. Dat stadium zijn ze voorbij.'

Nellie deed haar schort af en de kokkin volgde haar voorbeeld, maar het geschreeuw en gebrul in de eetkamer duurde voort. Het beangstigde Emilie.

'Jullie laten me toch niet in de steek? Ik wil niet alleen zijn met dat stel in huis.'

'Jou zal niets overkomen,' zei de kokkin. 'Doe je deur maar op slot.'

'Daar zit geen slot op.'

'Zet er dan een stoel tegenaan. Maar ze zullen jou niet lastigvallen. Ze hebben altijd ruzie.'

'Ik heb ze nooit eerder gehoord.'

Nellie zette de smerige borden op een werkbank. 'Ze kunnen er morgen nog wel zitten. Het kan me niet schelen wat ze vindt.' Ze haalde een kam door haar piekerige haar en wendde zich weer tot Emilie. 'Nu ik erover nadenk, dat heb je inderdaad niet. Ze hebben zich van hun beste kant getoond sinds jij hier bent. Maar ik wist dat het niet zou voortduren.'

'Ga naar bed en vergeet hen, Emilie,' adviseerde de kokkin. 'Het heeft niets met ons, of met jou, te maken.'

'Aha, toch wel,' zei Nellie, en de twee draaiden zich om en staarden haar aan.

'Hoe bedoel je?' wilde de kokkin weten.

'Nou, ik heb een heleboel gehoord toen ik voor de deur stond te wachten om de borden voor het hoofdgerecht af te ruimen. Hij schreeuwde dat ze een hoer was, waarop zij zei: "En jij dan? Ik weet dat je een oogje hebt op die preutse Miss Tissington. Je hebt het altijd over haar, over hoe mooi ze is en hoe slim..."'

De kokkin gaapte haar aan. 'Nee, toch zeker!'

Ook Emilie staarde haar met open mond aan. 'Dat is vreselijk. Hoe durft ze zoiets te beweren?'

Maar het interesseerde Nellie niet. 'Je weet hoe het gaat. Leer om leer. Hij begint tegen haar. Zij tegen hem. Wat maakt het uit? Ik ga naar huis.'

'Mij maakt het wel degelijk uit,' snauwde Emilie. 'Het is niet waar.'

'Je kunt weinig doen zonder Nellie te verraden,' reageerde de kokkin. 'Let er maar niet op, Emilie. Je zult nog wel erger meemaken als je hier lang genoeg blijft. De laatste keer dat hij haar betrapte, met kerst was het...'

'Nee, met oud en nieuw,' verbeterde Nellie.

'Ja, ze gingen naar een of ander nieuwjaarsfeestje en toen ze thuiskwamen gaf hij haar er zo van langs dat ze een week lang het bed heeft gehouden.'

'O, mijn God!'

Emilie zette in elk geval een stoel klem tegen haar deur, nadat ze naar haar kamer was gevlucht. Het geweld was kennelijk afgenomen, maar de woede laaide bij vlagen weer op en duurde de hele nacht. Ze veerde van schrik op toen er zachtjes op haar deur werd geklopt, maar het was Rosie maar.

'Mag ik binnenkomen, juf? Ik heb naar gedroomd. Ik ben bang.'

Emilie nam het kind bij zich in bed om haar te troosten en sliep daardoor ook zelf beter.

De volgende dag was Mrs. Manningtree zeer slechtgemutst, ze had op iedereen wat aan te merken, vooral op de kinderen. Ze stoorde hen tijdens de lunch, schreeuwde dat ze beter hun bord moesten leegeten en klaagde dat Alice haar klusjes niet had gedaan, waaronder het ophalen van de eieren uit het kippenhok. Toen Alice dreinde dat ze geen eieren had kunnen vinden vandaag, sloeg haar moeder haar in het gezicht.

Dat was de druppel voor Emilie. 'Sla het kind niet, alstublieft. Het is niet haar schuld dat er geen eieren waren.'

'Werkelijk! Hoe kan het dan dat Nellie een paar minuten geleden meer dan een dozijn heeft verzameld?' Ze richtte zich weer tot Alice. 'Je bent helemaal niet gegaan, of wel?'

'Ik ben het vergeten, mam,' sprak het kind huilend.

'Ziet u wel, Miss Tissington. Ze is een leugenaar. Dus zeg niet dat ik mijn kinderen niet mag kastijden. U bemoeit zich maar met uw eigen zaken, anders zijn uw dagen hier geteld. Geteld, hoort u mij?'

'Ja, mevrouw.' Emilie dacht dat ze zou stikken. De kleine ruimte leek haar in te sluiten. Ze wilde de vrouw het liefst de deur uit duwen en naar buiten vluchten, rennen en rennen tot ze weer kon ademhalen, maar dat ging niet. Boos op zichzelf dat ze zich zo zwak toonde, dat ze zich de grillen van deze ordinaire vrouw liet welgevallen, bleef ze onverstoorbaar bij de tafel staan, haar ogen terneergeslagen alsof ze haar schoenen bestudeerde.

'En we hebben u niet langer nodig aan de piano,' brieste haar werkgeefster, terwijl ze een kammetje in haar gepoederde kapsel stak. 'Na verloop van tijd gaat het nogal vervelen.'

Nadat ze was vertrokken, bracht de kokkin warme toast met boter. Ze knipoogde naar Emilie.

'Geen piano meer? Ach, na regen komt altijd weer zonneschijn.'
Emilie wist een glimlach op te brengen. 'Kennelijk.'

De hele dag vocht ze tegen de aandrang om het huis in te stevenen en haar ontslag in te dienen. Ze zouden haar toch zeker iets moeten uitbetalen. Zo niet, dan kon ze altijd Ruth nog vragen om geld te sturen voor een enkeltje Brisbane, zodat ze daar werk kon zoeken. Ongeacht wat. Ze dacht niet langer in termen als posities of betrekkingen. Ze had van Nellie en Kate geleerd dat niemand hier onderscheid maakte, in deze negorij in elk geval niet. Iemand had een baan of juist niet.

Verder zat ze in de rats over Mr. Willoughby. Kon ze echt maken hem bij de poort te ontmoeten?

Haar woede zorgde voor een antwoord. Wie haar ook zou willen bezoeken, zelfs Ruth waarschijnlijk, moest voor haar in dit huishouden aan de achterdeur komen – in plaats van aan de voordeur – dus kon ze net zogoed bij de poort afspreken. En waarom ook niet? Ze deed niets verkeerds. Maar een vreemde man?

Boos schudde ze alle argumenten die haar sinds zondag hadden geplaagd van zich af. Trouwens, wie weet kwam hij niet opdagen. Ze besloot dat ze om exact acht uur naar het hek zou gaan, maar zeker niet zou wachten. Als hij er niet was, zou ze linea recta weer naar binnen gaan. Het was te gek voor woorden dat een veedrijver haar aan een andere betrekking... baan zou kunnen helpen.

Waarom maakte ze zich dan zo druk om hem?

'Omdat ik in mijn eigen tijd kan doen wat ik wil,' gaf ze zichzelf tartend antwoord, liever dan toe te geven dat ze wanhopig op zoek was naar een vriend, iemand buiten de gevangenis van dit huishouden met wie ze kon praten, die haar aardig vond. Zelfs al was het Mr. Willoughby.

Hij was een uur te vroeg en wachtte op haar, diep verscholen in de schaduwen. Hij zag twee mensen vertrekken in een fraaie sjees, klaarblijkelijk de baas en bazin van Miss Emilie, allebei opgedirkt als een kerstboom en vermoedelijk op weg naar een of ander feestje in de stad. Dat gaf hem moed. Ze leek bang voor hen te zijn. Nu zij het veld hadden geruimd, was de kust veilig.

Mal was niet nerveus om in de stad te zijn. Dit was wel de laatste plek waar ze hem zouden zoeken. En als hij vanavond vertrok, zou hij richting de kust gaan. Dat was ook riskant, hij zou in de val gelokt kunnen worden aan die kant, maar groepen gewapende agenten hadden ook zo hun gewoontes. En het was een relatief zekere gok dat ze het struikgewas in het binnenland zouden uitkammen en zich enorm vermaakten tijdens hun jacht op een zogenaamde moordenaar.

Hij wenste dat hij hier niet over had nagedacht.

Nu was er helemaal geen tijd meer om na te denken, aangezien ze de oprijlaan al kwam aflopen en hij niet was voorbereid. Hoe moest hij deze vreselijke wending in zijn leven aan haar uitleggen? Zou ze willen luisteren? Het was dat hij haar nimmer zou willen teleurstellen, anders had hij zich allang in de duisternis teruggetrokken omdat zijn zelfvertrouwen slonk en hem in de steek liet, juist nu hij het zo hard nodig had.

Mal voelde zijn knieën knikken toen hij naar voren trad om haar te begroeten. Het kwam trouwens niet alleen door de ontmoeting met Miss Emilie. De diepe ernst van zijn situatie drong ineens weer tot hem door, als een harde klap in zijn gezicht, en hij kon enkel knikken toen ze hem aansprak.

'Goedenavond, Mr. Willoughby.'

Hij kreeg weer moed, toen ze eraan toevoegde: 'Wat een heerlijke avond, vindt u ook niet?' om de stilte te doorbreken, en dus moest hij wel zijn best doen. Hij keek om zich heen. Aan weerszijden van de toegangspoort stak een laag stenen muurtje van een paar meter uit, dat er niet zozeer uit nut stond maar meer voor de sier, en hij besloot dat het toereikend moest zijn. Hij kon vanavond niet met haar de stad in wandelen.

'Ik moet met je praten,' zei hij gehaast. 'Zullen we hier even gaan zitten?'

'Zoals je wilt.' Ze klonk erg verlegen.

Toen hij zag dat ze goed zat op de platte stenen, plofte hij naast haar neer; hij zorgde wel voor enige afstand tussen hen, opdat ze hem niet te vrijpostig zou vinden.

Emilie was verbaasd over de verandering in hem. Dit keer was Mr. Willoughby absoluut niet onverschrokken; hij leek eerder bezorgd.

'Is er iets mis?' vroeg ze.

Hij knikte. 'Ja en nee. Het spijt me, ik heb niet veel tijd, maar ik wilde toch even vragen hoe het met je gaat. Of het lukt met je baan, bedoel ik.'

'O, dat gaat wel.'

'Zo klinkt het niet. Wat scheelt eraan?'

Emilie aarzelde. Toen besloot ze dat ze het hem evengoed kon vertellen. Het aan iemand kwijt kon. En hij zou het niet verder vertellen. Hij kende deze mensen immers niet.

'Het werk op zich bevalt prima. Ik vind het leuk om de kinderen les te geven, ze zijn alledrie tamelijk lief. Alleen met het inwonen heb ik nogal moeite. Mijn werkgeefster, Mrs. Manningtree, is een onaangename vrouw, niet alleen tegenover mij maar ook tegenover het huishoudelijk personeel.' Emilie zuchtte. 'Zo is ze nu eenmaal, vermoed ik.'

'En haar echtgenoot? Valt hij je lastig?'

'Nee. Niet echt. Ik zie hem zelden.'

'En je familie dan? Wat zeggen zij hiervan?'

Hij was zo geïnteresseerd in haar, geïntrigeerd eigenlijk, dat Emilie ontdekte dat ze op al zijn vragen oprecht antwoord gaf, zo openlijk als ze thuis ook zou hebben gedaan, in de tijd dat ze zich nog niet liet weerhouden door armoede. Ze herinnerde zich dat ze altijd een openhartige jonge vrouw was geweest, die nooit bang was haar mening te geven, zoals ook haar stiefmoeder had ontdekt, en het was verkwikkend om weer te kunnen ademhalen, vrijuit over dit soort zaken te kunnen spreken, ook al was het met Mr. Willoughby.

'We waren nogal naïef,' sprak ze bedroefd.

'Nee. Ze hebben jullie in de steek gelaten. Ik vind dat jullie erg dapper zijn geweest door die lange reis hierheen te maken. Dat is een grote stap. Hoe gaat het met je zuster? Is zij tevreden over haar baan?'

'Ja. Die is erg gelukkig.'

'En kan ze niets voor jou vinden bij haar in de buurt?'

'Als er een vacature was, had ze me dat zeker laten weten. Maar werkelijk, ik praat veel te veel. Hoe is het met jou? Zei je daarnet dat er iets mis was?'

Hij haalde een keer diep adem en schoof onrustig heen en weer, terwijl hij zijn lange benen voor zich uit strekte. 'Dat klopt. En ik vermoed dat je er binnen afzienbare tijd wel meer over zult horen, maar Miss Emilie...' hij draaide zich naar haar toe, 'wat je ook over mij zult horen, geloof het niet. Ik zit in de problemen, diep in de problemen.'

'Wat voor problemen?'

'Er heeft een overval plaatsgevonden waarbij een lading goud is gestolen en een aantal mannen is vermoord. Ik krijg nu de schuld, maar ik heb er helemaal niets mee te maken.'

'Wanneer is dit gebeurd?'

'Op de ochtend dat ik jou tegenkwam in de stad. Ik was een van de bewakers. En alleen omdat ik toch van plan was naar Maryborough te reizen. Ik had het baantje nooit moeten aannemen. Ze hebben me in de val gelokt.'

'Wie?'

'Dat weet ik nog niet, maar dat ga ik zeker uitzoeken. Ze hebben me gearresteerd...'

'O, mijn hemel!'

'Maar ik ben ontsnapt. Ik wilde je alleen even laten weten dat ik er niets mee te maken heb, ik zweer het je...'

Mal stond op, pakte haar hand en hielp haar overeind. 'Ja. Dat is ook de reden waarom ik niet met je de stad in kan gaan vanavond. Het spijt me, het spijt me heel erg. Ik ga nu, en het is beter dat je aan niemand laat weten dat je me kent. Niet dat je dat zou willen,' voegde hij er mat aan toe.

137

Emilie was verbijsterd en vroeg zich af of het allemaal waar was. Ze wist niet hoe ze moest reageren.

'Ik hoop dat je me gelooft,' zei hij. 'Ik zou nooit tegen je liegen. Het is domme pech, deze hele toestand. Ik heb op de goudvelden gewerkt en heb daar goed geboerd. Mijn partner was een Engelsman, Clive Hillier. Wie weet kom je hem op een dag tegen. En als dat het geval is, zal hij het voor me opnemen.'

'Waar ga je heen?' vroeg ze, de aandrang onderdrukkend om in het rond te kijken uit angst dat ze door de politie werden bespied.

'Dat weet ik nog niet.' Hij drukte haar een klein pakje in de hand. 'Ik wil je dit geven. Ik heb het eerlijk verdiend. Clive kan dat beamen.'

Emilie staarde naar het pakje, dat stevig in krantenpapier zat gepakt en met touw was vastgebonden. 'Wat is het?'

'Het is van jou. Als ze mij pakken, ben ik het voorgoed kwijt, dan zal iemand het inpikken. Dus ik kan het beter aan jou geven. Het spijt me, ik moet nu echt gaan.'

Ze hield het pakje nog steeds vast toen hij haar beide handen in de zijne nam.

'Vergeet me niet. Ik zorg wel dat ik uit deze penibele situatie kom. Over jou heb ik ook nagedacht. Je zou een onderkomen in de stad moeten zoeken, op die manier kun je je baan houden en hoef je niet meer in dit huis te wonen.'

Het volgende moment was hij verdwenen en Emilie bleef verbluft bij de poort achter, omringd door hoge bomen die in het maanlicht zachtjes heen en weer wiegden.

Behalve om nu en dan te kijken of er ergens in de buurt een gouvernante werd gezocht, had Emilie weinig aandacht geschonken aan de plaatselijke krant, maar nu, met alle nieuws over de hinderlaag en de moorden dat met vette koppen op de voorpagina stond afgedrukt, was ze ineens wel geïnteresseerd.

Aanvankelijk kon ze alleen aandachtig luisteren terwijl Kate het gruwelijke verhaal voorlas, tot ze zelf een exemplaar in handen kreeg en het persoonlijk nog eens woord voor woord kon napluizen. Ze werd bleek toen ze las dat de misdadiger Mal Willoughby nog steeds op vrije voeten was, evenals zijn mededader, James McPherson, een andere boef met een prijs op zijn hoofd.

'Ze zeggen dat hij gewelddadig is,' zei Kate, terwijl ze vakkundig plakjes lamsvlees afsneed. 'Een echte moordenaar.'

'Wie?' vroeg Emilie bevend.

'Die Willoughby-kerel. Een vriend van mij heeft hem bij de houtzagerij gezien, bij de zagerij van Mr. Manningtree. Hij zei dat de man het gezicht van de duivel heeft, spuuglelijk met gele ogen.'

Emilie staarde de kokkin aan maar durfde niets te zeggen.

Dagenlang volgde ze het verhaal en las ze telkens weer hetzelfde over het gestolen goud, de dappere Mr. Carnegie – de goudcommissaris – die bij de aanval gewond was geraakt, en de voortdurende speurtocht naar de twee criminelen. Er waren trieste verhalen van de familieleden en een verslag van de begrafenissen, die werden bijgewoond door alle vooraanstaande burgers, onder wie meneer en mevrouw Manningtree, die het geweldig vonden dat ze in de krant werden genoemd. Tegen het eind van de week vond er echter een andere tragedie van veel grotere omvang plaats die de aandacht trok. De *Java Queen*, een stoomboot die vanuit Sydney was vertrokken met tweeënveertig zielen aan boord, was niet op tijd en men vreesde dat het schip was vergaan.

Een van de passagiers was kapitein Curtis Morrow, en naarmate de dagen verstreken en andere vaartuigen de kuststrook zonder succes hadden afgezocht, werd duidelijk dat er geen overlevenden waren.

Een radeloze Mrs. Manningtree ging zwarte kleding dragen en leek ontroostbaar, hoewel haar cynische kokkin meende dat haar rouwgedrag niet oprecht was.

'Ze doet alles om de aandacht te trekken,' zei Kate.

Al deze tijd, tien dagen om precies te zijn, sinds het moment dat Emilies vriend afscheid van haar had genomen, had ze zichzelf er niet toe weten te brengen het pakje te openen. Ze hield het onder in haar koffer verborgen, hopend dat hij ervoor terug zou komen en tegelijkertijd hopend dat hij weg zou blijven voor zijn eigen veiligheid, omdat er bij het politiebureau een poster aan de muur hing waarop een beloning van vijftig pond werd uitgeloofd voor degene die de misdadiger Mal Willoughby wist aan te houden. Emilie had de poster slechts eenmaal gezien, maar ze was er zo van geschrokken dat ze sinds dat moment alleen nog aan de overkant van de straat langs het politiebureau liep.

Het was waarschijnlijk stom van haar, zo dacht ze bezorgd, maar ze geloofde Mr. Willoughby. Ze wist zeker dat hij geen deel had uitgemaakt van die hinderlaag, dat hij niemand zou kunnen vermoorden. Ze had hem luttele uren nadat het drama zich had voltrokken gesproken en niemand kon zó goed toneelspelen. Dan zou er zeker iets aan hem te merken zijn geweest, had hij ongetwijfeld een schuldgevoel uitgestraald na zo'n gruweldaad. Hij kon onmogelijk zo koel, zo wreed zijn.

Moe van de zorgen en de voortdurende onzekerheid haalde Emilie het pakje uiteindelijk tevoorschijn. Het was laat, het was stil in huis en ze had haar deur stevig vergrendeld. Met een schuldgevoel maakte ze het open. In verlegenheid gebracht ook, omdat hij de indruk had gewekt dat er in het krantenpapier geld zat, en ze wilde zijn geld niet. Wat had ze in vredesnaam die zondagochtend gezegd die hem had doen geloven dat ze geld van hem nodig had?

De bankbiljetten dwarrelden op haar bed. Een hele stapel biljetten. Niet zomaar wat ponden, nee, veel geld. Verwoed begon ze te zoeken naar een briefje, naar een of ander schrijven waarin stond wat ze ermee moest doen. Wilde hij dat ze het op de bank stortte? Of dat ze het ergens verborg waar hij erbij kon? Maar ze vond niets, behalve die grote, vertrouwde biljetten van de Engelse nationale bank, knisperend en nieuw, in totaal zo'n vierhonderd pond.

De schrik sloeg Emilie ineens om het hart toen ze bedacht dat het mogelijk om illegaal verkregen winst ging, de opbrengst van de roofoverval, omdat ze zich herinnerde dat de rovers goud en valuta hadden gestolen. Ze sprong op en sloot haar raam, zichzelf binnen opsluitend met haar geheim.

'Het is van jou,' had hij gezegd. 'Als ze mij pakken, ben ik het voorgoed kwijt.'

In paniek wikkelde ze het geld in haar ondergoed, verborg het diep onder in haar koffer en gooide het deksel met een klap dicht.

Was hij helemaal gek geworden? Of was hij ronduit slim? Geen wonder dat hij had gezegd dat ze beter niet kon laten merken dat ze hem kende. Niet dat ze daarover peinsde, met deze schanddaad die alle perken te buiten ging. Maar nu, door haar dit geld te geven, had hij haar betrokken bij zijn ellendige leven. Wat moest ze er in vredesnaam mee doen? Stel dat ze de kokkin zou vertellen dat er een fortuin in haar slaapkamer verstopt lag, welwillend aan haar ter beschikking gesteld door die duivelse crimineel?

Emilie deed die nacht geen oog dicht.

Op Lindsay Downs herstelde de gouvernante langzaam van de koorts, maar ze bleef zwak en kon alleen licht voedsel verdragen, aangezien haar maag tegen elke stevige maaltijd in opstand leek te komen.

De dokter was van mening dat hij weinig meer kon doen.

'Ze lijkt te lijden aan zwaarmoedigheid,' liet hij Mrs. Manningtree weten. 'Dat is niet ongebruikelijk in deze omstandigheden. Langdurige zwakte bij mensen leidt dikwijls tot een dergelijke toestand, want zij wensen gezond te zijn, en als dat niet zo is, worden ze ongeduldig en dat veroorzaakt pijn, wat weer zwaarmoedigheid voortbrengt, als u begrijpt wat ik bedoel.'

Leonie begreep er niets van. Ze vond zijn uitleg geraaskal, maar was te beleefd om dat te zeggen. In haar ogen had Miss Tissington alleen medelijden met zichzelf. Ze moest die ziekenkamer eens uit, toestaan dat ze een stoel voor haar klaarzette op de veranda zodat ze eens wat frisse lucht binnenkreeg en kon aansterken. Het was weken geleden dat ze in de bush was verdwaald en was geveld door de gele koorts, geen ongewone kwaal. Maar nee, ze lag maar wat, vastberaden om ziekelijk te blijven. Hoelang nog eigenlijk?

Een paar dagen geleden was het de gouvernante gelukt een brief te schrijven aan haar zuster in Maryborough, waarop haar werkgeefster, die beloofd had de brief te zullen posten hem stiekem met behulp van stoom had geopend. Leonie had iemands privacy nooit op deze manier geschonden, maar ze was wanhopig en wilde per se weten wat Miss Tissington te zeggen had. Aangezien ze te zwak was om uit haar slaapkamer te komen, zou ze misschien haar zusje een verklaring geven.

De brief was een teleurstelling en nogal triest. Hij liet Miss Emilie Tissington enkel weten dat haar zuster erg gelukkig was maar dat ze het de laatste tijd te druk had gehad om hun correspondentie eer aan te doen, met de belofte dat er binnen afzienbare tijd een wat interessanter epistel zou volgen. Kennelijk had ze haar zuster niet verteld dat ze ziek was, en Leonie vond dat begrijpelijk. Maar hoe moest ze het nu verder aanpakken?

De dokter had deels gelijk. Ruth was inderdaad melancholiek, maar niet zo ziek als ze deed voorkomen. Ze was domweg zo vernederd door alles wat zich had afgespeeld, dat haar de wilskracht ontbrak om wie dan ook onder ogen te komen. Ze voelde zichzelf nog altijd verheven boven deze mensen, deze kolonialen, ze was beter opgeleid, beter geïnformeerd over allerhande zaken, en vooral een Engelse dame die niet wilde buigen. Die niet wist hoe ze moest buigen. Ze beloofde zichzelf telkens weer dat ze een van de komende dagen zou opstaan, en als dat gebeurde, zou ze de familie Stanfield ter verantwoording roepen.

Ze zou geen kritiek meer van hen dulden. Ze zou excuses eisen van Mr. Stanfield voor het feit dat hij aan haar refereerde als mejuffrouw Somber en daarmee haar autoriteit ondermijnde, niet alleen tegenover de kinderen maar ook met betrekking tot het huishoudelijk personeel. Ze was vreselijk teleurgesteld in Mr. Stanfield en dat zou ze zeggen ook. Ze zou er voorts op wijzen dat hun dochters in plaats van mínder juist méér discipline nodig hadden. Heel wat meer. En daar zou zij op toezien. Ze was ingehuurd om dames van hen te maken en ze was zonder meer in staat om dat te doen, mits de ouders ophielden zich er telkens mee te bemoeien.

Dit was het plan waarover Ruth lag te piekeren tijdens de lange uren die ze in haar kamer had doorgebracht, maar het vereiste nogal wat kracht om de kamer daadwerkelijk te verlaten en hen tegemoet te treden, en die kracht bezat ze niet, omdat ze nog niet volledig hersteld was. Maar dat zou binnenkort veranderen. Het was puur een kwestie van tijd. En een kringloop die ze onbewust aan zichzelf opdrong. Een tredmolen. Iets dat sterk leek op de diagnose die de dokter had gesteld.

Maar het gezin had haar belangstelling voor Miss Tissington verloren. Er stond een grote voorjaarsschoonmaak op het programma, omdat er een belangrijke gast kwam logeren. Jacks moeder was terug van haar wereldreis en onderweg naar Lindsay Downs. En zoals Leonie maar al te goed wist, was Lavinia Stanfield erg kieskeurig.

Deze veeboerderij, een van de vele die in het bezit was van de familie Stanfield, was Lavinia's lievelingsplek, omdat het haar eerste thuis was geweest nadat ze met Lindsay Stanfield was getrouwd en de eerste in een reeks van veeboerderijen die het echtpaar – naarmate hun rijkdom groeide – in de loop der jaren had aangekocht.

Net als alle anderen keek Leonie uit naar het bezoek van haar schoonmoeder en de verhalen die ze zou meebrengen. Mrs. Stanfield, die inmiddels weduwe was, was in gezelschap van haar nichtje per schip naar Londen afgereisd om verschillende familieleden, die hoog op de sociale ladder stonden, te bezoeken en was met open armen door hen ontvangen. Van daaruit hadden de reizigers het continent verkend, om daarna een maand door te brengen bij vrienden die een schitterende villa in Florence bezaten. Leonie had tekeningen van de villa gezien en ze benijdde haar schoonmoeder; ze zou dolgraag een bezoek aan Florence willen brengen.

'Ooit,' had Jack gezegd, 'als de meisjes wat ouder zijn, gaan we met z'n allen.'

Leonie vond haar schoonmoeder erg aardig, hoewel Lavinia haar wel nerveus maakte. Ze was een ontzagwekkende vrouw, heerszuchtig, die nimmer aarzelde om de baas te spelen over haar familie door ze te overladen met haar adviezen, meningen en bevelen. Aanvankelijk had Leonie haar nogal arrogant gevonden, maar Lavinia had ook gevoel voor humor, die de scherpe randjes van haar autoritaire houding enigszins verzachtte, dat bood in elk geval wat troost. Maar ze moest nu eerst zorgen dat het huis er piekfijn uitzag om controlerende vingertoppen en afkeurend gesnuif te voorkomen.

Jack was evenmin immuun voor het aanstaande bezoek, dacht ze glimlachend, ook al beweerde hij dat het hem niets deed. De tuinen en het erf waren gewied en netjes gemaakt, de hekken gerepareerd en de schuren geschilderd. Lindsay Downs zou de inspectie dit keer wel doorstaan.

Toen de grote dag was aangebroken, constateerden ze met genoegen dat Lavinia er blakend uitzag en dat ze in een uitstekend humeur verkeerde. Ze genoot enorm van de uitgebreide lunch die Leonie voor haar had georganiseerd, aan een prachtig opgemaakte tafel op de koele veranda, met uitzicht over het dal. Er was maar één storend moment, toen Jane en Jessie, die niet geïnteresseerd waren in de uitvoerige verhalen die hun grootmoeder vertelde over de fascinerende steden die ze had bezocht, haar onderbraken met hun vragen.

'Waar zijn onze cadeautjes, oma?'

'Wat hebt u voor ons meegenomen?'

Haar vernietigende blik was niet aan de meisjes besteed, die hun grootmoeder gewoon bleven lastigvallen tot Leonie hen moest vermanen stil te zijn. Met als gevolg dat ze dagenlang moesten wachten voor ze iets te zien kregen van de cadeaus die Lavinia voor hen had meegebracht, nadat alle andere cadeaus waren uitgedeeld. Zelfs de ouwe getrouwen die in dienst van de familie waren, had ze niet vergeten. De opzichter kreeg een tinnen bierkroes uit Londen en de kokkin en het dienstmeisje ontvingen elk een Zwitsers muziekdoosje. Uiteindelijk werd de op maat gemaakte rijkleding voor Jane en Jessie echter uit de doos gehaald, en Leonie was verrukt, maar haar dochters waren geenszins onder de indruk, hoewel de kleren hen perfect pasten. Ze waren gelukkiger met de doosjes vol snuisterijen die Lavinia voor hen had verzameld.

Ondertussen kreeg Lavinia natuurlijk alles over de gouvernante te horen, en op een dag bezocht ze de ziekenkamer zonder waarschuwing vooraf.

Ruth was in verlegenheid gebracht toen de vrouw over wie ze al zoveel had gehoord ineens aan haar bed verscheen. Mrs. Stanfield senior was een lange, waardige vrouw met keurig gekapt grijs haar en staalblauwe ogen. Ze was gekleed alsof ze de stad in zou gaan, in een dure zwarte japon met een fijn geplooid lijfje, dat werd geaccentueerd door een dubbele streng parels en pareloorbellen; daarnaast droeg ze een enorme diamanten ring naast haar trouwring.

De gouvernante had liggen dutten en haar haar was los, iets dat in haar nadeel was, vond ze. Ze nam het de vrouw kwalijk dat deze zomaar kwam binnenvallen.

'Goedemorgen. U bent Miss Tissington, geloof ik. Ik ben Mrs. Stanfield. Ze hebben me verteld dat u ziek bent geweest.'

Ruth worstelde zich omhoog en trok aan een kussen om steun te zoeken. 'Ja, maar ik ben aan de beterende hand, Mrs. Stanfield.'

'Dat is mooi. Dat soort koorts kan erg gemeen zijn. Maar vertelt u eens. Heeft u nog steeds last van gal? Heeft u nog koorts? Bent u rillerig?'

De ondervraging leek wel een medisch onderzoek en leek eindeloos te duren. Mrs. Stanfield voelde Ruths voorhoofd, haar keel, haar pols en deed uiteindelijk een stap naar achteren.

'Mensen hebben tegenwoordig geen idee hoe ze met ziekte of met de naweeën van een ziekte moeten omgaan. Ze durven geen vinger op te tillen zonder de dokter te raadplegen. In mijn tijd was er binnen een omtrek van honderdvijftig kilometer geen arts te bekennen. Men moest eenvoudig zelf uitproberen wat de beste manier voor herstel was. Ik moet me verontschuldigen voor mijn zoon en zijn vrouw, die u hier hebben laten wegteren.'

'Maar welnee,' riep Ruth uit. 'Ze waren erg goed voor mij. Erg aardig.'

'Niet aardig genoeg. Ik heb u in een mum van tijd weer op de been.

Sta nu op, dan zal ik de dienstmeid vragen om een bad voor u klaar te maken. Daarna kunt u op de veranda aan de achterzijde een kopje thee en misschien ook een sandwich met ei en sla nuttigen. Het is daar schaduwrijk om deze tijd van de dag en heerlijk vertoeven. U moet frisse lucht zien te krijgen, jongedame.'

'Ik voel me echt niet...' begon Ruth, maar Mrs. Stanfield stoorde zich niet aan haar bezwaren.

'Maar natuurlijk wel. U moet opstaan en iets ondernemen. Ziekte moet bestreden worden, Miss Tissington. En niet in stand gehouden.'

Haar protesten waren zinloos. Ruth had geen keus maar moest in bad, haar kleren aan en zich op de veranda vervoegen waar, voor haar comfort, een grote leuningstoel uit de zitkamer was klaargezet. Er stond een klein tafeltje naast met een smetteloos kleedje en een porseleinen theeservies, en zelfs een klein vaasje met wat lathyrus, maar Ruth was niet in de stemming om dergelijke details te kunnen waarderen; ze voelde zich gammel en misbruikt.

Ze wist de thee niettemin naar binnen te werken en ook de vier sandwiches, dun en zonder korstjes en in driehoekjes gesneden, waren heerlijk. Ze vond het vervelend er een te moeten laten liggen, maar haar waardigheid zegevierde.

Ze werd een tijdje alleen gelaten met haar gedachten, maar toen kwam Mrs. Stanfield senior langs. Ze beschouwde het als een wrede inbreuk op haar privacy, want ze voelde zich niet in staat een fatsoenlijk gesprek te voeren.

'Hoe voelt u zich nu, Miss Tissington?'

'Nogal zwakjes, eerlijk gezegd.'

'Het verbaast me niets. Uw arme benen zijn waarschijnlijk slap van al dat liggen. Maar ze zullen weldra weer functioneren. Ik stel voor dat u vanmiddag een korte wandeling maakt. Een rondje door de tuin, meer niet; de plattelandslucht hier is nogal opwekkend, maar dat bent u wellicht niet gewend, vermoed ik.'

Tot Ruths afgrijzen nam Mrs. Stanfield plaats in een stoel vlak bij haar. 'Ik bedoel, u mist het koelere weer vast en zeker.'

Ruth voelde zich gedwongen om te reageren. 'Eigenlijk wel, maar men past zich aan.'

'Dat geloof ik graag van u. Uit welk deel van Engeland bent u afkomstig?'

Het daaropvolgende uur betrok Mrs. Stanfield haar in een gesprek dat voornamelijk over Ruth zelf ging, aangezien de vrouw oprecht geïnteresseerd was in haar achtergrond, maar het verliep op zo'n beminnelijke, beleefde manier dat Ruth er geen aanstoot aan kon nemen. Sterker nog, het werd haar vrij snel duidelijk dat Mrs. Stanfield haar aardig vond en dat ze onder de indruk was van haar capaciteiten, waardoor ze zich meteen beter ging voelen. Een stuk beter. Deze vrouw begreep haar. Ze was onlangs teruggekeerd uit Engeland en ze was zich ongetwijfeld bewust van de grote culturele verschillen waarmee Ruth werd geconfronteerd. Ze beloofde de wandeling te maken, puur om Mrs. Stanfield een plezier te doen.

Lavinia was zich inderdaad sterk bewust van de culturele verschillen toen ze op zoek ging naar haar schoondochter.

'We moeten de situatie met Miss Tissington oplossen. Ze kan niet eeuwig blijven lummelen en zich koesteren in zelfmedelijden. Ik heb haar binnen een paar dagen weer op de been. Zo ziek is ze niet, alleen gekwetst.'

'Waarom? Ik heb er alles aan gedaan om het haar naar de zin te maken, Lavinia, maar ze is erg gecompliceerd. Ze neemt aanstoot aan het minste of geringste.'

'Dat is begrijpelijk. Ze is jong. Ze heeft een beschermd leven geleid en is doordrongen van etiquette. Ze heeft geen idee hoe ze zich moet aanpassen aan wat zij beschouwt als onze losbandige manieren, en ik ben bang dat voor iemand die zo onbuigzaam is als jullie Miss Tissington de omschakeling bijzonder moeilijk – zo niet onmogelijk – zal zijn. Ze heeft een zeer hoge dunk van zichzelf.'

Leonie haalde haar schouders op. 'Dat vindt Jack ook. Hij zegt dat ze te veel in zichzelf is gekeerd.'

'Dan heeft hij het mis,' snauwde Lavinia. 'Miss Tissington is een bijzonder aardige jonge vrouw. Sterker nog, een juweeltje. Belezen. Ze spreekt zelfs vloeiend Frans. Wat zou ik veel aan haar gehad hebben tijdens mijn rondreis over het continent, in plaats van opgescheept te zitten met die dwaze Monica, die zich voortdurend in de nesten werkte. Miss Tissington is helemaal niet in zichzelf gekeerd; ze heeft een zekere standing op te houden, en haar soort vrouwen doet dat, al zou het haar dood betekenen. Ze weet niet hoe het anders moet. Ze maakt zich zelfs zorgen om haar jongere zuster, die ook gouvernante is en de neiging heeft wispelturig te zijn.'

'En dat heeft ze allemaal aan u verteld?' Leonie stond perplex. 'Ik krijg zelden iets uit haar, ze is als een mossel wat haar privé-leven betreft.'

'Omdat ze het veel te druk had om jullie tevreden te stellen.'

'Lieve help. Heeft ze geklaagd over ons? Of over de meisjes?'

'Natuurlijk niet. Je begrijpt het nog steeds niet, Leonie. Ze is zich uitermate bewust van haar verantwoordelijkheden. Het zou niet in haar opkomen om iemand van jullie te bekritiseren. Maar dit lost het probleem niet op. Ik snap sowieso niet waarom je iemand als haar hier naartoe hebt gehaald. Je had naar de stad moeten gaan en haar zelf moeten interviewen, in plaats van af te gaan op het oordeel van je zuster.'

'Ik had enkel het beste voor met de meisjes,' reageerde Leonie beteuterd.

'Ha, ja! De meisjes. Ik neem aan dat ze haar niet mogen, en Jack was niet gediend van haar pogingen om hun tafelmanieren bij te brengen. Dat heeft hij me zelf verteld. Nou, dat is dan erg jammer, of niet? Wat wil je eraan doen?'

Leonie leunde achterover en zuchtte. 'Ik weet het echt niet. Iedereen wordt ongedurig van haar. Ze kan zelfs niet opschieten met de dienstmeid en de kokkin.'

'Waarom zou ze? In haar wereld bestaan zij niet. Maar luister naar me, meisje. Miss Tissington heeft gelijk. Ik ben hier lang genoeg geweest om te kunnen constateren dat Jane en Jessie schandelijke tafelmanieren hebben. Het scheelde er nog maar net aan of ik had een liniaal meegenomen aan tafel. Als er ooit twee meisjes zijn geweest die baat hebben bij een Miss Tissington, zijn zij het wel. Al zouden ze alleen maar naar haar luisteren. Ze spreekt voorbeeldig, terwijl zij praten als een stel grondwerkers. Ik ben van plan Jack persoonlijk te zeggen dat ik Jane en Jessie ongemanierde deugnieten vind.'

Leonie werd nijdig. 'Je bent onredelijk, Lavinia. Het zijn gewoon wilde meiden. Ze groeien er wel overheen.'

'Dat zullen ze niet, Leonie. Ze moeten leren hoe ze zich moeten gedragen, aangezien jij en Jack daarin niet lijken te slagen.'

'Wilt u dat we Miss Tissington aanhouden?'

'Nee, zeker niet. Ze is hier een vreemde eend in de bijt. En aan dat tweetal is ze niet besteed, omdat hun ouders niet achter haar staan.'

'We doen ons best,' sprak Leonie op verdedigende toon, 'maar ze is zo streng en meteen beledigd als ik ook maar de geringste suggestie doe. We moeten haar laten gaan en iemand anders zoeken.'

'Niks ervan. Jane en Jessie horen thuis op een kostschool, en hoe eerder, hoe beter. Ik zal het persoonlijk met Jack bespreken.'

Hoofdstuk 5

Clive Hillier geloofde er geen woord van. Mal was geen moordenaar. Noch was hij een misdadiger die de neiging had goudtransporten te overvallen.

'Waarom zou hij?' sprak Clive de andere mijnwerkers tegen. 'Hij is hier vertrokken met een dikke zak contanten. Hij heeft dat baantje enkel aangenomen omdat hij hoopte zo veilig in Maryborough aan te komen. In 's hemelsnaam, jullie kennen Mal toch? Hier klopt gewoon helemaal niets van.'

'Waarom is hij er dan vandoor gegaan?' vroegen ze hem.

'Zou jij dat niet doen? Als alles in jouw nadeel spreekt? Iedereen was zo kwaad over de moorden, ze hadden hem verdomme wel kunnen lynchen. Zou jij niet ontsnappen als je de kans kreeg? Hij is onschuldig, ik zweer het je. Hij is gewoon de lul. De politie moest wel met een dader op de proppen komen, om te bewijzen dat ze de reizigers op deze wegen in staat zijn te beschermen, omdat hen dat tot dusver jammerlijk is mislukt. Criminelen vieren hoogtijdagen in dat gebied, ze komen en gaan zoals het hen uitkomt, beroven links en rechts mensen en worden nooit gepakt. McPherson is daar een goed voorbeeld van.'

Sommige mannen luisterden. Sommigen waren het zelfs met hem eens. Maar ze hadden allemaal zo hun eigen problemen, en trouwens, wat konden zij er uiteindelijk aan doen? Willoughby stond op de lijst met gezochte misdadigers en er was een prijs op zijn hoofd gezet.

Toen hij hoorde dat brigadier Pollock de goudvelden bezocht, zocht Clive hem op en stond er vervolgens op dat deze hem aanhoorde; daar het uiterlijk van de Engelsman Pollock wel aanstond, stemde hij hierin toe.

Deze man kon Pollock in elk geval wat achtergrondgegevens verschaffen over de onvindbare Willoughby, die spoorloos was verdwenen. Hij redeneerde dat, hoewel Hillier de misdadiger als een 'geschikte kerel' omschreef, hij niet per definitie onschuldig hoefde te zijn. De afgelegen gebieden van het Australische platteland werden nu al geteisterd door struikrovers, die geliefd waren bij het gewone volk, feitelijk als helden werden beschouwd, en die inmiddels doorgewinterde criminelen waren geworden. Ze overvielen de autoriteiten

147

– banken, postkoetsen, goud- of geldtransporten – maar nooit de gewone man, en om die reden werden ze aangemoedigd door de gewone arbeiders. Ze gebruikten afgelegen boerderijen als schuilplaats, in ruil waarvoor ze betaalden en de vrouwen met respect behandelden – met zoveel hoffelijkheid zelfs dat bekend was dat sommige vrouwen voor hen in zwijm vielen. Anderzijds werden de politieagenten of de cavaleristen die hen probeerden op te sporen begroet met een muur van hardnekkige zwijgzaamheid of, erger nog, met onomwonden afkeer. Ze waren niet welkom, kregen geen voedsel, en kregen van achterdochtige boeren te horen dat ze hun paarden te drinken mochten geven en daarna moesten opkrassen. Een ondankbare taak.

Pollock begreep dat wel. Zijn grootvader was ook een veroordeelde geweest, gedeporteerd omdat hij kleren had gestolen van een rijke grootgrondbezitter, gescheiden van het gezin dat hij had geprobeerd te onderhouden. Hierdoor veranderde Jonah Pollock van een rustige boerenknecht in een kemphaan die elke gelegenheid aangreep om met zijn medegevangenen te vechten. Hij eindigde uiteindelijk op het beruchte Norfolk-eiland, dat bekendstond om zijn gewelddadige aanpak van veroordeelden, alwaar hij een zoon verwekte bij een vrouwelijke gevangene alvorens hij wegens ongehoorzaamheid werd afgeranseld en stierf. De zoon, Joseph Pollock, was uiteindelijk in Sydney beland, waar hij zijn weg vond als smid. Hij was niet verbitterd. Integendeel.

'Wat gebeurd is, is gebeurd,' zei hij altijd tegen zijn eigen zoon, de jonge Joe. 'Ik had hetzelfde pad kunnen kiezen als mijn vader. Hij vervloekte de smeerlappen tot op zijn sterfdag. Maar het zat niet gewoon niet in me, begrijp je. Voor mij heeft het allemaal goed uitgepakt. Ik heb mijn eigen smederij. En je oma, dat is een goed mens, die is vrijgekomen. We hadden het heel wat slechter kunnen treffen ginds. Er is niets mis met Sydney.'

En zo leek het ook, tot de dag dat de jonge Joe Pollock zijn vader vertelde dat hij zich ging aansluiten bij de onlangs ingestelde politiemacht.

Pas toen kreeg Joe de ware aard van zijn familiegeschiedenis te zien. Zijn vader schreeuwde en raasde, dreigde hem af te ranselen, noemde hem een sjacheraar en een verrader omdat hij overliep naar de andere kant, terwijl zijn moeder huilde en probeerde de lieve vrede te bewaren. Joe begreep toen dat zijn vader de omstandigheden van zijn geboorte had geaccepteerd, maar de autoriteiten nimmer zou vergeven voor de manier waarop ze zijn vader hadden gestraft en uiteindelijk lieten doodgaan. Ze noemden het de wet, of het gezag, of welk naamkaartje je er maar aan wilde hangen, maar rechters en politieagenten stonden hoog op de lijst... en Joe senior haatte hen allemaal.

Niettemin was het de beste kans die hem werd geboden, en Joe

Pollock besloot die te benutten en verhuisde uiteindelijk met zijn vrouw en zijn kinderen naar Queensland. Zijn moeder hield nog contact, maar zijn vader kon het hem niet vergeven. Zeker, brigadier Pollock begreep deze antipathie jegens de autoriteiten wel, hij wist waar ze vandaan kwam, maar hij wilde zijn tijd er niet mee verdoen. De deportatie van veroordeelden vanuit de Britse eilanden was voorbij, behoorde tot het verleden. Hele generaties moesten hun leven een draai zien te geven hier, onder wie lieden die misdadigers in bescherming namen uit een misplaatst soort gevoel van vergelding tegenover het gezag. De meesten van hen hadden nooit een gedeporteerde gevangene ontmoet; ze toonden domweg hun respect voor folklore, voor een aangeboren verzet tegen de autoriteiten. En brigadier Pollock had geen zin om dat te tolereren. Hij moedigde zijn superieuren aan om met strenge straffen te komen voor iedereen, man of vrouw, die een misdadiger hulp bood, en stond vierkant achter dergelijke maatregelen.

En nu moest hij luisteren naar deze Engelsman, die de loftrompet stak over weer zo'n boef, die volgens hem 'een bijzonder aardige vent' leek.

'Zijn ze dat niet allemaal?' vroeg hij aan Hillier.

'Dat zou ik niet weten. Ik wil alleen duidelijk maken dat jullie met Mal Willoughby op het verkeerde spoor zitten.'

Hillier stond erop om elk detail van de hinderlaag en de moorden keer op keer door te nemen, op zoek naar aanwijzingen die de onschuld van zijn vriend zouden helpen bewijzen, en terwijl Pollock geduldig luisterde, leidde het gesprek tot niets. Willoughby zat tot over zijn nek in de problemen, en Carnegie, die het had overleefd, kon het bewijzen. Godzijdank.

'Wie zegt me dat je zijn partner niet meer bent, Hillier?' blafte de brigadier, die genoeg begon te krijgen van Hilliers argumenten.

'Omdat ik de goudvelden niet heb verlaten, en dat kan ik bewijzen ook.'

'Dat zeg je wel, maar ik begin me af te vragen of je geen dingen voor me geheimhoudt. Je was zijn partner hier, maar je kunt me nauwelijks iets over hem vertellen. Je weet nog minder dan ik uit de aantekeningen van die arme Taylor heb gehaald, en ik ben erachter dat het merendeel van die informatie lariekoek is. Waarom zou hij tegen Taylor liegen?'

'Omdat hij niets serieus nam. Dat is typisch iets voor Mal. Hij is iemand die nogal op zichzelf is.'

Geïrriteerd voer Pollock uit tegen Clive: 'En wat bedoel je daar precies mee?'

'Dat hij zich niet met anderen bemoeide.'

'Of dat hij veel te verbergen had. Het is een jonge vent; waar zit zijn familie? Hij moet toch ergens familie hebben.'

'Ik weet het niet. Hij heeft het nooit over zijn familie gehad.'

'Of je verzwijgt het voor me. Als je maar goed weet, meneertje, dat de wet zware straffen voorziet voor iedereen die een misdadiger helpt. Je gaat allesbehalve vrijuit. Heb je nog steeds een vergunning hier?'

'Ja.'

'En lukt het een beetje?'

'Dat zijn mijn zaken.'

'Het worden mijn zaken zodra je hier vertrekt. Ik wil weten wanneer dat het geval is en waar je dan heen gaat. Begrepen?'

'Natuurlijk.' Clive was woest. 'Ik weet zeker dat jullie de gebruikelijke onderzoeken zullen instellen en voor de hand liggende doelwitten op de korrel nemen en veel bombarie maken over de klopjacht op een onschuldig man. Dat staat tenminste goed in de krant, of niet dan?'

Hij beende met grote passen weg en liet Pollock achter, zonder dat het hem ene moer kon schelen dat hij de man die het onderzoek leidde tegen zich in het harnas had gejaagd. Waarom kon die stupide brigadier niet gewoon verdwijnen en op zoek gaan naar de echte daders? Die zouden heus niet blijven rondhangen op de goudvelden.

Maar Pollock had geen moeite met de reactie van de Engelsman. Die was mild vergeleken met de gebruikelijke sarcastische opmerkingen die hij losmaakte met het inwinnen van inlichtingen in deze contreien. Zelfs op de meest gunstige momenten waren er maar weinig mensen die meewerkten. Hillier was echter belangrijk. Hillier was zijn enige schakel met Willoughby. Taylors aantekeningen van zijn vraaggesprek met de knaap waren in Maryborough aangekomen en hij had ze nauwkeurig bestudeerd. Vervolgens had hij de gegevens per telegraaf naar de hoofdinspecteur van politie, Mr. Jasper Kemp, gestuurd, tevreden dat ze goede aanknopingspunten hadden wat de ontsnapte gevangene betrof. Kemps reactie had hem echter versteld doen staan.

Niemand kende een schaapscheerder die Willoughby heette. Een aantal van de boerderijen die hij had genoemd, hield vee en geen schapen. Zijn vader had geen hotel in Ipswich en andere familie was al evenmin bekend in die stad. Kemp leek te denken dat Willoughby een valse naam was, en Pollock was geneigd hem daarin gelijk te geven. Het leek een nogal snobistische naam voor deze leugenachtige boerenpummel. Alles wees echter op een man die zijn ware identiteit zorgvuldig had uitgewist in verband met criminele activiteiten. Zo langzamerhand kreeg hij de indruk dat deze overval mogelijk al tijden stond gepland. Maar Willoughby, of hoe hij ook heette, paste niet bij het profiel van het brein achter deze criminele organisatie.

Pollock liep met grote stappen terug naar het kantoor van de commissaris en liet zich in een stoel in Carnegies kamer vallen. De nieuwe goudcommissaris zou een dezer dagen arriveren.

Hij moest toegeven dat hij, als hij in Taylors schoenen had gestaan, Willoughby met zijn babyface ook had goedgekeurd als voorrijder. Op het laatste moment een losse werknemer inhuren, die uit veiligheidsoverwegingen niet bekend was bij de andere bewakers. Misschien was hij geen schaapscheerder, maar dan in elk geval een *bushman*, koel en kalm, iemand die niet meteen in paniek zou raken als er moeilijkheden dreigden. Pollock was in het voordeel: hij kende Willoughby, was samen met hem naar de stad gereden en wist dat die grote boerenpummel niet het brein was. Maar wie dan wel?

McPherson. James McPherson. Dat zou kunnen... en wie nog meer? En wat was de relatie tussen McPherson en Willoughby? Als hij daar achter kon komen, had hij hen allebei te pakken. Hij had echter een klein probleem met dit scenario...

McPherson was geen man van planning. De escapades van de Schot hadden hem naar New South Wales gevoerd, naar Cowra in het diepe zuiden en in Queensland was hij in het westelijk gelegen Roma gesignaleerd, en later in het uiterst noordelijke Mackay, en zelfs in Bowen, honderden kilometers ten noorden van Maryborough. Vervolgens dook hij weer in deze buurt op en beroofde twee nachten achtereen de postkoets.

Pollock bestudeerde de kaart aan de muur. Een landkaart van Queensland. Het was duidelijk dat McPherson na elke roofoverval, en soms na twee, weer verder trok. Hij zocht niet gewoon een schuilplaats in de heuvels; er was altijd een gat van honderden kilometers voor hij ergens anders weer opdook. Dus waarom zou hij wekenlang in dit district rondhangen om te wachten op een eventueel goudtransport?

Hij schudde zijn hoofd. De persoonsbeschrijving deed vermoeden dat het om McPherson ging, maar de overval niet.

Er was nog iets dat hem in verband met de overval dwarszat, iets dat hij had gemist en waarvan hij wist dat hij het had gemist. Maar hij zou erover nadenken. Als hij de tijd kreeg. Alleen Pollocks echtgenote was het met hem eens dat hij goed in zijn werk was; anderen vonden hem een zwoeger, extreem methodisch, iemand die het niet voor de show deed, die er niet op uit was in het voetlicht te treden. Daarom kreeg hij nu al die kritiek over zich heen, vanwege het feit dat hij de mannen die hem en de gevangene Willoughby vergezelden voortijdig had weggestuurd. Als hij de menigte had laten blijven, zou Willoughby nooit zijn ontsnapt.

Pollock had alle reden om woest te zijn op Mal Willoughby.

Ja, Allyn Carnegie was tevreden over Perry op de momenten dat de pijnlijke toestand van zijn arm hem toestond even aan iets anders te denken. De plaatselijke dokter had de wond behandeld en de arm zo goed als hij kon opnieuw gezet, wat de patiënt overigens veel pijn en

leed had bezorgd. Zonder vertrouwen in deze dokter, die hij een slager noemde, klaagde Carnegie verbitterd dat de man het alleen maar
erger maakte. Zo erg zelfs dat de dokter aanbood om een bottenspe-
cialist uit Brisbane te laten overkomen.

'Denkt u dat het geld mij op de rug groeit?' schreeuwde Carnegie.
'De kosten zouden buitensporig hoog zijn.'

'Of u zou zelf naar een specialist kunnen gaan,' antwoordde de
dokter stekelig.

'Dat kan ik niet. Ik ben niet fit genoeg om te reizen.' En afgezien
daarvan peinsde Carnegie er niet over om Maryborough te verlaten.
Niet zonder het goud, althans.

Willoughby's ontsnapping was een gelukkig toeval. Samen met de
begrafenissen had die de publieke aandacht afgeleid van de eigenlijke
overval, terwijl Pollock het druk had met de jacht op de gevangene.
De ondervraging door de brigadier had eindeloos geduurd en was
meer dan een zieke kon verdragen. Afgezien van de gewonde arm leed
Carnegie aan ernstige dysenterie, en daarvan gaf hij de schuld aan zijn
dokter, die hem de meest afschuwelijke drankjes had voorgeschreven.

Terwijl hij met zichzelf had te doen, verbleef Carnegie in zijn huisje in Maryborough, waar hij werd verzorgd door een dagmeisje en
zich zorgen maakte om het goud en om Perry. Hoewel ze waren overeengekomen dat Perry geen contact met hem zou zoeken, wist Carnegie niet honderd procent zeker of de schurk er misschien stilletjes
vandoor was gegaan met de buit: het enige zwakke punt in zijn briljante plan. En daarin lag nu precies de moeilijkheid. Je kon onmogelijk een eerlijk man inhuren voor zo'n taak, vandaar dat hij Perry had
gekozen, die hij noodgedwongen moest vertrouwen. Dat was een absolute noodzaak. Maar als een echte gokker wist Carnegie dat zijn
kansen gunstig lagen. Perry was een voetsoldaat, een sufferd: hij zou
ongetwijfeld gehoorzamen. De helft van een vangst met deze omvang, zonder bang te hoeven zijn dat hij ooit van betrokkenheid bij
de misdaad werd beschuldigd, was de ultieme beloning voor hem. De
genialiteit van het plan had een zeldzame glimlach van waardering op
de lippen van de bruut gebracht.

Maar al die zorgen bezorgden Carnegie voortdurend hoofdpijn, en
terwijl hij somber bij het raam zat en naar de drukte op straat keek,
begon hij deze stad te haten.

In een officiële brief aan de minister van Mijnzaken had hij aangegeven zijn ambt neer te leggen, vanwege ernstige verwondingen en
geestelijke uitputting, waarna hij zijn bezittingen had verwijderd uit
het kantoor in Maryborough.

Zijn ontslag werd met medeleven en veel dankbetuigingen aanvaard, alsmede met de mededeling dat hij een vol jaarsalaris zou ontvangen in plaats van de eigenlijke negen maanden die hij had uitge-
diend.

Carnegie vond die beloning terecht. Maar het voorstel om een specialist te raadplegen bood hem een andere mogelijkheid. Zodra hij het goud in zijn bezit had, kon hij zijn verwonding als excuus gebruiken om zich naar Brisbane te haasten, maar in plaats van in die stad – waar tal van schuldeisers op de loer lagen – te blijven, kon hij aan boord gaan van een schip met een willekeurig ander land als eindbestemming. China misschien, er waren talloze schepen die van en naar China voeren, en vandaar kon hij naar Amerika reizen. Het zou zoveel eenvoudiger zijn om het goud in China te verkopen. Voor hij aan zijn plan begon, had hij zich ervan vergewist dat er in Brisbane dubieuze handelaars waren die goud wilden kopen zonder vragen te stellen, maar dit was een veel beter idee.

Tot zijn afschuw had hij een brief gekregen van zijn vrouw, die diep was geschokt door de overval en zijn verwondingen – die in de kranten uiteraard sterk waren overdreven – en die aanbood om voor hem te komen zorgen. Carnegie had meteen gereageerd. Hij had haar niet nodig en deze ruige stad was geen geschikte woonplaats voor zijn echtgenote. Ze moest in Brisbane blijven, en zodra zijn gezondheid dat toeliet, zou hij zich bij haar voegen.

Hij zuchtte. De vrouw vormde een voortdurende ergernis.

En waar zat Perry?

Niemand die met Baldy Perry in de haven samenwerkte, had enig benul dat hij inmiddels een rijk man was geworden, een belangrijk man, en hoewel hij zo verstandig was om zich er niet over uit te laten, verviel hij in opschepperij die hem niet bepaald bemind maakte bij zijn medearbeiders. Op z'n best was Perry een agressieve kerel, die op zijn omvang vertrouwde om te overleven, en hij was nooit dol geweest op hard werken, maar vooralsnog had hij geen andere keuze. Hij had het baantje enkel aangenomen om verdenkingen te omzeilen; het gaf hem een reden om in Maryborough te blijven plakken. Hij hield zichzelf telkens opnieuw voor dat het slechts een kwestie van tijd was eer hij de brui gaf aan dit slopende geploeter, de buit met Carnegie zou delen en een leven vol luxe tegemoet zou gaan. Maar het wachten vergde het uiterste van zijn geduld.

Hij dacht onafgebroken aan het goud, dat daar onder een boom bij de rivier begraven lag, maar hij wilde er liever niet aan denken... zoals je dacht aan een vrouw als die niet voorhanden was, zwetend en geprikkeld tijdens lange, kwellende nachten... en als hij 's ochtends dan weer wakker werd, voelde hij zich op sterven na dood. Het was niet bepaald bevorderlijk voor zijn instelling.

Mahoney, de ploegbaas, zat Perry nu al drie weken lang op zijn huid. Hij zou hem ontslagen hebben, ware het niet dat hij gebrek aan arbeiders had. Het was moeilijk om de mannen hier aan het werk te houden met de goudvelden binnen hun bereik. Perry was een lastpost, een kwelgeest; hij veroorzaakte gevechten, bedreigde andere arbeiders en leek bovendien te denken dat hij zelf kon bepalen op welk schip hij wilde werken.

Uiteindelijk was de baas het zat. 'Als je die vervloekte baan niet wilt, Perry, zeg het dan en rot op!'

Tot zijn verbazing bond de rouwdouwer in, mompelend dat hij zijn baan wilde houden, op een manier die bijna verontschuldigend leek, en Mahoney staarde Perry hoofdschuddend na toen deze wegsjokte.

Maar die inschikkelijkheid kon geen standhouden. Perry vond de vernedering ten overstaan van alle mannen die afhankelijk waren van dit werk moeilijk te verkroppen. De hele dag hinderde het hem, alsof er wormen in zijn enorme buik krioelden, wormen die hij trachtte te negeren omdat hij zich aan het afgesproken plan diende te houden. Hij dacht terug aan de opgetogenheid die hij had gevoeld toen hij de schat onder de boom had begraven. Niet exact dezelfde boom die Carnegie had uitgekozen, maar hij voldeed als merkteken. Hij herinnerde zich huiverend de plek die Carnegie had aangewezen. Zo snel had hij zich in zijn leven nog nooit uit de voeten gemaakt. Net toen hij een gat wilde graven tussen de wortels had hij krokodillensporen in de modder ontdekt die van de rivier naar de bewuste boom liepen. Grote, diepe sporen! Hij was binnen een seconde vertrokken, zonder op of om te kijken of er al zo'n monster aankwam.

In de wetenschap dat krokodillen in een mum van tijd konden toeslaan, stormde Perry tegen de rivieroever op en zwoegde hij door het dichte struikgewas tot hij in veiligheid was.

'Jezus!' bracht hij hijgend uit. 'Daar kom ik niet meer.'

Toen hij van de schrik was bekomen, ging hij op zoek naar een andere plek en besloot uiteindelijk te kiezen voor een oude vijgenboom met knoestige wortels die meters in het rond waren uitgespreid. Ideaal.

De buit was snel begraven in de diepe holtes van de boom; hij had geen aarde en zelfs geen blaadje hoeven verstoren. Hij beklopte de knoestige boomstam.

'Goed zo, ouwe reus. Pas maar goed op mijn spullen.'

Baldy had gehuiverd toen hij achterom naar de rivier had gekeken. Hij had Carnegies geweer in het water gegooid en eenmaal aan wal had hij de roeiboot leeggehaald, een gat in de bodem geslagen en de boot laten zinken, zonder enig moment te vermoeden dat er van die klote-krokodillen zaten!

'Soms heeft een man geluk,' mompelde hij, terwijl hij zijn paard opzocht en losmaakte.

Het was een ongebruikelijk opgewekte Perry die zijn paard besteeg en via het pad langs de rivier terugreed naar de veerpont en de veilige haven van Maryborough.

Hij dacht nog steeds aan die mooie, oude boom toen het fluitje weerklonk dat het einde van de werkdag beduidde. Perry stopte zijn enterhaak achter zijn riem en ging op weg naar de kroeg, niet naar het Port Office Hotel, waar alle havenarbeiders een pint dronken, maar naar Criterion, verderop in de straat, om te ontkomen aan de spottende opmerkingen en pesterige schimpscheuten van zijn makkers, die de woordenwisseling met Mahoney hadden gehoord.

Hij dronk drie halve liters in een rap tempo achter elkaar terwijl hij in een uithoek van de bar stond, een eenzame, broedende drinker, denkend aan Mahoney en wat hij die vervloekte Ier binnenkort zou aandoen. En denkend aan Carnegie, die de oorzaak was van deze schande, die voor hem had bepaald wat hij wel en niet mocht doen. Hij, Perry, die een geslaagde roofoverval had uitgevoerd waarmee hij McPhersons prestaties ver overtrof.

Perry stapte over op rum. Extra sterke rum. De beste in heel Maryborough. Hij bedacht dat hij Carnegie maar eens moest opzoeken. Het was inmiddels drie weken geleden, en de overval was praktisch in vergetelheid geraakt, zeker na het zinken van de *Java Queen* en de opening van het nieuwe stadhuis. Willoughby werd amper meer genoemd in de kranten. De sufferd was de heuvels in gevlucht en als hij enig gezond verstand in zich had bleef hij daar, grinnikte Perry. Dat was een goede zet geweest, om een dom joch als hem erbij te betrekken. Carnegie had gezegd dat de politie het zou slikken en dat had ze zeker, gezien het feit dat ze meteen een wilde achtervolging hadden ingezet. Uilskuikens op jacht naar een uilskuiken. Hij bestelde nog een glas rum. Het was puur vuurwater, deze plaatselijk rumsoort, maar Perry had er onderhand zoveel van doorgeslikt dat het smaakte als nectar.

Een groepje mannen kwam de kroeg binnenstrompelen en Baldy wierp een dreigende blik hun kant uit. Een aantal van hen kende hij, en hij was kwaad dat ze binnenvielen in wat hij als zijn privé-ruimte was gaan beschouwen. Het was duidelijk dat ze ergens anders al wat hadden gedronken voordat ze besloten naar Criterion te verhuizen, maar het was een kleine kroeg en ze verdrongen zich nu al met z'n allen aan de bar, schreeuwend om bediend te worden. Baldy ging opzettelijk breeduit staan en zette zijn ellebogen verder opzij om zich van de nodige ruimte te verzekeren, en onvermijdelijk stootte iemand hem aan.

'Wie denk je hier opzij te duwen?' gromde hij.

'Niemand, kameraad. Schuif alleen een beetje op.'

Opnieuw verdrong zich een andere man aan de bar, die geen notie nam van Baldy's ellebogen en dus gebruikte hij een logge schouder om terug te duwen, zodat de indringer achteruit wankelde.

'Kijk uit, verdomde idioot,' schreeuwde de vreemdeling, maar Baldy draaide zich om en greep hem bij zijn overhemd.

155

'Wie noem je hier een verdomde idioot?'

Het was een klein mannetje, maar met een opvliegend karakter. Kwaad rukte hij zich los.

'Blijf met je vette poten van me af, kerel.'

Baldy reageerde door hem in zijn maag te stompen, waardoor hij tegen andere drinkers aan viel. Onmiddellijk begon de barman tegen hen te schreeuwen. 'Geen gevecht hier! Perry, scheer je weg. Ga naar huis, naar je moeder.'

Perry was zwaar beledigd. Hij was hier als eerste gekomen, had zich met niemand bemoeid en vervolgens kwam dat stel, van wie het merendeel al dronken was, en kreeg híj te horen dat hij moest oprotten. Wel, hij liet zich geen twee keer op een dag vernederen.

'Wie zou daarvoor moeten zorgen?' gromde hij.

Een roodharige vent baande zich een weg door de menigte. Mahoney! Die Ierse rotzak! 'Ik. We hebben geen zin in heibel, Perry. Je hebt genoeg gehad. Ga naar huis, man.'

Een seconde later had Perry zijn enterhaak in de hand, die hij als een klauw voor zich uit hield. 'Doe je best! Hier ben je de baas niet.'

Geërgerd wendde Mahoney zich tot de barman. 'Geef hem nog een afzakkertje...'

Maar Baldy wachtte niet af wat Mahoney te zeggen had. Hij haalde uit naar hem, in een poging hem te verrassen, maar de lichtgeraakte vreemdeling was snel. Hij sprong naar voren om Mahoney opzij te duwen en terwijl hij dat deed, belandde de haak met volle kracht op zijn nek en rug, waarbij het bloed alle kanten op spoot.

Woedend omsingelde de menigte Baldy en sloeg en schopte hem zijn eigen hoek in.

De volgende ochtend ontwaakte Baldy in de gevangenis, gehavend, met verscheidene gebroken ribben, misselijk en hongerig, terwijl hem zware mishandeling ten laste werd gelegd. Zijn slachtoffer lag met ernstige verwondingen in het ziekenhuis.

'Hoelang moet ik hier blijven?' vroeg hij kreunend.

'En wat dan nog?' antwoordde politieagent Gus Frew schouderophalend. 'We hebben je slechts te leen tot de magistraat hier is, en dan zul je in het zuiden een tijd moeten zitten.'

'Wanneer komt die magistraat?'

'Alles op z'n tijd. Je hebt Jackie Flynn behoorlijk te grazen genomen. Hij zou aanstaande zaterdag trouwen. Dat is nu van de baan. Je hebt een mooi feest verknald, makker, en er is niemand die ook maar een goed woord voor je over heeft. Dus je kunt maar beter meteen wennen aan water en brood.'

Een paar dagen later probeerde Baldy een beroep te doen op Frew. 'Je moet naar me luisteren.. Ik kan niet in het gevang blijven. Ik heb allerlei zaken te regelen.'

Frew lachte. 'Ongetwijfeld. De schepen kunnen zeker niet uitvaren zonder jouw hulp. Je bent een belangrijk man, Baldy. Maar heb je het nog niet gehoord? Ze zeggen dat Jacky zo ernstig verminkt is dat hij waarschijnlijk voorgoed is verlamd.'

'Nee, luister. Ik kan betalen. Als iemand me hier uit kan helpen, zal ik het de moeite zeker waard maken, als je begrijpt wat ik bedoel.'

De agent negeerde hem. Medegevangenen die het gesprek hadden opgevangen, probeerden nu geld van Baldy te lenen. De magistraat nam ruimschoots de tijd om naar Maryborough te komen, maar de hoorzitting nam slechts enkele minuten in beslag. Baldy werd veroordeeld tot zes maanden cel op het gevangeniseiland Sint-Helena, aan de monding van de Brisbane-rivier.

Angus Perry was analfabeet. Hij was opgegroeid op een arm boerenbedrijf ten zuiden van Sydney, waar boekengeleerdheid en hoge schoenen overbodig werden geacht door zijn zwoegende ouders. Ze zagen echter wel brood in het feit dat hun enige zoon van een zwakke dreumes veranderde in een lange, gespierde jongeman, die zijn vader weldra boven het hoofd groeide. Hun jongen was sterk, een ideale boerenknecht en ze zetten hem al vroeg aan het werk. Althans, dat probeerden ze. Angus was lui en opstandig, en alleen de voortdurende dreiging met de zweep zorgde ervoor dat hij zijn taken volbracht. De naburige boeren, die het niet beter hadden dan de familie Perry en vochten tegen de verwoestende droogte, begonnen te klagen dat Angus een dief was, omdat er elke keer als hij langskwam iets bleek te missen... een toom, een stuk ham, een kip, prikkeldraad... de lijst leek eindeloos te zijn. Aanvankelijk verklaarden de ouders van Angus dat hij onschuldig was – de jongen was nog geen veertien – maar toen zijn vader een vreemd zadel in de schuur vond, ging hij met de zweep achter zijn zoon aan, vastbesloten hem een lesje te leren dat hij niet licht zou vergeten, alvorens hij hem met het zadel naar de eerlijke eigenaar zou terugsturen.

Maar het pakte anders uit. Angus rukte de zweep uit de handen van zijn vader, smeet die weg en bewerkte hem vervolgens met het handvat van een bijl. Alleen het gegil van Mrs. Perry kon voorkomen dat haar man erger werd verwond. De strijd was echter voorbij. Angus verliet de boerderij, om er nooit meer terug te keren.

Hij sloot zich aan bij bendes van brute jongeren die rondzwierven in de havens van Sydney en vertrok uiteindelijk naar het noorden, een onbetrouwbaar figuur, die zich inliet met soortgelijke types: misdadigers en andere schooiers.

Zoals velen van zijn soort, kwam Baldy terecht op de goudvelden, waar hij snel – op wat voor manier dan ook – fortuin hoopte te maken. Hij en zijn maat gingen op zoek, en tot hun grote vreugde vonden ze zo'n vijftig gram alluviaal goud. Daar ontmoette hij ook Mr. Carnegie, een belangrijk man, die belangstelling voor hem toonde toen hij zijn mijnconcessie kwam verlengen.

Baldy was onder de indruk dat Mr. Carnegie, een sympathiek soort man, zich interesseerde voor hem en zelfs de formulieren voor hem invulde. Hij kwam dikwijls even bij Baldy staan praten als hij tijdens zijn dagelijkse inspectieronde de velden bezocht, zo vaak zelfs dat Baldy de voorname man begon te wantrouwen en zich afvroeg of hij rondsnuffelde. Perry de goudzoeker was ook Perry de dief, en onbemande tenten vormden een gemakkelijk doelwit.

Het was na een gevecht met zijn partner, die vervolgens de benen had genomen, dat Carnegie Baldy ontroostbaar voor zijn gammele tent aantrof.

'Hoe vordert het ertsonderzoek, Mr. Perry?'

'Ach, het heeft weinig zin. Zonde van mijn tijd. Ik denk dat ik het maar opgeef.'

'Ja, het is een kwestie van geluk hebben, denk ik. Sommigen hebben geluk, anderen niet.'

Baldy haalde zijn schouders op. Hij was niet in de stemming om met deze bemoeial over koetjes en kalfjes te praten.

'Misschien heb ik wel een baantje voor je,' zei Carnegie.

Baldy was niet onder de indruk en wierp hem een dreigende blik toe. 'Zoek maar iemand anders.'

'Een eenmalige klus. En het levert aardig wat op.'

'Dat meen je niet.' Baldy was absoluut niet geïnteresseerd.

'Nou goed. Mocht je van gedachten veranderen, kom dan na tienen vanavond naar mijn kamer. Maar zorg dat niemand je ziet.'

Baldy rolde een shaggie en nam niet eens de moeite op te kijken toen de parmantige commissaris wegslenterde. Hij vroeg zich af of de man perverse neigingen had en grijnsde. Perverse personen deden de kassa rinkelen. Je kon ze bewusteloos slaan en toch gaven ze je nooit aan. Zeker dit soort types. Hij besloot dat hij mogelijk toch even ging kijken later op de avond en het onderkomen van de commissaris zou binnenglippen. Het was de moeite van de tijdsinvestering mogelijk waard.

Zo was het begonnen. Carnegie bleek geen perverse kerel. Hij had een fles whisky en praatte tamelijk veel, maar hij deed geen verdorven voorstellen. Hij praatte vooral over zijn werk, op een enigszins omslachtige manier, tot Baldy de kern van de zaak begon te bevatten en tot de slotsom kwam dat de man een oplichter was. Het deed hem grijnzen en hij wilde graag meer horen, en zo was het balletje gaan rollen...

Al de tijd dat hij in Maryborough in hechtenis zat, had Baldy gehoopt dat Carnegie hem zou komen redden. Dat hij een paar kopstukken zou omkopen en hem eruit zou halen, maar zijn partner liet zich niet zien. Hij kon niemand toevertrouwen een brief namens hem te schrijven; wat moest hij er trouwens in zetten? Het was gevaarlijk de aandacht te vestigen op de relatie tussen hen. En voor Carnegie was het evengoed riskant om voor hem op te komen, als de essentie van het hele plan rustte op het gegeven dat ze geen contact met elkaar zouden hebben.

Hoe dan ook, Carnegie zou achter de schermen toch zeker iets kunnen regelen, zo dacht hij boos. Hij was een invloedrijk man.

Toen hij uit Maryborough vertrok en aan een ketting in het ruim van een schip werd geketend, was Baldy de op de loer liggende krokodil dankbaar. Als dat beest geen sporen had achtergelaten, zou het goud nu precies op de plek liggen waar Carnegie dacht dat het zou liggen. Op een plek waar Carnegie, in afwezigheid van zijn partner, de hele buit zou kunnen inpikken. Nu bleef het mooi liggen tot hij weer vrij was.

Het was een norse, stijfkoppige Perry die samen met een aantal andere gevangenen in de sloep aan de kade werd geduwd om vervolgens stroomafwaarts vervoerd te worden naar het gevreesde strafeiland Sint-Helena, van waaruit ontsnappen alleen mogelijk was via de door haaien geteisterde wateren. Hij was nog maar nauwelijks aan wal gestapt of hij had – vanwege zijn ruziezoekende gedrag – het eerste pak slaag van een van zijn cipiers al te pakken; ze waarschuwden hem er meteen bij dat ze geen haast hadden hem weer te laten gaan.

'We kennen jouw soort,' zeiden ze. 'Vechtersbazen leren hier gehoorzamen of zitten hun tijd uit, desnoods meer.'

Naarmate de datum dichterbij kwam, werd Allyn Carnegie zó ongeduldig dat hij de gewoonte ontwikkelde om elke avond op de achterveranda te gaan zitten, uitkijkend naar de late bezoeker, wachtend tot Perry het erf op zou sluipen, ook al was het niet de bedoeling dat ze elkaar zouden treffen. Perry vertrouwde erop dat de voormalige commissaris met zijn getrainde blik de buit eerlijk zou verdelen. Zo eerlijk als hij kon, mijmerde Carnegie, gezien het gegeven dat de jutezakken afgewogen zakjes met alluviaal goud alsmede met goudklompjes, munten en bankbiljetten bevatten. Dat was zijn goed recht als baas van het waagstuk, en Perry had niets te klagen; hij was zó geïmponeerd door het vooruitzicht van deze onfeilbare overval dat hij overal in toegestemd zou hebben.

Toen hij uiteindelijk in bed lag, vermoeid door de waakzaamheid en de voortdurende pijn in zijn verbrijzelde, mismaakte arm, die erg veel tijd nodig had om te genezen, sliep Carnegie onrustig. Hij bleef luisteren of hij Perry niet hoorde, schoot bij elk geluid recht overeind, terwijl alle levende wezens leken samen te zweren om zijn slaap te verstoren. Kleine dieren scharrelden rond in de bosjes, vogels vlogen krijsend op omdat iets onverklaarbaars hen verstoorde, honden blaften, katten jankten en Carnegies kussen raakte nat van zweet, want de nacht bracht allerlei demonen. Wrede dromen bezochten hem in korte, grimmige flitsen, die altijd onvolledig maar zeer beangstigend waren, totdat hij de slaap ging vrezen, maar hij bleef zichzelf voorhouden dat het zenuwen waren. Zodra Perry kwam, was dat allemaal voorbij.

Dus hij wachtte en wachtte. De dagen duurden eeuwig en de avond kwam hij enkel in gezelschap van een fles whisky door. Hij ontmoedigde mensen om op bezoek te komen en trouwens, zijn roem als slachtoffer was zo langzamerhand weggeëbd, dus er waren er maar weinig die nog de moeite namen om te komen. De goudvelden bij Gympie brachten nog steeds geld in het laatje, maar de opwinding van de goudkoorts was voorbij, terwijl alle ogen zich richtten op een nieuwe plaats die Charters Towers heette, waarvan men beweerde dat er zo gigantisch veel goud in de grond zat dat het alle andere velden ver overtrof.

Pollock kwam nog eens langs, onofficieel, zoals hij dat noemde, om te kijken hoe het met de patiënt was, maar het was een verraderlijk type, die man, en Allyn was op zijn hoede. Hij stelde eenvoudige vragen met een gelijkmoedigheid die een minder intelligente man wellicht kon verrassen, maar Carnegie liet zich niet bedotten. Hij kende dat spelletje ook en verwelkomde de brigadier met meelijwekkende dankbaarheid, want er waren nog maar weinigen die zich om hem bekommerden – zelfs die achterlijke dokter niet. En ze praatten over de overval en die arme Taylor en de andere twee mannen die het leven hadden gelaten, telkens opnieuw, tot het zo'n saai verhaal werd dat hij dacht nooit weer te herstellen van de gewelddaad.

De brigadier zat met hem op de veranda, dronk van zijn goede whisky en leek geen enkele haast te hebben om te vertrekken.

'Schande dat ze zo snel een nieuwe goudcommissaris hebben aangesteld,' zo sprak hij.

'Welnee. Ik heb mijn ontslag ingediend. Ik ben geen held. Ze mogen die baan van mij houden.'

'Dat besef ik, meneer, maar het werd goed betaald. Jammer dat u een salaris als dat nu moet ontberen.'

'Voor mij niet. Ik heb zo mijn middelen, weet u.'

'Dat is dan mooi. Ik kreeg de indruk dat u enige schulden had, ginder op de goudvelden. Gokschulden.'

Carnegie lachte. 'Alle heren lijken gokschulden te hebben. Ik heb wat pech gehad tegenover die sluwe jongens. De laatste tijd heb ik er vanwege mijn toestand weinig aan gedacht, maar vandaag heb ik nog maatregelen getroffen om hen te betalen, aangezien inmiddels duidelijk is dat ik niet terugga. Gokschulden betaal ik altijd tijdig af; iemand belazeren is absoluut niet mijn stijl.'

'Natuurlijk niet. Maar zou het kloppen als ik zeg dat u momenteel rood staat bij onze plaatselijke bank?'

Carnegie was woest dat deze parvenu zijn financiële situatie onder de loep had genomen, maar hij maakte zich er lachend van af.

'Wat is er aan de hand? Is die stakker van de bank bang dat ik plotseling dood zal neervallen? Ik heb net een aanzienlijke cheque ontvangen van het ministerie van Mijnzaken, plus een bonus, dus ik hoef niet eens contact op te nemen met mijn bank in Brisbane om geld te sturen. Tussen haakjes, hebt u toevallig aandelen in de goudmijnen van Ballarat?'

'Nee.'

'Volg dan mijn advies op. Investeer. Na de rellen die daar onder de mijnwerkers zijn uitgebroken, verloren de investeerders al hun vertrouwen in de mijn. Mijn vrouw wilde dat ik mijn aandelen zou verkopen, maar ik weigerde. Nu zijn ze een bom duiten waard en ze stijgen nog steeds. Uit goede bron heb ik vernomen dat het goud in Ballarat nog altijd tot de knieën reikt. Niet te vergelijken met de zandbanken van Gympie. Trouwens, brigadier, u reist nogal wat. Ik zou het waarderen als u uw mening gaf over de vondsten in Charters Towers. Zijn die werkelijk zo enorm als ze beweren?'

'Ik weet het niet.'

Carnegie begreep dat een gesprek over aandelen niet was besteed aan een slechtbetaalde politieagent met een gezin, zoals de man zichzelf omschreef.

'Zou u misschien zo goed willen zijn om me te informeren als u er meer over hoort? Een paar duizend aandelen in een degelijke mijn ginder zou geen miskoop zijn...'

Pollock dronk zijn glas leeg. 'Als u me wilt excuseren, meneer, ik moet nu gaan. De magistraat is in de stad, en we moeten ons voorbereiden op de rechtszitting van morgen, maar bedankt voor de drankjes. Ik hoop dat u zich spoedig beter zult voelen.'

Hij stond op, pakte zijn hoed en stak met grote passen de veranda over.

'Nog één ding... de sleutels van die koffers, de koffers waarin het goud en de bankbiljetten zaten. Waar waren die? De sloten zijn niet vernield.'

'Die had ik.' Carnegie keek hem onbezorgd aan. 'Ze zaten in mijn jaszak.'

Terwijl hij het zei, draaide Carnegies maag zich om en voelde hij het gal omhoogkomen. Maar hij vocht ertegen, stond zichzelf niet eens toe om te slikken, want het leek wel of hij werd gewurgd. De sleutels. Die verdomde sleutels.

'Maar als ze u de sleutels hadden afgepakt toen u gewond op de grond lag, hadden ze kunnen constateren dat u niet dood was...'

Carnegie zag zichzelf weer in het stof liggen. Had hij zijn colbert gedragen? Nee! Hij zou geen kogel in zijn goede kamgaren colbert willen hebben, waar hij zijn sleutels bewaarde die met een kettinkje

161

aan een knoopsgat waren bevestigd, voor het geval ze uit zijn jaszak vielen. Hij sloeg zijn hand voor zijn ogen terwijl hij aan zijn sigaar trok en haatte deze kwast, haatte zijn onbeschaamdheid en schudde vervolgens vriendelijk vermanend zijn hoofd. 'U hebt gelijk, brigadier. Ik geloof werkelijk dat die sleutels mijn redding zijn geweest. Het was erg warm die ochtend; mijn colbert hing naast de zitplaats van de koetsier. Die smeerlappen zullen er niet lang over gedaan hebben om ze op te diepen. God sta me bij als ze die niet hadden gevonden,' peinsde hij hardop. 'Maar goed, ze beschikten natuurlijk over Willoughby, die hen op het goede spoor kon zetten. Hebben ze die ellendeling nog niet gepakt?'

'Nee. Maar we krijgen hem wel.'

'Dat hoop ik. Ik waardeer echt dat u zoveel voor me hebt gedaan, brigadier Pollock. Als u ooit toch besluit in die waardevolle goudmijnen te investeren, houd mij dan in uw achterhoofd, het zou me een genoegen zijn om uit te leggen hoe u dat het beste kunt aanpakken. Maar laat me u niet langer ophouden, erg vriendelijk dat u langskwam...'

De vier weken waren verstreken. Eindeloze uren werden dagen en de angst deed Carnegie overdag rusten en 's nachts waken. De angst deed hem keer op keer alles controleren; hij stond zichzelf niet toe om te denken dat Perry hem had bedrogen, zo stom kon de man ook niet zijn. Hij breidde zijn speurtochten uit naar de directe omgeving van zijn huis en liep al slaand door de bosjes met een obsessie die voortkwam uit paniek, maar nergens was een spoor van het goud te ontdekken. Hij bleef zichzelf voorhouden dat Perry zich had vergist in de afgesproken tijd, zich in de dagen had verteld, zo dom was hij wel. Zo dom was hij. Maar toch...

In deze grensstad waren ruzies en gevechten tussen dronken kerels aan de orde van de dag, en tenzij er wapens werden gebruikt, kwam dat soort incidenten niet in de krant terecht, dus Carnegie, die elke centimeter van de krant spelde om de tijd te doden, had geen idee dat zijn partner inmiddels door de politie in zijn nekvel was gegrepen en de stad was uitgevoerd.

Toen de wanhoop de voormalige goudcommissaris parten begon te spelen, ijsbeerde hij rusteloos door het huis en kauwde op zijn vingernagels, wetend dat hij te paard de stad moest verlaten om die plek bij de rivier persoonlijk te controleren. Om te kijken of het goud er lag. Maar hij stelde het telkens uit, innerlijk jammerend. Stel dat iemand hem zag? Schuld hield hem in de ban en maakte het hem onmogelijk om een nonchalant ritje naar het platteland te scheiden van een zeer verdachte afspraak met een boom. Hij was fit genoeg om te rijden, dat was het probleem niet, maar durfde hij te gaan? Hij bleef wachten en bad klagend dat Perry zich aan zijn deel van de afspraak zou houden, zich voornemend om die schurk de huid flink vol te schelden als hij eindelijk langskwam. Hij overwoog tijdens die lange, krankzinnige uren zelfs om de man te straffen door hem zijn vergoeding, zijn deel van het goud, te onthouden.

Hij maakte zich zorgen om eventuele fouten. Hij had Perry opgedragen om de leren zakjes te verzwaren en ze in de rivier te laten zinken en om het goud in linnen zakjes tussen zijn slaapspullen te verbergen. Niemand lette ooit op de armzalige bundels die zwervers en rimboebewoners – en tegenwoordig zelfs gouddelvers – bij zich droegen. Stel dat Perry de bankzakjes had bewaard en was aangehouden? Nee, dat was niet gebeurd. Dat zou met grote koppen in de kranten hebben gestaan. Grote koppen.

Al dat denken en piekeren en berekenen en malen beheerste zijn dagen en teisterde zijn nachten tot er uiteindelijk maar één conclusie te trekken viel. Perry was onderhand twee weken te laat. Allyn zou zelf naar de boom toe moeten. Maar stel dat de politie het goud inmiddels had gevonden en bij de rivier op de loer lag te wachten tot de rovers, de moordenaars, zouden komen opdagen?

Terwijl hij tientallen redenen bedacht om niet te gaan en al zijn moed bijeen probeerde te schrapen om deze inspanning te leveren, kwam er wederom iemand op bezoek. Een zeer ongewenste bezoeker.

Hoofdstuk 6

Mr. Xiu was van hoge komaf. Hij reisde in stijl, zoals bij zijn stand hoorde. Hij had altijd ten minste veertig koelies bij zich, verscheidene bedienden die hem tijdens maaltijden en in zijn woonvertrekken bijstonden, twee lijfwachten en zijn butler, Chung Lee. Aanvankelijk had Mr. Xiu goed geboerd op de goudvelden. Hij beschouwde deze oefening als een prima proefterrein voor zijn mannen, maar bereidde zich inmiddels voor om verder te trekken. Zijn astrologen en geologen in Sjanghai hadden hem voorgehouden dat de staat Queensland een onvoorstelbare rijkdom aan goud zou opleveren en hij had geen enkele reden om aan hen te twijfelen.

Chung Lee had de kaarten bestudeerd en een route aanbevolen die ze konden nemen naar die ver weg gelegen plaats, Charters Towers, indien zijn meester – in al zijn wijsheid – besloot naar het noorden te willen trekken. Mr. Xiu knikte; hij had een goed gevoel over die plek. Hij zou geschikt zijn.

Mr. Xiu, een ontwikkeld man, kon Engels lezen en schrijven en dat gold, in mindere mate, ook voor Chung Lee, die tevens secretariële taken voor zijn meester uitvoerde. Chung Lee kende geen vrees voor de officiële formulieren en registraties die in dit land aandacht vereisten; sterker nog, hij vond de regels nogal slap vergeleken met de bureaucratische doolhoven die hij gewend was in zijn vaderland. Zodoende wist hij voor een moeiteloze doortocht voor Mr. Xiu en zijn entourage te zorgen. Hij vond het platteland lijken op delen van China, maar stond versteld dat het zo dunbevolkt was. Zelfs als je de blanken en zwarten bij elkaar optelde, leken er amper genoeg mensen om een Chinees dorp te bevolken. Hij en Mr. Xiu bespraken dit onderwerp regelmatig met belangstelling en stonden daarbij uiteraard even stil bij het gebrek aan betrouwbare watervoorraden, wat een probleem zou kunnen gaan vormen voor toekomstige generaties als de bevolking zich zou uitbreiden.

Elke avond las Chung Lee de kranten voor aan Mr. Xiu, althans de kranten die hij wist te bemachtigen. Soms waren ze slechts een dag of wat oud, maar andere die hij lospeuterde van mijnwerkers waren niet afkomstig uit Maryborough maar uit de grotere steden, en die bevatten soms weken oud nieuws. Er waren echter dagen waarop hij geen krant had kunnen vinden voor zijn meester en dan herlas hij, met excuses, de artikelen die de belangstelling van Mr. Xiu genoten, en dat was aanvaardbaar. Natuurlijk was Mr. Xiu prima in staat om de kranten zelf te lezen, en Chung Lee wist dat, maar van een heer uit een adellijke familie als die van Mr. Xiu kon moeilijk verwacht worden dat hij zijn handen zou bevuilen aan de krant, en aangezien Chung Lee slechts een nederig dienaar was, beschouwde hij deze avondplicht als een eer.

Mr. Xiu was bijzonder geïnteresseerd in de roofoverval door bandieten op het goudtransport en de moord op de bewakers, hoewel Chung Lee het incident niet als een zaak van veel gewicht beschouwde. In China waren er veel meer bandieten, die bovendien veel bloeddorstiger waren; het was praktisch een manier van leven om karavanen die waardevolle spullen vervoerden te beroven. Niettemin las en herlas hij de verslagen plichtsgetrouw en werd hem zelfs gevraagd om zijn mening te geven over het voorval, waaraan hij voldeed door commentaren die hij had gelezen te herhalen om daarna, op aandrang van zijn meester, zijn persoonlijke mening te ventileren.

'De situatie is moeilijk te begrijpen, heer. Waarom zouden bandieten één man in leven laten, vraag ik mij af, terwijl ze niet trots zijn op hun hinderlaag? Als ze de wens koesteren om anoniem te blijven en in hun eigen omgeving niet willen opscheppen over hun succes. Een paar stoten met een zwaard in alle slachtoffers zou geheimhouding hebben verzekerd.'

Het was niet aan Chung Lee om zijn meester te vragen of deze het met hem eens was, maar de stilte die volgde liet ruimte voor verdere discussie.

'Ik heb zo mijn eigen gedachten over de kwestie,' sprak Mr. Xiu uiteindelijk. 'Je kunt nu gaan. Ik heb veel om te overdenken.'

Iedereen was bezig in te pakken, en voor Clive was dat bijna een opluchting. Hij wist dat hij zichzelf nooit had kunnen losmaken van het vooruitzicht op goud zonder zich op een officiële opinie te baseren. Voor zover de experts het konden bekijken had Gympie het grootste deel van haar schat prijsgegeven en moesten de delvers elders gaan zoeken. De gelukkigen hadden hun buit allang – triomfantelijk – mee naar huis genomen. Andere succesvolle delvers stortten zich opnieuw in de strijd, nadat ze hun pas verworven rijkdom hadden verbrast aan de beste wijn die in Maryborough te krijgen was en aan dure vrouwen die hun gezelschap introduceerden bij de bordelen en de juweliers in de stad.

Niet dat de mijnwerkers klaagden. In Maryborough hadden ze hun hele fortuin erdoor gejaagd, maar ze beleefden er de tijd van hun leven. Geen moment spijt. Ze sloten zich eenvoudig aan bij de lange rijen goudzoekers die zich geconfronteerd zagen met een echte beproeving, de zware tocht naar Charters Towers. Het was hemelsbreed slechts zo'n achthonderd kilometer naar het noorden. Sommigen namen de boot vanuit Maryborough en voeren naar Townsville, om vandaar uit landinwaarts te trekken, maar welke route ze ook namen, de stormloop was begonnen, en Clive vroeg zich af of hij hen moest volgen.

Nadat Mal was vertrokken, was hij alleen blijven werken en had hier en daar nog een paar gram gevonden, voldoende om eten te kopen zonder dat hij zijn appeltje voor de dorst – verdiend tijdens zijn periode met Mal – hoefde aan te spreken. In de dagen dat Mal, zijn geluk brengende maatje, bij hem woonde.

Maar Mal had tegenwoordig minder geluk. Waar zát hij in 's hemelsnaam? Clive maakte zich zorgen om hem.

Hij wist dat hij zijn appeltje voor de dorst van meer dan vierhonderd pond mee naar huis moest nemen. Maar waar was zijn thuis? Londen? Waar zijn eigen familie het zwaar te verduren kreeg nadat zijn vader, de kolonel, was overleden. Hij was van plan om, zodra hij de beschaving had bereikt, zijn moeder de helft van zijn verdiensten op te sturen, maar hoe ver zou hij het met de rest in Londen schoppen? Clive, de oudste zoon, had pertinent geweigerd om bij het garderegiment dienst te nemen.

'Ik heb niets tegen het leger,' zei hij grijnzend tegen zijn moeder, 'met uitzondering van de discipline, de slechte soldij en de levensbedreigende risico's.'

Als hij het zich goed herinnerde, had hij ook het belabberde eten genoemd, maar hij betwijfelde of het legervoer erger kon zijn dan de bedroevende kost die hij hier gedwongen was te verorberen. De gedachte aan soortgelijke omstandigheden op de goudvelden van Charters Towers, die nog verder verwijderd lagen van de beschaafde wereld, hielpen hem de beslissing te nemen om eerst een rustpauze in Maryborough in te lassen alvorens naar het noorden te trekken.

Niet genegen om overhaast te vertrekken, voor zijn vergunning was verlopen, stond Clive nog altijd te hakken in de donkere wanden van zijn mijn, toen hij werd opgezocht door een Chinees die hem een boodschap bracht van ene Mr. Xiu, die Mr. Hillier verzocht om hem een bezoek te brengen.

'Wie is hij?' vroeg Clive.

'Onze meester, meneer. Hij wenst u te spreken.'

'Waarover?'

'Komt u mee?'

'Nu?'

'Ik zal u begeleiden.'

Clive was geïntrigeerd. 'Goed dan. Geef me even de tijd om me op te frissen en dan zullen we eens zien waar dit over gaat.'

Mr. Xiu was duidelijk de baas van het Chinese gezelschap. Clive vond hem een boosaardig uitziende kerel, met zijn ingevallen gezicht en de dunne zwarte snor, die in twee dunne koordjes aan weerszijden van zijn mond hing. Zijn donkere ogen waren half dichtgeknepen, zelfs toen de bezoeker werd uitgenodigd voor een kopje thee in de schaduw van een canvas baldakijn.

De gastheer droeg een grote rok met daarop een gewatteerd zijden jasje, terwijl een rond hoofddeksel met borduursels ervoor zorgde dat zijn vlecht op zijn rug bleef hangen. Clive vond het net een dikkere versie van de snor en vroeg zich terloops af of het de bedoeling was dat ze bij elkaar pasten.

Clive had het niet echt op Chinezen, hij vond het maar een raar volkje, maar dit was zijn eerste sociale contact met een van hen. Hij nam plaats in een zachte, glimmend geboende stoel tegenover Mr. Xiu en ze dronken buitengewoon smakelijke thee, die een bediende had ingeschonken, maar afgezien van het voorstellen werd er weinig gezegd.

Omdat Clive weigerde zich te laten imponeren door dit ceremonieel, besloot hij terzake te komen. 'Wat kan ik voor u doen, Mr. Xiu?'

De Chinees staarde hem enkele minuten aan, alsof hij zijn bezoeker probeerde in te schatten, voor hij antwoord gaf.

'Bent u ooit partner geweest van Mr. Willoughby?'

'Ja.'

'En geldt dat nog steeds?'

'In het roverswerk, bedoelt u?' snauwde Clive. 'Nee, dat ben ik niet. En als u op de beloning aast, kunt u beter elders uw geluk beproeven.'

'Beschouwt u Mr. Willoughby als een struikrover?'

'Nee, ik niet. Maar anderen wel.'

Mr. Xiu knikte langzaam. 'Geen struikrover, maar misschien toch een crimineel?'

Clive zette het tere porseleinen kopje op tafel. 'Luister, Mr. Xiu, ik weet niet waar u op uit bent, maar geloof dit. Mal is geen crimineel. Hij is geen rover en geen moordenaar. Ik geloof er niets van dat hij iets met die roofoverval te maken heeft.'

'Hebt u daarvoor bewijzen?'

'Alleen mijn erewoord. Ik ken hem, hij zou nooit een vlieg kwaad doen, laat staan betrokken raken bij een roofoverval.'

'Dan is het allemaal zeer onfortuinlijk. Waar gaat u hiervandaan heen, Mr. Hillier?'

'Mogelijk naar Charters Towers. Dat veld zou wel eens de moeite waard kunnen zijn.'

'Inderdaad, dat beweert men althans. Het wordt een zware tocht. Ik reis zelf via het binnenland. Neemt u de boot?'

'Ja. Er schijnt daar ergens een haven te zijn.'

Met zijn lage, melodieuze stemgeluid, zoals die van een dominee op de preekstoel, legde Mr. Xiu uit welke route zij van plan waren te volgen, en Clive was verbaasd over zijn kennis van zaken. Hij kreeg te horen dat hij een boot moest nemen die naar de haven van Townsville voer, wat hem ruim zeshonderd kilometer ten noorden van de Steenbokskeerkring zou doen belanden, vanwaar het in zuidwestelijke richting nog zo'n honderd kilometer zou zijn naar de goudvelden. Hij kreeg het advies op te passen voor het regenseizoen aan de kust, het droge seizoen landinwaarts en voor één grote rivier die hem de doorgang kon verhinderen zodra de moessonregens in het zuiden overstromingen gingen veroorzaken. Hij kreeg bovendien informatie over het klimaat en het gebied tot zijn hoofd ervan duizelde, en ondertussen bleef de bediende kopjes thee inschenken in kleine kopjes zonder oor.

Uiteindelijk stond Mr. Xiu op, waarbij zijn handen in zijn wijde mouwen verdwenen; kennelijk was de audiëntie voorbij.

'U zeilt dus vanuit Maryborough, Mr. Hillier. Wellicht last u een korte rustpauze in na alle ontberingen hier.'

'Daar kijk ik met plezier naar uit.'

'En wellicht hebt u tijd om eens bij Mr. Carnegie langs te gaan.'

'Waarom zou ik dat doen?'

'Waarom niet? U bent een heer, het zou niet ongepast zijn voor een heer uit dezelfde klasse om een bezoek af te leggen. Mr. Carnegie was erbij. Alleen hij weet wat zich die zondag heeft afgespeeld.'

'Bedoelt u dat ik hem zou kunnen overhalen om te erkennen dat hij zich in Mal heeft vergist?'

'Vergissingen zijn soms voor velerlei uitleg vatbaar.'

Clive stond perplex. 'Gelooft u Carnegie niet? De goudcommissaris?'

'Mijn nederige mening is niet van belang. U moet uw eigen conclusies trekken. Wenst u naar uw tent begeleid te worden?'

'Nee, dank u. Nee...' Clive had de hint begrepen en was eveneens opgestaan, maar wist nog steeds niet wat te denken van deze vorstelijke oosterling, die volkomen misplaatst leek in deze omgeving.

Mr. Xiu stak zijn hand uit en rinkelde met een kleine koperen bel. Het geluid leek meer op dat van een kleine gong, zacht en welluidend, en maakte dat de eerste Chinees uit een naburige tent kwam opdraven. Hij boog naar zijn meester en overhandigde Clive, na een goedkeurend knikje van zijn baas, een verzegelde rol perkament.

'Wat is dit?' vroeg Clive. Hij werd ineens nerveus, alsof hij een dwangbevel van een deurwaarder had ontvangen.

'Dat is voor u, Mr. Hillier,' zei de Chinees, die schijnbaar niet zag dat zijn meester zich schuifelend terugtrok. 'Er is Mr. Xiu verzocht om dit aan u te overhandigen, meneer, maar hij is een wijs en voorzichtig man. Hij vond het beter om u eerst onder de loep te nemen.' Hij boog. 'Excuseert u mij.'

En ook hij verdween voor Clive de kans kreeg om de voor de hand liggende vraag te stellen. Hun bediende zette nu in sneltreinvaart alle theespullen op een zwartgelakt dienblad, maar Clive veronderstelde dat het weinig zin had hem iets te vragen. Hij had het gevoel dat hun mysterieuze wereld inmiddels weer was gesloten voor hem, dat hij nu al in overtreding was, en dus liet hij het lichte stuk perkament in zijn zak glijden en slenterde over de open plek naar het pad, ervan overtuigd dat hij werd nagekeken en niet van plan iemand de voldoening te geven dat hij de rol perkament als een ongeduldig kind zou losrukken. Hoewel hij dat natuurlijk wel was. Hij was razend nieuwsgierig naar de inhoud ervan. Misschien was het een soort geschenk. Of een landkaart van dat onbekende noordelijke gebied rond Townsville, gezien het feit dat de Chinees zo goed was ingelicht. Hij sjokte over het pad, langs verlaten kampeerplekken waar nu luidruchtige kraaien rondscharrelden, voorbij de afslag naar wat gekscherend het centrum werd genoemd en waar alle officiële instanties, slijterijen, kroegen en bordelen waren ondergebracht. Hij zou dezelfde gezichten ongetwijfeld in Charters Towers weer tegenkomen.

De zonsondergang was kort maar opzienbarend. Goudkleurige strepen en roze oplichtende wolkenslierten aan de westelijke hemel stonden in absoluut contrast met het lelijke, geschonden landschap, bezaaid met de grijze resten van bewoning door mannen die als een sprinkhanenplaag waren langsgetrokken.

Het was meer dan anderhalve kilometer naar zijn tent. Clive ontstak de lamp en schonk zichzelf een borrelglas met twijfelachtige gin in voor hij het perkament tevoorschijn haalde, waarbij hij de rol enigszins plette zodat hij ontdekte dat het geschenk – wat het ook was – niet veel om het lijf had. Hij grijnsde. Waarschijnlijk een verzameling wijze Chinese woorden ten behoeve van zijn geestelijk welzijn. Hij had liever een pakje van die overheerlijke thee meegekregen.

Vervolgens herinnerde hij zich dat iemand Mr. Xiu had gevraagd dit aan hem te overhandigen.

'Wat is het in 's hemelsnaam?' vroeg hij hardop terwijl hij naar het perkament staarde. Het was niet aan hem gericht, noch in het Chinees noch in het Engels. Er stond helemaal niets aan de buitenkant.

Hij scheurde het zegel open en staarde naar het perkament, terwijl er een andere bladzijde uitviel. Die was eveneens leeg. Gewoon een blanco pagina. Geïrriteerd pakte hij het binnenblad op, dat uit veel dunner papier bestond, en staarde naar het handschrift dat hij niet herkende.

Beste Clive,
Ik hoop dat alles goed met je is en dat de zaken goed gaan.
Het spijt me zeer wat er is gebeurd. Werkelijk waar. Ik zou niet willen dat je slecht over mij denkt. Het is misschien moeilijk te

geloven na alles wat je in de kranten hebt gelezen, maar ik heb niets met die hele toestand te maken. Niet met de overval en niet met de moorden. Ik ben regelrecht in de val gelopen. Ik had beter moeten weten. Een echte sufferd ben ik, en ik weet niet wie het heeft gedaan, maar er is een man die ik moet opsporen. Mogelijk kan hij me helpen, ook al is dat een grote gok.

Ik hoopte dat jij me een plezier zou willen doen en mijn vriendin Miss Emilie Tissington wilt opzoeken, die aan de Lennox Road in Maryborough woont. Ze is gouvernante. Ik heb je al eens over haar verteld. Ze is ook van Engelse komaf, maar voelt zich behoorlijk ongelukkig momenteel; ze kent niemand en is eenzaam. Je snapt dat ik voorlopig voor niemand een goede vriend kan zijn. Pure pech, nietwaar? Ik hoop dat je Fleur weer zult tegenkomen.

Mal

Clive las en herlas de brief en vroeg zich af hoe Mr. Xiu hem in zijn bezit had gekregen, zich herinnerend dat Mal om een of andere reden werd geaccepteerd in zijn hechte gemeenschap. Hij begreep nu waarom Mr. Xiu zo behoedzaam was. Als hij tot de slotsom was gekomen dat Mals voormalige partner niet langer zijn vriend was, die de brief aan de autoriteiten zou kunnen doorspelen, zou de brief hem nooit zijn overhandigd. Het had er zelfs toe kunnen leiden dat het Engelse meisje als bekende van Mal door de politie zou worden lastiggevallen. Uit Mals eigen woorden en uit de toespelingen van de Chinees moest Clive concluderen dat Mal werkelijk in de val was gelokt. Maar door wie?

Xiu had voorgesteld dat hij Carnegie een bezoekje zou brengen. De sluwe Chinees leek de vinger in de richting van de commissaris te wijzen. Maar dat was een wilde gok. De man was gewond geraakt tijdens de vechtpartij. En Mal had Carnegie niet genoemd.

Waar zou hij zitten? Nog steeds ergens in de bush? Mal had nooit veel over zichzelf verteld, en het enige dat Clive wel over hem wist, had hij niet aan de brigadier verteld.

Willoughby was een uitstekende *bushman*. Vanaf de dag dat hij erin had toegestemd om Clives partner te worden, waren Clives levensomstandigheden aanzienlijk verbeterd. Hij dacht er glimlachend aan terug. Mal had de tent en de directe omgeving daarvan geveegd, een fatsoenlijke latrine gegraven – waarbij hij erop stond dat die om de paar dagen, de duur van een vliegenleven, werd dichtgegooid – iets wat Clive telkens vergat. Hij kon brood van bloem en water in de kolen van een kampvuur bakken; ongezuurd brood, zoals hij het noemde. Erg lekker wanneer je het at met een soort stroop, die hij suikerstroop noemde en waar Clive tot die tijd nooit van had gehoord. Hij had in de bush dagenlang gezocht naar voedsel als hij het verkleurde vlees dat de slager in de aanbieding had niet langer kon verdragen en kwam vervolgens thuis met vis, kangoeroevlees, een verbazingwekkende verzameling eetbare planten die de gemiddelde gouddelver niets zeiden en zelfs wilde honing. Over dat soort dingen praatte hij wel. Uitvoerig. Hij vond het vermakelijk dat zoveel delvers de bush als een soort woestijn beschouwden, als een plek die geen versterkend voedsel opleverde, waardoor ze moesten vertrouwen op dure en praktisch onverteerbare kost die speciaal werd aangevoerd.

'Waar denk je dat de abo's van leven?' had hij Clive gevraagd. 'Die hebben geen winkels.'

Toen hij na Mals vertrek aan zijn lot was overgelaten, was hij teruggevallen in zijn oude gewoontes en at ranzig vlees als hij niets beters kon vinden en oudbakken brood, dat hij doopte in de inmiddels beroemd geworden suikerstroop. Hij had wederom veel gewicht verloren en nu begon hij zich zorgen te maken over zijn overlevingskansen op die noordelijke goudvelden, ten noorden van de Steenbokskeerkring. Dat betekende hitte, nog veel erger dan hier. Kon hij Mal maar overhalen om met hem mee te gaan. Was Mal maar geen gezochte misdadiger met een prijs op zijn hoofd.

En ineens schoot hem iets te binnen. De man die Mal moest vinden! Dat kon Carnegie toch zeker niet zijn? Hij werd door angst gegrepen.

'O, Jezus, nee!' Mal zou toch niet zo stom zijn om Carnegie met zijn beschuldigingen te confronteren? Die volgens de laatste berichten nog steeds in Maryborough was. Hij zou op straat neergemaaid worden. En Carnegie had het recht om hem zonder pardon neer te schieten. Zou hij dat inderdaad doen? Clive huiverde. Als Mal zich bleef schuilhouden in de uitgestrekte, geïsoleerde bush zou hij het wellicht overleven – ook al had hij dan geen toekomst. Of zou hij het risico nemen en de commissaris opzoeken?

Clive realiseerde zich op dat moment dat hij Mal Willoughby eigenlijk helemaal niet kende. Zelfs als vriend kon hij niet inschatten wat Mal zou gaan doen. Sterker nog, hij had geen flauw benul waar de jongeman zich momenteel ophield. Hij zou overal en nergens kunnen zijn in dit onmetelijke land.

De volgende morgen pakte Clive zijn spullen, en dit keer was het menens. Hij rolde zijn weinige bezittingen in een bundel, zoals iedereen dat deed, besteeg zijn paard en sloeg de weg naar Maryborough in. Hij had een man te bezoeken. En, op verzoek, ook een jongedame.

De jongedame in kwestie was ervan overtuigd dat ze verwarring als een magneet aantrok. Ze zag zichzelf als een rustig wezen, als iemand die een voorkeur had voor een geordend bestaan. Maar hoe kon ze dat verwezenlijken als er telkens mensen waren die haar leven kwa-

171

men ontwrichten? Het leven was al moeilijk genoeg met alle problemen die haar positie met zich meebracht en haar zorgen over Mr. Willoughby en zijn geld. Nu was er wederom een ergernis waarmee ze te kampen kreeg.

Mrs. Manningtree had met veel misbaar gerouwd om wijlen kapitein Morrow, zuchtend en snikkend en steun zoekend bij haar zwarte kledij, maar ze leek ineens een stuk opgewekter...

'Allemaal zenuwen,' zei de kokkin. 'Wat voert ze dit keer in haar schild?'

Ze kwamen er weldra achter. Kennelijk was de rouwende moeder van kapitein Morrow van plan zijn gedenkteken op het kerkhof te bezoeken. Op aandringen van Mrs. Manningtree hadden zijn vrienden bijgedragen aan een marmeren grafsteen ter ere van de kapitein, die ze op een opvallende plek nabij de poort een plaats hadden gegeven. Uit nieuwsgierigheid waren Emilie en Nellie dit wonder, waarover hun meesteres niet uitgepraat raakte, samen gaan bekijken en het stemde hen droevig toen ze daar de droefgeestige woorden lazen: *Op zee vermist.*

Nellie, een sentimenteel meisje, vergoot zelfs enkele tranen.

De tranen van Mrs. Manningtree, die zich overigens trouw in het zwart bleef kleden, verdwenen echter. Ze kon haar opwinding amper verbergen. Ze haastte zich naar de keuken om haar kokkin van het laatste nieuws op de hoogte te brengen.

'Die arme lieve moeder van de kapitein komt niet alleen naar de stad, ze heeft ook mijn uitnodiging om hier te komen logeren geaccepteerd. Ze is gravin, weet je, een echte aristocrate. Ik zou niet weten waar ze anders in deze stad zou moeten verblijven. Maar ik moet er alles aan doen om haar verblijf zo aangenaam mogelijk te maken.'

Terwijl ze naar haar relaas luisterde, begon Nellie zich zorgen te maken. 'In welke kamer wilt u haar onderbrengen, mevrouw? Van de tweede slaapkamer hebt u uw kleedkamer gemaakt en de kinderen slapen in de andere.'

'Ik heb het allemaal op een rijtje. De slaapkamer van de kinderen is het meest geschikt; die is groot en luchtig, daar zal de gravin zich gerieflijk voelen. We halen er twee bedden uit om haar de nodige ruimte te geven. Vooraanstaande dames als de gravin hebben altijd veel bagage bij zich op reis. Ik wil dat die kamer van boven tot onder wordt schoongeboend. Er moeten nieuwe gordijnen komen en een fatsoenlijke toilettafel. Ik heb bij de winkel een prachtig Indiaas vloerkleed gezien, dat past daar precies. En nieuwe lampen...'

'Neem me niet kwalijk, mevrouw, maar waar brengen we de kinderen dan onder?'

'Die kunnen bij Miss Tissington op de kamer.'

'Dat wordt behoorlijk krap. Er kunnen mogelijk twee bedden bij, maar zeker geen drie.'

172

'Dat is geen punt. Rosie kan bij Alice in bed.'

'Wat zal Miss Tissington ervan denken?'

'Miss Tissington is bij mij in dienst. Ze zal doen wat haar wordt opgedragen. Het is slechts een tijdelijke regeling.'

De kinderen was dolenthousiast over het vooruitzicht dat ze allemaal samen bij de gouvernante mochten slapen en voorzagen veel plezier, maar Emilie was er allerminst gelukkig mee. Afgezien van het ongemak dat de drie opeengepropte bedden – die amper in haar kamer pasten – veroorzaakten, maakte ze bezwaar tegen de schending van haar privacy. Daarnaast moest ze zich over het geld van Mr. Willoughby ontfermen. Stel dat de kinderen in haar afwezigheid in haar kamer gingen rondsnuffelen? Stel dat ze het vonden? Emilie wist dat het geen misdaad was om geld te bezitten, maar aan dit geld kleefde een schuldig luchtje. Ze had het al zo dikwijls op een andere plek in haar kamer verstopt dat er soms dagen waren waarop ze de hele dag overstuur was omdat ze het niet terug kon vinden. Als ze het uiteindelijk weer had getraceerd, was ze enorm opgelucht en stopte ze het geld weer op de meest voor de hand liggende geheime plek. Haar koffer.

Ze wist dat het geen zin had om met Mrs. Manningtree in discussie te treden, maar ze vond dat ze op z'n minst voor zichzelf moest opkomen, haar zegje moest doen. Waarom kon het mens haar kleedkamer bijvoorbeeld niet ontruimen? Nellie had gezegd dat die was afgeladen met kleding en dozen vol troep. Kennelijk was Mrs. M. zo iemand die nooit iets kon weggooien.

Toen het nieuwe vloerkleed arriveerde en de kamer van de kinderen werd ontruimd, ging Emilie op zoek naar Mrs. Manningtree.

'Ik vroeg me af of er geen andere kamer is waar de kinderen kunnen slapen, mevrouw. Als hun gouvernante moet ik erop wijzen dat het bijzonder storend is dat ik mijn kamer met de kinderen moet delen.'

'Dat is dan jammer voor u, juffrouw. Een beetje ongemak kan geen kwaad. En zoals ik al tegen Nellie zei, het is maar voor tijdelijk.'

'Hoelang is tijdelijk precies, mevrouw?'

'Hoe moet ik dat weten? En ik peins er niet over om de gravin te vragen hoelang ze van plan is te blijven. Ze komt helemaal uit Melbourne, ze mag zo lang blijven als ze wil. Waarschijnlijk een maand of zo. Zodra ze zich een beetje thuis voelt, is het de bedoeling dat we haar voorstellen aan plaatselijke persoonlijkheden en haar het platteland laten zien. We hebben hier werkelijk een schitterende natuur...'

Emilie was ontzet. Ze had zelf gedacht dat het om een paar dagen ging. Maar weken? Ze kon niet toestaan dat Mrs. Manningtree zó lang misbruik van haar maakte. Het was absurd. Ze hoorde zichzelf ineens iets zeggen dat Mr. Willoughby haar had voorgesteld. Het rolde gewoon van haar tong, alsof hij haar porde om stelling te nemen.

173

'In dat geval, mevrouw, zie ik mij genoodzaakt een verblijf in de stad te zoeken. Laat de kinderen maar in mijn kamer slapen. Hij is niet groot genoeg voor ons allemaal.'

Mrs. Manningtree schrok. Ze fronste, maar de frons maakte al snel plaats voor een sarcastische glimlach. 'Prima. Dat zou een oplossing kunnen zijn.' Ze begon er zienderogen meer voor te voelen. 'Sterker nog, het is een uitstekend idee. Ik zou wel een extra kamer kunnen gebruiken. Ja, zoekt u maar een onderkomen en dan bespreken we uw werktijden later wel.'

Wij bespreken dat niet, mijmerde Emilie. Dat deed haar bazin, en verrassend snel ook. Diezelfde middag nog.

Emilie werd door de week geacht te werken van acht tot zeven en in het weekend alleen op zaterdagochtend. Aangezien haar salaris inclusief kost en inwoning was, mocht ze de maaltijden met de kinderen samen gebruiken. Ze kreeg geen vergoeding voor de accommodatie die niet werd geboden. En de regeling zou niet tijdelijk zijn, zoals Emilie had verwacht, maar permanent. Ze had geen keus: ze moest nu wel een onderkomen vinden.

Kate en Nellie waren overstuur. 'Gooit ze je eruit?'

'Nee. Het was mijn idee.'

'Maar waar moet je heen?' vroeg Kate. 'Er zijn geen fatsoenlijke kamers te huur in deze stad; de aanwezige kamers zijn alleen geschikt voor mijnwerkers en allerlei andere onbetrouwbare types.'

'Ik vind wel iets,' sprak Emilie moedig. 'Maak je geen zorgen over mij. Ik ben heel goed in staat voor mezelf te zorgen.'

Maar was dat wel zo? Ze begon ongerust te worden dat ze een grote vergissing had gemaakt. Ze kon het Mr. Willoughby niet kwalijk nemen dat hij haar het idee aan de hand aan gedaan. Hij was een man, hij had niet stilgestaan bij de risico's die dames liepen in dat soort onderkomens, als ze inderdaad zo erg waren als Kate ze afschilderde. Op vrijdagavond zat ze nerveus in haar kamer en vroeg zich af wat haar te wachten stond.

Wekelijks de huur betalen zou boven haar inkomen gaan als ze niet oppaste. Maar natuurlijk was er dat geld. Zijn geld. Of haar geld? Zou hij het erg vinden als ze er een deel van gebruikte? Emilie was ervan overtuigd dat hij het geen enkel probleem zou vinden. Sterker nog, het zou hem vermoedelijk tevreden stemmen. Maar ze voelde zich er niet prettig bij. Het was echter te laat om nu terug te krabbelen, ze moest een beslissing nemen, en wel meteen.

Ze had de stad altijd bedreigend gevonden. Alsof ze niet meer dan een klein wezen, een mier of zo, was die door de straten kroop. Onbeduidend. De stad leek in geen enkel opzicht op de provinciestadjes die Emilie in haar vaderland kende, waar het leven rustig verliep en de mensen hun zaken op een beleefde manier afhandelden. Ruiters lieten hun paarden rustig stappen en voertuigen letten erop dat ze geen ergernis veroorzaakten; de ongeschreven wetten van passend gedrag in het openbaar werden strikt in acht genomen. Maar hier! Hier waren geen regels. Er was niet eens een voetpad; je riskeerde je leven wanneer je je hier op straat waagde, waar ruiters in galop voorbijsnelden, wagens met belachelijk hoge stapels wolbalen slingerend langsreden op weg naar de haven en bestuurders van sjezen en rijtuigjes leken te denken dat een brede hoofdstraat een uitnodiging was om te gaan racen.

Er waren veel meer mannen dan vrouwen in de stad, mannen die zich voor de pubs verzamelden of in groepjes rondhingen, geconcentreerd op hun eigen zaakjes, maar dat leek de vrouwen niet te deren. Die schreden vrolijk over straat, onbezorgd, en riepen hun vriendinnen zelfs met luide stem – iets wat Emilie choqueerde. Door deze praktijken had ze zich aangewend om met haar hoofd gebogen en haar gehandschoende handen krampachtig samengevouwen over straat te lopen, als een non, om te voorkomen dat ze ongewenst de aandacht trok.

En dat was ook zoiets, schreef ze aan Ruth. Niemand droeg hier handschoenen, helemaal niemand, en ze vroeg zich af of ze die zelf ook niet beter achterwege kon laten. Ze durfde Ruth zelfs te vertellen dat ze vrouwen te paard te midden van groepjes mannen had gezien, vrouwen die schrijlings op hun paard zaten en mannenbroeken en -hoeden droegen. Het was werkelijk een hele vertoning. De kinderen hadden hen eenvoudig betiteld als 'woudlopers', alsof het de normaalste zaak van de wereld was. Het gaf zo'n slecht voorbeeld.

Ruth was met afschuw vervuld geweest. Kennelijk was het kleine stadje Nanango een stuk beschaafder. Ze raadde Emilie aan om haar handschoenen gewoon te blijven dragen en, onder geen enkel beding, haar normen te verlagen, ook al bevond ze zich in de wildernis van het soort kolonisatiegebied zoals men tot dusver alleen aan Amerika had toegeschreven. Ze smeekte Emilie om erg, erg voorzichtig te zijn in haar omgang met anderen en voegde eraan toe dat, hoewel haar werkgevers heel gewoon waren, zij zich tenminste veilig kon voelen in hun huishouden. Ruth had meermalen gehoord dat er gouvernantes op afgelegen schapenboerderijen waren die onderworpen waren aan de onuitsprekelijke toenaderingspogingen van de mannelijke familieleden, waardoor ze genoodzaakt waren te vluchten en vervolgens in ernstige financiële problemen terechtkwamen.

Terwijl Emilie haastig over straat trippelde en handig uitweek voor de waren die slordig opgestapeld voor de winkels lagen alsof het een stoffige rommelmarkt betrof, rilde ze bij de gedachte aan Ruth als die zou ontdekken wie ze onderhand had leren kennen en met wie ze zelfs bevriend was geraakt: een echte misdadiger. Toen ze even later echter de New South Wales-bank betrad, besloot ze Ruth even uit haar gedachten te bannen. Ruth zou deze situatie nooit en te nimmer begrijpen. Ze zou geschokt zijn. Verbijsterd. Woedend.

Zenuwachtig liep Emilie naar de balie, waar ze beleefd knikte tegen de opgewekte kassier, een jongeman met bakkebaarden en opvallend rode lippen, en hem het geld overhandigde. Zíjn geld. Of ze nu op zichzelf ging wonen of haar kamer met de kinderen moest delen, ze moest dit geld in veiligheid brengen. Ze keek om zich heen terwijl hij begon te tellen, verwachtend dat ze ter plekke gearresteerd zou worden, maar hij wierp haar onder het tellen van de briefjes nu en dan een vriendelijke blik toe.

'Vierhonderd pond, Miss...'

'Tissington,' antwoordde ze prompt. Ze kon het geld moeilijk onder zijn naam op de bank zetten. De naam van een gezochte man. 'Emilie Tissington.'

Er werden geen vragen gesteld. Geen nieuwsgierige blikken die gisten naar de reden waarom een jongedame zo'n groot bedrag in haar bezit had, alleen een geruststellend knikje.

In de bank, die eigenlijk nauwelijks meer was dan een winkelpui, was het warm en haar gezicht liep rood aan en haar tanden klapperden toen ze het formulier ondertekende. Hij trok zich enkele minuten terug en achter haar sloot een vies ruikende man aan die stond te niezen en te hijgen, terwijl de grote wijzer van de klok aan de muur een eeuwigheid leek te doen over elke minuut. Maar toen was hij terug, nog altijd glimlachend, om haar een bankboekje te overhandigen, waarna hij over haar schouder naar de volgende klant keek en haar uitnodigde om te vertrekken.

Er was een zitplaats nabij de deur, een glimmend gepoetste bank die aan een kerkbankje deed denken, en Emilie wist het te bereiken voor haar benen het begaven. Ze zette haar duurzame zwarte handtas op haar knieën, stopte het bankboekje erin en nam er een zakdoek uit om tijd te winnen. Ze had het volbracht. Het geld stond op de bank.

Pas toen drong tot haar door wat hij tegen haar had gezegd. Dat, als ze hem oppakten, hij het geld nooit meer terug zou zien. Het alarmerende gesprek met Mr. Willoughby kwam bij stukjes en beetjes weer boven. Ze werd overvallen door een diep triest gevoel. Ze realiseerde zich dat hij geprobeerd had haar duidelijk te maken dat, wanneer hij gevangen werd genomen, hij een beestachtige behandeling kon verwachten en dat zijn overmeesteraars hem, op hun beurt, zouden beroven van alles wat ook maar enige waarde bezat.

Emilie keek naar haar glanzende leren tas. Ruth had er twee op de markt gekocht vlak voordat ze waren uitgevaren. Ze had ze niet kunnen weerstaan; ze waren zo goedkoop maar zagen er duur uit, geheel in overeenstemming met hun nieuwe rol als elegante gouvernantes. Ze dacht aan Mr. Willoughby en zijn vriendelijke, open gezicht, waarop geen spoortje te ontdekken viel van de wreedheid waarvan hij werd beschuldigd. Ze zag zijn ogen weer voor zich, grote, blauwe, onschuldige ogen, en had het gevoel dat hij bij haar was, goedkeurde wat ze deed en verheugd was dat ze zo verstandig handelde. Emilie hoopte dat het geen verbeelding was en beloofde zichzelf dat, als hij het geld ooit nodig had, zij het meteen terug zou betalen. Vooralsnog echter had zíj het dringend nodig.

Toen ze de bank verliet en het felle daglicht in wandelde, had Emilie haar weldoener in haar hart gesloten. Ze wist dat ze hem dierbaar was, zoveel was duidelijk, maar op dit moment werd ze zelf gekweld door het verlangen hem weer te zien, en dat had helemaal niets te maken met het geld. Emilie, die het al tijden zonder liefde had moeten stellen, verlangde ernaar de jongeman in haar armen te nemen en hem te troosten, voor hem te zorgen. Want wat stelden haar problemen voor vergeleken bij de zijne? Mr. Willoughby verkeerde in levensgevaar, terwijl zij jammerde om haar nietige problemen. Het werd tijd dat ze ophield medelijden met zichzelf te hebben.

Misschien had Mr. Willoughby haar wel besmet met zijn goede humeur, met zijn ongelooflijke zelfverzekerdheid, dat wist Emilie niet zeker, maar ze stapte in elk geval met nieuwe besluitvaardigheid over straat en staarde niet langer naar de stoffige grond onder haar voeten. Ze was geen verlegen meisje meer, maar een vrouw, en ergens in de rimboe was een man die van haar hield.

Emilie bloosde bij de gedachte alleen al. Het was waar. Dierbaar was een gek woord, een ouderwets eufemisme voor hetgeen ze in zijn ogen had gezien en dat ze uit verlegenheid niet goed had geïnterpreteerd. Emilie had eindelijk haar romance gevonden, weliswaar niet de romance uit haar dromen waarin ze met kloppend hart en vlinders in haar buik op haar geliefde wachtte, maar een bitterzoete liefde voor een man die zo knap was dat ze al wekenlang van hem droomde. Ze stond toe dat ze hem in haar gedachten bij zijn voornaam noemde, iets dat ze in naam van het protocol achterwege had gelaten. Hij was Mal. Haar vriend.

'Het geld op de bank is van ons, niet van mij,' fluisterde ze bij zichzelf, toen ze stilhield bij de trap van een pension. 'Ik moet het zo goed mogelijk zien te besteden. Maar één ding kan ik je wel beloven, ik verlaat deze stad niet zonder dat ik iets van je heb vernomen. Het vormt onze enige band. Moge God je zegenen en behoeden, Mal.'

Er stond een vrouw boven aan de trap.

'Komt of gaat u, juffrouw? Het lijkt wel alsof u in een trance verkeert.'

'Nee.' Emilie herstelde zich vlug. 'Ik ben op zoek naar een kamer. Bent u de eigenaresse?'

'Zeker weten. Maar ik verhuur niet aan uw soort.'

'Pardon?'

'Niet kwaad bedoeld, juffrouw. Maar ik heb genoeg aan mijn hoofd met al die zware jongens en alcoholisten zonder de aanwezigheid van vrouwen. Ik snap niet waarom u de moeite neemt me dit te vragen.'

'Het spijt me. Ik heb onderdak nodig. Misschien weet u een geschikt adres?'

'In deze stad?' De vrouw lachte. 'Waar heeft u gezeten? Ik kan u dit zeggen, juffrouw, er is in deze uithoek nergens een pension te vinden waar een jongedame als u veilig in bed zou kunnen liggen. Te veel mannen hier moeten het te lang zonder vrouw stellen. Het is beter terug te gaan naar de plek waar u vandaan komt.'

Maar Emilie had haar bruggen achter zich verbrand. Ze kon niet verdragen om naar Mrs. Manningtree te gaan en te moeten smeken of ze haar kamer terug mocht.

'Er moet toch ergens een plek zijn,' smeekte ze. 'Kunt u dan geen enkel fatsoenlijk onderkomen aanbevelen?'

De vrouw trok haar gezicht tot een grimas om het denken te ondersteunen. 'Je zou het Prince of Wales Hotel kunnen proberen. Dat is voor grote mijnheren en rijk geworden gouddelvers. Daar zou je veilig zitten, liefje, maar dat kost je een lieve duit.'

Emilie deinsde terug bij de gedachte dat ze in een hotel zou moeten wonen. 'Is er dan echt niets anders?'

De vrouw schudde haar hoofd. 'Volg mijn raad op, liefje. Waag je niet in de buurt van de pensions. Je lijkt me een aardige meid. Ga naar Mrs. Mooney van de Prince of Wales en vraag haar of ze iets voor je kan regelen.'

Er waren verscheidene problemen die een bezoek aan Mrs. Mooney van 'de Prince' met zich mee zouden brengen, waaronder haar vrees voor de verblijfskosten. Emilie wenste dat ze niet zo haastig had gehandeld. Verder zat ze met haar dorpse opvoeding. Mensen uit haar klasse kwamen niet in hotels tenzij ze onderweg waren en geen keus hadden, en dan nog niet in dit soort etablissementen. De Prince of Wales was een groot, twee verdiepingen tellend gebouw aan de hoofdstraat dat grensde aan een bar die vooral lawaaischoppers aantrok. Om het hotel te betreden zou je daar altijd langs moeten.

Terwijl ze met de moed der wanhoop de straat overstak, op weg naar de ingang van het hotel, kon Emilie de bezwaren van haar zuster bijna horen, die eiste dat ze zou omkeren voor haar reputatie werd verwoest, maar dat kon ze niet. Ze wendde haar blik van de bar af en beklom ijlings de trap naar het met tapijt bedekte portaal.

Het was er verrassend koel, en toen haar ogen zich aan het schemerlicht hadden aangepast, haastte Emilie zich door de keurige gang naar een deur met daarop het bordje 'Kantoor' en klopte bedeesd aan. Er kwam geen reactie, wat haar een goed excuus gaf om te vluchten voor het te laat was, maar juist toen ze zich omdraaide werd ze geroepen door een vrouw die verderop in de gang de trap af kwam.

'Wat kan ik voor u doen, juffrouw?'

Ze was een rondborstige vrouw en droeg een strak korset onder een eenvoudige zwarte jurk met een witte kanten kraag. Haar gezicht was hoogrood, door de wind getekend als dat van een wasvrouw, dacht Emilie, maar haar bruine haar was zorgvuldig gekapt en in glanzende krullen aan de achterkant vastgezet.

'Ik hoopte Mrs. Mooney te vinden.'

'Dat ben ik.' Ze was een kop groter dan Emilie en ze klonk oprecht, doelbewust, alsof ze geen tijd te verdoen had.

'O. Mrs. Mooney, ik ben Miss Tissington...'

'Lieve help nog aan toe! De gouvernante. De gouvernante van Violet Manningtree.'

'Ja. Ik vroeg me af of u misschien een kamer voor mij hebt. Ik zou graag een kamer huren.'

'Voor hoelang?'

'O! Nou, als vaste gast.'

'Dan kan ik u helaas niet helpen. Ik neem geen vaste gasten, begrijpt u.'

Emilie deed al een stap achteruit. Bijna opgelucht. 'Het spijt me, mevrouw. Neemt u me niet kwalijk.'

'Wacht eens even. Waarom zo'n haast? Ik dacht dat u bij hen inwoonde.'

'Ja, dat was ook zo, maar er komt een dame op bezoek...'

Mrs. Mooney lachte. 'O, wis en waarachtig, dat is ook zo. De gravin! En wat hebben Violet en Bert Manningtree daarover lopen opscheppen tegen iedereen die wou luisteren. Hebben ze u eruitgegooid?'

'Nee. Maar ze hebben de kamer nodig, zodoende heb ik voorgesteld om een ander onderkomen te zoeken.'

'Dus het is geen permanente oplossing?'

'Nou ja, eigenlijk wel. Ik dacht dat het misschien een plezierige verandering zou zijn om ergens anders te wonen, nu ik toch moet verhuizen. Een eigen plek zou kunnen vinden, begrijpt u wel.'

Emilie vond het vreselijk dat ze dit allemaal zonder enige reden moest uitleggen. Ze wenste dat de vrouw haar liet gaan.

'Maar u blijft de kinderen wel lesgeven?'

'Natuurlijk. Het zijn heel leuke kinderen.'

'Blij om dat te horen. Ik heb zelf ook gereageerd op jullie advertentie, maar die tussenfiguur vertelde dat jullie inmiddels een positie hadden aanvaard. Daar deed Violet ook al zo triomfantelijk over,' zei ze grijnzend. 'Ze was me net een slag voor, min of meer.'

Emilie trilde toen ze zich herinnerde dat zij en Ruth hadden geweigerd om in een hotel te werken, dit hotel, of voor een katholiek gezin, dit gezin. Ze was blij dat Julius Penn hun redenen niet had doorgespeeld.

'Het spijt me,' mompelde ze.

'Dat geeft niet. Het is allemaal goed gekomen. Ik heb mijn dochter naar kostschool gestuurd, zodat de nonnen een tijdje over haar kunnen waken. Niet dat mijn Marie daar zo blij mee was, maar het is beter zo.'

Er klonk luid gejuich vanuit de bar aan de andere kant van de muur en Mrs. Mooney begeleidde Emilie met zachte drang naar de voordeur.

'Ik moet nu gaan, juffrouw. Drukke dag, zaterdag. Maar komt u morgenmiddag nog maar eens terug, als alles rustig is, dan zullen we zien wat ik voor u kan doen.'

Emilie wilde bezwaar aantekenen, haar duidelijk maken dat ze geen moeite hoefde te doen, maar ze kreeg er geen woord tussen.

'Twee uur? Dan kunnen we even kletsen en kunt u me alles over uzelf vertellen.'

Ze maakte zich haastig uit de voeten en liet Emilie bij de voordeur achter. Waarom had de vrouw niet gewoon nee kunnen zeggen en het daarbij laten, in plaats van haar leven ingewikkeld te maken met allerlei zinloos geklets? Ze zuchtte. Er zat voorlopig niets anders op dan naar huis terug te keren en tegenover Kate en Nellie te bekennen dat ze nog geen succes had gehad. En de gravin zou over een week al arriveren. Maar ze zou in geen geval vertellen dat ze in dit hotel was geweest, waar ze geen vaste gasten namen en waar ze zich compleet belachelijk had gemaakt.

Al die tijd dat ze in Maryborough verbleef, had Emilie nauwelijks aandacht geschonken aan de stad zelf, voornamelijk vanwege de ruig uitziende inwoners, maar tijdens haar wandelingen met de kinderen was ze een klein beetje flinker geworden. Het leek alsof hun aanwezigheid haar een reden gaf om rond te lopen, als hun beschermelinge, waardoor ze minder snel de aandacht zou trekken. Er waren zoveel mannen in deze stad en relatief zo weinig vrouwen dat ze zich – de keren dat ze alleen op stap was geweest – een indringer in mannelijk territorium had gevoeld.

Op deze zondagochtend nam Emilie echter resoluut het besluit om haar houding te veranderen. Om niet langer zo'n muis te zijn. Het was lachwekkend, zo besefte ze, om je te willen verstoppen achter de rokken van de kinderen, want die vlogen de hele stad door. Afgezien van hun gouvernante was er niemand die zich druk maakte over hun omzwervingen en het feit dat ze met andere kinderen gingen spelen; bovendien was het duidelijk dat ze geen enkel gevaar liepen. Ze vonden het heerlijk om naar de haven te gaan en alle schepen te bekijken, zonder enige aandacht te schenken aan de vele armoedig geklede aboriginals en eilandbewoners uit de Stille Zuidzee, de zwijgende Chinese koelies, om maar te zwijgen van de groepjes blanke mannen die, blootsvoets en met een ontbloot bovenlichaam, stonden te zwoegen in de hitte. Ondanks Emilies bezwaren renden ze de pakhuizen en magazijnen in en uit, en huppelden ze het entrepot binnen om zich te verstoppen achter de enorme vaten rum en whisky tot hun beschermelinge het opgaf en op een onopvallende plek ging zitten wachten tot ze weer bij elkaar kwamen en klaar waren om verder te gaan.

Tegenover het huis van de familie Manningtree aan Lennox Road bevond zich een keurig verzorgde botanische tuin, en Emilie vond dat bijzonder interessant en sprak regelmatig met de beheerder, maar alleen de kleine Rosie wilde er met haar naartoe wandelen. De andere twee vonden het saai, en Emilie moest toegeven dat het dichtbegroeide terrein van hun eigen erf veel avontuurlijker was voor kinderen om in rond te banjeren en verstoppertje te spelen dan de keurige paadjes en jonge bomen in de botanische tuin, die was aangelegd op een perceel waar zich voorheen zaagkuilen en een indampingsfabriek bevonden.

Emilie stond bij het hek en bedacht dat ze veel liever de rustige tuinen zou bezoeken dan wederom de stad in te gaan, maar ze kon niet meer terug. Ze had het gevoel dat ze het aan Mr. Willoughby verplicht was om in Maryborough te blijven, althans voorlopig. Als ze nu wegging, zou ze het contact met hem voorgoed verliezen. En afgezien van het geld maakte ze zich zorgen over hem, over wat er van hem zou worden.

'Dus,' zei ze in zichzelf, terwijl ze richting Sussex Street liep, die haar naar de drukke Wharf Street zou leiden, 'als je hier wilt blijven wonen, wordt het tijd dat je deze stad eens uitgebreid gaat verkennen in plaats van de kinderen steeds op sleeptouw te nemen.'

Het eerste wat ze deed, bij het betreden van dit nieuwe tijdperk, was haar handschoenen uittrekken om ze vervolgens in haar handtas te stoppen.

Voor haar ontmoeting met Mrs. Mooney vanmiddag moest Emilie haar zoektocht naar een onderkomen voortzetten, en dus had ze zich voorgenomen de straten systematisch af te speuren, in de hoop ergens een kamer te kunnen huren.

Meer dan een uur later bevond ze zich aan het andere einde van Lennox Road, slechts enkele blokken verwijderd van het huis van de familie Manningtree, aan de rand van de kleine stad, zonder dat ze enige vooruitgang had geboekt. Ze had twee ramen ontdekt met bordjes waarop stond dat er kamers werden verhuurd, maar de huizen zagen er zo armetierig uit dat ze niet de moeite had genomen binnen te informeren.

Vermoeid en verhit zette ze nu haar dameshoed af en streek door

181

haar vochtige haar om verkoeling te zoeken, zonder dat het haar kon schelen dat dames als zij niet geacht werden zonder hoed in het openbaar te verschijnen. Terwijl ze de onverharde weg af liep, kwam de gedachte bij Emilie op dat ze niet langer van deze stijve, warme hoeden moest blijven dragen maar beter een shilling kon investeren in een van die gevlochten strohoeden die ze ergens in een etalage had gezien. Ze zou de platte strohoed met strik voor zondags kunnen bewaren.

Ze had geen andere keus dan Mrs. Mooney te ontmoeten en later haar werkgeefster te vragen of ze toch mocht blijven om haar kamer met de kinderen te delen. Die gedachte maakte haar zo neerslachtig dat ze begon te twijfelen of ze wel in Maryborough wilde blijven. Ze kon naar Nanango afreizen en Ruth bezoeken of rechtstreeks naar Brisbane gaan, om daar een andere betrekking te zoeken. Maar hoe moest ze Mr. Willoughby laten weten waar ze was? Ze wilde dat ze hem nog eens kon ontmoeten. Haar dilemma met hem kon bespreken. Hij zou het begrijpen.

Hoe kon iemand in vredesnaam denken dat een aardige jongeman als Mr. Willoughby andere mensen kon vermoorden? Het was allemaal te afschuwelijk om over na te denken.

Het leek rustig in het hotel, maar toen Emilie de hal betrad kwam er uit de eetzaal een stroom van gasten, voor wie ze opzij stapte om hen te laten passeren. Een aantal van hen, vrienden van het echtpaar Manningtree, herkende haar en wenste haar op vriendelijke toon goedemiddag. Emilie reageerde beleefd, maar de moed zonk haar in de schoenen omdat ze wist dat mevrouw nu binnen afzienbare tijd te horen zou krijgen dat haar gouvernante was gesignaleerd in de Prince of Wales. Even later realiseerde ze zich dat haar werkgevers – zelf zware drinkers – misschien nieuwsgierig waren, maar verder geen belang zouden hechten aan haar aanwezigheid hier.

Plotseling moest Emilie giechelen, voor het eerst in lange tijd vond ze iets grappig... Het kon niemand in deze omgekeerde wereld iets schelen dat zij een hotel binnenging... afgezien van haar zuster dan! Ruth zou diep geschokt zijn. Nu ze erover nadacht, er gebeurden in haar wereld talloze dingen die haar vreselijk zouden choqueren. Sterker nog, die haar tot woede zouden drijven.

'Daar bent u!' Mrs. Mooney stond verderop in de hal en riep haar. 'En precies op tijd, Miss Tissington. Ik houd ervan als mensen stipt zijn, maar van dat woord hebben ze in deze stad nog nooit gehoord. Hebt u al geluncht?'

'Ja, dank u wel.'

'Kopje thee?'

'Nee, dank u.'

'En hoe gaat het met Violet? Heeft ze de rode loper al uitgerold?'

Emilie schudde haar hoofd, niet wetend of de vrouw een grapje maakte of niet.

'Ze heeft er een gekocht, weet u. Ik zweer het u. Een echte rode loper om de gravin te verwelkomen. Wat vind u daar nou van?'

'Ik zou het echt niet weten, Mrs. Mooney.'

'Ach, ga toch gauw! Een jongedame als u weet heel goed dat het volkomen misplaatst is, maar u bent gewoon te beleefd om het te zeggen. Goed dan, kom mee. Ik heb me zorgen gemaakt om u. De mensen beweren dat ze de kinderen in uw kamer heeft gedumpt om plaats te maken voor de gravin en dat u daarom een andere slaapplaats zoekt.'

Terwijl ze achter Mrs. Mooney aan door de hal liep en haar door een nauwe gang volgde, probeerde Emilie de botte opmerking wat te temperen.

'Niet helemaal...' begon ze, maar Mrs. Mooney bleef ineens staan en draaide zich naar haar om.

'U hoeft haar niet in bescherming te nemen. Iedereen weet hier alles van elkaar en iedereen kent Violet. Ze is een egoïstisch kreng. U moet haar niet ongestraft haar gang laten gaan.'

Emilie verstijfde. 'Ik ben bij Mrs. Manningtree in dienst. Het is haar huis. Ik heb de plicht om gehoor te geven aan haar wensen of andere regelingen te treffen die haar goedkeuring kunnen wegdragen.'

Mrs. Mooney barstte in lachen uit. 'Wat bent u toch een lieverd. Ik geloof dat mijn Marie echt een fantastische lerares is misgelopen.'

Ze stormde een grote, lawaaierige keuken binnen waar een zestal vrouwen aan het werk was, terwijl ze Emilie praktisch achter zich aan sleurde.

'Dit hier is Miss Tissington,' schreeuwde ze boven de herrie veroorzakende potten en pannen en het luide gepraat uit. 'Ze is een Engelse gouvernante, eerste kwaliteit, dus letten jullie op je manieren als ze onze eetzaal op een dag met een bezoek vereert. Ik ben nu even weg en wil dat jullie hier allemaal om vier uur, dus voor de high tea, terug zijn, omdat we het dan druk krijgen. Vier uur, zei ik, niet een halfuur later, niet morgen. Doorwerken nu, en zet die tafels alvast goed neer, meiden, en vergeet de standaards voor de cake niet.'

Ze knikten allemaal grijnzend, kennelijk niet van hun stuk gebracht door de gebiedende toon, en de twee bezoekers snelden verder, de achterdeur uit waar ze terechtkwamen op een veranda die propvol stond met kratten, extra stoelen, lege boterdozen en kisten met zwetende groente.

'Ik wil u iets laten zien,' zei Mrs. Mooney, terwijl ze de trap aan de achterzijde afdaalden naar de plek waar een oude aboriginal stond te wachten met een pony en een tweewielige kar.

'Wilt u dat ik rijd, mevrouw?' vroeg hij.

'Nee, dank je, Toby. Er is slechts plaats voor twee, en ik neem deze juffrouw mee.'

Voor ze het wist zat Emilie naast Mrs. Mooney en reed het handige wagentje van de binnenplaats van het hotel een achtersteegje in en toen om het gebouw heen naar Kent Street. Ze lieten de grotere straten achter zich, terwijl ze een smalle landweg in sloegen die de kronkelige loop van de rivier leek te volgen, langs velden met maïs, en ondertussen vertelde Mrs. Mooney onafgebroken over haar overleden man en dat hij hier in de buurt zo graag ging vissen.

Ze sloegen de hoek om en passeerden daarbij een prachtig, twee verdiepingen tellend huis dat veel fraaier was dan alle andere huizen die Emilie in de stad had gezien. Het was zelfs geschilderd, merkte ze met een wrang lachje op.

'Wie woont daar?' vroeg ze, onder de indruk.

'Paul Dressler. Hij zit in het stadsbestuur. Hij kwam hier ooit berooid aan, samen met een groep Duitsers die Pop Hamburger had weten te strikken om het district hier te bevolken. Het is een maf verhaal. Ze verwachtten een scheepslading met immigranten uit Europa en er heerste grote opwinding in de stad; boeren, eigenaren van suikerplantages, houthakkers, schapenfokkers, ze kwamen allemaal opdagen, tegelijk met de raadsleden van de stad en de plaatselijke bewoners om hen te verwelkomen. Ze lieten zelfs een fanfarekorps komen. Het was een gewichtige gebeurtenis. Ze verwachtten tenslotte tachtig mensen van de Britse eilanden en zo'n tien mensen uit Duitsland, al dan niet met hun gezinnen. Dus het schip komt de bocht om en wordt de haven in geloodst en de band speelt en iedereen wuift alsof het Sint Patricks Day in Dublin is, en vervolgens komen er tien Duitse kerels aan land, lachend en grijnzend – nou ja, logisch niet waar? – die echter geen woord Engels spreken.

Maar iedereen keek langs hen heen. Zo van: waar blijft de rest? Toen bleek dat alle anderen, die de lange reis ontzettend zat waren... u en ik weten allebei wat het inhoudt... nou ja, hoe dan ook, ze hadden een blik op Brisbane geworpen en besloten ter plekke dat ze geen stap verder wilden zetten. Ze verlieten het schip en masse en helaas, Maryborough viste buiten de boot.

Je had het gezicht van die ouwe Hamburger moeten zien! Als een kat die zojuist een kanarie heeft verorberd! Terwijl hij de hand schudde van zijn immigranten, die ouwe trouwe Duitsers hadden zich immers aan hun belofte gehouden, lachte hij zich een ongeluk.

Dressler werkte een tijdje als houthakker, hier en op Fraser-eiland, aan de andere kant van de baai... ze vervoeren het hout per vlot stroomopwaarts naar onze zagerijen. Uw baas, Bert Manningtree, zegt dat het beste hout daar vandaan komt. Maar Dressler was van oorsprong scheepsbouwer van beroep. Hij begon met een kleine reparatiewerf in de haven, opende ook meteen een kruidenierszaak en ging naderhand ook zelf schepen bouwen. Hij keek nooit achterom. Hij verdient nog steeds geld als water... maar goed, we zijn er.'

Het land achter het huis van de familie Dressler reikte tot aan de rivier en dus liep het zandweggetje waarop ze reden hier dood en werden ze geconfronteerd met dicht struikgewas.

'Waar?' voelde Emilie zich genoodzaakt te vragen toen ze uitstapten en Mrs. Mooney de pony vastbond.

'Deze kant op,' antwoordde ze. 'Zie je dit hek? Dressler bezit al dit land, behalve de duizend vierkante meter ginds onderaan bij de rivier. Het was de favoriete visstek van mijn Paddy en hij was erg uit zijn hum toen Dressler al het land eromheen kocht, maar Paul is geen beroerde vent. Hij en Paddy tosten erom wie het stukje land mocht hebben en Paddy won.'

Ze deed het hek open en ze liepen een kort, begroeid pad af naar de achterkant van een – ongeschilderd – vakantiehuisje.

'Paddy noemde het altijd zijn vissershut,' zei ze lachend. 'Achterstevoren, nietwaar?'

'Zo lijkt het wel,' moest Emilie toegeven.

'Dat komt omdat hij zijn kleine veranda liever aan de voorzijde had, zodat hij uitkeek op de rivier, snap je?' Ze draaide de deur van het slot en ze betraden het kleine huisje met slechts twee kamers, maar Emilie had nauwelijks oog voor het interieur, omdat praktisch de gehele voorkant bestond uit hoge ramen, die uitzicht boden op de mangroven met daarachter de rivier.

'O,' sprak ze verbaasd. 'Wat een prachtig uitzicht!'

'Het fraaiste dat je hier in de buurt zult aantreffen. Het huis is ook niet slecht. Ik kom hier nooit meer, vanwege mijn drukke werkzaamheden, maar ik laat het door de meiden keurig onderhouden.'

Emilie keek om zich heen. De vloerplanken waren ongepolijst maar bedekt met fraaie, grote kleden.

'Die vloerkleden komen uit India.' Mrs. Mooney lachte weemoedig. 'Vergeet niet dat mijn Paddy, God hebbe zijn ziel, dit huisje zelf heeft ingericht met allerlei dingen die hij hier en daar kocht...'

Emilie zag de pijn in haar ogen, terwijl ze over haar wijlen echtgenoot sprak, en voelde dat ze de vrouw benijdde om die ervaring, om die trouwe liefde, vooral sinds ze gedoemd leek het leven van een oude vrijster te leiden, ergens in een achterkamertje van het huis waar ze werkte zonder enig uitzicht op een normaal sociaal leven.

Maar Mrs. Mooney was nog niet klaar met haar uitleg. 'Hij kocht de noodzakelijke spullen, zoals een tafel en stoelen, een comfortabele bank en in die kamer een goed bed. Maar hij wilde bijvoorbeeld beslist geen gordijnen. Heb je ooit zoiets gehoord? Hij beweerde dat ze het uitzicht zouden bederven.'

'Eigenlijk is dat ook zo,' zei Emilie, en Mrs. Mooney straalde.

'Vindt u dat echt?'

Ze opende de twee deuren die breed genoeg waren om hen toegang te verschaffen tot de veranda, waar een aantal versleten canvas stoelen loom en uitgezakt in de zon stond. 'Is dit niet ronduit heerlijk?'

'Absoluut, Mrs. Mooney. Zeer rustgevend.' Een ruw pad heuvelafwaarts leidde naar de rand van het water, waar een modderige oever aangaf dat de mangroven waren verwijderd om rechtstreeks toegang tot de rivier en een kleine steiger te bieden.

Paddy's vissershut was werkelijk een schitterend plekje, zeker met de rode namiddaggloed op de rivier en het geschetter van kleine bonte papegaaien die in naburige bomen druk in de weer waren, en Emilie begon zich af te vragen hoever ze zich van de stad bevonden. Van het huis van de familie Manningtree aan Lennox Road. Ze was haar gevoel voor oriëntatie onderweg, over al die landweggetjes, kwijtgeraakt.

'De keuken is hier aan de zijkant,' zei Mrs. Mooney. 'Bij de watertank.'

Diep in gedachten verzonken, bestudeerde Emilie de steile helling naar de rivier.

'Ik was van plan dit huisje te verhuren, totdat ik een koper heb,' bood Mrs. Mooney aan.

'Hebt u me daarom hier mee naartoe genomen?'

'Ik wilde alleen dat u het zou bekijken. Erover na zou denken. Zonder enige verplichting.'

'Waar zijn we, Mrs. Mooney?'

'Niet al te ver van de stad. Bent u een wandelaar?'

'Thuis liepen we heel veel. Hier doe ik het veel minder. Alleen de stad in met de kinderen en weer terug. En zondag hebben we een heerlijke wandeling gemaakt, van zo'n vijftien kilometer, door de velden en het bos...'

'Mijn hemel, vijftien kilometer vanaf hier zou u in de bush doen belanden en dan zouden we u wellicht nooit weer zien. Vanaf de achterdeur hier, wat eigenlijk de voorkant is, steek je het erf van Dressler over, voorbij het huis naar de andere kant van het weggetje, vervolgens dwars door het park en vandaar naar Lennox Road.'

'Is dat alles?'

'Nou ja, ik ben via Kent Street en langs de rivier gegaan, zodat u een idee zou krijgen, maar ik geloof dat het enkel verwarrend is geweest.'

Emilie lachte. 'Dat kunt u wel zeggen. Ik dacht dat ik kilometers van de stad was verwijderd.'

'Dan zal ik terug de verkorte route nemen, zodat u het met eigen ogen kunt zien.'

Toen ze het huis hadden verlaten, deed Mrs. Mooney de deur op slot en keek droefgeestig om zich heen, alsof ze dit tafereel voor het laatst zag. Emilie had medelijden met haar.

'Hebt u het echt te druk om hier te komen, Mrs. Mooney, of roept het huis te veel verdrietige herinneringen op?'

De Ierse knikte. 'Dat en meer. Paddy en ik kwamen hier altijd samen, om even van het geklep en de beslommeringen in de pub af te zijn. In een pub word je geleefd, want hoe prachtig je het ook vindt, er is altijd wel iets – dag en nacht. Hij ging hier dan vissen en ik kwam later; we konden hier avond na avond in alle rust zitten en onszelf zijn. Alleen Paddy en ik met onze gedachten en herinneringen, en dan hadden we het over onze families thuis...' Ze zuchtte en dwong zichzelf in het heden terug te keren. 'Dat behoort nu allemaal tot het verleden. Ik heb het razend druk, verzet werk voor twee om het hotel draaiende en op peil te houden, dus het wordt tijd om dit los te laten. Ik dacht aan u en dat u het huisje misschien graag even zou willen zien.'

'En het huren?'

'Dat is aan u, Miss Tissington. Het kwam zo in me op. Ik weet dat u gewend bent aan riantere woonruimte...'

Toen ze naar het hek liepen stak Emilie haar arm door die van de oudere vrouw. 'Ik zou het enig vinden een eigen huisje te hebben. Het is erg moeilijk voor mij om in het huis van iemand anders te moeten wonen. Hoe meer ik erover nadenk, Mrs. Mooney, hoe meer ik besef dat ik niet geknipt ben als inwonende gouvernante, hoewel mijn zuster het ongetwijfeld niet met me eens zou zijn. Zij kan er uitstekend mee omgaan, maar ik voel me beknot.' Plotseling hoorde Emilie dat ze haar hart uitstortte bij een vrouw die ze amper kende. Ze waren inmiddels bij het hek en de pony met de kar waren in zicht, maar Mrs. Mooney maakte geen aanstalten om te vertrekken. Ze bleef eenvoudig staan en luisterde.

'Dit is geen kritiek op Mrs. Manningtree,' legde Emilie uit. 'Het is alleen zo dat ik, toen mijn moeder stierf en mijn stiefmoeder later bij ons introk, datzelfde gevoel heb ervaren. Het was alsof ik nergens meer thuishoorde. Ik veronderstel dat ik geen reden heb tot klagen...'

'Dat is geen kwestie van klagen,' sprak Mrs. Mooney vastberaden. 'Daar heeft het niets mee te maken. Het probleem is dat je de macht over je eigen leven kwijt bent. Ik zie het aan je ogen. Je bent een intelligente meid met een onderdrukte blik in de ogen. Je verontschuldigend voor het feit dat je leeft. Je hebt zeker moeilijke tijden gekend, of niet?'

Emilie knikte en dacht aan hun ellendige tijd in Londen. De vochtige kamer, de kou en de honger, terwijl ze zich veel flinker voordeden dan ze eigenlijk waren.

'Nou, het enige dat ik ervan kan zeggen, meisje, is dat je je iets harder moet opstellen in deze wereld. Ik weet dat je anders bent grootgebracht dan ik en de harde klappen pas later hebt gekregen, terwijl wij als kinderen te lijden hadden – we gingen zelden naar school – maar uiteindelijk komt het op hetzelfde neer. Je moet voet bij stuk houden. Opgroeien volgens de harde methode, noemen ze dat.'

Ze duwde het hek open en keek achterom. 'Dus de vraag ligt er. Nu je het huisje hebt gezien. Ik vroeg me af of je het wilt huren totdat ik besluit het te verkopen. Geen enkele verplichting. Ik zou niet gekwetst zijn als je het aanbod afsloeg of als je te nerveus bent om alleen te wonen. Niet dat je je zorgen hoeft te maken. De familie Dressler woont op de heuvel...'

Mrs. Mooney besefte niet dat de enige reden die Emilie er nog van weerhield om deze geweldige kans om een eigen huisje te betrekken lag in de altijd aanwezige zorg omtrent fatsoen. Ze was bang dat een ongetrouwde jonge vrouw die alleen woonde praatjes zou losmaken, en het kostte haar veel moeite om deze specifieke reden onder woorden te brengen, omdat ze tevens bang was Mrs. Mooney te beledigen.

'Fatsoenlijk?' riep de Ierse uit. 'Mijn lieve kind, ik zou je het huis niet hebben aangeboden als ik van mening was dat het je reputatie zou schaden. In dit soort steden geldt dat je moet nemen wat je kunt krijgen. De mensen begrijpen dat. Fatsoen speelt uiteraard een rol, maar overleven staat voorop. Je weet niet echt veel over de Australische bush, of wel?'

'Nee,' antwoordde Emilie gedwee.

'Het zou je goed doen eens te zien hoe de vrouwen in het binnenland, niet ver hiervandaan, leven. Voorlopig bepaal je echter je eigen normen en waarden...'

'Dus u denkt dat het wel kan?'

'Absoluut. Maar het is jouw beslissing. Als het je niet lekker zit...'

Emilie haalde een keer diep adem. 'Ik zou hier met alle plezier willen wonen, Mrs. Mooney.'

'Mooi, dan hebben we een geslaagde middag achter de rug, of niet soms? We gaan terug naar het hotel en drinken daar nog even een kopje thee.'

Emilie rende praktisch de oprijlaan op, zo graag wilde ze Kate haar nieuwtje vertellen, maar ze had amper een voet in de keuken gezet of Kate had al een vraag op haar afgevuurd: 'Ben je in het Prince of Wales Hotel geweest?'

'Ja. Hoe wist je dat?'

'Mevrouw heeft het vernomen van een van haar vriendinnen. Ze werd er nerveus van. Ze vroeg ons wat je daar deed en ik zei dat ik geen flauw idee had. Ze denkt dat je op zoek was naar een baantje daar.'

'Wat voor baantje? De dochter van Mrs. Mooney zit op kostschool.'

'Dat weet ze, maar ze meent dat ze Molly Mooney destijds te snel af was toen ze jou als gouvernante inhuurde, en dat Molly nu toch stiekem probeert jou te strikken, zodat haar dochter naar huis kan komen...'

'Wat een onzin. Ik was daar om een kamer te zoeken.'

'Dat zal je een lieve duit kosten!'

'Dat weet ik, ik begreep de hotelregels niet helemaal.'

Kate legde een hand op haar heup en lachte breeduit. 'Hoe dan ook, je hebt mevrouw de bibbers gegeven. Ze wil je niet kwijt aan Molly. Dus een tijdje terug kwam ze hier en heeft die envelop daar voor je achtergelaten.' De kokkin gaf Emilie een ferme klap op haar rug. 'Volgens mij krijg je eindelijk salaris!'

De gouvernante zou de envelop liever in de beslotenheid van haar eigen kamer hebben geopend, maar Kate, die nog steeds kraaide van vreugde, stond verwachtingsvol toe te kijken.

Emilie trof elf pond en vijftien shilling aan in de envelop en nam aan dat het een deel van haar jaarsalaris was, met aftrek van de vijf shilling voorschot, aangezien haar werkgeefster niet het fatsoen had gehad om uitleg bij het geld te geven.

'Goeie genade,' zei ze glimlachend. 'Het regent nooit, het giet.'

'Wat bedoel je?'

Emilie herstelde zich vlug, boos op zichzelf omdat ze bijna een opmerking maakte over het geld van Mr. Willoughby. Het geld van Mal.

'Ik bedoel, ik heb een eigen onderkomen gevonden. Een huis. Ik zal jullie er dadelijk meer over vertellen. Ik moet me eerst omkleden voor het eten.'

Hoofdstuk 7

Door het gezelschap van Mrs. Stanfield senior, die ze beschouwde als een charmante, beschaafde vrouw, voelde Ruth zich langzamerhand een stuk beter. Haar eetlust was terug, ze genoot van haar wandelingen en verkeerde in een opperbeste stemming. Het was tijd weer aan het werk te gaan; de meisjes hadden al die weken vakantie gehouden, dus moest er heel wat ingehaald worden.

Zoals gepast meldde Ruth zich bij Mrs. Stanfield, die ze nog altijd geen Leonie kon noemen, om haar te informeren dat ze de lessen weer wilde oppakken.

'O, Miss Tissington, ik ben zo blij dat u beter bent. We maakten ons ernstige zorgen om u, die koorts is zo hardnekkig. Maar u hebt zich er met vlag en wimpel doorheen geslagen.'

'Ik ben u erg dankbaar, Mrs. Stanfield, en kan me slechts verontschuldigen voor het feit dat ik u tot last ben geweest, maar de gedwongen rustperiode heeft me wel de tijd gegeven om ons leerplan nog eens in overweging te nemen.'

'Aha, ja. Daar wilde ik het ook met u over hebben.'

'Uitstekend. Ik denk dat de meisjes gebaat zouden zijn bij een zekere basiskennis van het Grieks en het Latijn, die hen zou helpen bij de spelling en het begrijpen van allerlei woorden. Ik zou zelf het een en ander kunnen opschrijven, maar het zou veel handiger zijn als we leerboeken hadden. Het zijn maar dunne boekjes en ik zou het erg waarderen als u die zou willen bestellen. Het gedrukte woord, weet u... dat legt toch meer gewicht in de schaal dan mijn...'

'Neem me niet kwalijk, Ruth, een moment. Ik zei inderdaad dat ik de opleiding van de kinderen met je wilde bespreken. Ik wilde wachten tot je weer helemaal beter was.'

'Maar natuurlijk. Wat stelt u voor?'

Mrs. Stanfield kwam enigszins nerveus over. 'Loop maar even mee naar de zitkamer, Ruth, hier in de hal kunnen we niet praten.'

Dit stemde de gouvernante tevreden. Het was inderdaad nodig dat ze eens uitgebreid van gedachten wisselden over de opvoeding van Jane en Jessie. Dat had al veel eerder moeten gebeuren. Ze moest Mrs. Stanfield duidelijk maken dat de meisjes voor hun leeftijd niet het gewenste niveau hadden bereikt. Ze moesten er vanaf nu echt hard aan gaan werken. Geen excuses meer.

Toen ze eenmaal zaten, haalde Mrs. Stanfield een keer diep adem. 'Ruth, ik moet even zeggen dat we allemaal erg onder de indruk zijn van jou. Jacks moeder zegt dat we ons zeer gelukkig mogen prijzen dat iemand met jouw kwaliteiten bereid is helemaal hiernaartoe te komen...'

Ruth gloeide van trots. 'Dank u.'

'Maar het werkt eenvoudig niet.'

'Pardon?' Ruth verstijfde.

'Om een lang verhaal kort te houden, Ruth, we hebben besloten de meisjes naar kostschool te sturen. Je hebt je uiterste best gedaan en ik heb geprobeerd ze in het gareel te brengen – God weet dat het nodig is – maar ze werken niet mee. Op een kostschool...'

Ruth onderbrak haar. 'Begrijp ik het goed dat u niet langer gebruik wilt maken van mijn diensten, Mrs. Stanfield?'

'Ruth, je moet begrijpen dat ze meer discipline vereisen. We waren bijzonder in verlegenheid gebracht toen Jacks moeder hen donderstenen noemde.'

'Dat is niet mijn schuld...'

'Natuurlijk niet. Maar begrijp je dan niet...'

'Wanneer verwacht u dat ik vertrek?'

'O, Ruth, dat heeft geen haast. We zullen je uitstekende referenties meegeven en een extraatje naast je salaris...'

'Ik heb geen behoefte aan liefdadigheid.'

'We beschouwen dat soort zaken niet als liefdadigheid, Ruth. Het is niet meer dan erkenning voor je toegewijde werk. Op een dag zal het Jane en Jessie spijten dat ze afscheid moesten nemen van een lerares als jij.'

'Ik betwijfel het, Mrs. Stanfield. Als u me nu wilt excuseren, dan ga ik pakken. Morgenochtend sta ik klaar om te vertrekken.'

'Je mag gerust blijven totdat je een andere betrekking hebt gevonden.'

'Zoals ik al zei, ik accepteer geen liefdadigheid. Ik keer, zodra er gelegenheid is, terug naar Brisbane. Welnu... als u me zou willen verontschuldigen...'

Met alle waardigheid die ze wist op te brengen – wat veel moeite kostte nu haar hoofd tolde en ze zich weer zwak voelde – stormde Ruth de kamer uit. Ze was ontslagen! Ze wilde niet erkennen, kon niet bij zichzelf toegeven dat het echtpaar Stanfield mogelijk de juiste beslissing had genomen, dat zij niet de juiste lerares was voor hun dwaze dochters. Ze gaf hun de schuld, omdat ze haar niet de steun hadden gegeven die ze nodig had gehad om de deugnieten te temmen. Om ze te laten werken. De vernedering van haar armoede in Londen verbleekte in vergelijking met deze belediging. Hoe durfden die koloniale snobs, die ongemanierde boerenkinkels haar de laan uit te sturen? En haar leerlingen weg te sturen naar een of andere halfbakken kostschool... ze had niet de moeite genomen om te vragen naar welke... geleid door vrouwen van wie praktisch niemand een fatsoenlijke opleiding had genoten.

Binnen twee dagen had de gouvernante Lindsay Station achter zich gelaten, zonder één keer vluchtig achterom te kijken en ondanks de smeekbedes om wat langer te blijven. Ze was onderweg naar Brisbane, alleen omdat ze niet wist waar ze anders heen moest. Wat benijdde ze Emilie, die het zo goed voor elkaar had bij de familie Manningtree in die noordelijke stad en die lesgaf aan drie prachtkinderen. Maar ze mocht Emilie niet verontrusten. Het was puur een kwestie van halsstarrig doorzetten. Ze zou ongetwijfeld een andere betrekking vinden. Ze had nu tenminste ook plaatselijke referenties. Dat was in elk geval iets.

Mrs. Medlow was verbaasd om de oudere Miss Tissington weer op de stoep te zien staan, maar ze kreeg geen uitleg. De jongedame, die net zo gereserveerd was als voorheen, nam een eenpersoonskamer aan de achterkant van het huis en liet duidelijk weten dat ze graag in haar eentje wilde dineren. Ze wenste geen tafel te delen met andere pensiongasten.

Hoofdinspecteur Jasper Kemp en zijn vrouw hadden pension Belleview inmiddels verlaten. Niet dat het Ruth was opgevallen. Mrs. Kemp was bijzonder ingenomen met het nieuwe huis aan Wickham Terrace, hun 'residentie', zoals ze het noemde, en had het erg druk zich in het sociale leven te profileren.

Jasper daarentegen vroeg zich af of hij te veel hooi op zijn vork had genomen. Hoewel politici een groot woord hadden dat recht en orde de hoogste prioriteit hadden in de nieuwe staat Queensland, om indruk te maken op de kiezers en de kritische pers de wind uit de zeilen te nemen, waren de heren in de ministersbanken erg traag met het toekennen van middelen, die hard nodig waren om een betrouwbare politiemacht te organiseren. Het had Jasper niet veel tijd gekost om zich te realiseren hoe enorm deze taak feitelijk was en dat de premier de hele inhoud van de schatkist kon besteden aan een programma om recht en orde te brengen, maar dat het niet meer dan een druppel op een gloeiende plaat zou blijken te zijn.

Tot hij zich daadwerkelijk met het probleem geconfronteerd zag, had Jasper niet begrepen hoe onmetelijk deze staat eigenlijk was. Er lag meer dan vijftienhonderd kilometer tussen de hoofdstad Brisbane en de kleine nederzetting Somerset bij Kaap York, waarvan het grootste deel nimmer was verkend. Geen wonder dat zich daar overal struikrovers schuilhielden. Zij vormden op dit moment echter een minder belangrijk probleem voor Jasper.

'Hoe kan ik de politie in vredesnaam goed organiseren als de steden worden overspoeld met ontelbare goudzoekers en immigranten?

Het is verdomd moeilijk om de ware omvang van de vaste bevolking hier vast te stellen.'

Daniel Bowles, de secretaris van de procureur-generaal, voelde met hem mee.

'Ik begrijp het volkomen, meneer. Mijn minister wordt voortdurend lastiggevallen met de eisen van schapenfokkers in het westen en noorden om troepen te sturen die hen kunnen beschermen tegen de aanvallen van groepen aboriginals, en dat in een tijd waarin we de soldaten geleidelijk proberen te vervangen door politieagenten.'

'Hen beschermen?' mompelde Kemp. 'Uit wat ik heb gelezen, is daar een complete oorlog over grondbezit aan de gang. Geen van beide partijen die een centimeter toegeeft. Waarom kunnen ze geen vredesbijeenkomst met de zwarten beleggen? Alles rustig bepraten en een wapenstilstand afkondigen?'

Daniel schoof onrustig heen en weer op zijn stoel. Dit was niet de reden waarom Mr. Lilley hem had gestuurd. Hij moest een belangrijke boodschap overbrengen. Daniel was een pragmaticus. Hij meende dat de zaken waarover Mr. Kemp klaagde zich op den duur vanzelf zouden oplossen. Als er mensen waren die naar dat soort afgelegen plekken wilden trekken om beroofd of vermoord te worden, hadden ze dat puur aan zichzelf te wijten. Dan moesten ze niet bij de regering komen smeken om hulp.

'Vraag uw baas dit eens,' zei Kemp. 'Als de regering bezig is de soldaten geleidelijk te laten afvloeien, waarom kunnen de middelen daarvoor dan niet worden overgeheveld naar de politie?'

Daniel lachte hautain. 'U begrijpt het niet, hoofdinspecteur. De regering kan het zich eenvoudig niet veroorloven om voor militaire aanwezigheid te zorgen. Het budget staat niet langer toe dat er meer dan een symbolisch leger in stand wordt gehouden en, uiteraard, onze marine.'

'Onze wat?' Kemp ontplofte bijna.

'Onze marine, meneer. We hebben een onmetelijke kust. Die moet worden verdedigd. Onze premier heeft inmiddels twee schepen vaarklaar laten maken en er zullen er meer volgen. Het is best iets om trots op te zijn, vindt u ook niet?'

'Larie! Wie zal ons in godsnaam aanvallen? Marsmannetjes?'

'Wij in het Huis van Afgevaardigden bekijken de zaak op wereldwijd niveau.'

'Juist. En ondertussen is er geen geld beschikbaar voor de minimale beheersing van criminaliteit in onze steden. De misdaadcijfers in Brisbane alleen al zijn schrikbarend.'

'Alleen in de armere voorsteden, Mr. Kemp. De kranten blazen het onevenredig op. Als u mij toestaat, zou ik nu graag een kwestie bespreken die Mr. Lilley grote zorgen baart.'

'Eén kwestie? Ik zou denken dat hij zonder veel moeite een hele rits kwesties uit zijn mouw kan schudden.'

'Maar natuurlijk.' Daniel beschouwde deze man als een voortijdig gepromoveerde brigadier, totaal ongeschikt voor de positie waarvoor Mr. Lilley hem had aangesteld. Er waren talloze andere heren in Brisbane die de functie beter hadden kunnen vervullen zonder zoveel ophef te veroorzaken. Kemp begreep de politieke situatie domweg niet. Om aan het bewind te blijven, moest de regering de juiste mensen zoet weten te houden: dat wilde zeggen de mensen met geld die betere havenfaciliteiten eisten, betere en veiliger wegen, betere ziekenhuizen en alle andere voorzieningen die nodig waren als een stad in een wereldstad veranderde. En ja, een eigen staatsmarine. Daniel was een groot voorstander van een eigen marine voor Queensland, zoals de Britse traditie vereiste. Hij zag zich zelfs in de toekomst nog wel eens minister van Marinezaken worden.

Hij had de onbezonnen rapportages van Mr. Kemp naar de achtergrond verwezen en Mr. Lilley voorzien van zijn eigen versie van de inhoud, wat bij de minister enkel ergernis had veroorzaakt en daardoor geen gevolgen had voor het budget. Er waren maar weinig mensen, zo peinsde Daniel wel eens, die beseften hoe groot de macht van een ambtenaar eigenlijk was, zonder dat deze zijn stem ook maar één keer hoefde verheffen.

Kemps klachten en voorstellen waren eindeloos.

'Als de regering geoefende soldaten de deur wijst en hen werkloos maakt, terwijl werkloosheid hier sowieso een groot probleem is, waarom kunnen ze dan niet worden overgeplaatst naar de politiemacht? Ze beheersen het vak immers al. Ze zouden buitengewoon nuttig kunnen zijn voor mij.'

'Goeie genade. Britse militairen staan in hoog aanzien. De meesten van hen zullen naar huis terugkeren of naar India vertrekken, men kan moeilijk verwachten dat ze zich vernederen om...'

'Ik vroeg u niet om uw mening, Mr. Bowles. Ik vraag of uw baas de suggestie in overweging wil nemen. Het is heel goed mogelijk dat er jongens zijn, officieren zelfs, die de kans om in dit land te blijven met beide handen aangrijpen.'

Weer zo'n verzoek dat in de archieven zal belanden, dacht Daniel glimlachend.

'Zoals u wenst, hoofdinspecteur. Dan nu de zaak waarmee ik ben belast. Mijn minister – en ik moet erbij zeggen, veel van zijn aanhangers – is verbolgen over de moorden en de goudroof in de buurt van de haven van Maryborough. De roofoverval heeft de overvallers, zoals u wellicht weet, niet veel opgeleverd, althans het is niet te vergelijken met de hoeveelheden die zijn gestolen op grotere goudvelden dan die in Gympie, maar het vermoeden leeft dat de velden van Charters Towers wel een gigantische goudopbrengst zullen voortbrengen. Er wordt nu al beweerd dat de stormloop die op Ballarat zal overschaduwen. En zelfs die in Zuid-Afrika. Syndicaten waarin enkele van de machtigste mannen in het land zich hebben verenigd, hebben zich nu al laten inschrijven. Ze willen zeker weten dat het goud dat vanaf de velden vervoerd moet worden veilig zal overkomen.'

'Juist ja,' reageerde Kemp afgemeten, met een woedende blik op zijn gezicht.

'Kortom, de procureur-generaal wil dat er iets aan die roofoverval wordt gedaan.'

'Niet aan de moorden, alleen aan de overval?'

'Nou ja, daaraan ook. Uiteraard.'

'Ik ben goed op de hoogte van die overval. De brigadier die het onderzoek leidt, Pollock heet hij, is – voor zover ik kan beoordelen – een bekwaam man.' Hij fronste naar Bowles. 'Een van de weinigen die ik tot mijn beschikking heb, totdat ik in de gelegenheid word gesteld meer jongens op te leiden. Zodra daarvoor geld vrijkomt.'

'Wellicht is hij bekwaam, maar mijn baas is bezorgd dat hij weinig vooruitgang boekt in deze afschuwelijke misdaad. Hij heeft een van de misdadigers laten ontsnappen en van hem is sindsdien niets meer vernomen, evenmin als van zijn handlangers of het gestolen goud. De kwestie brengt de regering zo langzamerhand in verlegenheid en baart voornoemde syndicaten grote zorgen. We hebben investeerders nodig, niet alleen uit dit land maar ook uit het buitenland. Zij zullen niet investeren als ze de indruk krijgen dat we hier worden overvleugeld door bandieten. Dat er een situatie is ontstaan waarin we geen garanties kunnen bieden dat het goud de beschaafde wereld inderdaad veilig zal bereiken.'

'Bent u eindelijk klaar, Mr. Bowles?'

'Ik probeerde de situatie alleen even te schetsen, meneer.'

'Dat zegt u. Maar ik heb uw uitleg niet nodig. Ik ben me zeer goed bewust van de situatie waaraan u refereert, en van de sterk overdreven implicaties. In mijn ervaring met de goudvelden is het zo dat investeerders niet weten hoe snel ze hun contanten in de levensvatbare goudvelden van dit land moeten storten. Ze zouden nog investeren in een veld op de bodem van de oceaan, als daar goud zou blijken te liggen, ongeacht hoe het in veiligheid zou moeten worden gebracht. In de wetenschap dat het goud toch al aan de banken is verkocht, die precies met dat doel kantoor houden op de goudvelden zelf. Mij hoeft u niets wijs te maken, Mr. Bowles. De enige verliezer in deze is de regering. Maar ik werk voor die regering en het is mijn taak om een eind te maken aan dit soort brute overvallen. En dat is exact wat ik probeer na te streven.'

Daniel was onverstoorbaar; niets wat deze politieman had te melden, was van enige invloed op de man die persoonlijk voor de zetel van de macht werkte.

'Dat geloof ik zeker, hoofdinspecteur. Maar deze misdadigers moeten gevangengenomen worden. Om een voorbeeld te stellen. Om te laten zien dat de regering haar voornemen om een eind te maken aan struikroverij zeer ernstig opvat, en welk incident zou zich daar beter voor lenen dan dit? Het heeft bijzonder veel aandacht gekregen in de pers.'

'Dank u, Mr. Bowles.' Kemp zond hem op een onvriendelijke manier heen, vond Daniel, en zat zelfs alweer met zijn hoofd in de dossiers. 'Zeg maar tegen uw minister dat ik zijn belangstelling waardeer.'

'Dat zal ik doen, hoofdinspecteur. Het zal Mr. Lilley gunstig stemmen, omdat het kabinet heeft besloten dat het heel doeltreffend zou zijn als het de kranten kon informeren dat u de leiding van het onderzoek persoonlijk op u neemt.'

Kemp knikte. 'Prima. Ik zal het nauwlettend in de gaten houden.'

'Nee. Ze verwachten meer dan dat. U wordt verzocht zelf naar Maryborough af te reizen en de touwtjes daar in handen te nemen. Op die manier wordt duidelijk dat de regering deze zaak uiterst serieus neemt.'

Daniel stond op en keek Kemp aan, die achter zijn nogal armzalige bureau zat, veel kleiner dan dat van Daniel in het parlementsgebouw.

'U wordt geacht meteen te vertrekken, meneer,' verkondigde hij, en maakte ten afscheid een zwierig gebaar.

Nu hij in zulke illustere kringen verkeerde – de premier had hem gisteren zowaar bij zijn voornaam genoemd – besloot Daniel dat hij een passender adres moest gaan zoeken. Kostganger zijn bij de familie Timmons schikte hem in de periode dat hij slechts kantoorbediende in staatsdienst was, maar sinds zijn promotie tot secretaris van een minister was het niet meer toereikend.

Helaas en dwaas genoeg, zo realiseerde hij zich nu, had zich een nogal hartstochtelijke relatie ontwikkeld tussen hem en Joan, de dochter van het echtpaar Timmons, en alles wees erop dat de familie binnen afzienbare tijd een verloving verwachtte, wat een bijkomende reden was om zich snel uit hun greep los te maken. Joan was een gemak voor hem geweest, meer niet, een aantrekkelijk meisje, welderig en welwillend. En het was juist die bereidwilligheid, zo hield hij zichzelf voor, terwijl hij zich voorbereidde om aan de horizon te verdwijnen, die het meisje als een slet had gebrandmerkt. Het maakte haar ongeschikt om te trouwen met een man van zijn kaliber. Daniel was ambitieus. Hij leerde snel hoe het politieke strijdperk in elkaar zat. Mogelijk werd hij op een dag zelf parlementslid. En in die wereld was geen plaats voor iemand als Joan Timmons.

Hij regisseerde zijn vertrek heel zorgvuldig, verkondigend dat hij binnenkort met de minister van Huisvesting een aantal staten zou bezoeken, in de wetenschap dat parlementaire zaken een groot mysterie vormden voor deze ontvankelijke mensen. Op zijn laatste dag betaalde hij de huur. En de avond voor zijn vertrek bleef hij tot laat weg, in de hoop het meisje te ontwijken, maar ze kwam toch bij hem aan- kloppen, zonder acht te slaan op het tijdstip.

Daniel, die deed alsof hij sliep, liet haar kloppen, wetend dat ze niet al te veel lawaai durfde te maken, uit angst dat ze haar ouders zou wekken. De volgende ochtend was het allemaal een stuk gemak- kelijker en liet hij haar in de hal zijn haar gladstrijken, zijn nieuwe bruine pak borstelen en zijn vlinderdas strikken terwijl ze elkaar lieve woordjes toefluisterden. Hij beloofde haar te zullen schrijven, om zo spoedig mogelijk weer 'thuis' te komen, en hij accepteerde haar af- scheidscadeautje in de vorm van goedkope manchetknopen met een vluchtige kus op haar wang.

Daarop verliet hij het sombere huis naast de stinkende slagerij en doorkruiste de stad. Hij had gehoord dat Kemp en zijn vrouw een tijdlang in pension Belleview nabij de botanische tuin, aan de goede kant van de stad, hadden gelogeerd en besloten dat als het goed ge- noeg was voor een hoofdinspecteur van politie, het goed genoeg voor hem zou zijn. Men had een goed adres nodig om de juiste mensen te ontmoeten en vooruit te komen in het leven.

Mr. Bowles was net op tijd voor het avondeten, en aangezien de eetzaal vol zat, werd hem een plek gewezen aan een tafeltje met ene Miss Tissington, die deze inbreuk op haar privacy duidelijk niet kon waarderen. Maar ze was een welgemanierde jongedame en aanvaard- de zijn gezelschap met een koninklijk knikje en de woorden: 'Goe- denavond, Mr. Bowles.'

Hij bestudeerde haar tijdens de soep, en wat hij zag, stond hem bij- zonder aan: hij schatte dat ze halverwege de twintig was en Engels. Ze had lichtbruin haar en een vriendelijk, smal gezicht, zoals ze voor de rest ook heel smal was. Hoewel eenvoudig, waren haar kleren van goede kwaliteit en het herinnerde hem eraan dat zijn bruine pak in vergelijking met haar marineblauwe kleding er bedroevend uitzag, slecht paste en een slordige indruk wekte. Dat moest hij beslist verbe- teren, wilde hij zich in de juiste kringen begeven. De handen van Miss Tissington, zo viel hem op, waren keurig verzorgd; sterker nog, alles aan haar was onberispelijk, zelfs de fijne plooien in haar witte zijden blouse. En ze droeg geen ring. Daniel besloot dat hij deze jongedame beter wilde leren kennen; ze kon een aanwinst voor hem zijn.

De dame in kwestie, echter, was zeer terughoudend. Ze had niets te zeggen, en dus nam Daniel het initiatief zoals hij politici had zien doen. Glimlachen. Praten. Complimenten uitdelen. En boven alles, veel zelfkritiek uitend.

'Ik hoop dat u me kunt vergeven,' begon hij. 'Er is niets ergers dan dat men wordt opgescheept met een vreemde, terwijl men niets an- ders wil dan in alle rust van de warme maaltijd genieten.'

Haar reactie was voorspelbaar. 'Dat is geen punt.'

Maar haar stem was zo op en top Engels, zo beschaafd, dat het zijn tenen deed tintelen en hem bijna intimideerde. Hij hoorde zichzelf proberen de klinkers zo welluidend mogelijk uit zijn mond te krijgen, opdat hij in haar gezelschap niet al te zeer als een boerenpummel zou overkomen.

Het duurde even voor de serveerster het hoofdgerecht kwam brengen en dus greep Daniel die gelegenheid aan.

'Wat aardig dat u het zo opvat. Ik wou dat mijn minister zo tolerant was.'

Ze staarde hem zonder te knipperen aan en dat viel Daniel ook op, zich realiserend dat dat het geheim was van haar koninklijke houding. De strakke blik, voor haar kennelijk een tweede natuur, was een slimme truc. Alsof men niet onder haar aandacht uit kon. Hij barstte van nieuwsgierigheid naar haar.

'Uw minister?' vroeg ze, met opgeheven hoofd en haar handen netjes op schoot gevouwen.

Hij moest bijna grijnzen. Dat had haar aandacht getrokken.

'O, ja, lieve help. Mijn minister, de rechtschapen Charles Lilley, is procureur-generaal van de staat Queensland. Ik ben slechts een klein radertje in de grote machine waaruit de regering bestaat. Ik ben de privé-secretaris van Mr. Lilley. Mijn minister, begrijpt u wel. Zo noemen we hem allemaal.'

'Werkelijk? Wat interessant.'

Mr. Bowles en Miss Tissington raakten bevriend. Ze waren allebei diep onder de indruk van de ander. Daniel kwam erachter dat ze een gouvernante was met uitstekende geloofsbrieven. Hij stond versteld dat ze vloeiend Frans sprak en, zoals hij bekende, was erg jaloers dat ze haar accent had kunnen perfectioneren doordat ze op zestienjarige leeftijd enkele maanden had doorgebracht in Parijs, een stad die hij dolgraag eens zou bezoeken.

Tot op heden lag dat voornemen nog ver buiten zijn bereik.

Terwijl zij een passende betrekking afwachtte en zich zorgen maakte over het gebrek aan mogelijkheden, besloot Mr. Bowles haar een rondleiding te geven door het parlementsgebouw en nam hij haar zelfs een keer mee naar een theevisite op het gazon voor het gebouw. Het was een heel hoffelijke gelegenheid, waarvoor Ruth het nodig vond om te investeren in een prachtige middagjapon van witte mousseline met een geplooid lijfje en een wijde rok, afgezet met stroken. Het was de meest frivole jurk die ze ooit had bezeten, maar hij paste perfect bij een grote strohoed die ze zelf had voorzien van geplooide mousseline en wat gele kunstrozen, en ze voelde zich een hele dame. Zelfs Mrs. Medlow was onder de indruk van de transformatie van de gouvernante in een modeplaatje, toen zij haar aan de arm van Mr. Bowles naar buiten zag gaan.

Hoewel ze het in haar wekelijkse brieven aan haar zuster nooit zou toegeven, was Ruth eigenlijk best onder de indruk dat ze die dag zo'n compliment ontving van Mrs. Medlow, maar ze bleef de vrouw op afstand houden. Ruth had, behalve voor Mr. Bowles, ook geen belangstelling voor de gasten. Hij gedroeg zich als een heer, aangenaam, en hoewel hij uit de lagere middenklasse kwam, of erger, en zij zich daarover soms zorgen maakte, bezat hij zonder meer de essentiële karaktereigenschappen, zoals ze zichzelf dikwijls hielp herinneren. En hij voelde zich niet beledigd als zij hem corrigeerde. Dit was een man, slechts vijf jaar ouder dan zij, die de behoefte voelde en graag wilde leren hoe hij zichzelf kon verbeteren. En wie leende zich daarvoor beter dan zijn vriendin, de Engelse gouvernante?

Ze verbeterde zijn uitspraak, zijn grammatica, zijn keuze in kleding, zijn tafelmanieren... er kwam geen eind aan... en Daniel, zoals ze hem onderhand noemde, drong erop aan dat ze dat bleef doen. Miss Tissington had een erkentelijke leerling gevonden. Ze leerde hem zelfs voldoende Frans om de menukaart in restaurants – waar Franse gerechten erg in de mode waren – te kunnen lezen. Niet dat ze met hem naar dat soort gelegenheden ging, waar hij voortdurend moest klaarstaan voor zijn baas, maar het was interessant om zijn verhalen over deze eminente mensen en de personen daaromheen aan te horen. Het verbaasde Ruth, overigens zonder daar een opmerking over te maken, dat dit soort hooggeplaatste heren zo gemakkelijk omgang had met het gewone volk, zoals in dit soort steden gebruikelijk was. Ze wist niet zeker of ze het kon goedkeuren.

Er was geen romance tussen Mr. Bowles en haar, eerder een zekere mate van wederzijds nut, en respect natuurlijk, zo erkende ze. Na haar ontslag – een andere interpretatie was voor haar niet aanvaardbaar – had het gezelschap van Mr. Bowles de pijn enigszins weten te verzachten, en op haar eigen manier was Ruth dankbaar. Hij leek echter niet te begrijpen of zich te bekommeren om het feit dat het voor haar essentieel was om zo snel mogelijk een nieuwe betrekking te vinden. Toegegeven, hij was een drukbezet man, maar ze had gehoopt dat, aangezien hij zich in de rijkere kringen bewoog, hij misschien op een geschikt moment eens een goed woordje voor haar zou kunnen doen. Toen dit niet gebeurde, hervatte Ruth haar dagelijkse bezoekjes aan het kantoor van Julius Penn, maar daar was niets veranderd. Hij bleef haar verzekeren dat hij een betrekking voor haar zou vinden, haar ergerend met zijn loze beloftes, totdat ze – op een dag – bij het kantoor kwam om te ontdekken dat het was gesloten.

Verbijsterd haastte Ruth zich naar het kleine café op de hoek om te informeren naar de verblijfplaats van Mr. Penn, alleen om te horen te krijgen dat ook zijn huurbaas hem zocht. De bemiddelaar was verdwenen met een huurschuld van zes weken.

Tijdens het diner die avond viel het Mr. Bowles uiteindelijk op dat Miss Tissington stiller was dan normaal.

'Is er iets?'

'Mijn arbeidsbemiddelaar is ertussenuit geknepen. Heeft zijn kantoor eenvoudig gesloten en is met de noorderzon vertrokken.'

'Ach, nou ja, je vond hem toch al niets waard.'

'Daar gaat het niet om. Nu ben ik gedwongen om weer te adverteren.'

'Er zal zich vast wel iets aandienen,' zei hij, terwijl hij in zijn puree met worstjes schepte.

'En ondertussen moet ik zeker van de lucht leven,' reageerde ze boos.

Hij leunde achterover en keek naar haar. 'Hoezo? Heb je geldgebrek?'

Ruth kon zichzelf er niet toe brengen om te bekennen dat het bedrag dat ze van de familie Stanfield had gekregen zienderogen kleiner werd, en tot dusver had ze nog niet een penny afbetaald aan het Genootschap in Londen.

'Ben jij soms zo rijk dat je zonder salaris kunt leven?' snauwde ze.

'Nee, Ruth, absoluut niet,' antwoordde hij, en verzonk in humeurig stilzwijgen.

Uiteindelijk kwam hij evenwel met een advies.

'Jullie zijn immigranten, jij en je zuster. Hebben jullie een aanvraag ingediend voor staatsgrond?'

'Pardon? En wat houdt dat precies in, Daniel?'

'Mijn hemel, je laat een gouden kans liggen. Immigranten die de overtocht naar dit land zelf hebben betaald, hebben recht op een rijksbijdrage van acht hectare grond. Ik neem aan dat jullie niet op kosten van de regering hierheen zijn gestuurd?'

'Nee, dat zijn we niet,' antwoordde ze, enigszins bevend, redenerend dat de manier waarop zij waren bijgestaan in de reiskosten hen niet zou uitsluiten van deze regeling.

'Nou, dus mogen jullie samen zestien hectare grond uitkiezen.'

'En dat land zou ons bezit worden?'

'Precies.'

'Maar we zijn toch geen boeren. Wat moeten twee dames als wij met zo'n buitensporig groot stuk land?' Zestien hectare was voor Ruth amper te bevatten.

'Je kunt het verkopen.'

'Goeie genade! Is dat wettelijk toegestaan?'

'Maar natuurlijk. De staat heeft weinig kapitaal, maar wel een surplus aan land. De rijksbijdrage is een lokkertje voor immigranten, aangezien we serieus onderbevolkt zijn. Sommigen beginnen een landbouwbedrijf, anderen verkopen hun grond. Zo simpel is het. Ik zorg wel dat jullie de formulieren krijgen.'

'Zou je dat voor me willen doen?'
'Geen enkele moeite.'
'O, Daniel, ik zou je ontzettend dankbaar zijn.'

Die avond schreef Ruth een brief aan Emilie om haar op de hoogte te stellen van deze onverwachte meevaller. Een paar weken geleden was ze gedwongen geweest haar zuster te vertellen dat ze teruggekeerd was in Brisbane, in pension Belleview, omdat die akelige kinderen van de familie Stanfield naar kostschool werden gestuurd, maar ze was vol goede moed en beschikte nu over uitstekende plaatselijke referenties, die meer indruk zouden maken dan die van het Genootschap. Ze was goed betaald voor haar tijd op Lindsay Station en dus was er geen enkele reden voor bezorgdheid.

Nu was ze in staat tegenover Emilie te erkennen dat ze nog steeds geen nieuwe betrekking had weten te vinden, aangezien de alomtegenwoordige Julius Penn ineens van de aardbodem was verdwenen, maar de vooruitzichten waren goed. Ook schreef ze over haar ontmoeting met een heer, Mr. Bowles, die ongeveer vijf jaar ouder was dan zij, niemand minder dan de secretaris van de procureur-generaal, en die zo vriendelijk was om de benodigde regelingen te treffen voor wat het land betreft. Ze had gehoord van Mr. Bowles dat als ze een goed stuk land uitkozen, ze dit heel waarschijnlijk voor zo'n vijf pond per hectare zouden kunnen verkopen, en ze hoopte dat Emilie ontvankelijk was voor verkoop, zodat ze de opbrengst konden delen.

Hun brieven kruisten elkaar. Twee dagen nadat Ruth de hare op de post had gedaan, lichtte Emilie haar zuster in over haar nieuwe verblijfplaats, een prachtig klein huisje op een bescheiden stuk grond aan Ferny Lane. Ze beschreef het huis vol enthousiasme, alvorens ze Ruth de reden gaf waarom ze het huishouden van de familie Manningtree had verlaten.

Ruth keurde haar besluit af. Ze was ontzet dat haar jongere zuster alleen woonde in die barbaarse stad. Wat had haar bezield? Zelfs al moest ze haar kamer tijdelijk met de kinderen delen, ze moest aan haar reputatie denken en kon maar beter met onmiddellijke ingang terugkeren naar het huis van haar werkgevers.

Dit alles schreef ze in een lange, boze brief, waarna ze naar de brievenbus stevende om hem meteen te posten.

Emilie was op haar beurt zeer verheugd over het nieuws dat ze land mochten uitzoeken, maar betwijfelde of ze het moesten verkopen. Ze had gesprekken opgevangen waaruit bleek dat de waarde van grond in dit land in een alarmerend tempo steeg, aangezien er duizenden immigranten per schip arriveerden. Ze had met eigen ogen gezien hoe ze zich ontscheepten in de haven van Maryborough, en het lag voor de hand dat er in Brisbane nog veel meer zouden aankomen.

Echter, als Ruth geld nodig had om de komende periode te overbruggen, dan wilde ze met alle plezier een bedrag sturen, aangezien ze in staat was geweest redelijk wat te sparen.

Die laatste zin maakte Emilie ietwat nerveus. Ze had geld genoeg, maar het was feitelijk van Mr. Willoughby, hoewel hij – heel beslist – had gezegd dat het voor haar was. Ze was er niettemin van overtuigd dat hij het niet erg zou vinden dat ze, in geval van nood, wat van zijn geld gebruikte om haar zuster te helpen.

Maar daarover kon ze tegenover Ruth natuurlijk onmogelijk iets loslaten. Het was een bijzonder lastige situatie.

De gravin was een opgewekte vrouw met een hoekig gezicht en schouderlang grijs haar waarvoor ze niet de moeite nam om het op te steken of het zelfs maar met een lint samen te binden. Ze liet het gewoon als een warrige wolk om haar gezicht dansen. In zekere zin, zo concludeerde Emilie, was de wilde haardos – vanaf het eerste begin – kenmerkend voor de vrouw zelf, omdat haar kleren eenvoudig, zonder opsmuk waren en ze met zelfbewuste tred rondliep.

Om die reden vroeg Emilie zich af hoe ze het volhield met Mrs. Manningtree, wier aanstellerij gênant was, maar hun gast leek daar niets in te merken.

Tijdens de eerste week van haar bezoek dompelde het huishouden zich in rouw terwijl de herdenkingsdienst voor kapitein Morrow kwam en ging, en zijn moeder zich – uiteraard – relatief rustig hield. Maar toen verkondigde ze dat ze graag wilde paardrijden en meer van het landschap wilde zien, nu ze eenmaal de reis naar deze afgelegen havenstad had gemaakt.

Aangezien haar gastvrouw niet reed, boden verscheidene vrienden van kapitein Morrow aan om de dame te vergezellen, en pas toen realiseerde iedereen zich dat de gravin dol op avontuur was. Nadat ze de stad had verkend, gaf ze te kennen de goudvelden te willen bezoeken en prompt werd er een tocht georganiseerd. Dit keer was ze dagen achtereen weg, terwijl Mrs. Manningtree kokend van woede thuis moest blijven, hoewel ze deed alsof ze blij was met de regeling. Eenmaal terug uit Gympie ging ze elke avond vroeg naar bed en weigerde steevast het aanbod van haar gastvrouw om soirees en dinertjes voor haar te organiseren.

'Ik pieker er niet over om u overlast te bezorgen, mijn beste. Het is al zo vriendelijk dat ik in jullie prachtige huis mag logeren.'

En vervolgens maakte ze weer een of ander uitstapje met haar trouwe metgezellen, die het prachtig vonden dat ze genoot van het kamperen tijdens hun tochten door de bush.

Emilie kreeg haar zelden te zien, en Mrs. Manningtree trouwens ook niet, maar bovendien genoot Emilie deze weken volop van haar nieuwe woonomstandigheden. De wandeling naar het huis van haar werkgevers in de ochtend was een prima vorm van lichaamsbeweging waar ze veel plezier aan beleefde, dat slechts werd overtroffen door de blijdschap die ze voelde als ze 's avonds terugkeerde naar haar eigen optrekje. Ze had de kinderen zelfs een zaterdag bij haar laten logeren en dat was voor hen een groot avontuur. Al met al pakte het bezoek van de gravin voor iedereen gunstig uit, behalve voor de gastvrouw. Haar echtgenoot kon het weinig schelen. Hij had het druk met zijn zagerijen en was opgelucht dat de gravin zo'n gemakkelijke gast was.

Toen de gravin eindelijk was vertrokken, werd er met geen woord gesproken over Emilies terugkeer, en dus bleef ze in Ferny Lane wonen, in de hoop dat Mrs. Mooney nooit een koper zou vinden.

Ondanks de afschrikwekkende waarschuwingen van Ruth vond Emilie het helemaal niet vervelend om alleen thuis te zijn, en niemand beschouwde het als verdorven dat ze er alleen woonde. Vergeleken met de vervallen woonhuizen in de stad en de harde omstandigheden die nieuwkomers in de kampen te verduren hadden, was haar huisje uitermate geschikt. Mr. Manningtree, die haar nieuwe onderkomen even was komen bezichtigen, vertelde haar dat de vrouwen van houthakkers diep in de bossen soms een zeer eenzaam leven leidden als hun echtgenoten weer eens weken achtereen op pad waren, en dus speelde ze die informatie door aan Ruth. Het hielp niets.

'Jij bent niet getrouwd met een veedrijver of een houthakker,' schreef ze. 'Je bent een jongedame die haar reputatie op het spel zet. Keer ogenblikkelijk terug naar het huis of zoek een pension!'

Ze had Emilie de formulieren opgestuurd voor de aanvraag van een stuk grond, zodat ze die kon ondertekenen. Met behulp van Mr. Bowles had ze namelijk een geschikt terrein, Eagle Farm geheten, ergens buiten Brisbane gevonden en ze stond erop dat ze het, meteen na de aanschaf, zouden verkopen. Op dat punt was Emilie het niet met haar eens, maar ze stelde de discussie vooralsnog uit om haar zuster niet nog erger te ontrieven.

Op een avond echter, toen ze water van de tank naar de kleine keuken droeg, hoorde ze geritsel in de nabijgelegen bosjes en ze stond als aan de grond genageld, zich verhalen herinnerend over wilde aboriginals die rondzwierven door het struikgewas. Er verscheen een lange man, een ruwe, lelijke kerel met verward haar en een dikke baard...

Emilie wilde gillen maar er kwam geen geluid uit haar keel, wat maar goed was ook, zo besefte ze later, want deze spookverschijning was Mr. Willoughby.

'Wees niet bang, Miss Emilie,' zei hij zachtjes. 'Ik zie er schrikbarend uit, dat weet ik...'

'O, mijn God! Bent u het? U ziet er vreselijk uit. Is alles goed met u?'

'Maar natuurlijk,' zei hij, terwijl hij bedeesd afstand hield.

'U kunt maar beter binnenkomen.'

203

Hij stak zijn hand uit, nam de emmer van haar over en volgde haar naar de keuken.

Bij het licht van de lantaarn zag Emilie dat hij zijn haar had laten groeien en dat hij inmiddels een rode, krullende baard had, maar zijn blauwe ogen stonden helder en hij zag er in feite verbazingwekkend gezond uit.

'Ik zou u nooit herkend hebben,' zei ze tegen hem.

Hij lachte. Diezelfde aanstekelijke lach. 'Daar draait het nu juist om. Ik heb liever niet dat de mensen me herkennen.'

Emilie stond maar wat, met trillende handen, en wist niet wat ze met hem aan moest.

'Hebt u honger?' vroeg ze, in de hoop dat hij ja zou zeggen, zodat ze iets om handen zou hebben. Ze stonden nu zo dicht bij elkaar in de kleine ruimte en hij was zo groot, dat ze bijna buiten adem raakte.

'Als u iets kunt missen.'

'Natuurlijk. Ik zal de ketel opzetten. Ik heb al gegeten, maar ik heb nog wat koud lamsvlees en brood en tafelzuur, is dat goed? Veel anders heb ik momenteel niet.' Ze giechelde dwaas. 'Ik ben bang dat ik nog niet veel ervaring heb met het bevoorraden van een provisiekast.'

'Dat is prima, Miss Emilie. Ik zal de ketel opzetten. Het fornuis moet duidelijk even opgestookt worden.'

Terwijl hij het vuur opstookte met wat takjes die ze had verzameld, pakte Emilie het vlees en de boter uit de vliegenkast van metaaldraad toen het haar ineens inviel...

'Hoe wist u waar ik was?'

'Ik ben u gevolgd,' antwoordde hij grijnzend. 'Ik stond te wachten buiten het landhuis, in de hoop dat u naar buiten zou komen, me afvragend hoe ik met u in contact kon komen als dat niet zou gebeuren, toen u ineens de poort uit kwam stappen en met zo'n tempo de straat uitliep dat ik u onmogelijk kon inhalen. Aangezien ik nog steeds op de vlucht ben,' voegde hij er verontschuldigend aan toe. 'Dus ik ben gewoon weer op mijn paard gestapt en ben zachtjes achter u aan gereden.'

'Bent u dwars door de stad gereden? Ze hadden u gevangen kunnen nemen!'

'Het begon al donker te worden. Ik hield mijn hoofd gebogen. Bovendien lopen er hier genoeg ruwe *bushmen* zoals ik rond...'

'Het is ongehoord! Doe dat nooit weer.'

'Ik beloof het. En toen zag ik u hierheen gaan en heb een paar uur gewacht. Dacht dat u misschien bij iemand op bezoek was. Toen u niet weer naar buiten kwam, ben ik om het huis heen geslopen en vanaf de rivieroever omhooggeklommen. Niet om u te bespieden, denk dat niet.' Het hout knetterde en hij deed het deurtje van het fornuis dicht. 'Ik wilde alleen even weten hoe het u verging. Bent u uit huis gegaan? Woont u hier nu echt?'

Terwijl Emilie naar hem luisterde, naar de opgewektheid in zijn stem toen hij hoorde dat ze was verhuisd, klonk het alsof hij zelf geen zorgen kende. Alsof haar kleine triomf het belangrijkste in zijn leven was. Ze zaagde in het brood, boos bijna, omdat hij zo nonchalant deed over zijn afschuwelijke situatie.

Ze liet hem aan de tafel zitten, gaf hem de boterhammen, wat sinaasappelcake en zwarte thee en hij lachte, tevreden.

'Wat een heerlijke cake. De beste die ik ooit heb geproefd. U bent een goede kok.'

'Nee, dat ben ik niet. Kate, de kokkin van het huis, heeft hem gebakken.'

'Nou, dan is zíj een goede kok. Maar vertel eens, hoe bent u aan dit huis gekomen?'

Emilie legde zo snel mogelijk uit van wie het oorspronkelijk was en hoe ze hier was terechtgekomen, omdat ze belangrijker dingen te bespreken hadden.

'Maar hoe zit het met u, Mr. Willoughby?

'Mal,' verbeterde hij haar.

'Oké, Mal,' zei ze ongeduldig. 'Waar heb je gezeten?'

Hij dronk zijn thee op en leunde achterover. 'Nou... ik ben eerst richting de kust gereden, in de veronderstelling dat ik me in de bush zou kunnen verschuilen tot ik een baard had, waar ik op een paar aboriginals stuitte die me wilden beroven, maar ik was bepaald geen goede vangst. Geen eten, geen voorraden, zelfs geen wapen, dus ik was de moeite niet waard. Maar ze houden wel van een beetje lol trappen en ik had mijn zweep nog wel, dus heb ik hun geleerd hoe je een zweep moet laten knallen, en uiteindelijk besloten ze dat ik toch niet zo'n beroerde kerel was. Helemaal niet toen ik vertelde dat ik op de vlucht was. Dat werkte op hun lachspieren. Voor hen een grote grap, maar voor mij niet. Ik kwam er weldra achter dat er meer kolonisten in dat gebied zaten dan ik had verwacht en dat mijn nieuwe kameraden er met een zakelijk doel waren, namelijk om de blanken te beroven van alles wat ze maar te pakken konden krijgen.'

'Hoe bedoel je?' vroeg Emilie. 'Waren het geen plaatselijke zwarten?'

'Nee. Ze kwamen van Fraser-eiland, aan de andere kant van de baai. Dat eiland heb je wellicht gezien toen je de baai invoer, voor jullie stroomopwaarts verder gingen.'

'Ja. Ik heb er sindsdien al veel over gehoord. Een schip heeft daar ooit schipbreuk geleden.' Emilie huiverde. 'De overlevenden zijn vermoord door de zwarten, en alleen de vrouw van de kapitein, Mrs. Fraser, heeft het overleefd. Ze heeft onder afschuwelijke omstandigheden bij hen gewoond, tot ze wist te ontsnappen.'

'Ja. Ze was beroemd. Maar dat is jaren geleden.'

'Maar er zijn nog steeds wilde zwarten daar; de mensen zeggen dat het kannibalen zijn.'

'Dat weet ik niet. Ze hebben de zendelingen nog niet verorberd. Hoe dan ook, die jongens hadden weinig geluk met hun overvallen en dus verdwenen ze op een nacht zonder mijn medeweten en vielen een herder aan...'

'Hebben ze hem gedood?'

'Heb ik niet gevraagd. Ze hebben zijn hut beroofd en een paar schapen geslacht, waarvan ze de karkassen juist bezig waren in hun kano te laden toen ik hen tegenkwam. Ze waren op weg naar huis, zo trots als een pauw. Nou, je snapt wel hoeveel alarmerend geschreeuw dat zou opleveren, dus ik kon maar één ding doen. Ik ben in de kano gesprongen en met hen meegegaan.'

'Heb je al die tijd op het eiland gezeten?'

'Ja. En het is er wonderschoon. Ik zal je er binnenkort eens mee naartoe nemen.'

'Dat zie ik in de nabije toekomst niet gebeuren,' sprak ze stijfjes.

'Nee. Waarschijnlijk niet. Zullen we buiten gaan zitten? Je hebt hier een prachtig plekje met uitzicht op de rivier. Dat is vast een aardige vrouw, die Mrs. Mooney van jou.'

Terwijl ze de veranda op liepen en zich in de canvas stoelen nestelden alsof hij een gewone bezoeker was, besloot Emilie – die nog steeds een beetje geïrriteerd was dat hij alles zo luchtig opnam – dat hij werkelijk een lieve, maar ook een roekeloze jongen was. Sterker nog, erg roekeloos. En ze was doodsbenauwd dat iemand van de familie Dressler ineens langs zou komen, zoals ze dat dikwijls deden, om haar wat boerenproducten – zoals eieren of melk of groente – te brengen. Maar hij leunde loom achterover en praatte enthousiast over Fraser-eiland.

'Ik heb tijdens mijn reizen door dit land een aantal schitterende plekjes gezien, Miss Emilie, maar dat eiland slaat alles.'

'Was je niet bang dat je daar gepakt zou worden?'

'Nee. Het is te groot, het is minstens honderd kilometer lang. Er wonen daar alleen een paar zendelingen en een handjevol houthakkers.'

'En aboriginals.'

'Ja. Honderden. Maar je moet het echt eens zien. Midden op het eiland ligt een meer dat zo helder is als een luchtbel op een zanderige bodem. En ze hebben er de meest fantastische baaien. Er ligt er eentje aan de oceaankant, met tot aan de kustlijn vrijwel overal orchideeën in het struikgewas en zand witter dan wit, met daarachter de zee, die glinstert als een juweel. Ik heb er een naam voor bedacht. De Orchideeënbaai.'

Hij keek dromerig voor zich uit over de zachtjes kabbelende rivier. 'Dit is een heel fraai plekje, maar beneden heb je niets dan modderige oevers. De Orchideeënbaai is mooi, zuiver en schoon, begrijp je wat ik bedoel?'

Emilie knikte. Ze kon zich er wel enige voorstelling van maken, al had ze niet zoveel stranden gezien om een goede vergelijking te kunnen maken.

Hij wendde zich tot haar, nu op serieuze toon. 'Al sinds mijn vroegste jeugd ben ik altijd onderweg geweest. Eerst met mijn vader, later in mijn eentje. Ik heb nooit overwogen me ergens te vestigen, maar als ik het ooit doe, als ik tenminste de kans een keer krijg, dan wordt dat mijn thuis. En ik zal je niet vergeten, Miss Emilie; als het ooit in mijn macht ligt, zal ik je de Orchideeënbaai laten zien.'

Mal zweeg een tijdje en verontschuldigde zich toen. 'Het spijt me. Ik praat veel te veel. Maar het is een zegen om weer eens een echt gesprek te voeren met iemand. De zwarten spreken amper Engels.'

'Waarom ben je daar niet langer gebleven, Mal? Daar zit je veilig.'

'Niet lang meer. Geruchten doen snel de ronde. Een blanke die bij de zwarten woont? Er zullen vragen komen. En trouwens, de baard en mijn haar zijn nu lang genoeg om me bescherming te bieden. Ik heb altijd een hekel gehad aan een baard, maar nu moet ik wel.'

Emilie zuchtte. Het was vrijwel onmogelijk om hem met zijn aandacht bij serieuze zaken te houden.

'Je kleren zien er niet uit alsof je in de rimboe hebt gewoond,' merkte ze op.

'Dat zal wel niet. Tegen de tijd dat de aboriginals me weer op het vasteland hadden afgezet, was ik in vodden gehuld, en dus heb ik kleren geleend uit een kolonistenhut.' Hij keek met een tevreden glimlach naar zijn geblokte overhemd en zijn werkbroek.

'Heb je ze gestolen?'

'Het zijn moeilijke tijden,' zei hij grijnzend. 'Ze passen prima, alleen de laarzen zijn een beetje groot. En ik heb geen sokken.'

Ze zaten en praatten en Emilie verwonderde zich over zijn zelfvoldaanheid, en besloot hem uiteindelijk weer met beide benen op de grond te doen belanden.

'Ze noemen je naam niet meer in de kranten, maar er is wel een beloning uitgeloofd. Vijftig pond.'

Hij haalde zijn schouders op. 'Dat had ik wel verwacht.'

'Maak je je daar geen zorgen over?'

'Waarom zou ik? Ik moet ze alleen steeds een stap voor zien te blijven. Het kon erger. Drie mannen zijn er die dag doodgeschoten. Drie goede mannen. Het goud interesseert me geen moer. Ik heb hen niet vergeten en dat zal ook niet gebeuren. Iemand zal ervoor moeten boeten, maar ik ben het niet.'

Zijn stem klonk zo hardvochtig dat ze besefte dat hij zich een nonchalante houding aanmat omwille van haar, dat er achter zijn jeugdige voorkomen een warme ziel schuilging.

Mal stond op. Hij rekte zich uit en bood haar zijn hand, waarna hij haar optrok uit haar stoel.

'Ik moet gaan. Maar ik heb zoveel aan je gedacht, zou je het erg vinden als ik je kus?'

Emilie vond het allerminst erg. Ze had zich de hele tijd al zitten afvragen hoe het zou zijn om hem te kussen, om zijn armen om haar heen te voelen, maar ineens verontschuldigde hij zich voor zijn baard en werd alles haar te veel. Hoelang kon hij in leven blijven als de hele wereld tegen hem was? Haar reactie, een vloedgolf van tranen, was gênant, maar het volgende moment kuste hij haar, troostte hij haar, terwijl het andersom zou moeten zijn.

'Ik had niet moeten komen, je zo overstuur maken,' fluisterde hij, maar ze lag in zijn armen en kuste hem hartstochtelijk, zich verbazend over het feit dat zijn lippen zo zacht en teder waren, en hij hield haar tegen zich aan, zo dicht dat het leek alsof hij haar wilde beschermen. Hij zei hoe mooi ze was en hoeveel hij van haar hield; daar stonden ze dan op de veranda, ineengestrengeld, en Emilie Tissington was opgewonden, tijdelijk al hun zorgen vergetend.

'Moet je echt gaan?' fluisterde ze ten slotte, toen hij haar losliet.

Mal keek haar bedroefd aan. 'Als ik dat niet doe, zijn we straks op weg naar die slaapkamer van jou, Emilie, en ik weet niet zeker of je dat wel wilt.'

Emilie klampte zich aan hem vast, bezorgd als ze was.

'Kun je niet wat langer blijven?'

Hij pakte haar bij de arm en nam haar mee naar binnen, sloot de deuren en nam haar opnieuw in zijn armen, waarbij hij haar ogen, haar mond, haar wangen kuste, en Emilie wist op dat moment dat hij echt zou vertrekken en vocht ertegen.

'Ben ik te fatsoenlijk voor je?' vroeg ze uitdagend. 'Te veel Miss Emilie voor je? Het is sowieso een wonder dat je me hebt gekust, ook al weet je dat ik om je geef.'

Maar hij liet zich niet vermurwen. Hij pakte eenvoudig het warme vest op dat hij eerder had uitgetrokken, van schaapsleer, zag ze, zelfgemaakt, met wol aan de binnenkant. Hij zag haar kijken.

'Heb ik zelf gemaakt,' zei hij grijnzend, terwijl hij zijn armen erdoor stak. 'Ik moet gaan, Emilie.'

Toen keek hij om zich heen. 'Vind je dit een prettig huis?'

'Ja. Meer heb ik niet nodig.'

'En je huurt het tot zij het kan verkopen.'

Het verbaasde Emilie dat hij dat nog wist. 'Ja.'

'En waar moet je dan heen? Je zei dat het moeilijk was een kamer te vinden.'

'Ik weet het niet.' Ze stond bijna te pruilen. Voelde zich afgewezen.

'Wees er dan als eerste bij. Koop het. Het is een mooi plekje. Op het stuk grond zul je nooit geld verliezen, ook al staat het huis een beetje vreemd en achteraf op het perceel.'

'Waarmee?'

'Hoe zit het met dat geld dat ik je heb gegeven? Is het al op?' Er klonk geen boosheid in zijn stem, enkel nieuwsgierigheid, alsof hij geen idee had wat dames met hun geld deden. Wat waarschijnlijk waar was.

'Dat is er nog. Ik kon het niet verstoppen, dus heb ik het op de bank gezet. Het is jouw geld.'

'Jezus! Toch niet op mijn naam?'

'Nee. Het spijt me. Ik moest het op mijn eigen naam zetten.'

'O, godzijdank. Waar zie je me voor aan? Ik heb het aan jou gegeven. Het is van jou. Gebruik het.'

Emilie herinnerde zich een andere zorg. 'Mijn zuster heeft hulp nodig. Vind je het bezwaarlijk als ik haar wat geld stuur?'

Hij trok haar weer in zijn armen. 'Je bent echt een simpel duifje, niet? Doe wat je wilt, Emilie. Het zou wel eens een hele tijd kunnen duren voor ik je weer zie. Pas goed op jezelf. Dat is het enige dat ik verlang.'

Hij gaf haar een vluchtige zoen op de wang en vertrok via de zijdeur naast de keuken. Geen afscheid. Hij was zó snel weg dat ze niet de kans kreeg te protesteren of hem... ja, wat eigenlijk, te wensen? Een veilige reis, veronderstelde ze, waarheen hij ook ging. Dat had ze hem willen vragen. Ze had hem nog zoveel willen vragen, maar nu was hij verdwenen, en zij staarde de duisternis in en had zich nooit in haar leven zo eenzaam gevoeld.

Emilie liep naar buiten en ging op de veranda zitten tot het ochtendgloren de hemel in het oosten begon te kleuren, beseffend dat er weer een heel gewone dag voor haar lag. Een gewone dag in het leven van een rustige, bescheiden gouvernante.

Het was een dag als alle andere voor Allyn Carnegie, wederom een lange, zorgelijke dag waarop het prachtig weer was, koelere nachten en strakblauwe dagen, althans daar bleven de mensen hem aan herinneren terwijl hij hen passeerde. De voormalige goudcommissaris, held van de hinderlaag, gaf geen sikkepit om het weer – voor zijn part mocht het desnoods sneeuwen. Hij liep ingespannen door de straten en bezocht zelfs talloze hotels en andere tenten, in de hoop zijn partner ergens aan te treffen.

Een tijdlang was hij een vertrouwde figuur in de haven geweest, interesse veinzend voor de schepen die naïeve immigranten uit Groot-Brittannië en Duitsland brachten en starend naar de stuwadoors die eindeloze voorraden wol, talk en hout inlaadden om niet zonder retourvracht terug te hoeven, maar ondertussen voortdurend uitkijkend naar Baldy Perry, naar de ruwe bruut met zijn gemene gezicht die hier had moeten werken, en constant vechtend tegen de verleiding om te informeren waar hij zich ophield.

Het zou doodsimpel voor Baldy zijn geweest om aan boord van

een van deze schepen te stappen en te verdwijnen, besefte Carnegie, maar hij kon zichzelf niet toestaan dat te denken en die totale wanhoop onder ogen te zien terwijl die vooralsnog enkel als een havik boven hem zweefde, wachtend op een geschikt moment om toe te slaan. Een anonieme brief van hem waarin hij Baldy als dader aanwees, zou de moordenaar voor de rest van zijn leven op de vlucht doen slaan. Op een of andere manier wist de commissaris dat dat het laatste was wat die bruut wilde. Hij had het onophoudelijk gehad over zijn terugkeer – met het goud – naar Tasmanië. Carnegie liep ronde na ronde tot hij er hoofdpijn van kreeg en door de zenuwen last kreeg van netelroos.

En dus pakte hij zijn gewoonte om te rijden weer op, zodat de plaatselijke bewoners gewend waren hem te paard te zien, en soms hield hij daarbij stil om een vriendelijk praatje te maken met de veerlieden die passagiers en goederen naar de overkant van de rivier brachten, zijn uiteindelijke bestemming. Hij besefte inmiddels dat hij de boom persoonlijk zou moeten controleren om er, voor eens en voor altijd, achter te komen of zijn partner was verdwenen met het goud.

Ondertussen had Allyn, die zichzelf op de borst klopte om zijn sluwheid, zijn uiterste best gedaan om bevriend te raken met de suikerboeren die aan de overkant van de rivier plantages runden met behulp van arbeiders van de Zuidzee-eilanden waarop hij – uiteraard – werd uitgenodigd om eens op bezoek te komen en hun interessante teelt te aanschouwen.

Uiteindelijk nam hij een besluit. Hij zou die kant op gaan, de suikerplantages tegenover de veerlieden noemen en een omweg maken om het verborgen goud op te sporen. Als het er lag, zou hij zijn leren zadeltassen legen en ze vullen met de schat. Brutaal, maar uitvoerbaar.

Al deze voorwendselen waren niet nodig, dat begreep Allyn, maar schuldgevoelens en angst beheersten hem en leken zijn verstand soms te verstikken. Terwijl hij 's nachts lag te woelen en te draaien, in een poging te slapen, bedacht hij telkens nieuwe geloofwaardige redenen om de rivier over te steken, terwijl een rustiger deel in zijn hersenen hem probeerde te overtuigen dat het niemand interesseerde waar hij ging of stond.

Op de avond voorafgaand aan zijn voorgenomen bezoek aan de schuilplaats zat hij met een glas cognac bij het raam, in de hoop dat Baldy alsnog zou komen opdagen. Er zouden geen verwijten vallen over het feit dat het zo lang had geduurd, geen enkel. Ze zouden het goud, de bankbiljetten en de soevereinen uit de bankkoffers eenvoudig verdelen, meer niet. Er was niemand in de buurt. Ze konden in de keuken zitten, de boel vlug uitzoeken en dan zou het voorbij zijn. Mijn God, zo bad hij, laat het voorbij zijn.

Toen het hek piepte, wendde hij zich een ogenblik af om zijn glas bij te vullen. Hij was vergeten dat was afgesproken dat zijn partner het erf al sluipend zou betreden en niet via het hek zou komen; het was moeilijk hun exacte afspraken in herinnering te roepen, gezien zijn zorgen, zijn netelroos en de drank die hij had geconsumeerd om de dagen door te komen, maar dat deed er allemaal nu niet meer toe. Zijn bezoeker was gekomen. Eindelijk!

Hij haastte zich naar de deur, maar zijn bezoeker was een vreemdeling. Een grote, breedgebouwde man in een of ander zwart uniform.

'Mr. Carnegie?'

'Ja?'

'Ik ben Jasper Kemp, hoofdinspecteur van politie in de staat Queensland. Ik vroeg me af of ik u even kan spreken.'

Allyn had het gevoel dat zijn maag zich omkeerde, maar hij hield stand en verzamelde alle waardigheid die hij had.

'Ik ben bang dat ik niet ben voorbereid op gezelschap, meneer. De meid is al naar huis.'

'Ik zal u niet lang storen, Mr. Carnegie. Ik wil alleen even horen hoe het met u gaat na uw afschuwelijke ervaringen. Ik was van plan eerder langs te komen, maar ik heb het de afgelopen dagen hier erg druk gehad.'

'O. Juist, ja. Komt u dan maar binnen. Ik ga vroeg naar bed, meneer, ik had net een slaapmutsje ingeschonken. Wilt u misschien met me meedoen?'

'Waarom ook niet,' zei Kemp glimlachend. 'Voor een man in mijn positie is het moeilijk ergens rustig een drankje te nuttigen zonder de plaatselijke bevolking een slecht voorbeeld te geven.'

Ze trokken zich terug in de kleine zitkamer en Carnegie wist voldoende kracht te verzamelen om het gesprek te beheersen door de hoofdinspecteur te verwelkomen en hem te overstelpen met vragen omtrent het onderzoek, dat, zo beweerde hij, slecht was aangepakt. Hij en andere inwoners van Maryborough waren van mening dat de politie niet voldoende deed om die boef Willoughby en zijn kompanen te pakken.

Kemp complimenteerde hem met zijn uitstekende cognac en Carnegie verwees hem met een samenzweerderige glimlach naar het douanekantoor, waar geconfisqueerde goederen vaak werden geveild en men voortreffelijke wijnen tegen een redelijke prijs kon aanschaffen.

Ze praatten over de stad en de haven, en het feit dat Maryborough binnen een paar jaar een belangrijke stad zou zijn in het tempo waarin ze nu groeide, en Kemp, die door Allyn werd beschouwd als een boeiende gesprekspartner en hem niet zag als een bedreiging voor een heer, maakte zijn verrassing kenbaar.

'Om u de waarheid te zeggen, ik had geen flauw benul dat deze stad zo'n drukke wereldstad was. Ik geloof dat ik een stel barakken langs de rivier verwachtte, maar de stad is doordacht opgezet en de

211

omgeving is een plaatje. Dat is het probleem wanneer je de zaken vanuit Brisbane, in het verre zuiden, probeert te regelen. Toen ik zag wat brigadier Pollock allemaal voor zijn kiezen kreeg, heb ik meteen een telegram verstuurd met het verzoek onmiddellijk zes extra politieagenten te sturen.'

Carnegie onderdrukte een huivering. 'Ik ben blij dat te horen. En hoe is het met brigadier Pollock?'

'Prima. Maar zoals u misschien weet, hebben er sindsdien alweer twee overvallen plaatsgevonden op dezelfde route vanaf Gympie, plus eentje door een stel aboriginals die alleen eten hebben gestolen, dus we staan onder enorme druk om uit te zoeken hoe we een eind kunnen maken aan die overvallen, afgezien nog van het opsporen en arresteren van de criminelen die zich in de heuvels schuilhouden.'

'U zou het leger kunnen inzetten.'

Kemp zuchtte. 'Ik ben bang dat de regering deze kwestie niet als een militaire aangelegenheid ziet.'

'Ik heb gelezen dat die schurk McPherson op de weg naar Gympie een postbesteller heeft beroofd, dus is hij nog steeds in de buurt. Het gaat mijn begrip te boven dat deze moordenaar nog altijd niet in de kraag is gevat. Hij drijft de spot met de wet. Kan ik u nog een glas cognac aanbieden?'

'Daar zeg ik geen nee tegen.'

Carnegie haalde heimelijk zijn neus op. Bepaald niet de reactie van een heer. Kemp was een aardige vent, iemand die zich kennelijk had opgewerkt, maar niettemin een ploeteraar uit de arbeidersklasse. De cognac had Allyn echter jovialer gemaakt en hij voelde zich nogal vaderlijk tegenover de man, een nieuwe maat in een afgelegen maatschappij vol mislukkelingen, die een poging deed om alles op een rijtje te krijgen.

'Het is eigenlijk heel vreemd,' zei Kemp. 'De beschrijving die u gaf, komt exact overeen met de persoon McPherson. Hij is degene die we moeten hebben, en die Willoughby, maar waarom zou hij de postkoets beroven na een overval die hem meer dan achtduizend pond in goud en munten heeft opgeleverd? Ik bedoel, is de man soms gek?'

'Een crimineel staat doorgaans niet bekend om zijn intelligentie, moeten we constateren.'

'Klopt. Maar deze laatste beroving vond plaats na die afschuwelijke roofoverval, waarbij u bent neergeschoten. Hoe is het overigens met uw arm?'

'Totaal verbrijzeld. Ik zal hem nooit weer recht kunnen krijgen, door toedoen van die klootzakken. De pijn is chronisch en ik slaap erg slecht omdat ik mijn arm gewoon niet comfortabel kan neerleggen.'

'Het spijt me dat te horen. Maar zoals ik al zei... McPherson heeft die postbode ergens op een achterafweggetje beroofd. Hij heeft alle brieven doorgespit en het eventueel bijgesloten geld gestolen, waarna hij de man de rest van de opengescheurde post gaf en hem weer op pad stuurde. Hij had de bedroevende opbrengst van die overval niet nodig en deed geen poging zijn identiteit te verbergen. Wat zegt u me daarvan?'

'Hetzelfde als wat de kranten zeggen. Dat hij het leuk vindt de politie voor schut te zetten. Maar vergeet niet dat hij ooit een man heeft doodgeschoten in het Carrington Hotel aan de Houghton-rivier...'

'Ja, maar dat was het gevolg van een ruzie. Niet te vergelijken met de hinderlaag waarin u liep. Het lijkt gewoon niet op de normale werkwijze van McPherson.'

'U vergeet dat hij zó vaak is gevangengenomen en weer ontsnapt dat iedereen weet hoe hij eruitziet. Het kan die man allemaal geen malle moer schelen.'

'En u bent er nog altijd van overtuigd dat hij het was?'

Carnegie weifelde even. Misschien moest hij toegeven dat hij zich mogelijk had vergist. Maar nee. Hij moest de plaatselijke politie en deze stomkop in een bepaalde richting wijzen. 'Ja, ik heb die schoft gezien. Hij was het.'

'Dank u. Dat is duidelijke taal waar ik wat aan heb. McPherson staat erom bekend dat hij de clown uithangt. Misschien wilde hij gewoon opscheppen. We weten in ieder geval dat hij zich ergens in deze omgeving ophoudt. Dat hoop ik tenminste. Maar hoe zit het met Willoughby? Kende u hem?'

'Ja. Hij leek een vriendelijke jongeman. Hoe moest ik weten dat hij onder één hoedje speelde met die misdadiger? Pollock en ik hebben alle moeite gedaan, samen met Taylor, om te voorkomen dat de bewakers elkaar zouden kennen, zodat er geen samenzweringen van binnenuit konden ontstaan, er geen kans zou zijn dat ze zich tegen ons zouden keren.'

'Dat realiseer ik me. Ik heb begrepen dat het Pollocks plan was, en niet dat van u, om het goudtransport het laatste deel van de route vanuit Gympie te begeleiden?'

'Inderdaad.'

Kemp genoot van zijn brandy en knikte. 'Andere keren heeft het ook gewerkt. Misschien een keer te vaak.'

'U kunt het Pollock niet kwalijk nemen,' zei Allyn, in de hoop dat de politiebaas zou gaan twijfelen aan zijn brigadier.

'Nee. Maar Willoughby... volgens Pollock hebben de mensen een hoge dunk van hem. Uit Taylors aantekeningen blijkt dat hij over zichzelf heeft gelogen. We hebben die boerderijen nagetrokken. Hij heeft nooit als schaapscheerder gewerkt. Hij was eerder een nietsnut, die bekendstond als Sonny Willoughby, geen crimineel maar ook niet zuiver op de graat. Hij was gewoon een zwerver, een valsspeler, een veel geziene gast op kermissen.'

'Daar heb je het al. Hij is kennelijk in verkeerd gezelschap verzeild geraakt.'

213

Kemp knikte opnieuw. 'Zou kunnen. Maar mijn agenten hebben met kermismensen en zigeuners in New South Wales gepraat, daar komt hij vandaan, en niemand daar heeft een slecht woord over hem laten vallen. In een verslag stond dat hij meer zigeuner was dan de zigeuners zelf. Vrijwel ondenkbaar dat hij in een moordenaar is veranderd. Snapt u mijn probleem?'

Allyn, die in een rechtschapen stemming verkeerde, was boos. 'Ik constateer alleen dat de politie die moordenaars nog altijd niet heeft gevangen. Ik zie mezelf nog in het stof liggen, bloedend, met een arm aan diggelen geschoten, terwijl ik mijn eigen kots moet doorslikken om niet te verklappen dat ik leef, niet wetend wie er door de kogels is getroffen en wie niet, even opzij glurend, net genoeg om Willoughby en McPherson te zien zonder ook de andere kant op te durven kijken hoeveel anderen er zijn, verwachtend dat ik elk moment kan sterven...'

'Rustig maar. Het spijt me. Ik wilde u die nare ervaring niet opnieuw laten beleven. Ik bedoel maar te zeggen dat het lezen van een verslag nooit het hele verhaal achter iemand vertelt. Begrijpt u dan waarom het essentieel voor mij was om met u te praten, Mr. Carnegie?'

'Ik begrijp er niets van! Het is allemaal achter de rug. Het goud is weg. Drie mannen zijn dood. En het kan niemand ene moer schelen wat er met mij is gebeurd. Ik ben te zeer geschokt om te kunnen werken. Ik heb mijn ambt moeten neerleggen...'

'Het kan uw vrouw wel degelijk schelen, Mr. Carnegie.'

Allyn kwam met een ruk overeind. 'Pardon?'

'Ik dacht dat u onderhand alweer in Brisbane zou zijn, dus ben ik bij u thuis langs geweest. Mrs. Carnegie vertelde me dat u nog in Maryborough zat en maakt zich grote zorgen om u. Ze was bijzonder overstuur. Ze is van mening dat u beter naar huis kunt komen.'

'Dat doe ik ook. Zo snel mogelijk,' mompelde Allyn.

'Wat bindt u hier? U zou echt terug moeten gaan. U kunt hier weinig, of waarschijnlijk niets, meer doen.'

Allyn wilde het liefst zeggen dat het zijn zaak was waar hij zich wel of niet bevond; het was persoonlijk en had niets te maken met roodneuzige politieagenten, ongeacht hun rang. Wie dacht die vent wel dat hij was? In plaats daarvan knikte hij.

'Ik ga binnenkort terug. Ik hoopte de afloop van deze zaak mee te maken, maar kennelijk is de politie niet opgewassen tegen deze uitdaging. Ik geloof niet dat mijn vrouw, die uit een aristocratische familie komt, deze stad of haar accommodaties – en zeker dit tijdelijke krot niet – zou kunnen verdragen. Ik zou er niet over peinzen om haar hierheen te halen.'

Hij was opgelucht dat ze in een goede verstandhouding afscheid van elkaar namen en stemde er zelfs in toe de volgende dag te lunchen met hoofdinspecteur Kemp, wat zijn zorgvuldige plan in de war stuurde om de rivier per veerboot over te steken en de bewuste boom te bezoeken, maar een dag meer of minder maakte ook niet meer uit. Nog een kans voor zijn partner om zich te melden. Allyn bad heimelijk dat Baldy zo voorzichtig zou zijn uit het zicht te blijven voor het geval deze dwaas met zijn vage theorieën over criminele persoonlijkheden besloot hem nogmaals met een bezoek te vereren. Hij begeleidde Kemp naar het hek en beaamde dat het weer, dat vervloekte weer, inderdaad aangenaam mild was.

'Tussen haakjes,' vroeg Kemp, 'kent u iemand die Clive Hillier heet?'

'Nee. Waarom?'

'Ik dacht dat u hem misschien kende. Hij was een tijdlang mijnwerker, ginds op de goudvelden.'

'Nooit van gehoord.'

Clive verliet de goudvelden in een groep van dertig man, die liever op hun eigen vuurkracht als bescherming vertrouwden dan op de bescheiden pogingen van de politie. Niet dat hij veel te beschermen had, behalve zijn leven. Elke keer als hij net had besloten om weg te gaan, dook er een nieuwe maat als Mal op en dan pakte hij het werk weer op, haalde hij de verlaten opgravingen weer overhoop met zijn nieuwe partners, waar ze nu en dan wat kleur aantroffen maar nooit iets waardevols. Geen van hen bracht het geluk zoals Mal had gedaan.

En dat was een betwistbaar punt, zo mijmerde hij. Het was over en uit met Mals geluk. Arme jongen, zijn geluk was knarsend tot stilstand gekomen.

Maar Clive had nog een paar pond, genoeg om er een paar weken mee voort te kunnen, dus toen hij en zijn metgezellen vrolijk door de straten van Maryborough reden en bespraken welke pub ze zouden vereren met hun klandizie, bleef hij bij hen, en weldra ontwikkelde zich een luidruchtig feestje in de Saddler's Arms.

Toen hij twee dagen later weer een beetje nuchter was, nam hij een kamer in een smerig pension, rustte wat uit in een Chinees badhuis, wachtte in een lange rij voor de barbier, kocht een wit pak van ongekeperd linnen, gestreepte overhemden en een dunne vlinderdas en een panamahoed en pingelde verderop in de straat over de prijs van een paar nette rijlaarzen. Daarna, toen hij zich eindelijk weer als vroeger voelde, besloot de jonge Engelsman de stad te verkennen. En navraag te doen over Fleur.

Hij vond het provinciestadje, vermomd als havenplaats, een plezierige plek, maar na de viezigheid en het stof op de goudvelden zou het in elke stad wellicht aangenaam vertoeven zijn, zo vermoedde hij. Het was een verademing om de sieraden van de beschaafde wereld opnieuw te ontdekken – zich af te kunnen schermen van de zon, een fatsoenlijk maal in een schone omgeving te kunnen nuttigen – dat hij bijna spijt kreeg van zijn keuze wat betreft zijn onderkomen, maar zijn gezonde verstand zegevierde. Zijn middelen waren niet toereikend voor de betere hotels, die normaal gesproken zijn voorkeur hadden. Maar nergens was een spoor van Fleur te bekennen. Hij sprak enkele mannen in bars die haar kenden, maar die hem geen informatie konden geven, behalve dat ze waarschijnlijk was ingescheept met 'die ouwe kerel'.

Teleurgesteld wendde hij zich af met de bedoeling naar het scheepskantoor te gaan om te informeren naar schepen die naar Townsville zeilden, van waaruit hij naar de onlangs ontdekte goudvelden van Charters Towers zou kunnen trekken. Volgens de plaatselijke krant werd beweerd dat het gebied één gigantisch goudveld was, dus er was geen haast. Maar toen herinnerde hij zich dat hij brigadier Pollock had beloofd om zijn verblijfplaats door te geven en begaf hij zich met enige tegenzin naar het politiebureau.

Pollock was niet beschikbaar, maar toen Clive de reden van zijn bezoek bekendmaakte, verdween de agent achter het bureau plotseling en keerde terug met niemand minder dan de hoofdinspecteur, die hem liet weten dat hij hier vanuit Brisbane op bezoek was en graag met hem van gedachten wilde wisselen.

'Nog beter,' zei Clive. 'Men kan altijd het beste aan de top beginnen, meneer.'

'Tot uw dienst.' De vriendelijke man glimlachte. 'Kom binnen en ga zitten. Ik zal u niet al te lang ophouden.'

Clive nam plaats op de harde stoel tegenover Kemp, die de tijd nam om enkele dossiers door te spitten en Clive nu en dan vroeg om geduld te hebben. Eindelijk keek hij op.

'Ik zie in de aantekeningen van brigadier Pollock dat u van mening bent dat uw voormalige partner, Mr. Willoughby, onschuldig is?'

'Dat klopt. Maar Pollock was zo brutaal om te insinueren dat ik dat mogelijk níet was. Dat ik onder één hoedje speelde met Mal wat die overval betrof. Heeft hij dat ook in zijn verslag gezet?'

'Brigadier Pollock moet deze ernstige zaak vanuit alle oogpunten bekijken, Mr. Hillier.'

'U meent het? En heeft hij Carnegie al onder de loep genomen?'

Kemps vriendelijke glimlach week niet. 'Mr. Carnegie was slachtoffer van deze misdaad, als ik het me goed herinner. Waarom zegt u zoiets?'

Clive wist wel beter dan Mr. Xiu hierbij te betrekken, wetend dat de Chinees op een of andere manier van Mal had gehoord. Hij wilde niet dat de politie Mr. Xiu zou lastigvallen. Sinds die ontmoeting had hij zelf inlichtingen ingewonnen en ontdekt dat de Chinezen uitstekende gokkers waren en bovendien bekendstonden als geldschieters, hoewel ze ongenadig waren als het om terugbetaling van uitstaande schulden ging. Hij was zich gaan afvragen of Carnegie een gokker was en of hij van Xiu had geleend. Dat laatste kon hij op geen enkele manier bewijzen, maar hij was er vrij snel achter dat Carnegie inderdaad een zware gokker was.

Clive besloot het erop te wagen. 'Stel dat Carnegie zelf verlegen zat om geld?'

'Waarvoor?'

'Waar hebben mensen geld voor nodig? Om schulden af te betalen, natuurlijk. Gokschulden.'

'Denkt u dat Mr. Carnegie geld verschuldigd was vanwege het gokken?'

'Ik heb gehoord dat hij een grove speler was. Heeft Pollock dat ook geverifieerd?'

'Het zal u goed doen te horen dat de brigadier die kwestie inderdaad heeft onderzocht, maar niemand, hier noch op de goudvelden, heeft kunnen achterhalen aan wie Mr. Carnegie ook maar een penny is verschuldigd.'

Verdomd! Zelfs al had Pollock Mr. Xiu benaderd, dan zou hij nog geen informatie uit hem hebben losgekregen. Clive was verbijsterd. Moest hij de Chinees noemen? Uiteindelijk kon hij echter enkel gissen naar de betekenis van de opmerkingen die Mr. Xiu had laten vallen.

'Nou, én?' gromde hij. 'Ik vermoed toch dat Carnegie er meer van af weet, en dat vinden anderen op de goudvelden ook.'

'Werkelijk? Daarover kan ik nergens een vermelding vinden in de rapporten. Wie heeft die beschuldiging eigenlijk geuit?'

'Dat kan ik me niet herinneren, er werd gewoon over gesproken. Hoe dan ook, met alle respect, hoofdinspecteur, ik heb mijn plicht gedaan. Ik heb me gemeld zoals Pollock me heeft opgedragen, dus ik ga maar weer. Mogelijk vertrek ik binnenkort naar Townsville.'

'Gaat u naar Charters Towers?'

'Als u mij toestaat. Ik laat wel weten met welk schip.'

'Ja. Doet u dat alstublieft.'

'Dus ik ga nog niet vrijuit. En u hebt geen enkel bewijs tegen Willoughby, behalve de beschuldigingen van Carnegie.'

'Bewijzen van een ooggetuige, Mr. Hillier.'

Clive stond op en duwde de stoel naar achteren. 'Dan zal ik maar eens opstappen en zelf een hartig woordje wisselen met Carnegie. Ik heb gehoord dat hij nog in de stad is.'

Dat deed Kemp opveren. Hij klapte de dossiers krachtig dicht. 'Ik heb liever niet dat u dat doet, meneer.'

'Waarom niet? Ik zal hem heus niet aanvallen, ik wil gewoon eens met hem babbelen, aangezien jullie erop gebrand zijn een onschuldige man op te hangen. Stel dat Carnegie zich heeft vergist?' Hij hoorde Mr. Xiu in zijn eigen woorden terug. 'Soms zijn fouten niet precies wat ze lijken.'

217

'Wat bedoelt u daar precies mee?'

Clive wist het zelf niet echt, maar nu moest hij proberen het uit te leggen. 'Misschien heeft hij de fout wel met opzet gemaakt. Om uw blik op het verkeerde doel te richten. Hebt u daar ooit over nagedacht?'

Kemp stond op om hem uitgeleide te doen. 'Het is misschien een goed idee dat we elkaar nog een keer spreken voor u vertrekt, Mr. Hillier. Maar u mag niets van dit alles met Mr. Carnegie bespreken.' Zijn stem verhardde zich. 'Blijf uit zijn buurt.'

Toen de Engelsman was vertrokken, ging Kemp weer zitten en maakte een paar persoonlijke aantekeningen. Hij beschouwde het bezoek van Hillier als bijzonder interessant. Hij herinnerde zich zijn eigen bezoek aan Carnegies huis in Brisbane, waar hij de echtgenote volledig overstuur aantrof, omdat haar man maar niet thuiskwam. Ze had gehuild, want ze vond het allemaal erg moeilijk te verdragen.

'Zeker met alle zorgen die wij hebben,' had ze gesnikt.

Aangezien hij een vriendelijke man was, had hij haar rampspoed aangehoord, haar aangemoedigd om haar zorgen te bespreken om erachter te komen dat het echtpaar Carnegie tot over zijn oren in de schulden zat, dat het huis wellicht verkocht moest worden, enzovoort.

'En nu is mijn man ook nog gedwongen zijn betaalde baan op te geven, zodat we helemaal geen inkomen meer hebben. Ik weet dat ik medelijden zou moeten hebben met de gezinnen van de mannen die tijdens die afschuwelijke overval zijn vermoord, maar die boeven hebben ook ónze ondergang op hun geweten!'

Vreemd genoeg leek Carnegie geen zorgen te kennen over zijn financiële situatie, hier een beetje luierend terwijl hij thuis bij zijn vrouw had kunnen zijn. O, nee, als er iemand was die deze kwestie verder moest bespreken met Mr. Carnegie, dan was het Mr. Hillier in elk geval niet. Hij zou het konijn wel eens op de vlucht kunnen jagen en dan viel er niets te winnen. Waarom was Carnegie eigenlijk nog steeds hier?

Kemp krabde op zijn hoofd en beantwoordde zijn eigen vraag. Omdat hij de kritiek thuis niet wilde trotseren. Hij schoof het probleem eenvoudig op de lange baan. Maar waarom draafde hij dan zo door over die aandelen in goudmijnen?

Toen lachte hij. Mogelijk probeerde de arme man zich domweg een houding aan te meten. Een armzalige poging om zijn waardigheid te behouden, daar was niets ongebruikelijks aan. Was Willoughby maar niet ontsnapt. Bedreigd met de doodstraf had hij de namen van zijn partners in deze afschuwelijke misdaad wel prijsgegeven.

Kemp dook wederom in zijn eigen rapport. Met ingang van heden zou er maandelijks een politie-escorte beschikbaar zijn om goud en geld veilig van Gympie naar Maryborough te vervoeren, maar voor het transport van Maryborough naar Brisbane waren ook dan privé-bewakers nodig. Hij wilde dat hij Pollock voor promotie kon voordragen, maar de ontsnapping van Willoughby kon niet over het hoofd worden gezien. Het zou een hele tijd duren voor de brigadier die misstap te boven zou zijn. Tenzij hij hem te pakken kreeg, maar dat was niet waarschijnlijk. De schavuit had het district ongetwijfeld allang verlaten.

Het feit dat ze niet meer bij de familie Manningtree in huis woonde, had Emilie nieuwe energie gegeven. Ze genoot van de kwieke wandeling 's ochtends vroeg en begon de bomen langs haar route te herkennen en probeerde ook andere te benoemen. Ze besloot een aantal te gaan schetsen, om haar tekenhobby weer op te pakken.

Meestal stonden de kinderen haar bij de poort al met hernieuwd enthousiasme op te wachten, waarvan ze in de klas dankbaar gebruikmaakte, in de wetenschap dat de nieuwigheid snel zou slijten. Voor de grap liet ze hen naar het klaslokaal marcheren, waar ze de dag begon met zingen, vervolgens schrijfles gaf – zolang ze nog netjes konden werken – om daarna aandacht te besteden aan spelling en sommen. Het onderwijzen van drie kinderen van verschillende niveaus hield haar druk bezig, maar ze werkten allemaal vrolijk samen.

Soms kwam Bert Manningtree met zijn gebruikelijke grapjes en knipoogjes even kijken om te vragen of ze zich gedroegen, waarop naar zijn tevredenheid in koor 'ja' werd geroepen, of het nu feitelijk zo was of niet. Emilie vond zijn bezoekjes geen probleem, maar de zeldzame verschijningen van zijn vrouw waren van een geheel ander kaliber. Zij nam haar vriendinnen mee en stond dan bij de deur toe te kijken, giechelend, waarbij ze de gouvernante opdroeg niet op hen te letten en elkaar anekdotes vertelden over hun eigen schooltijd. Miss Tissington wenste dat ze hen eraan kon herinneren dat praten in het klaslokaal nog altijd niet werd getolereerd. Ze wist dat Mrs. Manningtree enkel wilde pronken, en het feit dat ze een gouvernante in dienst had als statussymbool gebruikte, en dus leed Emilie in stilte, voelde ze zich dwaas, alsof ze op het toneel stond.

Niet lang nadat ze was verhuisd, kwam mevrouw weer eens langs met twee dames, met wie ze luid fluisterend aan de kant bleef staan terwijl Emilie Rosie sommetjes probeerde te leren met behulp van gekleurde blokken. Ze hoorde dat ze het over haar hadden, maar deed alsof het haar niet opviel.

'Woont ze hier niet meer?' vroeg de ene vrouw.

'Nee,' antwoordde Mrs. Manningtree. 'Ik kon de kamer niet langer missen. Ik kan belangrijke gasten als de gravin toch niet op het dak onderbrengen? Ik heb Bert al meermalen gevraagd om een gastenvleugel voor me te bouwen. We hebben ruimte zat.'

'Waar woont ze?'

Mrs. Manningtree giechelde. 'Je zult het niet geloven. Ze is verhuisd naar de hut van Paddy Mooney, aan de rivier. Een hele achteruitgang na mijn huis. Straks gaat ze ook nog de was voor anderen doen.'

'En ze vindt het niet erg om daar te wonen?' fluisterde de vrouw.

'Kennelijk niet. De huur zal wel laag zijn.'

Emilie liet de kinderen opstaan om de dames te groeten toen zij vertrokken en probeerde zich daarna weer te concentreren op haar rekenwerk met Rosie. Hoe beledigend ook, het gesprek had haar niet van haar stuk gebracht, omdat ze het vooral boeiend vond. Het deerde deze mensen niet dat een ongetrouwde vrouw alleen woonde, iets wat thuis in Engeland een hoogtijdag voor roddels zou hebben veroorzaakt. Ze leken enkel verbaasd dat een gouvernante van haar kaliber in een dergelijk onderkomen wilde wonen.

'Het is trouwens geen hut,' mompelde ze. 'Het is een degelijk klein huisje.'

'Wat bedoel je?' vroeg Rosie.

'Laat maar zitten. Als ik deze vijf blokken pak, hoeveel blijven er dan nog over?'

'Vijf!'

'Goed zo, je bent een flinke meid. Jimmy, zit niet om je heen te staren. Ben je klaar met je sommen?'

'Nog niet, juf.'

'Schiet dan eens op, straks haalt Rosie je nog in.'

Hij grijnsde en boog zijn hoofd, al krassend op zijn lei.

Lage huur, hoezo, mijmerde Emilie. Dat zullen we nog wel eens zien. Mal had haar opgedragen het huisje te kopen. Het was een prachtig stuk grond, met uitzicht op de rivier, iets wat dit huis níet had. Ze besloot het inderdaad te kopen.

Gedachten aan Mal overspoelden haar, maar ze onderdrukte die, stelde ze uit. Deze lieve kinderen hadden recht op haar volledige aandacht.

Die avond, toen ze via de poort het erf verliet, kwam Mr. Manningtree net in zijn rijtuigje aangereden.

'Wil je een lift naar huis?'

'Nee, dank u, meneer. Ik zal u die moeite besparen.'

'Het is geen enkele moeite. Spring maar op de bok. Hij liet het rijtuigje omdraaien en vertrok in zijn gebruikelijke tempo, al ratelend over hobbels en door gaten alsof die bestreden moesten worden in plaats van vermeden.

'Weet u waar ik woon?' vroeg ze.

'Natuurlijk. Ik heb daar vaak genoeg met Paddy gezeten. Een beetje gevist, de vangst gebakken en een paar kruiken bier achterovergeslagen.'

220

'Vanbinnen ziet het er heel aardig uit,' zei ze enigszins verdedigend.

'Daar zorgt Molly wel voor. Die zou Paddy's plek nooit laten verwaarlozen.'

'Ze is van plan het huisje te verkopen.'

'Echt waar? Dat verbaast me.'

'Ze heeft het te druk om er gebruik van te maken, maar ik geloof dat het huisje ook te veel herinneringen oproept...'

'Dat zal wel. Ze waren een hecht stel, Paddy en Molly. Al hun hele leven samen.'

Uiteindelijk hield hij het paard in. 'We zijn er, juffrouw. Thuis. Weet je zeker dat je hier goed woont?'

'O, ja.' Emilie zag haar kans schoon om even wat politiek te bedrijven. Als ze dit huis kocht, zou zijn vrouw het weldra vernemen, en ze kon haar reactie nooit goed peilen, hoewel Emilie voorzag dat haar verbazing zou worden gevolgd door wrevel. Het was misschien een goed idee om haar een stap voor te zijn. Mrs. Manningtree regelde weliswaar alles in het huishouden, maar Bert was de eigenlijke baas. Hij beheerde de financiën.

'Mag ik u iets vragen, Mr. Manningtree?'

Hij leunde achterover en speelde met de teugels in zijn handen, terwijl het paard stond te snuiven en te briesen van de geleverde inspanning. 'Vanzelfsprekend. Is alles goed thuis?'

'O ja, natuurlijk. Maar aangezien Mrs. Mooney de woning wil verkopen en ik elders geen geschikte kamer heb kunnen huren...'

'Dat heb ik ook tegen Violet gezegd. Ik heb haar gewaarschuwd dat ze een aardig meisje als jou zou kwijtraken als ze je zou dwingen in een van die waardeloze tenten die ze hier pensions noemen te gaan overnachten...'

'Nee. Daar gaat het niet om. Ik vroeg me alleen af of, aangezien het huis en het land te koop zijn, u me aanraadt het huisje te kopen.'

Hij fronste. Schrok terug. 'Wat? Wil je het kopen?'

'Nou ja, meer dan dit huis heb ik niet nodig, en het staat op een perfect plekje.'

'Dus je wilt het kopen?' herhaalde hij. Hij rook naar zweet en zaagsel in de vochtige avond, maar Emilie had geleerd de resultaten van hard werken te respecteren, terwijl de Tissingtons er vroeger niet over peinsden omgang te hebben met bijvoorbeeld boerenarbeiders. Deze man werkte hard. Hij vertrok bij het krieken van de dag naar de molen en was nooit voor zonsondergang thuis.

'Heb je het geld daarvoor?' vroeg hij. 'Wil je soms een lening?'

Emilie lachte lieflijk. 'O, nee, meneer. Ik heb wat eigen geld. Want weet u, mijn vader heeft ons, mijn zuster en mij, een klein appeltje voor de dorst meegegeven...' De leugen kwam eenvoudig over haar lippen. Een leugen die ze niet tegenover Ruth kon gebruiken. Weer eentje. Hoe moest ze het in godsnaam ooit allemaal aan Ruth uitleggen?

Bert Manningtree lachte. 'Nou, ik moet je dit nageven, meisje. Je bent een slim ding. En waarom ook niet, gezien je opleiding? Dat roep ik ook voortdurend tegen Violet. Onze kinderen moeten een fatsoenlijke opleiding krijgen, want anders is het zo gebeurd met mijn geld.'

Emilie had die les eerder aangehoord, dus knikte ze instemmend. 'Ik zou uw advies waarderen, meneer,' zei ze, hoewel ze zijn antwoord al kende. 'U kent deze stad. Denkt u dat het juist is?'

'Wat bedoel je met juist?' Hij keek haar niet-begrijpend aan.

'Ik bedoel, is het de juiste stap voor mij?'

O, hemel, dacht ze, ik begin wel erg sluw te worden...

'Waarom niet?' brulde hij. 'Volgens mij is het een slimme zet. Een uiterst slimme zet. U kunt zich er geen buil aan vallen. Deze stad groeit als kool. Voor je het weet is het een echte stad. Daarom koop ik eigendommen midden in Kent Street, wat me nu een smak geld kost, maar wacht maar eens af. Met al mijn andere investeringen zal ik een hoop geld waard zijn tegen de tijd dat ik met pensioen ga.'

'Dank u, Mr. Manningtree.' Emilie tilde haar rok omhoog om uit te stappen.

'Wacht even.' Haar adviseur leek nu niet meer te stoppen. Deze transactie interesseerde hem enorm. 'Wat vraagt ze ervoor?'

Emilie liet zich weer op haar plek vallen. 'O. Dat weet ik niet.'

'Dat weet je niet? En je bent van plan het huis te kopen? Mijn God, vrouwen! Laten we eens even kijken. Wat heb je hier precies? Zo'n tweeduizend vierkante meter, als ik me Paddy's woorden goed herinner. Maar jouw huisje staat erop. Het is minder eenvoudig dan het lijkt. En er zit een goede grote watertank bij, een van de beste. Daar heb je je hele leven wat aan.'

Ze liet hem doorkletsen in zijn beoordeling tot hij een conclusie had getrokken. 'Ik wil wedden dat ze zo'n tien tot vijftien pond vraagt. Je biedt haar acht. Misschien dat je iets hoger moet gaan, maar dan zeg je dat je het struikgewas rond het huisje opgeruimd wilt hebben en een fatsoenlijk pad van het hek naar de voordeur. Als het regent breek je je nek nog eens als je daarover naar beneden moet lopen. En een luifel boven de voordeur, wat trouwens volgens Paddy niet eens de voordeur was. Kun je me een beetje volgen?'

Emilie was met afschuw vervuld. 'Ik weet het niet. Mrs. Mooney is zo aardig voor me geweest, ik zou onmogelijk met haar...'

'Maak je geen zorgen om Molly. Dat is een taaie. Bovendien heeft ze aan geld geen gebrek. Weet je zeker dat je het geld hebt?'

'Ja, meneer.'

'Laat het dan aan mij over. Ik kom er wel uit met haar. Ik regel het voor je, voordat iemand anders de kans krijgt.'

'Ik hoop niet dat ze het erg vindt.'

'Maak je daarover geen zorgen. Ik wil de koop met alle plezier voor je regelen.'

'Dat is erg aardig van u, Mr. Manningtree.'

Hij tikte zijn hoed even aan en grijnsde. 'Het is me een genoegen, juffie, want het betekent ook iets anders.'

'Hoe bedoelt u?'

'Ik begrijp hieruit dat je wilt blijven, of niet? En omwille van mijn kinderen is dat het beste nieuws dat je me kunt geven. Misschien zeg ik niet altijd alles op het goede moment, juffie, maar je verricht prima werk met hen en ze houden van je. Dat is wat mij betreft het belangrijkste. Goed, stap nu maar uit en wandel naar beneden voor het echt donker wordt. Ik zal Molly morgen opzoeken.'

De akte werd gepasseerd. Emilie was de trotse eigenaar van perceel 759 in de gemeente Maryborough, aan het eind van Ferny Lane; ze voelde zich eerder nerveus dan opgewonden, beseffend dat ze Ruth nimmer zou kunnen uitnodigen. Tenzij ze haar de waarheid zou vertellen over de oorsprong van de koopsom, en dat kon onder geen beding.

'Mijn hemel,' verzuchtte ze. 'Het wordt steeds ingewikkelder.'

Mr. Manningtree had het huis voor negen pond voor haar gekocht plus de verbeteringen die hij had voorgesteld, en Mrs. Mooney was niet beledigd geweest. Ze was juist ingenomen met het feit dat Paddy's huisje nu in het bezit was van een jongedame die de plek waardeerde; zodoende was iedereen tevreden, behalve natuurlijk Mrs. Manningtree, wier bijtende opmerkingen over 'mensen die boven hun stand leefden' geen verrassing waren. Het verwonderde Emilie dat ze tegenwoordig zo goed wist om te gaan met de hatelijkheden en de onbeleefdheid van de vrouw, een houding die haar voorheen overstuur had gemaakt en haar zelfs boos had doen reageren. Inmiddels liet ze dat allemaal over zich heen gaan, en Emilie had dan ook veel meer zelfvertrouwen gekregen. Waarschijnlijk omdat ze was gedwongen voor zichzelf op te komen, bedacht ze, en omdat ze eindelijk had toegegeven dat ook haar eigen houding verandering vereiste. Ruth en zij waren te conventioneel, veel te gereserveerd geweest om te passen bij de mensen in dit land, of in elk geval in deze stad. Het was nodig geweest om wat soepeler, wat socialer te worden. Ze veronderstelde dat Ruth tot dezelfde slotsom was gekomen.

Deze kwestie werd haar op een verontrustende manier nog eens duidelijk gemaakt toen een stevig gebouwde man haar op straat, voor het Prince of Wales Hotel, staande hield.

'Nee maar! Als dat Miss Tissington niet is! Wat fijn u weer eens te ontmoeten.'

Emilie knipperde met haar ogen, niet in staat de man te plaatsen, veronderstellend dat hij wellicht ooit te gast was geweest bij het echtpaar Manningtree...

'Kemp,' zei hij. 'Jasper Kemp. Herinnert u zich mij niet meer? Mrs. Kemp en ik verbleven ook in pension Belleview in de tijd dat u en uw zuster daar waren.'

Ze voelde haar wangen rood kleuren. Ze herinnerde zich hen zeker wel, en ze besefte ook dat zij en Ruth zijn vrouw hadden genegeerd, ook al had zij hen beleefd aangesproken. Wat dachten we in vredesnaam, vroeg ze zich zorgelijk af. Die mensen moeten ons wel ongelooflijk onbeschaafd hebben gevonden.

In verlegenheid gebracht, haastte ze zich om te antwoorden om haar geringschattende houding enigszins goed te maken. 'Mr. Kemp. Ja, natuurlijk. Wat leuk u weer te zien. Gaat het goed met u? Wat een prachtige dag, nietwaar? En hoe is het met Mrs. Kemp? Is ze met u meegekomen...'

Hij glimlachte. 'Met mij gaat het uitstekend, dank u. En nee, Mrs. Kemp is niet bij me. Ik ben hier slechts op bezoek, voor zaken. En u? Woont u hier tegenwoordig?'

'Ja.' Emilie kalmeerde wat. 'Ja. Ik heb hier een betrekking als gouvernante bij een plaatselijke familie.'

'Dat is prettig om te horen. En bevalt het werk?'

'Dank u, het bevalt heel goed. De kinderen zijn heel lief.'

'En ze hebben geluk met een onderwijzeres als u, dat weet ik zeker.' Hij keek om zich heen, naar alle mannen die rondslenterden, de rijen paarden die overal langs de straat aan speciale stangen vastgebonden stonden en de ossenwagens die rammelend in de richting van de haven reden. 'Ik had gedacht dat deze plaats een beetje te wild en te barbaars zou zijn voor u.'

Emilie glimlachte. 'Dat was ook zo toen ik hier aanvankelijk aankwam. Al die vreemde mensen joegen me angst aan, maar men went snel...'

Juist op dat moment daalde Mrs. Mooney de trap van haar hotel af.

'Ah, Emilie. Ik zie dat je de hoofdinspecteur hebt ontmoet.'

'We zijn oude bekenden, Mrs. Mooney,' zei hij. 'Mijn vrouw en ik hebben deze jongedame in Brisbane ontmoet. Hoe is het met uw zuster, Miss Tissington?'

'Die is onlangs teruggekeerd in Brisbane, om eerlijk te zijn. Ze is terug in pension Belleview. Het gaat prima met haar, dank u.'

Terwijl ze sprak, ving Emilie het woord hoofdinspecteur op, en ze herinnerde zich ineens dat deze man politieagent was. Allemachtig, en een belangrijke bovendien.

Mrs. Mooney wilde graag een praatje maken, maar Emilie legde uit dat ze nogal haast had en verontschuldigde zich tegenover allebei. Ze nam afscheid van Mrs. Mooney en wendde zich nogmaals tot Mr.

Kemp. 'Het was me een genoegen u weer te zien. Ik hoop dat uw verblijf aangenaam zal zijn. Ik moet nu echt gaan.'

Ze liep weg, de aandrang onderdrukkend om te gaan rennen, te vluchten voor die man en voor de wet, als door de wind voortgedreven door schuldgevoelens. Pas toen ze een heel eind verder was, bleef ze met een kloppend hart even tegen een hek geleund staan. Het was louter dwaasheid, dat besefte ze, om zo zenuwachtig te reageren op de politie, maar ze was domweg niet in staat haar reacties te beheersen.

Emilie droeg tegenwoordig een brede strohoed, opgefleurd met marineblauwe en witte linten die pasten bij haar werkkleding: een witte blouse en een marineblauwe rok. Ze duwde hem op haar hoofd en liep met stevige pas door. Het voorval bracht Mal in haar herinnering en ze wilde op dit moment niet aan hem denken. Het lukte haar amper om de herinneringen aan haar eigen gedrag van die avond uit haar geheugen te wissen. Haar schaamte. Ze had hem praktisch uitgenodigd om haar bed te delen! Wat moest hij wel van haar denken? Deze keer werden haar wangen pas echt vuurrood. Maar hij was veel verstandiger geweest. Emilie had altijd gedacht dat alleen mannen werden meegesleept door passie...

'Nou, je had het mooi mis,' mompelde ze, met gebogen hoofd voortstampend. 'Maar echte dames gedragen zich niet zo.'

Hun hofmakerij was echter zo zalig geweest. Ze kon zijn sterke armen nog om zich heen voelen en zijn lippen op de hare.

Weifelend liet ze haar gedachten naar de slaapkamer gaan, alsof ze een toeschouwer was. Stel dat hij was gebleven? En hij, worstelend met de liefde, haar bed had gedeeld; zou ze dan hebben toegelaten dat hij de liefde met haar bedreef? Met haar vrijde? Ze hield zichzelf voor dat ze waarschijnlijk nee had gezegd, maar anderzijds... ze verlangde naar hem, dat viel niet te ontkennen. De romantische afzondering waarin ze zich met Mal had bevonden, had haar enorm opgewonden, zodanig dat ze het nu nog gênant vond om eraan terug te denken.

Was het liefde? Of had ze zoveel medelijden met hem, wilde ze hem zo graag troosten – en door hem worden getroost – dat ze het onderscheid niet kon maken? Hij leek telkens weer heftige gevoelens in haar los te maken, en toch was hij niet het soort man tot wie zij zich aangetrokken zou moeten voelen. Bepaald niet. Ruth zou hem in het gunstigste geval niet eens goedkeuren. Maar hij was lief, en het was duidelijk dat hij diepe gevoelens voor haar koesterde...

Emilie had de lunch overgeslagen om in de stad een paar schoenen te gaan kopen, maar in haar haast om aan Mr. Kemp te ontkomen, had ze de vertrouwde route terug naar het huis genomen en was ze totaal vergeten waarom ze oorspronkelijk de stad was ingegaan.

Een andere keer dan maar, dacht ze schouderophalend, terwijl ze de oprijlaan af liep en het haar opviel dat verschillende bomen ineens sneeuwwitte bloesems droegen, hoewel het inmiddels – zogenaamd –

winter was. Het perceel zag er schitterend uit op deze warme, zonnige dag.

Mrs. Manningtree stond op de veranda aan de voorzijde. Voor haar was het zonder meer winter. Ze droeg een opzichtige wollen sjaal over een bruine kamgaren jurk. Ze wenkte Emilie, die zich afvroeg wat er nu weer mankeerde.

Maar haar werkgeefster was een en al glimlach. Voor de verandering.

'U hebt bezoek, Miss Tissington. In de zitkamer.'

Aangezien ze de hele weg naar huis aan Mal had gedacht, was hij de enige die ze zich kon indenken. Ze was zozeer geschokt dat haar hoofd tolde. Hij was toch zeker niet zo krankzinnig om hier te komen!

'Deze kant op!' siste Mrs. Manningtree, aangevend dat Emilie het huis deze keer via de voordeur mocht betreden. Verward en heel, heel nerveus besteeg Emilie de trap, stak de veranda over en liep richting de zitkamer.

Terwijl hij zat te wachten, moest Clive het gezelschap van deze afschuwelijke vrouw, Mrs. Manningtree, verdragen, die hem uitgebreid had ondervraagd, waardoor hij was gedwongen om inventief te worden, aangezien hij moeilijk kon bekennen dat een vriend van Miss Tissington, een misdadiger, hem had gevraagd haar een bezoek te brengen.

'Komt u uit Engeland, Mr. Hillier? Kent u Miss Tissington van thuis?'

Voor veel kolonialen betekende Engeland 'thuis', ook al waren ze er nooit geweest.

'Helaas niet, nee. We hebben elkaar nooit ontmoet. Ik ben een vriend van de familie.'

'Ze heeft het nooit over haar familie, alleen over haar zuster. Die ook gouvernante is.'

'Ah, ja. Dat meende ik al. De mensen spreken eerbiedig over beide dames.'

'Wat doet hun vader?'

'Die is met pensioen,' zei hij vrolijk. 'Een echte heer. Hij mist het jagen trouwens. Hij is ooit gevallen, weet u.'

'Werkelijk? En wat brengt een jongeman als u naar dit land, Mr. Hillier?'

Dit bracht hem gelukkig weer op veilig gebied. 'Ik wilde hier eens rondkijken en mijn slag slaan op de goudvelden...'

Toen dat onderwerp was uitgeput en hij overwoog om te vertrekken, moest hij haar lyrische verhalen aanhoren over een of andere gravin die onlangs op bezoek was geweest.

'Kent u de gravin?' vroeg ze.

226

'Ik ben bang van niet,' zei hij, hoopvolle blikken richting de deur werpend.

'Wat jammer dat u haar bent misgelopen. Werkelijk een charmante dame. Mijn dierbare vriendin. Ik overweeg om binnenkort naar Londen te reizen. Waar komt u precies vandaan?'

'Uit Reading.'

'Werkelijk. En ligt dat in de buurt van Nottingham? Daar woont de gravin namelijk.'

'Nottingham ligt verder naar het noorden...'

En zo ging het nutteloze gesprek moeizaam door, totdat ze Miss Tissington over de oprijlaan zag aankomen.

'Daar is ze. Ik zal haar voor u halen.'

Clive wachtte, en vroeg zich af waarom hij moeite deed voor deze mensen en wat hij straks tegen de gouvernante zou moeten zeggen. Mals vriendin. Maar toen ze, lieflijk en verlegen als ze was, de zitkamer binnenkwam, veranderde hij van gedachten. Mals Miss Tissington was een schoonheid. Het was een donkerharig meisje, niet erg lang maar met een gracieus figuur; haar huid was roomwit en smetteloos en ze had prachtige ogen – grote, diepblauwe ogen. Geen wonder dat Mal zo met haar dweepte. Hoe had Mal, de *bushman*, in vredesnaam kans gezien om het hart van een meisje als dit voor zich te winnen?

Haar werkgeefster bleef achter haar in de deuropening rondhangen, dus stak Clive meteen van wal.

'Miss Tissington, ik ben Clive Hillier...'

Ze knikte aarzelend. 'Hoe maakt u het, Mr. Hillier.'

'U kent me niet, maar ik ben een vriend van de familie. Ze hebben me gevraagd om u een bezoek te brengen.'

Ze leek verward, en dat was niet meer dan logisch, veronderstelde hij. Wie weet heeft ze helemaal geen familie, afgezien van haar zuster. Maar haar werkgeefster stond er nog steeds bij, dus kon hij het niet uitleggen.

Hij deed een stap voorwaarts. 'Het is zo'n prachtige dag, zou u met mij een wandeling willen maken?'

'Zoals u wilt,' zei ze vormelijk, terwijl Clive zich tot Mrs. Manningtree richtte. 'U heeft werkelijk een schitterende tuin, mevrouw.'

Ze deed een stap opzij, bedankte hem voor het compliment en had geen keus dan hen te laten passeren om het huis te verlaten.

'Het spijt me zeer, Miss Tissington,' zei hij, zodra ze buiten gehoorsafstand waren. 'Ik ken uw familie niet. Ik moest iets verzinnen. Ik ben een vriend van Mal. Mal Willoughby.'

'O, juist.' Ook die informatie leek geen indruk op haar te maken.

'Ik heb een brief van hem gekregen. Hij vroeg me om u op te zoeken.'

'Met welke reden?'

'Hij scheen te denken dat u hier ongelukkig bent.'

'Dat is niet juist.'

'Ik ben blij dat te horen.' Hij zuchtte. 'Luister, ik ben de boodschapper maar. Hij dacht dat u misschien eenzaam was, dat u wel wat gezelschap kon gebruiken.'

'Dus heeft hij u gestuurd, Mr. Hillier? Maar wie bent u eigenlijk precies?'

'Ik was zijn partner op de goudvelden. We hebben een tijdje goed geboerd, maar het ging Mal vervelen en hij besloot te vertrekken. Dat was trouwens een zeer onfortuinlijke beslissing. Hij is met het goudtransport meegereden. Ik neem aan dat u weet wat er daarna is gebeurd?'

'Maar natuurlijk.'

Ze was allerminst toeschietelijk. 'Vergeef me,' mompelde hij. 'Moet ik constateren dat u zichzelf niet langer als een vriendin van hem beschouwt? Als u dat ooit al bent geweest.'

Hij verwachtte dat ze zichzelf zou verdedigen tegen de overduidelijke beschuldiging dat ze een zogenaamde vriendin was, die niet geneigd was haar vriendschap met een vogelvrij verklaarde te erkennen, maar ze keek hem slechts vluchtig aan, het puntje van haar kin trots omhooggestoken.

'En u, Mr. Hillier? Bent u ook nog altijd een vriend, of niet meer dan een nieuwsgierige boodschapper?'

'Beide,' zei hij vastberaden. 'Ik geloof er niets van dat Mal betrokken is geweest bij die overval, en dat heb ik in mijn verklaring tegenover de politie ook duidelijk gemaakt.'

'Ik geloof het ook niet,' zei ze zachtjes, en nadat ze dit hadden vastgesteld, vervolgden ze hun wandeling.

'Hebt u iets van hem gehoord?' vroeg hij.

Emilie verzette zich tegen de neiging om de vreemdeling in vertrouwen te nemen. De ontmoeting met Mal was privé. 'Hij schrijft me niet, Mr. Hillier. En dat heb ik ook liever niet. Het verbaast me dat hij het risico heeft genomen om u te schrijven.'

'Ik heb de brief via vrienden ontvangen.'

'Ik zal u niet vragen waarvandaan.'

Hij haalde zijn schouders op. 'Dat stond er niet in. Het was een kort briefje. Ik heb het vernietigd voor het geval de politie mijn tent zou doorzoeken. Als zijn voormalige partner zaten ze mij ook op mijn nek. Ze hebben u toch niet lastiggevallen?'

'Waarom zouden ze?' vroeg ze koeltjes. 'U bent de enige die weet dat wij bevriend zijn. Ik heb hem in Brisbane ontmoet en we hebben contact gehouden.'

'Maar hij schrijft niet?'

'Dat heb ik toch gezegd?'

'Weet ik. Ik bedoelde het meer als een trieste opmerking over zijn situatie. Arme Mal. Joost mag weten wat er van hem moet worden.'

'Kunt u helemaal niets doen om hem te helpen?'

'Afgezien van een verklaring afleggen, zou ik niet weten waar ik moet beginnen.'

'Dat zal wel niet,' reageerde ze somber.

Het volgende moment kwam er een jongeman over de oprijlaan naar hen toe gerend.

'Miss Tissington!' riep hij. 'Mama zei dat u weer moet gaan lesgeven. Het is na tweeën.'

'Ja, ik kom, Jimmy.' Ze draaide zich om. 'Het spijt me, Mr. Hillier. Ik moet gaan.'

'Dat kan nog niet,' zei hij grinnikend. 'We moeten alle familiezaken nog bespreken.'

'Welke familie?'

Hij knipoogde. 'Ze zouden gekwetst zijn als u me niet toestond alle nieuws van thuis over te brengen. U weet wel, dat uw vader niet meer jaagt, en de rest. Mrs. Manningtree en ik hebben uitvoerig met elkaar gesproken voor u kwam. Hoe laat bent u vrij?'

'Ze gaat om zeven uur weg.' Jimmy was blij dat hij van dienst kon zijn.

'Goed dan. Ik kom u om zeven uur afhalen, Miss Tissington. Het zal de familie verheugen dat ik u heb gevonden. Plezierige dag nog, jongeman,' voegde hij daaraan toe, terwijl hij Jimmy op het hoofd klopte. Daarna liep hij met grote passen richting de poort.

'Is dat uw vriendje?' vroeg Jimmy.

'Absoluut niet. Ik heb deze heer daarnet voor het eerst ontmoet.'

'Mama beweert dat hij van adel is.'

Emilie lachte. Wat nu weer? Een titel voor Mr. Hillier om indruk te maken op Violet Manningtree? Om de litanie van leugens waarin ze verwikkeld leek te raken nog erger te maken.

Misschien geen vriendje, maar dan toch zeker iemand die haar het hof maakte. Dat was de mening van iedereen in het huishouden, ondanks Emilies weigering om de kwestie te bespreken, omdat hij voortdurend op de stoep leek te staan, wachtend op de gouvernante. En Mrs. Manningtree vond het geweldig. Naderhand moest Emilie glimlachend vaststellen dat Clive geen titel droeg maar dat zijn vader kolonel was, en dat was meer dan voldoende voor Violet. Ze bedacht allerlei klusjes om Emilie bezig te houden, zodat ze wat tijd met Mr. Hillier in de zitkamer kon doorbrengen, en stond erop dat hij dan een glas sherry of whisky met haar gebruikte. En Emilie, die nu een elegante heer als vriend had, werd niet langer de toegang via de voordeur ontzegd, een verandering die hen in de keuken deed omrollen van het lachen.

'U komt echt vooruit in de wereld, juffie,' plaagde Kate haar.

Hoewel geenszins haar vrijer, was Clive absoluut geboeid door Miss Tissington. Hij moest echt zijn best doen om haar te laten lachen, om haar gereserveerdheid weg te nemen, om haar te laten praten over haar huidige werkkring en de familie thuis, maar ze hadden veel gemeen. Ze kwamen allebei uit Engeland, ze waren allebei hoog opgeleid en ze konden hun ervaringen delen over de cultuurschok die de komst naar dit eigenaardige land had veroorzaakt.

Om te beginnen bracht hij haar een paar keer naar huis, naar het kleine arbeidershuisje bij de rivier. Daarna haalde hij haar over om met hem te dineren in een hotel, maar ze wilde alleen als ze naar het Prince of Wales Hotel zouden gaan, waarvan ze de eigenaresse – Mrs. Mooney – kende. Vervolgens nam hij haar op een zondagmiddag mee naar een openluchtconcert aan het einde van Wharf Street en daar leek ze van te genieten. Het was moeilijk te bepalen. Ze was nergens echt enthousiast over.

Hoe was het Mal Willoughby dan in 's hemelsnaam gelukt, zo vroeg hij zich af, om zo dicht bij haar te komen dat ze bevriend raakten? Miss Tissington was een heus mysterie voor hem. Een uitdaging.

Ondertussen deden verhalen over de riskante omstandigheden op de noordelijke goudvelden de ronde, en Clive, een kieskeurige man, begon zijn belangstelling voor de mijnen te verliezen. Toen hij een baan kreeg aangeboden als manager van de drukke entrepotwinkel in Wharf Street nam hij die dankbaar aan – de beslissing was voor hem gemaakt. Het gaf hem iets te doen, terwijl hij nadacht over zijn volgende carrièrestap. Ondertussen genietend van het gezelschap van Emilie Tissington. Ze was een hele vondst in deze subtropische buitenpost. Arme Emilie. Ze kwam uit een voornaam wereldje, waar het als ongemanierd werd beschouwd om de aandacht te trekken, maar het was juist haar keurigheid, haar damesachtige gedrag die de hoofden in deze stad deed omdraaien, en ze was zich totaal niet bewust van de belangstelling die ze opwekte.

Maar hoe paste Mal in het plaatje met haar? Totaal niet, voor zover Clive kon beoordelen. Ze had erkend dat hij een vriend was, ze geloofde dat hij onschuldig was, maar dat was zo ongeveer alles. Emilie noemde zijn naam nooit, niet uit vrije wil althans. En als Clive het over hem had, zich afvroeg waar Mal was en hoe het met hem ging, in een poging haar uit haar tent te lokken, veranderde zij heel handig en snel van onderwerp. Het werd hem duidelijk dat Mal zijn relatie met haar behoorlijk had overdreven. Het was typisch zo'n eenzijdige verhouding, waarbij Mal haar idealiseerde – en waarom ook niet? – terwijl zij hem puur als een vriend beschouwde, mogelijk zelfs eerder als een kennis. En dat, zo concludeerde hij, leek tenminste logisch.

Tenslotte was hij meer haar type, zo hield hij zichzelf voor.

Dat vond Emilie ook. Ze voelde zich gevleid door Clives aandacht en was heel tevreden dat ze een heer als hij tot haar beschikking had om mee uit te gaan. Hem zou Ruth vast en zeker goedkeuren, zoals ook de familie Manningtree dat deed. Ze nodigden hem zelfs uit om te komen dineren en stonden toe dat Emilie erbij was, en natuurlijk gebeurde het onvermijdelijke. Ze moest pianospelen voor het gezelschap. Dat irriteerde haar, maar Clive begreep niet waarom ze zich daarover druk maakte.

'Ik heb me prima vermaakt, vanavond,' zei hij. 'Het was een uitstekende maaltijd, en hoewel zijn vrouw een vreselijke zeurkous is, valt die ouwe Bert wel mee. Het is roeien met de riemen, mijn lief, en je moet er het beste van zien te maken. Bovendien speel je erg goed.'

Toen hij de leiding van de entrepotwinkel op zich nam, verhuisde Clive naar de Bush Inn, ook een bekende herberg, die onderdak bood aan mannelijke gasten, en hij stond erop dat ze daar met hem zou dineren. Ze was er niet happig op maar vertrouwde op zijn oordeel. Het werd een bijzonder aangename avond en na afloop bracht hij haar wandelend naar huis.

Dit was niet de eerste keer dat hij haar tot het hek bracht, maar het was wel de eerste keer dat hij een vluchtige kus op haar wang drukte voor hij vertrok, en Emilie vond het heel plezierig, heel lief. Ze begon echt gesteld te raken op Clive; hij was een echte heer, zo betrouwbaar. Het was verfrissend iemand als hij in de buurt te hebben en een opluchting dat hij haar positie begreep zonder dat er uitgebreid over gepraat diende te worden. Aangezien ze alleen woonde, kon ze hem moeilijk mee naar binnen vragen; ze wisten allebei dat de fatsoensnormen geëerbiedigd moesten worden.

Eenmaal binnen, echter, nadat ze de lampen had ontstoken, huiverde Emilie alsof ze een kou had opgelopen. Er was altijd een mogelijkheid dat Mal op haar wachtte, en dat zou een uitleg vereisen die ze momenteel moeilijk kon geven. Ze was hem niet vergeten. Ze maakte zich nog altijd zorgen om hem, gaf om hem, maar hij leek geleidelijk aan uit haar leven te verdwijnen. Zoals Clive al had gezegd: ze konden niets doen om hem te helpen, ze wisten niet waar ze moesten beginnen. Hij was nog altijd op vrije voeten, maar waar? Het leek oneerlijk dat zij en zijn vriend een normaal leven konden leiden terwijl die arme Mal ergens in dit uitgestrekte land moest vechten om te overleven. Het leek zelfs trouweloos.

Emilie ging terneergeslagen naar bed en droomde niet van Clive, met wie ze een leuke avond had gehad, maar van Mal Willoughby en zijn afscheidskus.

Ze kon zichzelf er niet toe brengen om Ruth te vertellen dat ze het huisje inmiddels bezat. Het was te snel. Ruth had pas onlangs geaccepteerd dat ze in het 'gehuurde' onderkomen zou blijven, hoewel niet zonder twijfels. In haar brieven gaf ze regelmatig advies over beleefde manieren en dat die in acht moesten worden genomen, ongeacht de losbandige manier van leven van de plaatselijke bevolking. Het deed Emilie glimlachen – haar nieuw verworven vrijheid had haar de gelegenheid geboden om de stad te verkennen, zonder nog nerveus te worden van de aanwezigheid van aboriginals in de straat of van grote kerels met laarzen en sporen, die hun brede hoeden aantikten als ze voorbijkwam. Wat losbandigheid betrof wist ze dat Ruth zich een ongeluk zou schrikken als ze te horen kreeg dat er in deze stad evenveel huizen van slechte reputatie als hotels waren. En dat haar zusje zich daarvan bewust was.

Aanvankelijk was ze die huizen zo snel mogelijk gepasseerd, om de starende blikken van de schreeuwende, ordinaire vrouwen die op de veranda's rondhingen te vermijden, totdat de gefluisterde opmerkingen van de kokkin over alle bordelen die hun deuren in Maryborough openden haar met een schok deden beseffen wat dat eigenlijk voor vrouwen waren. Ze liep er nog steeds gehaast langs, en zo mogelijk aan de overkant van de straat.

Hoe dan ook, Ruth leek tegenwoordiger een stuk gelukkiger, minder betrokken bij Emilie dan bij haar eigen zaken. Er kwam mogelijk een positie als lerares aan de Brisbane Damesschool vrij, waarvoor Ruth zich als geknipt beschouwde. Ze had de directrice een bezoek gebracht en het gesprek was prettig verlopen. Ze was er zeker van dat haar sollicitatie door het bestuur zou worden beloond.

Veel interessanter nog was dat ze het voortdurend had over Mr. Bowles. Haar vriend. Haar dierbare vriend. Die zo aardig en behulpzaam was. Ze leken onafscheidelijk te zijn. En Mr. Bowles liet haar zelfs de groeten overbrengen aan haar zuster. Emilie was dolblij voor Ruth en schreef dat ze graag meer nieuws wilde horen over deze opwindende ontwikkeling, om vervolgens berispt te worden voor haar ongepaste persoonlijke opmerkingen. Ruth legde uit dat Mr. Bowles haar brieven graag las en dat ze die laatste had moeten verstoppen om te voorkomen dat er iemand in verlegenheid werd gebracht.

'Probeer wat omzichtiger te zijn in het vervolg, Emilie,' schreef ze vermanend.

Omzichtig? Emilie zuchtte toen ze die ochtend op pad ging, en dacht nog steeds aan Mal, haar vriend, de bandiet. Het was overduidelijk dat hij nooit en te nimmer zou kunnen opboksen tegen de volmaakte Mr. Bowles.

Hoofdstuk 8

Het gebeurde in de hoofdstraat, vlak voor het postkantoor, op de avond voordat Kemp weer zou vertrekken naar Brisbane, en het blies de woede en verontwaardiging over de moorden bij de Blackwaterkreek nieuw leven in. De voormalige goudcommissaris kreeg een hartaanval en viel van zijn paard. En als die lenige jongeman niet naar voren was gesprongen om hem te redden, zou Mr. Carnegie zijn overreden door een passerende wagen, volgeladen met hout.

Het incident had grote sympathie gewekt voor de man, die volgens de publieke opinie meer dan genoeg had geleden, en algauw werd er, op straathoeken en in pubs, druk over gepraat door de brave burgers van Maryborough. Binnen enkele uren had zich een grote menigte verzameld op het omheinde veld naast het politiebureau die eiste dat er stappen zouden worden ondernomen, die eiste dat de misdadigers hun gerechte straf zouden ondergaan. Gezien alle andere overvallen door struikrovers en rondzwervende groepjes aboriginals, naast de gebruikelijke ruzies en diefstallen die een stad kenmerkten, riepen de demonstranten dat ze zich niet langer veilig voelden in hun eigen bed, waarbij ze de politie beschuldigden van laksheid en onbekwaamheid.

Pollock was blij dat Kemp nog in de stad was. Als zijn superieur was het de taak van de hoofdinspecteur om het onrustige volk toe te spreken met de beste uitvluchten die hij kon verzinnen, want de harde waarheid was dat ze tot dusver geen enkele tip of aanwijzing hadden gekregen over de verblijfplaats van de twee gezochte criminelen, Willoughby en McPherson. Maar Kemp wist een prima toneelstuk op te voeren, want zijn rang wekte vertrouwen, en hij beloofde dat er meer politieagenten op de zaak zouden worden gezet terwijl hij, op geheimzinnige toon, liet weten dat het onderzoek vorderde...

Niettemin stapte hij de volgende ochtend op zijn schip, op weg naar Brisbane.

Voor het schip uitvoer, slopen de twee mannen naar de hut van Kemp om de plaatselijke krant te bestuderen, waarin de politie in onomwonden termen werd bekritiseerd, wat Pollock bepaald niet vrolijker maakte, omdat hij alleen achterbleef om de kritiek te trotseren.

Kemp schoof zijn exemplaar opzij. Hij begon zo langzamerhand als een politicus te denken.

'Nou ja, dat is vanzelfsprekend, of niet dan?' was zijn reactie.

'Wat is vanzelfsprekend?'

'Dat ze ons afschieten. Dat is hun taak. Maak je geen zorgen.'

Dat was allemaal leuk en aardig voor hem, dacht Pollock, hoewel hij dat moeilijk hardop kon zeggen. In plaats daarvan kwam hij terug op hun gezamenlijke zorg.

'Wat doen we met Carnegie?'

'Hopen dat hij het haalt. Hij is een getuige.'

'Waarom is hij nog steeds hier?'

'Omdat zijn schuldeisers in Brisbane zitten, neem ik aan. Ik heb geprobeerd hem over te halen om met mij terug te gaan, maar hij hield voet bij stuk.'

'En hij houdt vast aan zijn verhaal?'

'Woord voor woord.'

'En je gelooft hem?'

'Ja, die neiging heb ik wel. Het is geen misdaad om blut te zijn.'

'Ik vermoed van niet.'

Gefrustreerd zwegen ze allebei, luisterend naar het zachte geklots van het water en de gedempte stemmen van de andere passagiers die aan boord kwamen.

'Je kunt beter gaan,' zei Kemp, 'anders vaar je dadelijk met me mee.'

'Ja. Ik weet het. Er is nog één ding wat ik me lange tijd niet kon herinneren en dat nu misschien nauwelijks de moeite van het noemen waard lijkt.'

'En dat is?'

'Het staat niet in mijn rapport, omdat ik het destijds kwijt was, vanwege de schok die het vinden van de lijken teweegbracht, maar ik herinner me dat Willoughby schreeuwde dat Taylor de pest had aan Carnegie. Of iets van die strekking...'

'En?'

'Nou, Carnegie verklaarde toentertijd dat hij kapot was van Taylors dood. En dat blijft hij roepen. Hij beweert dat ze goede vrienden waren.'

'Ja, dat heeft hij mij ook verteld. Maar bedenk wel dat een plotselinge dood de wrok snel kan wegnemen.' Kemp hees zijn omvangrijke gestalte van zijn kooi om Pollock uitgeleide te doen.

'Ik weet het. Maar waarom zou Willoughby op een dergelijk moment zoiets onbeduidends benadrukken? Ik zag hem verrast omdraaien toen Carnegie beweerde dat Taylor zijn makker was. Zijn verbazing was oprecht.'

Kemp schudde zijn hoofd. 'Hoe dan ook, Carnegies reactie was niet meer dan natuurlijk. Maar hoe schat je Willoughby in nu je de tijd hebt gehad om over deze kwestie na te denken?'

'Dat is moeilijk te zeggen. Ik heb hem ontmoet. Ben met hem opgereden. Het is een aardige vent, maar dat geldt ook voor een heleboel

234

andere boeven. Ik zou hem niet voor een moordenaar houden als Carnegie hem niet had aangewezen.'

'We hebben nog niet bewezen dat hij de moordenaar is. Alleen dat hij een van de twee of een van de bende was.'

'Klopt. En dat is ook zoiets. Ik ben er nooit achtergekomen waar Willoughby heeft gezeten in de tijd tussen het moment dat hij in de stad aankwam en zich bij mij meldde en het moment waarop we de stad uitreden om het transport naar Maryborough te begeleiden. Ik heb allerlei mensen gevraagd. Niemand heeft hem gezien. En hij was te laat bij het politiebureau.'

'Denk je dat hij contact heeft gezocht met een van de bendeleden hier in de stad? Dat lijkt me sterk. Na een dergelijke overval zoeken ze hun toevlucht eerder in de heuvels.'

Pollock knikte. 'Ja, je hebt gelijk. Dat zal wel niet gebeurd zijn. Maar ik heb gewoon een hekel aan hiaten, als je begrijpt wat ik bedoel.'

'Absoluut.'

Het schip draaide de rivier op en Kemp stond aan de reling en verzette zijn gedachten in het zachte briesje, terwijl het vaartuig moeizaam richting kust voer. De rivier had zich een weg gebaand door de mangroven en het dichte woud, waar geen teken van leven te bespeuren viel. Vanuit zijn positie leek het land onbewoond. Tegen het einde van de middag hadden ze de brede baai overgestoken en voeren ze langs de kleurrijke rotswanden en stranden van het beroemde Frasereiland voor ze het ruime sop van de oceaan kozen en in zuidelijke richting verdwenen.

Kemp gebruikte de avondmaaltijd met de kapitein en hoorde voor de zoveelste keer het fascinerende verhaal over Mrs. Fraser aan, de overlevende schipbreukelinge en haar avonturen, en over het prachtige eiland en de schoonheid ervan. De kapitein had het eiland ooit zelf verkend; hij had deel uitgemaakt van de reddingsploeg die naar het eiland was gestuurd, nadat Mrs. Fraser met behulp van een ontsnapte gevangene die al jaren tussen de aboriginals leefde terug wist te vluchten naar de beschaving, om te kijken of er meer overlevenden waren. Kemp had spijt dat hij de gelegenheid om het eiland te bezoeken en het kristalheldere blauwe meer – waar iedereen zo vol van was – te aanschouwen niet had benut, maar hij had belangrijker zaken aan zijn hoofd gehad. En dus vond hij het best om de uitstekende cognac van de kapitein met hem te delen en een luisterend oor te bieden.

De volgende ochtend echter, toen hij rondslenterde op het dek, dacht hij terug aan Taylor, de boekhouder. De man met de smetteloze geloofsbrieven. De man die Willoughby zodanig voor zich had ingenomen dat hij zijn aanstelling als bewaker op aanbeveling van Carnegie had goedgekeurd. De man, zo herinnerde hij zich goed, die nauwlettend alles had bijgehouden in zijn boeken en aantekeningen. De man die ook een vrouw had in Brisbane. Een weduwe, zo corrigeerde hij zichzelf.

De zee was woelig, uitgelaten; er waaide een straffe wind en er was geen wolkje aan de hemel. De weinige passagiers aan boord waren beleefd en de kapitein uitstekend gezelschap. Maar Kemp was erop gebrand om terug te zijn in Brisbane. Hij hoopte in godsnaam dat Taylor een goede verstandhouding had met zijn vrouw, omdat hij haar – gezien zijn nauwgezetheid – waarschijnlijk zou hebben geschreven. Hij zou haar wellicht enig inzicht hebben verschaft in zijn verblijf op de goudvelden. Mogelijk had hij zelfs Carnegie genoemd.

Jasper Kemp ging die avond slapen met deze berustende gedachte: 'Nou ja, het zou kunnen.' Het was misschien de moeite waard er enige aandacht aan te besteden.

Want hoe moest hij Pollock anders helpen? Zoals hun vriend Allyn Carnegie al vaker had geroepen, zouden de schavuiten inmiddels het district Maryborough allang hebben verlaten.

Hoewel Allyn bij bewustzijn was, hield hij zijn vermoeide ogen gesloten. Hij lag op een bed dat zo hard was als een tafel in het lijkenhuis. En net zo koud. Hij zou wel een extra deken willen, maar nam niet de moeite er een te vragen. Zijn leven was één grote lijdensweg. Het was zijn lot. Wat betekenden een paar uur pijn voor een man die ten dode was opgeschreven? De geringste beweging deed zijn hoofd bonken en zijn lichaam deed overal pijn. Doodsstrijd. Hij voerde een doodsstrijd en het kon niemand een barst schelen. Hij wist dat hij in dat ellendig bushhospitaal lag, een smerige plek waar het naar methanol en fenol stonk, de 'voor-en-na-geuren', zoals zijn moeder die noemde toen ze haar laatste dagen doorbracht in een ziekenhuis, even armzalig als dit. De een om weer tot leven te wekken en de ander om te ontsmetten, nadat de ziel was opgestegen.

Nou, dacht Allyn, mijn ziel kan me niet snel genoeg opstijgen. Ik zal het toejuichen als ik word bevrijd uit mijn lijden en van deze nuchtere stemmen om me heen, die praten alsof ik nu al een lijk ben.

'Hartaanval,' zeiden ze op luchtige toon, alsof dit hart een fort was waarop slechts enkele pijlen waren afgevuurd, alsof een aangevallen hart een onbeduidende zaak was, alledaags en niet echt serieus.

'Hij was er bijna geweest,' hoorde hij, en gaf een mentaal knikje om te voorkomen dat zijn hoofdpijn verergerde, terwijl zij door zijn kamer stampten, tegen zijn bed stootten en zijn hart fladderend zijn eind tegemoetging. Dat arme hart: uit het oog, uit het hart.

Zijn hele leven had zijn hart het zwaar te verduren gehad. Al die inspanningen, al die mislukkingen, het was een wonder dat hij het zo lang had volgehouden. Er sprongen tranen in zijn ogen toen hij zijn laatste, zijn allerlaatste poging voor de geest haalde, en hij deed zijn best er niet aan te denken, maar die beproeving was te recent. Hij zag zichzelf met zijn paard de veerboot betreden en aan de overzijde kletterend over de loopplank de boot weer verlaten, opgelucht dat er geen noodzaak was om zijn bestemming uit te leggen aan de veerman, die zelf overigens ook nergens naar vroeg. Hij was gewoon een van de talloze passagiers. Het was enkel irritant om te constateren dat hij de tocht veel eerder had kunnen maken.

Hij nam afscheid met een vrolijk handgebaar dat het bonzen van zijn hart verloochende, en reed richting de plantages, hoewel hij al snel afweek van die route en voor de onverharde weg langs de rivier koos. Het was een eenzaam pad, dat weinig werd gebruikt, behalve misschien soms door vissers of als een achteromroute voor een plantage, omdat het bekendstond vanwege overstromingen en uiteindelijk ophield bij een vooruitstekende heuvel. Een doodlopende weg. Dus Perry kon de boom onmogelijk over het hoofd hebben gezien. Hij stond ginds aan de linkerkant, de reusachtige Moretonbaai-vijgenboom met zijn enorme takken die zich ver over het modderige water van de rivier uitstrekten. En iedereen behalve een blinde kon de tekens zien die Carnegie persoonlijk in de boomstam had gekerfd. vvv, meer niet. Het betekende niets. Ze zouden een voorbijganger – afgezien van Perry – niet interesseren. Onschuldige letters, gekerfd door een verveelde hand. vvv. De buit van de overval zou in de holtes moeten zitten die werden gevormd door de verwrongen bovengrondse wortels van deze boom.

Allyn keek om zich heen en huiverde. Hij bespeurde gevaar op deze uitgestorven plek, maar dwong zichzelf om de angst te verjagen, die werd veroorzaakt door de herinnering aan wat hij hier op het punt stond te doen. De angst om gepakt te worden, terwijl hij de buit tevoorschijn haalde. De angst dat Perry hem had beroofd. Alles had ingepikt en de benen had genomen.

Hij gleed van zijn paard en liep ploeterend door de modder naar de boom. De vorige keer dat hij hier was geweest, waren de oevers droger geweest, toen was de oever op dit niveau uitgedroogd en vol scheuren maar veel toegankelijker, maar vandaag moest hij zich zien te redden in de zompige modder. Hij hoopte dat Perry de zakken in holtes boven het waterniveau had verstopt, ineens bezorgd dat de bankbiljetten half vergaan waren, hoewel het goud en de munten natuurlijk niets te lijden hadden van het water.

De boomstam mat enkele meters in omtrek en ging schuil achter kronkelende, uitstekende wortels, en de eerste keer dat Allyn zijn hand erin stak, voelend in de holte, zonk de moed hem in de schoenen. Niets. Vanaf dat moment, terwijl hij in elke nis en elk gaatje zocht en zijn hoop vervloog, sloeg de wanhoop toe. Hij ging de hele boom opnieuw langs, klauterde over de glibberige wortels, biddend, vloekend, en zocht zelfs hogerop tussen de takken met bladeren, maar het leverde niets op. Geen spoor van wat voor zakken dan ook.

Uiteindelijk deed hij een stap achteruit, hijgend tegen de boom en Perry uitscheldend voor alles wat hij kon bedenken, waarna hij, nadenkend over de dwaasheid van Perry, zijn gebrek aan verstand, andere bomen begon te onderzoeken voor het geval die gek zich had vergist. Alleen Perry zou een dergelijke fout kunnen maken. Maar er waren honderden bomen. Als hij de buit in een ervan had verborgen, was hij toch zeker wel zo slim geweest om die met het afgesproken teken vvv te merken, dat zo duidelijk zichtbaar op de vijgenboom stond. Allyn schopte op goed geluk tegen andere boomstammen, wetend dat hij de schat niet zou vinden, zonder enige twijfel wetend dat verder zoeken vruchteloos was. Baldy Perry had hem belazerd. Ondertussen was het geen verrassing meer voor hem. Slechts een afschuwelijk, ellendig gevoel van verslagenheid.

Zijn paard, dat geduldig op het pad stond te wachten, de teugels losjes bevestigd aan een boom, waarschuwde hem. Het brieste ineens, stampte met zijn voorpoot op de grond, opgeschrikt, en instinctief keek Allyn in de richting van het pad, verwachtend dat hij gezelschap kreeg.

Hij mocht niet betrapt worden terwijl hij hier zonder goede reden liep te zoeken, en wilde zeker niet de aandacht op dit gebied in de bossen vestigen, en dus klom hij snel de met gras begroeide oever op, een beetje uitglijdend en zich vastgrijpend aan graspollen.

Maar het paard was meer dan geschrokken. Het zag er dol uit, met wijdgeopende neusgaten, en in een flits zag Allyn de doodsangst in zijn ogen. Hij keek achterom naar de rivier en zag de reden. Een reusachtige krokodil, van ten minste zes meter lang, was inmiddels uit het water gekropen en schoot op hem af.

'O, mijn God!' schreeuwde hij. 'Mijn God!' De angst gaf hem vleugels. Hij stormde de rivieroever op, wetend hoe snel krokodillen zich konden voortbewegen, en durfde niet achterom te kijken tot hij goed en wel op het pad en nog hoger was, voorbij zijn paard, dat inmiddels stond te steigeren en te hinniken. Het trok de leren teugels kapot en bracht zichzelf schichtig in veiligheid, een eind verderop langs het pad.

Allyn zag het enorme monster tot stilstand komen, waarbij het de zware snuit met de in elkaar grijpende tanden dreigend heen en weer zwaaide en met een kille blik afwachtend om zich heen keek. Vervolgens keerde het grote lijf met de dikke klauwen zich. Het dier had zijn prooi gemist, waggelde weg en gleed geruisloos terug in het water. En zelfs toen, toen hij weer veilig was, bleef Allyn als gehypnotiseerd staan, te bang om zich te verroeren. Zijn hart bonkte zó hard dat hij dacht te zullen stikken. Het monster was verdwenen; hij was slechts half ondergedompeld in het ondiepe water, zijn knobbelige kop en ogen waren nog altijd zichtbaar. Allyn vroeg zich verward af of dit monster of een van zijn maten Perry te grazen had genomen. Ze zouden een man gemakkelijk met huid en haar kunnen vermorzelen. Ze konden, dat was vaker gebeurd, paarden doden. Dat dier ginds kende het gevaar maar al te goed.

Iedereen wist dat het in deze noordelijke rivieren wemelde van de krokodillen. Waarom had hij daar nooit bij stilgestaan? Omdat hij, de laatste keer dat hij hier was, vol zat over zijn plannen en het water in de rivier bovendien veel lager had gestaan.

'Lieve help,' sprak hij kreunend, gebroken en misselijk als hij zich door deze nipte ontsnapping voelde. Die bruut zou hem vermoord hebben. Hij zou hem de rivier in hebben gesleurd, bovenop hem zijn gaan liggen en hem onder water hebben geduwd en gedood, en niemand zou ooit weten dat Allyn Carnegie zo'n gruwelijk einde had gekend. Hij braakte in het piekerige gras.

Het paard was volgzaam en gerustgesteld door zijn aanwezigheid en meer dan bereid om weg te rijden bij die levensgevaarlijke plek, met slechts de helft van een teugel om hem te leiden, maar er was niemand op de overvolle veerboot naar Maryborough die het opviel. Ze hadden het allemaal te druk met een groep van ongeveer twintig arbeiders van de Zuidzee-eilanden, die een plantage waren ontvlucht uit protest tegen de slechte behandeling en nu aan boord van de veerboot stapten, weigerden te betalen en eisten dat ze onmiddellijk werden teruggebracht naar de stad.

Allyn was te zeer geschokt om zich druk te maken over wat ze deden. Hij hurkte op het dek naast zijn paard, zijn enige vriend in de hele wereld, als een oude woudloper, als een zwerver die geen toekomst had en geen noemenswaardig verleden.

Tegen de tijd dat hij de stad inreed, had hij geen doel meer voor ogen; hij zat domweg op zijn paard en zwierf door de vertrouwde straten. Het paard had zich hersteld, maar zijn baas niet. Hij reed, zonder iets te zien, zonder ergens om te geven, zijn huis voorbij en dus besloot zijn paard het heft in handen te nemen. Hij ging op weg naar huis, naar de stallen van Graubler en een goedgevulde voederbak, toen zijn baas ineens van zijn rug viel, hoewel ze niet harder gingen dan een sukkeldrafje.

De dokter tikte hem op de schouder. Die dokter, die vervloekte kwakzalver die alleen geschikt was om dieren te behandelen, tikte hem aan.

'Mr. Carnegie. Hoe is het met u?'

Het irriteerde Allyn dat hij werd gestoord. Mocht een man dan niet in alle rust sterven?

'Hoe is het met u?'

Om van die idioot af te komen, was een reactie vereist.

'Wat denkt u zelf?' mompelde hij kwaad, nauwelijks in staat om voldoende kracht te verzamelen voor deze inspanning. 'Ik heb een hartaanval gehad die me bijna het loodje deed leggen, en...', hij haalde diep adem om verder te kunnen praten, 'mijn longen hebben het begeven. Laat me met rust.'

'Nee, dat kunnen wij niet doen. U hebt een lichte hartaanval gehad, maar daaraan zult u niet sterven. Hoewel het met die val van uw paard, waarbij u praktisch onder de wielen van een wagen kwam, niet veel scheelde.'

'Val van mijn paard?' Allyn kreeg de woorden nu zonder veel moeite over zijn lippen.

'Ja. U bent gehavend uit de strijd gekomen. Een klap op uw hoofd, een gebroken rib en hier en daar blauwe plekken, maar het komt allemaal goed. Over een paar dagen staat u weer buiten.' Hij lachte. 'Alleen de braven sterven jong, meneer.'

'Wat bedoelt u daar precies mee?'

'Gewoon een grapje. Gaat u maar lekker uitrusten en eet wat, dan zie ik u morgen weer.'

Nooit eerder in zijn leven, met alle beproevingen en ellende die hij had gekend, mensen die hem in de steek hadden gelaten en briljante plannen waar nooit iets van terechtkwam, had Allyn Carnegie zo vurig gewenst dat morgen nooit zou komen. Maar nu wel. Hij wilde sterven, maar zoals gewoonlijk faalde hij zelfs in dat eenvoudige streven.

Hoewel hij het district nog niet helemaal had verlaten, was Mal een eind op weg, geleidelijk aan de heuvels achter Gympie beklimmend. Tegelijkertijd keerde Pollock terug naar Maryborough met een gevangene, een vervalser die al bijna een jaar verwarring zaaide in drukke hotels en herbergen door valse soevereinen in omloop te brengen.

Mal reed dagen achtereen, landinwaarts in noordwestelijke richting, waar de mensen, die in afgelegen boerderijen of houthakkershutten woonden, nooit afkerig waren van een praatje met vriendelijke reizigers. Hij had zich de rol van prospector aangemeten, dit keer niet op zoek naar goud maar naar land, in de wetenschap dat de plattelandslieden niets liever deden dan uit te weiden over de lotgevallen en de tegenslagen die het bedwingen van de bush met zich meebracht. En hij was, bovenal, een vriendelijke reiziger met een brede glimlach, een eerlijk gezicht, een verlegen manier van doen en iemand die zich bereid toonde om waar nodig de helpende hand te bieden en in ruil daarvoor niets meer verlangde dan een maaltijd.

Hij groef putten, hielp mannen met de zware taak om enorme boomwortels te verwijderen uit het ontgonnen land, zaagde hout, verzamelde brandhout voor de vrouwen en het mooist van alles was dat hij, aangezien hij geen alcohol dronk, hun aanbod afsloeg om een glas rum of whisky mee te drinken. Voor deze mensen, die amper konden overleven in hun eenvoudige hutten, was drank kostbaar, en daarom werd zijn terughoudendheid extra gewaardeerd. Op een of andere manier wist hij evenwel, rond het kampvuur of tijdens het theedrinken in de bush, altijd even de naam van McPherson te laten vallen, daarbij nauwkeurig op de reacties lettend. De meesten hadden wel gehoord van de Schot, aangezien hij zo langzamerhand tot de folklore begon te behoren, maar afgezien daarvan viel er weinig belangstelling te bespeuren, en dus trok Mal verder.

Zijn zoektocht verliep traag en ontmoedigend. Mal trok intussen zo'n drie weken in noordelijke richting, maar vanwege zijn veelvuldige onderbrekingen onderweg had hij hemelsbreed amper meer dan driehonderd kilometer afgelegd. Hij verwonderde zich erover dat McPherson maar liefst vijf keer die afstand had afgelegd om in de noordelijke stad Bowen te komen. Maar waarschijnlijk werd de Schot niet gedreven door een missie, zoals bij Mal wel het geval was. Hij hoefde enkel te zorgen dat hij uit handen van de politie bleef. Zoals Mal zelf ook beter zou kunnen doen. Maar hij moest McPherson zien te vinden. Het was het enige dat hem op dat tijdstip zinvol leek, want als McPherson hem niet kon helpen, zou hij voor de rest van zijn leven op de vlucht moeten blijven. Of tot ze hem zouden vangen, zo tobde hij.

Op een avond, echter, toen hij op het punt stond deze hopeloze taak de rug toe te keren en besloten had dat er maar één plek was waar hij zich veilig kon verschuilen, namelijk bij zijn oom in het uiterste westen van New South Wales, kwam het in Mal op dat McPherson toch zo gereisd moest hebben als hij momenteel deed. Dezelfde route. Hij zou ook hulp nodig gehad hebben, niet alleen voor zichzelf maar ook voor zijn paard. Mals paard was al twee hoefijzers kwijtgeraakt. Blanken konden in dit ruige gebied niet voor onbepaalde tijd leven zonder hulp, konden niet enkel leven op het voedsel waarin de bush voorzag, en bovendien waren de aboriginals in deze regionen allerminst welwillend. Dus wie had hem geholpen? Ergens in deze rimboe moest hij vrienden hebben. Als hij zich al in het gebied ophield, dacht Mal neerslachtig.

Die avond, toen er een droge, warme wind blies en de onmiskenbare geur van bosbranden in de lucht hing, besloot Mal dat hij beter geen kampvuur kon ontsteken om brandgevaar te voorkomen, en hij stelde zichzelf tevreden met een blikje bonen en een appel die hij al dagenlang had gekoesterd.

De volgende ochtend beklom hij een heuveltje om te kijken of hij de brand kon traceren, maar de rook die in de verte boven de heuvels uit kringelde zei hem dat de brand ver weg was. Daarnaast zag hij een rooksliert opstijgen uit een keet die vrijwel totaal verscholen in het dal lag. Hij haalde troosteloos zijn schouders op en besloot dat die hut evengoed zijn volgende aanloophaven kon worden.

Dit keer was hij echter minder welkom. Een vermoeid uitziende vrouw van in de dertig, althans dat giste hij, met een klein meisje dat aan haar rokken hing, begroette hem in de deuropening van haar blokhut met een jachtgeweer toen hij kwam aanrijden.

241

'Wat moet je?' schreeuwde ze.

Hij hield zijn beide handen omhoog. 'Geen zorgen, mevrouw. Ik ben niet gewapend.'

'Ik vroeg wat je hier moet.'

'Ik ben op doorreis, meer niet. Op weg naar het noorden.'

'Nou, oprotten dan.'

Hij zuchtte. 'Ik had gehoopt dat u wat water voor ons zou hebben. Mijn paard smacht naar wat drinken.'

Ze aarzelde en hij lachte bij zichzelf. Ze zouden een man misschien van dorst laten omkomen, maar een paard niet.

'Onderaan de heuvel is een kreek.'

'En als die op uw terrein ligt, zou ik in overtreding zijn.'

'Wat?'

'Neem me niet kwalijk, mevrouw, ik wil u niet lastigvallen. Ik heb geen kwaad in de zin. Weet u dat er ginds in de heuvels een brand woedt?'

'Er is altijd wel ergens brand in de heuvels om deze tijd van het jaar.'

'Dat zal best. Vindt u het erg om dat geweer niet op mij te richten? Het maakt me nerveus. Ik kom bij Jack Raymond vandaan en ben op weg naar Rockhampton.'

'Je bent anders een eind uit de koers...'

'Mag ik afstijgen? Ik geloof dat we uw kleine meid bang maken.'

Ze keek inderdaad angstig, dus liet de vrouw hem afstijgen. 'Wel een beetje afstand houden. Hoe heet je?'

'Mal.' Als ze erop had gestaan, zou hij een verzonnen achternaam hebben gegeven.

'Ben je een van die houthakkers?'

'Nee. Ik niet.'

Het kostte enig gevlei, maar uiteindelijk wist hij haar ervan te overtuigen dat hij geen vijand was, waarna hij zijn paard naar de trog mocht leiden, waar het gretig dronk.

'Waarom bent u zo bang voor houthakkers?' vroeg hij kalm, en ze wendde zich tot hem, het jachtgeweer nog altijd op hem gericht.

'Omdat het dronken klootzakken zijn. Ze kwamen hier twee dagen geleden langs en deden net alsof mijn huis een herberg was. Schreeuwend en herrie schoppend...'

'Ze hebben u toch geen kwaad gedaan?' vroeg hij, oprecht bezorgd.

'Die kans hebben ze niet gekregen.' Ze liet het geweer voorzichtig zakken, dus vermoedde hij dat het geladen was. 'Mijn kind en ik hebben de nacht doorgebracht in de schuur, met het geweer op de deur gericht. Als een van hen was binnengekomen, had hij gekregen wat hij verdiende. Ze veranderden het huis in een chaos en vertrokken zonder een woord van excuus. Sinds die tijd loop ik op te ruimen... die klootzakken.'

Ze wantrouwde hem zozeer dat hij niet durfde te vragen waar haar man was, maar ze liet zich wel vermurwen en gaf hem thee en opgewarmde stoofpot.

Haar naam was Mrs. Foley en het meisje heette Angela. Ze zaten aan een zelfgemaakte tafel onder een houten luifel die was begroeid met paarse wisteria, en aangemoedigd door haar bezoeker bleek Mrs. Foley even gebrand op een praatje te zijn als al zijn vorige gastheren en -vrouwen. Ze praatte enthousiast over de rust en de schoonheid van het gebied en vertelde hem vol trots dat ze meer dan 32 hectare grond hadden gekocht... 'voor een appel en een ei'.

'Je kunt hier van alles verbouwen, het is prima landbouwgrond. Moeilijker is het om al het andere dat naast onze gewassen wil groeien binnen de perken te houden. Te zijner tijd zullen we hier grote boomgaarden hebben, let op mijn woorden.' Hoewel ze in de schaduw zaten, werden ze niet beschermd tegen de wind die over de open plek joeg, en haar hoed waaide af en vloog in de richting van een dubbelpalige omheining, waarachter een langgerekt, keurig aangelegd aardbeienveld lag. Mal haalde de hoed terug en bracht het gesprek vervolgens op haar en het eenzame leven in deze uithoek, maar ze lachte erom.

'We zijn nooit eenzaam. Er is te veel te doen. De enige moeilijkheden die we tot dusver hebben gehad, waren die houthakkers. Mijn echtgenoot heeft een wapenstilstand bedongen met de zwarten toen we hier pas waren, dus die vallen ons niet lastig. Soms nemen ze hem mee op jacht en ze zijn lief voor onze Angela. Ze is een paar maanden geleden afgedwaald en raakte de weg kwijt; we werden bijna gek van ongerustheid, maar de abo's hebben haar teruggebracht. Ik had ze een voor een wel kunnen zoenen.'

Het meisje wiebelde onrustig heen en weer. 'Ik was niet verdwaald. Ik keek gewoon wat rond.'

'Maar natuurlijk,' reageerde haar moeder grinnikend.

Terwijl ze zaten te praten over bezoekers en buren, waakte ze ervoor iets te zeggen over de verblijfplaats van haar man, alsof ze de indruk wilde wekken dat hij niet ver weg was, hoewel Mal vermoedde dat hij tijdelijk afwezig was, waarschijnlijk om een buurman te helpen met zware werkzaamheden, zoals wel vaker gebeurde in deze afgelegen gebieden. Of misschien was hij bezig producten af te leveren op een verzamelplaats. Anders was hij hier ongetwijfeld geweest om de houthakkers het hoofd te bieden.

Aangezien het gesprek nu toch over bezoekers ging, liet hij de naam McPherson vallen, met de opmerking erbij dat misdadigers een voorkeur leken te hebben voor dit gebied, waarop ze meteen in de verdediging ging.

'En wat kan jou dat schelen?'

'Niets. Ik zou alleen niet willen dat ik er op een donkere avond eentje tegenkwam.'

243

Die reactie was niet afdoende. 'Ben je soms van de politie?' vroeg ze hem, meteen achterdochtig.

'Ik? Wees maar niet bang. Sterker nog, ik heb McPherson ooit ontmoet. In Brisbane. Kon het best met hem vinden. Maar voor anderen ben ik altijd een beetje op mijn hoede.'

'Waarom? Ze hebben met jou toch geen ruzie?'

Mal lachte. 'U bedoelt dat ik de moeite van het beroven niet waard ben. Vermoedelijk niet. Maar ik kan maar beter eens verdergaan.'

Ze sprak hem niet tegen. 'Je kunt voor je vertrek zelf wat water uit de tank halen, als je wilt. Angela en ik hebben werk te doen.'

Hij vulde zijn waterzak terwijl zij toekeek, bedankte haar voor haar gastvrijheid en liep naar zijn paard.

Eerder uit een soort van baldadigheid dan uit hoop op een doorbraak, wenste Mal haar bij het opstijgen goedendag, waarna hij grijnzend over zijn schouder riep: 'Als u McPherson ooit tegenkomt, doe hem dan de hartelijke groeten van mij.'

Via een smal pad wegrijdend bij de boerderij blies hij de warme wind uit zijn gezicht, in een poging frisse lucht te krijgen, aangezien de bijtende geur van brandende eucalyptusbomen bijzonder sterk was, terwijl daarnaast de rook van de branden een eind verderop voorbij kwam drijven.

Ongeveer anderhalve kilometer verderop kwam hij bij een smalle kreek, stak die over en keek naar de weg die zich tussen het struikgewas door de steile heuvel op kronkelde. Hij was vergeten Mrs. Foley te vragen waar dit pad naartoe leidde. Niet dat het wat uitmaakte; hij kwam er vroeg of laat vanzelf achter. Weer een boerderij, weer een eenzame herberg of een houthakkerskamp. Hij stond te dubben of hij meteen aan de steile klim zou beginnen of eerst verkoeling zou zoeken in het beekje, toen hij het vertrouwde geknetter van brand in de bush hoorde. Het klonk zó duidelijk dat het wel dichtbij móest zijn. Hij keek vluchtig om zich heen, maar op dit niveau viel er weinig te ontdekken. De bomen die zich hoog boven hem tegen de blauwe hemel aftekenden waren groen en bewegingloos en gaven geen aanwijzing waar het vuur zich bevond, net zomin als het struikgewas, maar de dreiging was dichtbij, zoveel was zeker, waarschijnlijk net aan de andere kant van de heuvel.

Mal was geen toerist. Hij voelde geen behoefte om de heuvel te beklimmen om de zoveelste bosbrand te aanschouwen; er viel niets tegen te doen hier, ze moesten vanzelf doven. Hij besloot dat hij beter terug kon gaan, keerde zijn paard en zocht een weg door het ondiepe, rotsige gedeelte van het beekje, toen hij gesis hoorde, alsof een grote machine stoom uitblies...

'Jezus!' schreeuwde hij. 'Daar heb je die vervloekte brand al!' De wind liet een wolk van rook neerkomen op de boomtoppen, en rondvliegende bladeren dansten in wervelende vlagen voorbij, seconden voordat het vuur over de heuvelrug oprukte. Het silhouet van de heuvel leek op een figuur wiens haar in lichterlaaie stond. Hij wachtte net lang genoeg om te kunnen constateren dat het een reusachtig inferno was, een brede strook vlammen die over de heuvels schroeide en woest afstormde op de kurkdroge vallei, opgezweept door de wind.

Hij zette zijn paard aan tot galop en reed pijlsnel via het pad terug naar het huis van de familie Foley, beseffend dat het vuur zich minstens zo snel verplaatste en recht op hem af kwam.

Ze wist het. Ze stond voor haar huis en smeet emmers vol water tegen de houten wanden, terwijl Angela haar hielp door de emmers zo vlug mogelijk te vullen.

'Daar is geen tijd voor!' schreeuwde hij. Dikke rook daalde inmiddels op hen neer. 'Kom hier, klim op het paard.'

Hij deed een greep naar Angela, maar haar moeder gilde tegen hem. 'Laat haar met rust. Kom me helpen!'

Geschrokken rende het kind naar haar toe.

Mal sprong van zijn paard en greep de vrouw bij de arm. 'Stop daarmee, het vuur komt eraan. Het is te groot. Je hebt geen schijn van kans.'

Ze schreeuwde tegen hem dat hij haar met rust moest laten, dat ze haar huis niet in de steek zou laten, toen hij zag dat een andere vuurhaard, die waarschijnlijk was ontstaan door rondvliegende vonken, al een heel eind door de bush op weg was naar de achterzijde van het huis, waarbij de hoog oplaaiende vlammen het maïsveld verslonden.

Het paard steigerde in paniek en Mal kon het met moeite in bedwang houden, terwijl hij anderzijds de vrouw dwong haar hopeloze taak op te geven door haar meedogenloos mee te sleuren.

De hitte was intussen enorm. Hij zat inmiddels weer op zijn paard en was er eindelijk in geslaagd haar achter zich op het dier te trekken, de Heer dankend dat ze een lichte, magere vrouw was, terwijl hij Angela vóór zich in evenwicht hield, toen het vuur bulderend in het zicht kwam. Zijn paard had geen aanzet nodig; het sprong bokkend weg waardoor ze bijna alledrie van zijn rug vielen, maar ze klampten zich vast en schoten over het pad om even verderop tot de ontdekking te komen dat de vuurzee de weg al was overgestoken en hen met rasse schreden naderde.

'Bedek je hoofd,' schreeuwde hij, terwijl hij zijn paard met een ruk liet stilhouden. 'We moeten er dwars doorheen.'

'Dat kan niet,' gilde de vrouw, maar hij trok zijn overhemd uit en liet dat op het hoofd van zijn paard vallen, en voor het dier een kans kreeg te reageren, gaf Mal het de sporen. Het paard ging er als een wilde vandoor, in een poging de lap stof die hem het zicht ontnam van zich af te schudden en binnen een paar seconden waren ze erdoorheen, waren ze beland tussen de geblakerde velden en bomen als vogelverschrikkers, terwijl het vuur – nu achter hen – voortwoedde.

Mal had zich over Angela heen gebogen om haar te beschermen, dus was zij ongedeerd, maar zijn haar was verschroeid, en Mrs. Foley deed verwoede pogingen om de hete as van haar haren en kleren te vegen, en van hem, met dit verschil dat hij zich ineens – toen het paard stilhield en zijn blinddoek afwierp – realiseerde dat ze hem zat te stompen. Hem op zijn rug sloeg.

'Waar was dat goed voor?' riep ze snikkend, hem in haar woede nog steeds stompend. 'Het had onze dood kunnen zijn. Het had Angela's dood kunnen zijn.'

'Rustig maar,' zei hij, haar kalmerend. 'Je kunt nu afstijgen.'

Het volgende moment liepen ze neerslachtig over de troosteloze weg, het paard aan de teugels meevoerend, terwijl ze probeerden niet te kijken naar de karkassen van allerlei kleine dieren waarmee het verschroeide land bezaaid lag en die als gruwelijke zwarte vormen in de kale, beschadigde eucalyptusbomen hingen. De bomen zullen tenminste weer opbloeien, dacht Mal, maar ik wil wedden dat haar huis en hun oogst verloren zijn.

Uiteindelijk was het Angela die de stilte verbrak, met een stemmetje dat nog trilde van de schrik. 'Waar gaan we naartoe?'

'Ik weet het niet,' antwoordde hij. 'We zullen moeten doorlopen tot we het verbrande gebied uit zijn, en dan zien we wel verder.'

De deken van rook begon op te trekken naarmate ze verder sjouwden door de woestenij, maar niets kon de vrouw uit haar neerslachtige stemming halen. Mal zag dat de tranen onbelemmerd over haar vuile gezicht stroomden, en hij nam haar bij de arm om haar langs de geblakerde resten op de weg te begeleiden, maar ze rukte zich al snel weer los, waarna hij haar met rust liet. Ze moest deze ramp op haar eigen manier verwerken.

Hij gaf Angela wat te drinken uit zijn waterzak en was juist bezig haar weer op het paard te installeren toen er drie ruiters over de weg op hen af kwamen galopperen. Het waren alledrie zwaarbebaarde *bushmen*, en aan hun zwarte gezichten en gehavende kleding te zien waren ze elders bezig geweest het vuur te bestrijden.

Een van de mannen, kennelijk de echtgenoot van Mrs. Foley, sprong van zijn paard en sloeg zijn armen om haar heen.

'Godzijdank, je bent veilig. En Angela ook. Godzijdank.'

'Alles is verloren,' sprak ze huilend. 'Het vuur. Het greep zo snel om zich heen. Ik kon niets doen. Het spijt me.'

'Stil, stil maar. Het is oké. Dat komt wel weer. Zolang jullie twee maar veilig zijn, maakt het niets uit.'

De andere mannen stapten af om haar te troosten, terwijl Foley zich naar zijn dochter haastte en een grimmige glimlach op zijn gezicht toverde.

'Moet je dat kijken, dat rijdt al op een groot paard, terwijl papa zich zorgen zat te maken over jou.'

'We reden dwars door het vuur heen,' zei ze, 'het was vreselijk heet. Ik dacht dat we zouden verbranden, maar dat gebeurde niet. Het moest van die man. Mama wilde het niet.'

Foley knikte Mal toe. 'Bedankt, maat. Ik sta bij je in het krijt. Ik kon hier niet op tijd terug zijn.'

'Het vuur was razendsnel,' zei Mal. 'Het kwam ineens opzetten over die heuvels daarginds. Jullie zouden het pas gezien hebben als het al te laat was. Jullie hadden niets kunnen uitrichten.'

Het gezelschap reed somber gestemd over het pad, dat in oostelijke richting boog, tot ze boven op een heuvel kwamen en Mal verbaasd om zich heen keek. De andere kant van de heuvel was ongeschonden, en de zoete geuren van het landschap dat zich onder hen uitstrekte was bijna te sterk na de bedompte, zure stank van de rook. De mannen keken om naar de verwoesting achter hen, schudden hun hoofd en reden verder.

Enkele kilometers verderop lieten ze de bush achter zich en reden verder door de velden van een bananenplantage. Zwijgend redeneerde Mal dat de eigenaar zijn beschermengel wel mocht danken.

Later bleek dat de eigenaar zich in hun gezelschap bevond. Ze noemden hem Ward. Mal wist niet of dat zijn voor of achternaam was, maar dat was niet van belang. Ward ging hen voor over de oprijlaan met aan weerszijden hoge, gerafelde bananenbomen, tot ze bij zijn boerderij kwamen, waar zijn opgeluchte vrouw met uitgestrekte armen naar buiten kwam gerend om zich te ontfermen over Mrs. Foley en Angela.

Uiteindelijk, toen ze zich aan elkaar hadden voorgesteld en er over en weer uitleg was gegeven, verkondigde Ward dat een borrel op zijn plaats was, en dus verzamelden de mannen zich voor dat ritueel bij de watertank, waar mokken rum werden ingeschonken.

'Als je 't niet erg vindt,' zei Mal, 'ik houd niet van rum. Water is prima.'

De gastheer was geschokt. 'Je kunt geen water drinken, Mal. Neem wat rum, daar word je groot en sterk van.'

'Ik ben geen drinker,' verklaarde Mal. 'Ik houd niet van de smaak. Ik drink liever water. Ik heb enorme dorst.'

Geen van hen had zich nog gewassen en ze zagen allemaal zwart van de roet, maar een drankje nuttigen bij de watertank had voorrang, terwijl ze de gebeurtenissen van de afgelopen dag bespraken. Mal wist dat de vrouwen binnen thee zouden zetten, en hij smachtte naar een kop, maar in dit gezelschap zou het ongepast zijn om ernaar te vragen, ook al hadden ze hem al tot held gebombardeerd. De andere man, die ze Bill noemden, had tot dusver weinig gezegd, maar nu nam hij een teug rum, veegde met zijn hand over zijn behaarde kin en staarde naar Mal.

247

'Hoe zei je dat je naam was?'

'Mal.'

'Om de dooie donder niet! Ik vroeg me al af waar ik je eerder heb gezien. Nu weet ik het weer. Jij bent dat mietje dat niet drinkt. En ik weet je naam ook nog, vervloekte praatjesmaker!'

De rustige stem was veranderd in bekend gebulder, en Mal wist dat hij zijn man had gevonden, maar dat hij die nu al had weten te ergeren.

De Schot deed een uitval naar Mal en greep hem bij zijn overhemd. 'De naam is Ned Turner, of niet soms? Vervloekte krent. Gaf me een horloge in ruil voor een paard, maar zei er niet bij dat dat verdomde horloge gegraveerd was. Met naam en toenaam erop. Ik kon het ding gewoon wegmikken.'

Mal reageerde boos en duwde hem weg. 'Het was mijn paard. Jij had het aanvankelijk gestolen.'

'Noem je mij een paardendief?'

'Ik noem je McPherson, en jij heet ook geen Bill.'

De andere mannen stonden er vriendelijk grijnzend bij, waarbij Ward de mok water die hij voor Mal had ingeschonken nog steeds vasthield, en Matt Foley, geïnteresseerd maar niet onverschillig, tegen een hek aan leunde.

'Wat kan mij je naam schelen. Wat doe je hier rond te sluipen, Turner?'

'Zoeken naar jou. Ik ben al meer dan een maand onderweg, op zoek naar jou.'

'Is dat zo?' Hij wendde zich schaterlachend tot zijn kameraden. 'Horen jullie dat? En we kunnen maar beter uitkijken ook, want hij gaat me inrekenen, helemaal in zijn eentje, en de beloning opeisen. Wat vinden jullie, moet ik meegaan?'

'Ja,' antwoordde Foley lachend, maar er klonk nu dreiging in zijn stem door, en Mals eerdere status van held wankelde. 'Ga maar lekker mee. Misschien kunnen jullie de beloning delen.'

'Of misschien moet ik zijn kop meteen hier, waar niemand hem zal missen, inslaan.'

'Tenzij hij onder één hoedje speelt met de *traps*,' waarschuwde Matt. *Traps* was een term voor politieagenten die in de bush vaak werd gebruikt.

Mal deed een paar stappen achteruit. 'Hé, rustig. Jullie hebben het totaal mis. Ik heet geen Ned Turner.'

'Dat zal wel,' gromde McPherson.

'Nou, het is niet zo. Ik heet Mal Willoughby.'

'Alleen deze week zeker!'

Mal keerde zich tegen de Schot. 'Houd je muil toch even en luister. Lezen jullie de kranten niet? Mal Willoughby!'

'Wat hebben de kranten ermee te maken?' snauwde McPherson,

waarna hij ineens reageerde alsof hij was gebeten. 'Godverdomme nog-an-toe. Willoughby! Van de overval op de weg naar Gympie? Waar je mij bij betrok? Ik vermoord je, vervloekte klootzak.' Hij brieste van woede. 'Ik heb niets met die overval te maken. Ik en Matt waren destijds in Bundaberg, of niet soms?'

Matt knikte, en pas toen begreep Mal waarom Mrs. Foley geen reden had gegeven voor de afwezigheid van haar man. Hij was waarschijnlijk op roverspad geweest met de Schot. Te oordelen naar de kalme aanvaarding van de identiteit van McPherson waren deze mannen allemaal betrokken bij onwettige activiteiten, waarbij hun boerderijen een ideale uitvalsbasis vormden. Hij herinnerde zich de tranen van Mrs. Foley over het verlies van hun boerderij en Matts reactie daarop.

'Het geeft niets, lieverd, we beginnen gewoon opnieuw.'

'Waarmee? We zijn geruïneerd.'

'Nee, dat zijn we niet.' Hij had Ward een knipoog toegeworpen. Op het moment zelf had Mal de knipoog geïnterpreteerd als zijn verontschuldiging voor een leugentje om bestwil, maar inmiddels wist hij beter. Net als Mrs. Foley, als die er even over had nagedacht. Een paar extra overvallen zouden hen er weer bovenop helpen, terwijl de boerderijen hun een dekmantel verschaften als verantwoordelijke burgers die honderden kilometers van de kuststeden, in de bush, tegen de elementen streden.

'Ik geloof ook niet dat je erbij was,' zei hij berustend. 'Hebben jullie wat te roken?'

Ward pakte zijn shag, rolde een sigaret voor hem en overhandigde die met twee vingers aan Mal. De vriendelijkheid en de dankbaarheid waren verdwenen uit de ogen van deze mannen, en hij zag nu enkel harde, meedogenloze gezichten. Romantische verhalen over hun heldendaden waren niet meer dan folklore, zoals mannen die door hen waren beroofd en afgetuigd ongetwijfeld konden bevestigen. Mal wist dat hij zich hier vlot uit moest zien te praten.

Hij knikte McPherson toe. 'Als jij er niet bij was, wie dan wel?'

'Hoe moet ik dat godverdomme weten? Zeg jij het maar. Jij was erbij.'

Mal trok aan zijn sjekkie. 'Dat is het probleem. Ik niet. Ik was er evenmin bij.'

McPherson keek hem scheef aan. 'Maak ons niks wijs, ventje. Je was er wel degelijk bij betrokken, en nu je toch hier bent om mij in te rekenen, vertrek je niet voor we te horen krijgen wie mijn naam ijdel gebruikt, als je begrijpt wat ik bedoel. Het zou ons verheugd stemmen een of twee namen te horen.'

'Goed. Daar zorg ik voor, maar je moet me eerst laten uitpraten. Vanaf het begin. Kan ik die mok water nu krijgen, alsjeblieft?'

Mal dronk het water op, gaf de mok terug en ging op zijn hurken zitten om het hele verhaal uit de doeken te doen, van zijn verblijf op de goudvelden tot zijn ontsnapping, hun hinderlijke onderbrekingen handig omzeilend.

'Dus dat is het verhaal,' zei hij uiteindelijk. 'Zo is het gegaan.'

'En toen?' vroeg Ward.

'Nou... sindsdien ben ik op de vlucht en...'

'Donder op. En het goud dan? Waar ligt dat?'

Mal staarde hen aan. Voor hen was de vraag niet meer dan logisch. Voor hem allerminst. 'Hoe moet ik dat weten?'

'Wat heeft al dat geleuter voor zin als je niet weet wie het goud heeft?' beet McPherson hem toe.

'Weet ik niet,' zei Mal ongerust. 'Ik vond alleen dat ik maar eens een praatje met je moest komen maken. Jij wordt aangewezen als schuldige, net als ik, en ik geloof dat jij er evenmin iets mee te maken hebt.'

'Wie kan het iets schelen wat jij vindt? Je bent maar een onbeduidend oplichtertje.'

'Het kan míj verdomme wat schelen!' antwoordde Mal vinnig. 'Het gaat niet alleen om mijn leven, maar ook op het jouwe. We moeten onze naam zuiveren.'

'Ja! Goed idee, jongen. We rijden naar Maryborough en zullen het hun persoonlijk uitleggen, daarna gaan we naar de pub en dan krijg je een frambozenlikeurtje van me.'

Mal wendde zich tot Ward. 'Kun jij hem niet wat verstand aanpraten? Dit was niet zomaar een overval, er vielen drie doden. Als ze ons grijpen, zijn we er geweest. Geen jury in de wereld zal ons kunnen redden.'

Foley mengde zich in het gesprek. 'Je beweert dat je al die tijd op de vlucht bent,' merkte hij achterdochtig op. 'Hoe kan het dat je daarin zo handig bent? Wie weet ben je een informant, die onze vriend hier voor de politie moest opsporen. Wie weet ben je Mal Willoughby helemaal niet. We hebben je foto nooit in de krant zien staan. En Jimmy hier zegt dat je Turner heet.'

Mal schudde zijn hoofd. Hij vond het geen van allen plezierige kerels, maar hij zat met hen opgescheept. Alsmede met Bill, oftewel James McPherson, die door zijn maten Jimmy werd genoemd.

'Ik had dat vervloekte horloge van een rijke vent gejat. Ik peinsde er op dat moment niet over om iemand mijn echte naam te geven. Doe me een lol. Mijn naam is Mallachi Willoughby, en ik kom uit het westen van New South Wales. En ik baal ervan dat ik op de vlucht moet zijn voor iets dat ik niet heb gedaan. Geloof me of niet.'

Hij pakte zelf nog wat water terwijl zij hun mokken vulden met rum, en hem, onderling pratend, negeerden.

'Goed,' zei Foley uiteindelijk. 'Vertel ons eens wat meer. Als je inderdaad op de vlucht was, wie heeft je dan onderdak geboden? Hoe ben je aan de *traps* ontkomen?'

'Niemand. Ik ken niemand in dat district. Ik kon niet teruggaan naar de goudvelden en redeneerde dat de politie zou verwachten dat ik de heuvels in trok, dus ben ik de andere kant op gegaan. Naar het oosten.'

'Wat is er in het oosten?' snauwde McPherson. 'Dan kom je in zee terecht.'

Mal grijnsde. 'Ja. Dat gebeurde ook. Meer zee dan ik ooit in mijn leven heb gezien. Dus ben ik overgestoken naar Fraser-eiland.'

'Gezwommen, zeker?' gromde Foley.

'Nee, in een kano. Ik heb me aangesloten bij een paar zwarte jongens en die hebben me meegenomen. Mijn baard had tijd nodig om te groeien.'

'O, Jezus, dat klopt,' zei McPherson. 'Hij heeft echt een *babyface*, achter dat pluizige haar. We zouden het moeten afscheren.'

'Dan blijf ik hier tot hij weer is aangegroeid. Je kunt me een baantje hier op de plantage geven.'

'Daar hebben we de Kanaken voor,' zei Ward. 'En hoe zit het met die Carnegie-figuur die je een baantje had gegeven? Hoe zat dat precies? Als je geen aandeel had in de overval, waarom zou hij jou dan als dader aanwijzen? Volgens de kranten heeft hij twee mannen gezien die de moorden hebben gepleegd. De ene was onze Jimmy hier en die andere was jij. Waarom jij? Hij vertrouwde jou. Hij regelde dat baantje voor je. Wat is de reden dat hij jou aanwees?'

Mal zuchtte, opgelucht dat ze nu in elk geval leken te accepteren dat hij Willoughby was. 'Dat probeer ik zelf ook te achterhalen. Waarom koos hij mij? Die klootzak.'

'Of mij,' zei McPherson, terwijl hij zijn pijp aanstak en de tijd nam om eraan te trekken. Hij keek naar Ward. 'Tenzij er niemand anders was om te beschuldigen.'

'Wat bedoel je daarmee?'

'Precies wat ík heb bedacht,' zei Mal.

McPherson keek hem woest aan. 'Houd je smoel, jongmens, en laat me zelf nadenken. Die Carnegie beweert dat hij twee overvallers heeft gezien. Waarom twee? Omdat de klus te groot was voor één man. Hij zegt dat er op de weg mogelijk meer stonden te wachten, maar die heeft hij niet gezien. Waarschijnlijk omdat ze niet bestonden. Welke bende, die altijd snel opereert, laat een paar van hun kameraden als hofdames op hun paard zitten wachten?'

'Dat klinkt niet al te snugger,' gaf Matt toe.

'Mooi. Dus meer dan twee overvallers waren er niet. Nu heeft die klootzak mij en dit ventje beschreven. Waarom? Omdat ik beroemd ben en Carnegie zelf kon bevestigen dat hij op de plek des onheils aanwezig was.'

'Door te liegen,' zei Mal.

'Door zich aan zijn plan te houden,' verbeterde McPherson hem.

'Volgens mij ben je regelrecht in de val gelopen, stommeling.'

'Ik ben nergens in gelopen. Ik was op weg naar Maryborough om een politie-escorte te halen.'

McPherson leunde achterover en grijnsde. 'En wat verdomde jammer dat wij niet wisten dat je daar was. We hadden de koets met jouw hulp kunnen overvallen, het goud kunnen grijpen en zonder iemand neer te schieten weer kunnen verdwijnen.'

Wards vrouw kwam naar buiten om hen op te dragen zich te wassen. 'Zo meteen,' antwoordde Ward, en richtte zich weer tot McPherson. 'Wat is dus de achterliggende gedachte?'

'Carnegie is een leugenaar. Dat maakt hem tot verdachte nummer een. Maar wie was zijn partner? Twee mannen, zei hij. Een regelrechte onthulling. Hij en iemand anders. Maar wie? We moeten die schoft te pakken zien te krijgen.'

Mal raakte opgewonden. Ze begonnen tot dezelfde conclusie te komen als hij had gedaan, maar hij durfde hen niet te onderbreken. Het was duidelijk dat ze de kranten veel nauwkeuriger lazen dan ze voorheen hadden erkend, wat inhield dat McPherson zich stoorde aan de beschuldigingen. Ze bespraken het probleem openlijk, waar hun vrouwen bij waren, die rustig de soep en een stevige stoofpot serveerden aan de lange keukentafel, terwijl ze de toestand met de bosbranden schijnbaar waren vergeten. Althans voorlopig.

'Maar wie heeft dan het goud?' vroeg Foley tot slot. 'Volgens de kranten is Mals kameraad Carnegie nog altijd in Maryborough.'

'Hij is mijn kameraad niet. Ik wantrouw hem sinds het moment dat hij mij als schuldige aanwees, maar waarom zou een grote baas als hij zich inlaten met diefstal en moord? En hoe weet je dat hij nog steeds in Maryborough is?'

McPherson zuchtte en bedankte met een knikje de vrouwen, die de tafel inmiddels hadden verlaten en de mannen thee inschonken. 'Voor het goud, onnozele hals! Niemand is immuun. Noch de landheer, noch de jongen. In de krant stond dat er onlangs een rel in Maryborough was, waarbij de goede burgers van de stad klaagden dat er nog steeds niemand bungelde. En die Mr. Carnegie van jou heeft een hartaanval gehad en is van zijn paard gevallen. Kun je dan niet lezen?'

'Ik ben in mijn eentje,' beet Mal hem toe. 'Ik beschik niet over schuilplaatsen en heb geen mensen om me heen die de krant voor me kopen. En ik ben deze hele discussie zo langzamerhand zat. Wat moeten we doen? Jullie beweren dat je zoveel slimmer bent dan ik, maar ze zitten achter jou en mij aan, McPherson. En als ik je kan opsporen, kunnen zij het ook. Vroeg of laat zullen ze mij grijpen. De tijd dringt. Ik ben om hulp bij jou gekomen en jij doet niets anders dan praten.'

De bandieten deden een scheutje rum in hun thee. Mal hield het bij melk.

252

'We moeten erover nadenken,' zei Ward. 'Mijn vrouw heeft in de stal een slaapplaats voor je gemaakt, Mal. Ga jij nou maar lekker uitrusten. De vrouwen hebben je paard al verzorgd.'

Mal stond op, voelde zich weggestuurd, maar Foley liep met hem mee naar de stal. 'Ga niet verder dan hier. De arbeiders en hun opzichter wonen ginds langs dit pad. Ze hoeven je niet te zien. En nogmaals bedankt dat je mijn vrouw en kind hebt gered. Het spijt me dat we je een beetje hard hebben aangepakt, maar...' Hij haalde zijn schouders op. 'Weet je. Het valt niet altijd mee tegenwoordig.'

In de stal was het warm. Zijn slaapplaats rook zoet, naar vers stro. Er stonden zes tevreden paarden te snuiven: geruststellend gezelschap. Mal sliep prima.

De volgende ochtend kwam Mrs. Foley hem wekken, bedanken en zich verontschuldigen voor haar humeurige gedrag onderweg naar hier.

'Ik had gehoopt dat Matt met de boerderij die andere zaken vaarwel zou zeggen, maar nu die in vlammen is opgegaan,' zei ze treurig, 'zal het weer van voren aan beginnen. Er lijkt geen eind aan te komen.'

Hij mompelde een passende reactie op haar bedankwoord, maar ze was kennelijk nog niet klaar. 'Wat heb jij eigenlijk bij hen te zoeken? Zij spelen het spelletje al jaren, maar jij bent een jonge vent. Wat zou je moeder er in vredesnaam van zeggen?'

'Mijn moeder is lang geleden overleden, Mrs. Foley...'

'God hebbe haar ziel, dat ze zoiets moet aanzien.'

'Ik heb niets te maken met die overval.'

'Misschien niet. Maar ik heb goede oren, en hoorde ik Jimmy niet zeggen dat je een kostbaar horloge had gestolen? Snap je dan niet hoe dat gaat? Het begint met iets kleins, en moet je kijken hoe je nu in de nesten zit...'

Het had geen zin haar tegen te spreken; zij voerde het woord en haar preek moest zijn beloop hebben.

'Het beste dat je op dit moment kunt doen, is verder trekken. Ze praten alweer over een volgende overval, om mij en Matt uit de problemen te helpen. Het gebeurt altijd weer, snap je?' Ze zuchtte. 'Er is altijd wel een reden, en ik weet gewoon dat er nooit een eind aan zal komen. Behalve wanneer dat ene, waaraan ik niet durf te denken, gebeurt. Dus jij kunt maar beter verder trekken, zolang het nog kan; dit is geen gebied voor mensen als jij. Maar vooruit, sta nu op en kom een bord pap eten.'

Ze had gelijk. Toen Mal zijn lepel in een enorme kom pap gezoet met stroop en room stak, bespraken de drie de mogelijkheid om een koets te overvallen die het salaris voor de spoorarbeiders ergens in het noorden vervoerde, en tot zijn schrik betrokken ze hem in hun plannen, alsof hij inmiddels als bendelid was geaccepteerd.

'Het is allemaal leuk en aardig,' zei hij, toen hij de kans kreeg wat te zeggen. 'Maar het probleem op dit moment omvat Mr. McPherson en mij.' Hij zag hen grijnzen dat hij de bandiet formeel toesprak, maar hij wist uit ervaring dat dit soort kleine nederige gebaren harten kon winnen, mensen kon behagen, een glimlach opleverde. Het gaf hem een voorsprong.

En dat bleek ook nu. 'Dat begrijpen we heel goed, jongen,' zei Ward vriendelijk. 'Je zit momenteel in een benarde positie, jullie allebei. We kunnen niets doen om te helpen, behalve jullie hier een schuilplaats bieden, maar Jimmy heeft nog een ander idee.'

'Zeker weten,' gromde McPherson. 'En meer dan eentje, verdomme. Mijn eerste is dat we terug zouden moeten naar Maryborough en die smeerlap van een Carnegie de duimschroeven aandraaien tot hij de waarheid eruit spuugt.'

Mal stond versteld. 'Aan zo'n actie doe ik sowieso niet mee. Ik waag me niet weer in de buurt van Maryborough.'

'Wacht even. Laat me uitpraten. Mijn tweede idee is: we worden beschuldigd van die roofoverval, dus als we het goud vinden, is het van ons.'

'Weinig kans,' reageerde Mal.

'Het derde idee is: ik schrijf een ingezonden brief naar de *Maryborough Chronicle*...'

'Hij kan heel goede brieven schrijven,' onderbrak Matt hem.

'Om ze wat te vertellen?' vroeg Mal.

'De waarheid, natuurlijk. Dat jij en ik onschuldig zijn. Dat Carnegie een leugenaar is. Dat is een stuk veiliger dan zelf naar de stad gaan.'

'En dan?'

'Dat moeten we afwachten.'

Ze leken het stuk voor stuk een magnifiek idee te vinden. Mal zag de zin er niet van in. 'Wat heeft een brief voor zin?'

Matt Foley legde het uit. 'Je moet het zo zien. Als ik of jij de brief zou schrijven, zou die binnen een paar minuten in de prullenmand belanden. Maar Jimmy hier is beroemd. Een open brief van hem haalt de voorpagina.'

'Waarom?'

'Omdat kranten nu eenmaal zo werken. Ze moeten de kost verdienen, net als iedereen. En een brief van Jimmy zou een grote sensatie zijn.'

'Hoe weet je dat zo zeker?' Mal vond alledrie plannen onbesuisd, maar had zelf evenmin suggesties. Hij was al die tijd op zoek geweest naar McPherson, om het gezelschap, misschien zelfs om de troost, in het dwaze geloof dat de Schot hem op een of andere manier uit deze ellende kon halen, maar hij wist onderhand dat de oplossing niet hier lag. Of waar dan ook. Hij zou voorgoed op de vlucht moeten blijven. Misschien naar het buitenland proberen te komen.

Ward probeerde nadere uitleg te geven. 'Matt heeft vroeger voor een krant in Dublin gewerkt.'

Mrs. Foley, die de keukentafel passeerde, droeg ook haar steentje bij. 'Jammer dat hij daar nu niet meer zit!' zei ze wrang.

Foley voer tegen haar uit. 'Waarom zeg je dat, vrouw? In Ierland zouden ze me hebben opgehangen, omdat ik voor mijn mening uitkwam. Had je dat liever gehad? Was je liever een hongerlijdende weduwe geworden daarginds? Of zou je blij geweest zijn dat je van me af was, zodat je met Dinny Murnane kon trouwen, die zijn ziel nog voor een habbekrats zou verkopen?'

Ze sloeg hem boos met haar theedoek, en de discussie ontaardde in een huiselijk conflict. De wanorde in de keuken deed Mal naar buiten vluchten, waar hij naar de bananenplantage staarde die de omliggende heuvels bekleedde in weelderig groen en waar hij zijn smoes om te vertrekken repeteerde. Mrs. Foley had gelijk. Hij zat al diep genoeg in de problemen zonder zijn lot te verbinden aan deze verbitterde mannen. De beschuldigingen die hem boven het hoofd hingen waren erg genoeg. Maar het besluit maakte hem neerslachtig. Er lag een eenzame weg voor hem.

McPherson was allesbehalve verheugd toen Mal zijn vertrek aankondigde en meteen achterdochtig.

'Waar denk je heen te gaan? Ben je soms van plan over te lopen naar de *traps*? Zeker om je vege lijf te redden in ruil voor Jimmy McPherson?' Hij stond op en beukte met zijn vuist op tafel. 'Jij gaat helemaal nergens heen.'

Maar Mal liet zich niet intimideren door de tirade van de Schot. Hij was niet langer onder de indruk van de beroemde bandiet. En trouwens, Mrs. Foley was erbij en fronste naar hem, alsof ze klaarstond om hem ook een mep met haar theedoek te geven als hij niet maakte dat hij wegkwam.

'Rustig maar,' zei hij humeurig. 'Ik kan niet naar de politie stappen, en dat weet je donders goed. Ik ben hier niet bekend. Het is beter dat ik verder trek. Je wilt toch niet dat de mensen hier in de buurt zich gaan afvragen wie ik ben?'

'Ze kunnen de pot op. We hebben een baan voor je. Dat je een vreemde bent hier, is alleen maar handig.'

'Ik doe niet mee aan die overval, als je dat soms bedoelt.'

'Je doet verdomme wat je gezegd wordt.'

'Of anders? Doe me een lol en gebruik je verstand. Ik pas hier niet, punt uit. Ik waag het er in mijn eentje wel op.'

'Oké, slimmerik. Waar denk je heen te gaan?'

'Dat zijn mijn zaken. Als ik een geschikte plek vind, laat ik het weten.'

Ward onderbrak hen. 'Hoe zit het nu met dat goud? We zijn er nog steeds niet achter wie dat heeft. Eén ding is zeker, de politie heeft het niet, dus je hebt kans dat die Carnegie-figuur het nog steeds in zijn bezit heeft.'

'Als hij het ooit heeft gehad,' zei Mal.

McPherson liep stampend om hen heen en ging woedend bij de open haard staan. 'We zijn het eens geworden dat hij het heeft,' zei hij strijdlustig.

'Dat vermoeden we alleen,' corrigeerde Mal hem. 'En wat dan nog? Ik zit niet achter het goud aan. Ik wil gewoon dat mijn naam wordt gezuiverd, en Carnegie is duidelijk niet van plan mij te helpen.'

'Er is maar één manier om erachter te komen,' zei Ward met een grijns. 'We zullen het hem moeten vragen.'

Daar gaan ze weer met hun idiote ideeën, dacht Mal somber. Ik had hier nooit moeten komen. Als ze op jacht gaan naar het goud, wordt mijn naam nooit gezuiverd.

Hij wendde zich tot McPherson. 'Laat het met rust. Als je aan dat goud komt, hang je geheid. Ik zal ervoor zorgen dat zowel de overval als de moorden op jou worden geschoven.'

Mal zag dat McPherson zich maar al te bewust was van de nadelige gevolgen. Hij keek bezorgd, maar gunde Mal niet het laatste woord.

'Ik neem mijn eigen beslissingen. Ik heb jou niet nodig, snotneus, om mij de wet voor te schrijven.'

'Dan ben ik nu weg. En ik wens ons allemaal veel succes.'

Mrs. Foley liep naar de achterdeur en riep Angela binnen. 'Kom eens afscheid nemen van de meneer die ons van het vuur heeft gered. Hij moet ervandoor.' Daarna richtte ze zich tot haar echtgenoot en zei met vastberaden stem: 'Je hebt me gehoord. Hij moet ervandoor. Je kunt hem op z'n minst uitgeleide doen.'

Het leven, die ongewenste toestand, bestond inmiddels uit louter eentonigheid. Allyn had te horen gekregen dat hij volledig was hersteld van de flauwte – en niet van een hartaanval, zoals de diagnose aanvankelijk luidde – en dat de pijn die hem parten speelde het gevolg was van de val van zijn paard. Ze hadden het uiteraard mis, daarvan was Allyn overtuigd. Maar wat kon men anders verwachten van dit soort onbevoegden? Het was sowieso een wonder dat er nog mensen levend uit dat smerige hospitaal kwamen. Hij had de dood in de ogen gekeken, maar het was hen niet opgevallen, zo druk als ze waren met hun zalfjes en drankjes, puur gericht op uiterlijke kwetsuren.

Niettemin had hij het gered, een teleurstellende anticlimax. Verscheidene waardigheidsbekleders uit de stad, onder wie de burgemeester, waren aan zijn bed verschenen om hun medeleven te betuigen, om het feit dat hij wederom was geveld te betreuren, en destijds, in verzwakte toestand, had Allyn dat een geschikt eind gevonden. Zijn overlijden, hij was tenslotte nog altijd een held, zou een grootse begrafenis hebben gerechtvaardigd. Maar nu zat hij weer in de bungalow, die hij onderhand haatte, verarmd en eenzaam, als bevroren in de tijd, te bang om in welke richting dan ook een stap te verzetten. Hij kon fluiten naar het goud en het geld van de overval; die schurk van een Perry had hem belazerd. Dat moest hij onderhand accepteren. Maar hij kon niet terug naar Brisbane, waar, volgens zijn jammerende vrouw, de schuldeisers om de haverklap op de stoep stonden. Ze dreigde weer eens terug naar haar vader te gaan en hij wenste – in godsnaam – dat ze het eindelijk zou doen.

Vermoeid liep hij naar de veranda en installeerde zich in de ochtendzon, wachtend op de komst van het dagmeisje, dat elke dag later leek te komen. Hij rammelde van de honger; ze had zijn ontbijt allang moeten hebben opgediend.

Toen hij haar eindelijk binnenshuis hoorde rommelen, sloeg hij met zijn wandelstok tegen de muur.

'Ik kom eraan, meneer,' schreeuwde ze, en hij zuchtte. De vrouw was een slons van de eerste orde, maar het vergde te veel inspanning om iemand anders te vinden in dit provinciestadje.

Hij klopte nogmaals en schreeuwde: 'Waar blijft mijn krant?'

Ze nam de tijd, maar kwam uiteindelijk naar buiten gewaggeld om de krant op zijn schoot te deponeren.

'Wilt u bacon vandaag, meneer?'

'Ik eet altijd bacon 's ochtends. Knapperig, niet verbrand.'

De *Maryborough Chronicle* interesseerde hem niet echt, maar hij las elke zin, zelfs de prijzen van pluimvee en varkens, om de tijd te doden.

Pas toen hij zijn eerste vluchtige blik op de voorpagina wierp, verloor hij abrupt zijn eetlust en werd hij bijna geveld door een echte hartaanval.

Walter Agnes White was een tengere, kromgebogen man met dunner wordend haar. Hij droeg een bril met een metalen montuur, die zijn gemene groene ogen deed flonkeren... ogen die voortdurend in beweging waren en niets misten. In Maryborough werd beweerd dat hij ook grote flaporen had, maar dat was niet waar. Zijn oren waren oké, goed gevormd. De illusie werd gecreëerd door zijn vermogen om elk gerucht en elke zinspeling op nieuws in de stad op te vangen en met zijn pen te beschrijven. Want Walt was hoofdredacteur van de *Chronicle*. Zijn stijl was bloemrijk en langdradig, maar inhoudelijk was hij hard en scherp, op het hatelijke af, en hij spaarde niemand. Zijn voorpagina was altijd gewijd aan actuele kwesties, maar op de achterkant stond een rubriek onder de titel 'Stadspraat' die veel werd gelezen omdat ze bol stond van de boosaardige roddels en verdachtmakingen. Bekend was dat sommige mensen, achter gesloten deuren, fluisterden dat er bij elke jongen die gedwongen werd de wereld tegemoet te treden met de naam van zijn moeder een steekje los moest zitten, en dat was in dit geval zeker waar. De gesel van de naam Agnes had Walts leven verpest. Hij had niet de humor of de spierkracht gehad om zichzelf te verdedigen, en dus had hij zich somber gestemd teruggetrokken en volledig aan zijn studie gewijd, tot grote vreugde van zijn bejaarde ouders.

De naam had hem achtervolgd tijdens zijn leertijd bij een krant in Brisbane en ook gedurende zijn jaren als verslaggever, waar zijn collega's 'Agnes' meedogenloos pestten.

Pas toen zijn dierbare vader stierf, kwam de verlossing. Weinig mensen wisten dat de oude Jeremy White, een meubelmaker, een welvarende man was, dankzij jarenlange investeringen op de effectenbeurs, die hem altijd gefascineerd had, en dus kwam het voor iedereen als een verrassing toen 'Agnes' zijn hoed opzette en zonder een woord of een keer om te kijken de deur uit wandelde.

Nadat hij de diverse mogelijkheden zorgvuldig had bestudeerd, besloot Walt zijn erfenis te gebruiken om een fraai huis te laten bouwen in Maryborough, die havenstad in opkomst, en de *Maryborough Chronicle* – met inbegrip van alles – te kopen en zichzelf tot hoofdredacteur te benoemen. Niemand zou hem ooit weer Agnes noemen. Niemand zou het durven.

De hoofdredacteur beschouwde zichzelf als een verspreider van de publieke opinie, maar was in feite zelf de opiniemaker, waarbij hij bij elke gelegenheid uitvoer tegen de ambtenarij, en de carrières van een handjevol gunstelingen – die er overigens nooit zeker van waren wanneer ze uit de gratie zouden raken – probeerde te bevorderen.

Hij hekelde de plantage-eigenaren om hun luie, losbandige levensstijl en om de manier waarop ze hun arbeiders behandelden, maar eiste tegelijkertijd dat kleurlingen van welk ras ook de toegang tot de stad werd ontzegd. Hij fulmineerde tegen de op macht beluste kolonisten met hun onmetelijke schapen- en veeboerderijen en het geld dat ze van de regering 'stalen', en ging tekeer tegen plaatselijke autoriteiten vanwege hun onbekwaamheid om goede wegen en diensten te leveren, daarbij het gebrek aan financiële middelen negerend.

Maar hij bewaarde het merendeel van zijn venijn voor de politie, voor het gebrek aan orde en gezag in de stad en het hen omringende gebied. De hinderlaag en de moorden bij de Blackwater-kreek boden hem voldoende gelegenheid om zich op die kwestie te blijven storten, waarbij hij brigadier Pollock en zijn mannen ervan beschuldigde de zaak van het begin af aan verkeerd te hebben aangepakt. Het was Walt die, met de nodige bombarie, een beloning van vijftig pond had uitgeloofd voor de aanhouding van de bandiet Mal Willoughby, aangezien de politie al een som op het hoofd van zijn medeplichtige, James McPherson, dood of levend, had staan. Toen hoofdinspecteur Kemp de stad vervolgens verliet zonder de moeite te nemen één keer langs te komen bij de hoofdredacteur, die zichzelf als de belangrijkste man in het district beschouwde, had hij een verzoekschrift ingediend waarin hij het ontslag van Kemp eiste.

Al die tijd stond hij echter achter het andere slachtoffer, Allyn Carnegie, bewerend dat het leven en de carrière van de man verwoest waren door die afschuwelijke misdaad, en daarbij de suggestie aandragend dat Carnegie de burgemeester zou moeten vervangen die, zo schreef hij, lui en onbekwaam was en enkel belust op het vullen van zijn eigen zakken. Het deerde Walt allerminst dat Carnegie zijn voorstel meermalen van de hand had gewezen. Daar ging het niet om. Walt wilde enkel een burgemeester vervangen die zijn krant vulgair en hem een roddelaar had genoemd.

Walt was niettemin tevreden met zijn krant en de groeiende populariteit ervan en hij verdiende tegenwoordig genoeg om te overwegen de boel te verkopen en de grote stap te nemen om in Brisbane een krant op te kopen.

Op een dag, toen het relatief rustig was en hij zijn personeel streng toesprak omdat het had gefaald met echt nieuws op de proppen te komen, werd er een brief bezorgd. Een brief gestuurd door de hemel, beweerde hij tegen zijn verbouwereerde eerste-verslaggever, terwijl hij vrolijk ronddanste met de brief in de hand, alsof het een biljet van honderd pond was.

'Tjonge, jonge nog aan toe!' schaterde hij. 'Wacht maar tot je dit leest. Dit moet je echt lezen! Houd de voorpagina vrij. Het kan me niet schelen of we laat zijn. Dit is goud. Dit is verdomme puur goud!'

'Wat is het, Walt?' vroeg de verslaggever.

'Wat is het? Ik zal je vertellen wat het is. Het is een brief van McPherson persoonlijk. En hij is echt. Het is geen nepbrief. Daar durf ik mijn leven om te verwedden.' Hij ontruimde zijn bureau en streek het papier glad. 'Moet je kijken.'

De verslaggever kneep zijn ogen een beetje dicht en bekeek het handschrift nauwkeurig. 'Inderdaad, dat komt van hem. Ik heb zijn handschrift eerder gezien.'

'Maar niet in deze vorm. En niet aan mij gericht!'

'Pas maar op. Straks word je vervolgd vanwege smaad, als je de hele tekst publiceert. Carnegie zal er niet blij mee zijn.'

'Dat is mijn probleem niet.'

'Maar je bent met hem bevriend.'

'Niemand staat boven de wet,' sprak Walt vroom, die al voor zich zag hoe de mensen zich zouden verdringen voor een exemplaar van deze editie.

'Maar het zou een poging van McPherson kunnen zijn om zijn hachje te redden. Misschien zijn het allemaal leugens.'

'Het blíjft nieuws. Het is mijn plicht om het nieuws te verslaan. De mensen mogen zelf beslissen of ze hem geloven of niet.' Walt lachte.

Hij wist vrijwel zeker dat zijn onnozele lezers het zouden geloven; ze geloofden alles wat gedrukt stond. En hij wist ook dat de brief de plaatselijke politie totaal in verwarring zou brengen, wat hem de gelegenheid gaf dit verhaal nog eens wekenlang uit te melken.

Carnegie las en herlas de voorpagina van de *Chronicle*, met bonzend hart en een waas voor zijn ogen...

BANDIET DOET BEROEP OP DE CHRONICLE

Geachte heer,
Ik schrijf u om een eerlijke kans te krijgen. Ik krijg de schuld op me geschoven van de goudroof en de schietpartij bij de Blackwater-kreek. Ik heb nooit beweerd in alle opzichten een volmaakte burger te zijn, maar ik heb niets te maken met die misdaad, dat verzeker ik u op mijn erewoord. Ik heb nooit één glimp van dat goud gezien, en datzelfde geldt voor Willoughby. Hij is onschuldig, net als ik. Mensen die me kennen, weten dat ik niet zal toestaan dat de politie de schuld bij mij neerlegt, enkel omdat ze de misdaad niet kan oplossen. Ik weet niet wie het heeft gedaan en Willoughby ook niet, maar we hebben de indruk dat Carnegie meer weet dan hij toegeeft. Ik heb rondgevraagd en heb tot dusver niets gehoord over een bende bandieten die bij deze overval was betrokken. Volgens mij is het gebeurd door bekenden, en daar blijf ik bij. Onschuldige mannen worden opgejaagd, terwijl de politie op haar lauweren rust.
Ik verblijf,
Uw onschuldige dienaar,
James McPherson

Terwijl Allyn Carnegie in paniek zijn koffers pakte, zijn ontbijt totaal vergetend, met de bedoeling Maryborough met het eerste het beste vervoermiddel – of het nu per schip of koets was – te verlaten, was de stad in rep en roer. Walt had gelijk. De meesten van zijn lezers geloofden de brief van McPherson, of tenminste dat hij onschuldig was, want dat wilden ze graag. McPherson was een populaire boef, zijn daden waren inmiddels tot folklore verheven en het was een immense opluchting om van de man zelf, in zijn eigen bewoordingen, te horen dat hij niet was betrokken bij de gruwelijke moorden die de stad hadden doen opschrikken.

De mensen verzamelden zich bij het gebouw van de *Chronicle* om de brief persoonlijk te kunnen lezen. Welwillend als altijd had Walt de brief in de glazen vitrine naast de trap van zijn kantoor opgehangen, die normaliter was gereserveerd voor proclamaties van de regering, om te voorkomen dat dit belangrijke schrijven zou worden beschadigd. Hij had de complete tekst ook naar de *Brisbane Courier* laten telegraferen en zij reageerden onmiddellijk. Ondertussen besefte hij dat zijn verslag in het hele land voor vette koppen zou zorgen, omdat hij had besloten voor McPhersons zaak, en dientengevolge ook voor die van Willoughby, op te komen. Terwijl zijn pen over het papier vloog en hij het verhaal van de hinderlaag en de betrokken personen herschreef voor een breder nieuwspubliek, realiseerde hij zich dat als Willoughby inderdaad onschuldig was, dit hem de beloning van vijftig pond zou besparen die hij in een roekeloos en veel te grootmoedig gebaar had uitgeloofd.

Als McPherson had geweten hoe omvangrijk de nationale belangstelling was die zijn brief, die hij door iemand in Brisbane had laten posten, had opgewekt, dan zou hij uitermate ingenomen zijn, maar hij bevond zich ver van de beschaving. Omdat hij zo bekend was, fungeerde hij als uitkijkpost – of als kaketoe, zoals ze dat noemden – terwijl zijn maten een kleine bank beroofden op ruim driehonderd kilometer landinwaarts van de bosbranden.

Brigadier Pollock kwam stampvoetend Walts kantoor binnenvallen en smeet de krant op zijn bureau.

'Waar denk je mee bezig te zijn met de publicatie van die brief? Je had hem meteen na ontvangst bij mij moeten brengen.'

'Waarom? Je krijgt hem net als ieder ander toch te lezen.'

'Zat er verder nog een briefje bij? Iets waaraan we zijn huidige verblijfplaats kunnen ontlenen?'

'Nee. Alleen de envelop, met poststempel Brisbane. Maar ik vermoed niet dat hij in Brisbane zit. Jullie zeker wel?'

'Ik weet niet waar die schoft zich ophoudt, en als jij het wel weet, ben je verplicht dat aan mij te melden.'

'Nou, ik weet het niet. En je zou blij moeten zijn. Hij heeft mij geschreven, let wel, en niet de plaatselijke politie, omdat hij een eerlijke kans wil krijgen. Zodat zijn brief niet in de la belandt om jullie mislukkingen te verdoezelen. Ik denk dat McPherson gelijk heeft. Ik denk dat jij en Carnegie gezamenlijk met zijn naam op de proppen zijn gekomen om te zorgen dat de politie niet langer werd bestookt.'

Pollock was ziedend. Te kwaad om voorzichtig te zijn, zoals zijn meerderen hem later zouden vermanen. 'Stomme idioot. We zijn zelf nog niet klaar met Carnegie. We hebben nog geen echt aanknopingspunt, maar we houden hem in de gaten. Nu heb jij hem achterdochtig gemaakt door al dat giswerk – want dat is het – van die vervloekte crimineel.'

'Is dat zo?' murmelde Walt, terwijl hij zijn bril schoonmaakte. 'Vertel eens wat meer. Dat heb je nooit eerder vermeld.'

'Omdat er niet meer te melden valt,' snauwde Pollock. 'Het is gewoon een onrustig gevoel over de hele zaak.'

'Zoals McPherson dat heeft?'

'Nee. Niet om hem. Om Willoughby. Hij lijkt niet te passen in het plaatje.'

'En toch willen jullie hem de dood in jagen.'

'We zijn op zoek naar hem.'

'Volgens mij hebben jullie geen flauw benul wat jullie doen, Pollock. Uit wat ik heb vernomen, zul je zolang je in deze stad blijft nooit een promotie beleven. Waarom gooi je de handdoek niet in de ring, dan kun je op zoek gaan naar een of ander armzalig gat dat aansluit bij je bekwaamheden.'

Terwijl Pollock de deur uit stormde, kauwde Walt op zijn pen en genoot na van dit extra beetje informatie. Wie had ooit kunnen denken dat de politie Carnegie aldoor al verdacht had gevonden? God zegene McPherson die deze vertoning nader voor hem had uitgeplozen. Nu moest hij beslissen hoe hij dit nieuws het beste kon brengen. Waarschijnlijk in de vorm van een gelikt redactioneel commentaar waarin hij Pollock citeerde en de politie veroordeelde, omdat ze de ware toedracht van de hinderlaag voor het volk verborgen had gehouden. Er was kennelijk een wet voor de rijken en een voor de armen. Iets van die strekking. Maar hij had nog een dag om daarover na te denken; voorlopig was de brief het grote nieuws.

Tegen de tijd dat Pollock de bungalow van Carnegie had bereikt, was de heer des huizes al gevlogen.

'Hij is vertrokken naar Brisbane, om zijn vrouw op te zoeken,' verklaarde de hulp tegenover de brigadier, 'maar hij komt in de loop van volgende week terug.'

'Mooi niet,' mompelde Pollock, toen hij zijn paard losmaakte van het tuinhek.

Hij trof Carnegie aan op de kade, waar hij zich voorbereidde om aan boord te gaan van de kustvaarder *Tralee* – met bestemming Sydney – en hij wist dat hij voorzichtig te werk moest gaan.

'Goedendag, Mr. Carnegie. Gaat u ons verlaten?'

Carnegie was niet in de stemming voor geklets. 'U weet heel goed dat ik vertrek vanwege die smadelijke aantijgingen in de *Chronicle*. Ik sleep Walt White voor de rechter en zal hem tot op de laatste cent uitkleden.'

'Mag ik even opmerken dat het niet bepaald gunstig lijkt? Dat u op dit moment vertrekt.'

'Wat kan mij dat schelen? Ik heb niets dan ellende gekend in deze stad. Ik ga naar huis.'

'Maar dit schip doet Brisbane niet aan. Zou het niet beter zijn om op een rechtstreekse verbinding te wachten?'

'De verbinding via Sydney is gemakkelijker.'

Ja, en je kunt vanuit Sydney ook veel eenvoudiger vertrekken naar diverse havens in de Stille Zuidzee, dacht Pollock. En vandaar uit verdwijnen naar Nieuw-Zeeland of Amerika.

Hij probeerde de man tot inkeer te brengen. 'Dit is niet de manier, Mr. Carnegie. U zou niet op de vlucht moeten slaan omdat zo'n boef als McPherson zijn mening laat publiceren. U hebt ook het recht om uw zegje te doen.'

'Ammenooitniet. Als ik daar blijf zitten en de mensen die onzin geloven, word ik straks gelyncht. Ik ben een van de slachtoffers van die aanval, dat lijkt iedereen ineens vergeten te zijn. Ik word verdreven door die rioolrat van een White. Hij is een kwaadspreker van de bovenste plank, dat weet u net zo goed als ik. Ik moet weg, ik heb toch zeker geen enkele keus?'

'Ik dacht dat u misschien voorlopig bij Mrs. Pollock en mij zou willen intrekken. Dit soort zaken waait wel weer over, en ondertussen zou u goed beschermd worden tegen mogelijke verstoringen.'

Carnegie pakte zijn koffer op en liep naar de loopplank om zich bij de wachtende passagiers te voegen.

'Brigadier Pollock, ik ga nu. U kunt me niet langer hier houden, tenzij u me nu arresteert. En als u dat doet, heb ik het recht om te weten op welke gronden.'

De brigadier kon verder niets ondernemen. Hij keek toe hoe Carnegie in de rij ging staan, de loopplank opliep en in het schip verdween. Toen hij zich omdraaide om te vertrekken, werd hij aangesproken door een verslaggever van de *Chronicle*.

'Je bent zo slap als een vaatdoek, Pollock. Mijn baas zal het prachtig vinden als hij hoort hoe u Carnegie hebt uitgezwaaid. Jullie zorgen goed voor je eigen soort, of niet soms?'

Op sommige middagen nam Emilie de kinderen mee voor een natuurwandeling door de uitgestrekte tuinen, waar ze hen attendeerde op de bijna onmerkbare veranderingen die een nieuw seizoen aankondigden. Zoals ze Ruth in een van haar brieven had verteld, was het aanvankelijk best vermakelijk dat de kinderen haar van alles konden leren over de diverse planten en bomen, maar inmiddels was ze een stuk opmerkzamer geworden en won ze het spel met gemak. Ze ontdekte wanneer de winterplanten de plaats van zomerbloeiers en voor het eerst bloeiende gombomen innamen, het viel haar op wanneer de meeste kleine honingeters en winterkoninkjes wegtrokken en vogels als glinsterende drongo's en wielewalen, die ze ontzettend exotisch vond maar die de kinderen als vanzelfsprekend beschouwden, wederom hun opwachting maakten.

Helaas bleek de brief een vergissing. Ruth had haar in onomwonden termen berispt voor haar frivole houding jegens haar beroep, haar erop wijzend dat lesgeven geen spelletje was en dat het geenszins amusant was om te erkennen dat de kinderen meer wisten dan zij.

Terwijl ze rondslenterden, rende Jimmy naar een van de West-Indische rode jasmijnbomen, schel uitroepend dat ze allemaal hun blad hadden verloren. Alice lachte.

'Dat heb je vorige week al gezegd. Dat weten we al.'

'Dat doet er niet toe,' reageerde Emilie. 'Het blijft een belangrijke waarneming.' Waarna ze verder wandelden.

Ze wilde dat Ruth niet zo streng tegen haar deed. Soms zelfs stuurde ze Emilies brief, waarin ze de spelling van een woord had verbeterd, terug, en dat irriteerde Emilie mateloos, hoewel ze er nooit commentaar op gaf. Triest genoeg had ze het gevoel dat ze uit elkaar groeiden; ze leken tegenwoordig zo weinig gemeen te hebben. Ruth gaf Frans en Engels op de Damesschool in Brisbane en was er bijzonder trots op dat ze uit een aantal sollicitanten was gekozen. Zozeer zelfs dat ze een leven als gouvernante inmiddels als minderwaardig beschouwde, en ze drong er bij Emilie voortdurend op aan om haar 'vernederende' positie neer te leggen en naar Brisbane en pension Belleview terug te keren, zodat ze een fatsoenlijke baan in het onderwijs kon zoeken.

Ruth was bovendien nog altijd ontzet dat Emilie in haar eentje in dat huisje woonde, en bleef van mening dat ze naar het huis van de familie Manningtree moest teruggaan, zodat haar reputatie in elk geval niet werd bezoedeld.

Om haar tevreden te stellen, stuurde Emilie vijftig pond op 'die ze had gespaard', zodat ze die bij de betalingen kon leggen die ze aan het Genootschap voor Emigratie in Londen stuurde, opgelucht dat haar zuster geen vragen stelde over het bedrag of haar prees om haar zuinigheid. Niettemin gaf Emilie zichzelf de schuld voor hun meningsverschillen, schoof ze de schuld op de geheimen die ze gedwongen was voor Ruth te hebben, die diep geschokt en kwaad zou zijn als ze op de hoogte was geweest van haar omgang met Mal Willoughby en de som geld die hij haar had geschonken. Ze huiverde bij de gedachte alleen al.

'Kijk! Daar groeit een orchidee,' zei Alice, en Emilie tilde Rosie op om de schitterende witte bloem met zijn paarse randen, die aan een boomstam vastzat, te bewonderen.

'Wat is het voor soort, juffrouw?' vroeg Jimmy.

'Ik ben bang dat ik het niet weet. Ik zal het in een boek moeten opzoeken. Ze hebben allemaal een naam, maar je moet heel slim zijn om die allemaal te kunnen onthouden.'

'Maar u bent heel slim, juf,' zei Rosie vol overtuiging.

Emilie glimlachte. 'Zo slim ook weer niet.' De bloem deed haar denken aan Mal, en aan de plek op dat eiland die hem met haar orchideeënpracht zo in vervoering had gebracht. Ze vroeg zich af waar hij was en of hij zijn toevlucht misschien opnieuw op dat eiland had gezocht, aangezien de politie er nog steeds niet in was geslaagd hem te arresteren. Arme man.

Met Ruth nog altijd in haar gedachten, voelde ze zich iets minder schuldig toen ze bedacht dat ze haar zuster kon informeren dat ze zelf ook een aanbidder had. Ruth had het voortdurend over haar vriend Daniel Bowles, secretaris van de procureur-generaal, en ze leken erg innig te zijn, terwijl Emilie ondertussen behoorlijk gehecht was geraakt aan Clive Hillier, die charmant en bovendien erg attent was. Ze hoopte maar dat Clive Ruths goedkeuring kon wegdragen. Dat was in elk geval iets.

Sterker nog, Emilie was zo langzamerhand zeer gehecht aan Clive. Ze gaf zoveel om hem dat ze hem, de enkele keer dat hij voor zaken de stad uit moest, enorm miste en verlangend uitkeek naar zijn terugkeer. Geen van beiden had het ooit over Mal. Clive had er geen reden toe, aangezien Emilie had beweerd dat Mal gewoon een kennis was en nooit had durven erkennen, zelfs tegenover Clive niet, dat hij bij haar thuis was geweest. In haar ogen leken de kortstondige, tedere momenten die ze met Mal had beleefd eerder op een droom, die inmiddels werd overschaduwd door de realiteit met Clive en zijn onafgebroken stroom attenties. Iedereen in de stad wist inmiddels dat ze met elkaar gingen en dikwijls werden ze als stel uitgenodigd. Het was erg plezierig, overpeinsde ze, dat zowel zij als Ruth in elk geval eindelijk weer kon genieten van een normaal sociaal leven. Iets wat ze zich tijdens die eerste, schrikaanjagende dagen in de kolonie niet hadden kunnen voorstellen.

'Daar heb je Mr. Hillier!' riep Alice, toen ze de tuin verlieten om via de lange oprit naar huis terug te lopen.

'Waar?' vroeg Emilie verrast. Het was pas vier uur 's middags. Clive meldde zich nooit voor zevenen om haar naar huis te begeleiden.

'Hij komt net de poort door.'

Ze stuurde de kinderen vooruit en liep terug om hem te begroeten. 'Wat brengt jou hier op dit tijdstip van de dag?'

'Ik wilde hier beslist naartoe om je dit te laten zien. Ik ben de hele dag in de weer geweest met het controleren en prijzen van de drank, dus kwam ik het pas zojuist tegen.' Hij drukte een vluchtige kus op haar wang, tegenwoordig hun gebruikelijke manier van begroeten, en overhandigde haar de krant. 'Heb je dit gelezen?'

Emilie schudde haar hoofd, terwijl ze de krant aandachtig bekeek en vervolgens verbijsterd een stap naar achteren deed.

'Die kerel beweert dat hij onschuldig is, en Mal ook.'

'Ik weet het, maar het is nauwelijks een aanbeveling te noemen, aangezien het uit de mond van een schurk als McPherson komt. De plaatselijke politie zal zich mogelijk een keer achter de oren krabben, trouwens. Ik heb ze destijds gezegd dat ze Carnegie zorgvuldiger moesten natrekken, en volgens mij heeft hij de stad inmiddels verlaten. Vandaag per schip vertrokken.'

Emilie bestudeerde de tweede pagina. 'Het lijkt erop dat de hoofd-redacteur de brief serieus neemt. Hij beweert zelfs dat de politie haar tijd heeft verknoeid met het jagen op de verkeerde mannen. In feite roept hij dat Mal onschuldig is. Dat is ronduit fantastisch.'

'Ik zou niet te veel aandacht aan hem besteden. Walt White lijkt er zijn levenswerk van te maken om de politie te sarren. En alle andere autoriteiten ook, wat dat aangaat. Hij waait met alle winden mee.'

'Maar het pleit toch voor Mals zaak.'

'Emilie, er is nog niet eens sprake van een zaak.'

Ze gooide het hoofd in haar nek. 'Je klinkt alsof je die McPherson niet wílt geloven.'

'Natuurlijk wil ik dat. Ik bedoel alleen dat de brief interessant is, maar zeker geen evangelie. Het zal Mal geen goed doen, maar het zal Carnegie in elk geval de stuipen op het lijf jagen.'

'Dat is tenminste een begin. Iemand moet de waarheid zien te ach-terhalen voor Mal wordt gepakt. Het is allemaal zo onrechtvaardig.'

Clive zuchtte. Hij begon spijt te krijgen van zijn overhaaste besluit om haar de krant te brengen. 'Je moet niet vergeten dat Mal dit deels aan zichzelf heeft te wijten. Als hij niet op de vlucht was geslagen toen hij in hechtenis was genomen, zou de politie de kans hebben ge-kregen om zijn kant van het verhaal te horen. Zoals het nu is gegaan, wekt hij de indruk schuldig te zijn, doordat hij ervandoor is gegaan.'

'Hoe kun je dat zeggen? Hij had geen keus! Ze hadden hem wel kunnen ophangen. Jij was er niet bij. Iedereen was het erover eens dat hij onmiddellijk moest worden opgeknoopt. Ik werd er misselijk van zoals ik die mensen hoorde praten.'

'Mijn hemel, Emilie, maak jezelf niet zo van streek. We kunnen op dit moment niets doen. Ik moet nu weer gaan, maar heb een verras-sing voor je. Ik heb een sjees gekocht. Een heel mooie, met leren be-kleding en een mooi, stevig dak...'

'Wat leuk,' zei ze, zonder veel enthousiasme en met haar gedachten nog bij Mals problemen.

'Ja, precies. Wat vind je ervan als ik je vanavond kom ophalen en we even een rondrit door de stad maken, voordat ik je naar huis breng?'

Ze knikte. 'Dank je, Clive. Dat lijkt me erg leuk.'

'Het is meer dan leuk,' zei hij glimlachend. 'Mijn dame hoeft niet meer naar huis te lopen. Je zult in stijl reizen. Vooruit, zeg dat je er blij mee bent.'

'Natuurlijk ben ik dat. Ik ben zeer benieuwd, maar ik moet nu gaan, Clive...'

Het was inderdaad een bijzonder comfortabel rijtuig, heel fraai bo-vendien, en Emilies humeur verbeterde met de minuut toen ze door de, vanwege alle lichtjes, fonkelende stad reden, om vervolgens naar haar huis te rijden. Ondanks hun kleine meningsverschil eerder op de dag zag ze er heel gelukkig uit en genoot ze van de rit, wat Clive op zijn beurt verheugd stemde. Hij had altijd een flauw vermoeden gehad dat ze iets te veel om Mal gaf, maar had dat nooit uitgesproken. Die middag echter, in een steek van jaloezie, had hij zijn standpunt ineens totaal gewijzigd; in plaats van hun wederzijdse vriend te steunen, zoals zij deed, had hij hem bekritiseerd. Dat was een vergissing geweest. Emilie kon zijn houding bepaald niet waarderen.

Aan de andere kant, zo troostte hij zichzelf toen hij de sjees bij haar hek tot stilstand liet komen, vormde Mal geen concurrentie. In 's hemelsnaam, hij was niet meer dan een *bushman* en allesbehalve haar stijl. En op de koop toe een gezochte misdadiger. Ook al beschouwde zij hem misschien als een romantische held, zoals veel dwaze vrouwen deden als het om vogelvrijverklaarden ging, ze was te evenwichtig, te vormelijk, om zich in te laten met dat soort types. Wat romantiek betreft, was dit een geschikt moment, besloot hij. Het rijtuigje was uitermate geschikt om haar het hof te maken; hij zou zich niet langer tevreden hoeven stellen met een vluchtige kus bij het hek voordat hij weer eens alleen naar huis moest sjouwen...

'Zo, je bent er,' zei hij opgewekt. 'Zeg niet dat dat geen aangenaam ritje was.'

'O, Clive, dat was het. Dat was het zeker.'

Hij sloeg een arm om haar heen. 'Dan kun je me maar beter netjes bedanken voor je uitstapt.'

Even later lagen ze in elkaars armen en kusten elkaar hartstochtelijk, en Clive feliciteerde zichzelf met de aankoop van de sjees, omdat dit de eerste keer was dat ze echt enige privacy hadden. De eerste keer dat hij de kans kreeg om op een gerieflijke manier met haar te vrijen. Helaas, toen hij haar wat intiemer begon te liefkozen, besloot Emilie dat het tijd was om naar binnen te gaan, en moest hij buigen voor haar wil. Voorlopig althans, zo hield hij zichzelf voor, voorlopig. Het vuur was nu ontstoken, en hij verlangde wanhopig naar haar. Hij overwoog zelfs de mogelijkheid van een huwelijk. Het was onwaarschijnlijk dat hij ooit een ander meisje zou vinden dat zo lief en mooi, en zo goed opgeleid, was.

Clive was ambitieus. Hij had elke gedachte aan weer zo'n ellendige periode op de goudvelden uit zijn hoofd gebannen; deze snelgroeiende havenstad bood te veel kansen voor een man die zich niet tevreden wilde stellen met een gangbaar loon. De mensen kochten hun kleren nu nog bij het warenhuis of via de post. Maar Clive had een herenmodezaak voor ogen, waar men een fatsoenlijk dag- of avondkostuum kon kopen. Hoewel er vooralsnog niet al te veel heren in de stad woonden, waren er genoeg met flink wat geld op zak, en dat moest tenslotte ergens aan worden uitgegeven.

Dit soort gedachten speelde door zijn hoofd terwijl hij Emilie opnieuw begon te zoenen, ervoor wakend dat hij haar niet overstuur maakte door al te vrijpostig te zijn, maar uiteindelijk moesten ze afscheid nemen en dus hielp hij haar uit het rijtuigje.

'Goedenavond, liefste,' zei hij galant, waarbij hij het hek voor haar opende en zij nerveus haar hoed rechttrok.

'Wat heeft dat voor zin?' vroeg hij lachend. 'Niemand ziet je daarbinnen.'

Emilie lachte. 'Dat weet ik, schat. Het is puur de gewoonte.'

'En wanneer word ik nu eens uitgenodigd voor het eten? Ik heb de binnenkant van jouw optrekje nog niet een keer mogen aanschouwen.'

'Clive...' Ze legde een hand op zijn arm. 'Je kent mijn positie. Ik kan me geen praatjes veroorloven.'

'Wie zou dat doen? Wie zal erachter komen? Ze praten er waarschijnlijk toch wel over. Ik breng je praktisch elke avond naar huis. Emilie, je lijkt niet te beseffen hoeveel ik van je houd. Je behandelt me als een kennis.'

Dit was de eerste keer dat hij had gezegd dat hij van haar hield. Clive wist niet helemaal zeker of het waar was of niet, maar het had een prikkelende uitwerking op haar.

'Wat zei je?'

'Ik zei dat ik van je houd. Maar dat weet je onderhand toch wel?'

'Nee, dat wist ik niet. Ik weet werkelijk niet wat ik precies dacht...'

'Verdoe ik je tijd soms? Ik bedoel, ik weet dat ik geen belangrijk man ben, maar ik had gehoopt dat je om me zou geven, Emilie...'

'O, Clive, dat doe ik ook. Ik wilde mezelf alleen niet toestaan om... eh...'

'Om gekwetst te worden?'

Ze wendde zich af en fluisterde: 'Ja, vermoedelijk. Ik bedoel, jij bent zo vol zelfvertrouwen, en ik ben maar...'

'Emilie Tissington,' lachte hij. 'Mijn allerliefste Emilie. Goed dan, als je mij niet uitnodigt om te komen dineren, wat zeg je dan van de lunch aanstaande zondag? Midden overdag. Je kunt me toch zeker wel voor de lunch uitnodigen?'

'Natuurlijk wel.'

Toen die beslissing was gevallen, kon hij haar opwinding bijna voelen, haar genoegen ook, toen hij haar gezicht in zijn handen nam en haar stevig kuste. 'Dan is het mij een grote eer om die uitnodiging te aanvaarden.'

Hoofdstuk 9

Zware slagregens hadden een einde gemaakt aan de verwoestende branden, maar ze hadden het land ook doorweekt met as en er hing nog steeds een scherpe stank om de afgebrande boerderij van de familie Foley. De manager van Wards plantage had een aantal van zijn arbeiders aan het werk gezet om het erf op te ruimen voordat ze met de wederopbouw begonnen. De baas en zijn kameraden waren voor zaken op pad, het soort zaken waarnaar deze man niet wenste te informeren. Hij had zo zijn eigen gedachten over de kwestie, maar die hield hij voor zich, zoals Ward de leiding van de bananenplantage aan hem overliet. De baan was hem op het lijf geschreven en hij werd – ongetwijfeld ook vanwege zijn gebrek aan nieuwsgierigheid – uitstekend betaald.

Niettemin deed het hem genoegen toen de drie vermoeide mannen het erf op reden, met extra paarden op sleeptouw, wat aangaf dat ze een verre, snelle reis achter de rug hadden, want hij was de bemoeienissen van Mrs. Foley beu. Ze kwam elke dag langs om het werk van de opzichter te controleren, om zich ervan te verzekeren dat de fundering goed droog was, om te eisen dat de helling verder afgevlakt moest worden omdat ze, nu ze de kans kreeg, een groter huis wilde en tevens weigerde de oude bakstenen schoorsteen opnieuw te gebruiken en eiste dat de mannen een nieuwe metselden... haar lijst met eisen was eindeloos. Hij was blij dat hij de leiding kon overdragen aan Matt Foley, bij wie hij zes van zijn beste arbeiders achterliet.

Het constructiewerk kon de belangstelling van James McPherson echter niet wekken. Hij hing wat rond bij het huis van Ward en sliep vooral veel, ongeduldig wachtend op nieuws over de brief die hij met zoveel moeite had opgesteld. Alleen op aandringen van Ward had hij de naam Willoughby in zijn brief vermeld en dat stond hem nog steeds tegen, maar het was gebeurd.

Hij hield zich verscholen toen de postbode de blijken van medeleven en de post voor de familie Foley, alsmede de enorme postzak voor de plantage kwam afleveren. McPherson dacht dat de kerel nooit weer zou verdwijnen, zoals hij daar op het erf stond te kletsen met Ward alsof hij alle tijd van de wereld had.

De *Maryborough Chronicle* was gekomen, opgestuurd door een

vriend en geadresseerd aan Matt Foley, en binnenin zat een kort briefje.

McPherson was buiten zichzelf van vreugde. Zijn brief, die hij na alle pogingen die hij had gedaan onderhand uit zijn hoofd kende, stond op de voorpagina, en er was geen woord uit weggelaten, zelfs niet het stukje over Carnegie, waarvan Ward had verondersteld dat de hoofdredacteur het niet zou publiceren, uit angst om aangeklaagd te worden wegens smaad.

'Ik heb het toch gezegd!' riep McPherson handenwrijvend. 'Ik wist dat ze alles zouden opnemen. Ik ben een man om rekening mee te houden, en bij God, dat weten ze! Het volk zal niet toestaan dat ze me ophangen. En moet je kijken, op de volgende pagina, die hoofdredacteur is een beste vent. Hij weet dat ik onschuldig ben en hij geeft de *traps* de schuld van alle rotzooi!'

Hij schonk zichzelf een glas goede whisky in, met de beste wensen van de directeur van een kleine, binnenlandse bank, en ging grinnikend zitten, genietend van de sensatie zijn naam – verschillende keren – gedrukt te zien staan.

Ward las het briefje door.

'Volgens Clancy zijn de mensen in Maryborough allemaal op jouw hand, Jimmy. Ze zeggen dat ze van het begin af aan wisten dat je het niet gedaan kon hebben. En hij beweert dat Carnegie de stad als een opgejaagde haas heeft verlaten, waarbij hij veilig door de politie naar een schip is geloodst, en dat kan het volk evenmin waarderen.'

'Waarom hebben ze dat godverdomme nou weer gedaan?' vroeg McPherson zich kwaad af. 'Ik heb ze Carnegie in de schoot geworpen. Waarom laten ze hem de dans ontspringen? Tenzij ze met hem onder één hoedje spelen,' voegde hij er somber aan toe.

Ward knikte. 'Je had die brief niet zo snel moeten versturen. Je had mij en Matt Maryborough in moeten laten sluipen om eens een hartig woordje te wisselen met die Carnegie. We zouden de waarheid wel uit die klootzak gewrongen hebben. En dan waren we er ook achtergekomen waar het goud was, als het inmiddels niet aan een heler is verkocht.'

McPherson greep het briefje en staarde er woest naar. 'We moeten uitzoeken waar hij naartoe is gevlucht.'

'Te laat. Hij zou inmiddels onderweg kunnen zijn naar China. Waar hij ook is, hij bevindt zich nu buiten ons bereik.'

Zodra de *Tralee* de haven had verlaten, haastte Pollock zich terug naar zijn kantoor en stelde een lang telegram op om naar hoofdinspecteur Kemp in Brisbane te sturen, waarin hij hem op de hoogte bracht van de inhoud van McPhersons brief, maar het redactionele commentaar van Walt achterwege liet, dat hij als irrelevant beschouwde. Hij vertelde ook dat Carnegie op weg was naar Sydney, en beweerde dat hij vandaar naar Brisbane zou afreizen, ondanks Pollocks dringende verzoek om in Maryborough te blijven. Volgens de wet, zo benadrukte Pollock, was er geen feitelijke reden om de beste man vast te houden.

Toen Kemp het telegram ontving, kwam ook hij meteen in actie. De sympathieke hoofdinspecteur had minder respect voor de letter van de wet dan de brigadier. Hoewel hij geen waarde hechtte aan het verachtelijke pleidooi van een gezochte misdadiger, die verklaarde onschuldig te zijn zonder een greintje bewijs te overleggen, was Carnegie een geval apart. Er was een grote kans dat de man in die drukke haven op een ander schip zou springen en voorgoed zou verdwijnen, al was het alleen maar om aan zijn schuldeisers te ontkomen.

Hij stuurde een telegram naar zijn collega in Sydney met betrekking tot dit heerschap, een belangrijke getuige van een misdaad, waarin hij de politie verzocht al het mogelijke te doen om te zorgen dat Mr. Allyn Carnegie inderdaad verder zou reizen naar Brisbane.

De politie van Sydney was minder vriendelijk.

Carnegie was diep geschokt dat hij en plein public door twee forse politieagenten van de *Tralee* werd gehaald.

'Waar neemt u me mee naartoe?' wilde hij weten. 'Weet u wel wie ik ben? Ik heb vrienden in hooggeplaatste posities. Ik eis een gesprek met uw superieuren.'

Doof voor zijn smeekbedes, klachten en bedreigingen, verzamelden ze zijn bagage en namen hem mee naar het depot van Cobb en Co.

'Wat heeft dit te betekenen?' schreeuwde hij. 'Ik eis een verklaring. Hoe durft u me zonder reden te arresteren? Dit zal u berouwen, dat beloof ik. Ik wens onmiddellijk naar een hotel gebracht te worden, hoort u mij? Een fatsoenlijk hotel.'

De politieagent haalde zijn schouders op. 'U bent, meen ik, op weg naar uw huis in Brisbane, meneer?'

'Dat klopt, maar ik bepaal zelf wel wanneer. Dus scheer jullie weg, stelletje idioten.'

'We zijn hier om u te helpen, Mr. Carnegie. De koets vertrekt dadelijk. Agent Shelley zorgt dat de koffers worden ingeladen.'

Hoewel hij nog steeds woedend was op de twee mannen, kalmeerde Allyn innerlijk enigszins. Straks was hij hen kwijt en de reis naar Brisbane was lang en kende veel stopplaatsen. Ze konden hem dan wel op de koets zetten, maar hij zou bij de eerstvolgende stopplaats net zo gemakkelijk weer kunnen uitstappen. Brisbane was wel de laatste stad die hij wilde zien, waar de schuldeisers om de haverklap bij hem aanklopten en die verraderlijke Kemp rondhing en hem lastigviel met allerlei vragen.

'Reken maar dat ik deze schandelijke behandeling zal rapporteren zodra ik in Brisbane ben,' snauwde hij. 'Ik heb jullie hulp – zoals je

271

dat noemt – niet nodig. Jullie kunnen gaan, maar geloof me, jullie horen nog van mij.'

Toen hij mocht instappen, koos hij een plekje bij het raam, met zijn gezicht in de rijrichting, en ging toen met alle waardigheid die hij kon opbrengen zitten, om verbijsterd toe te kijken hoe de twee agenten na hem instapten.

'Wat krijgen we nou?' vroeg hij.

De agent grijnsde. 'Had ik dat niet gezegd? Wij moeten ook naar Brisbane.'

Hoewel de grote koets, getrokken door vier uitstekende paarden die bij elke halte werden ververst, in staat was snel te reizen, nam de tocht meer dan een week in beslag, en alle passagiers, zelfs Carnegie, waren opgelucht toen ze – eindelijk – de rustige straten van Brisbane hadden bereikt.

Stijf en gevoelig door de lange tocht klom hij bij het depot van Brisbane uit de koets, strekte zijn stijve benen, negeerde zijn begeleiders en riep een kruier om hem te helpen met zijn bagage.

Toen hij de kruier volgde naar de straat waar rijtuigen stonden te wachten, kwam hem een strak kijkende, volledig geüniformeerde Kemp tegemoet.

'Ik geloof dat we maar eens een praatje moesten maken, Mr. Carnegie.'

'Geen denken aan. Ik ben vernederd en vermoeid. Ik ga linea recta naar huis.'

'Ook goed. Dan praten we daar.'

Het huis van de familie Carnegie in het zuiden van Brisbane was een twee verdiepingen tellend gebouw van zandsteen en zou smaakvol genoemd kunnen worden als het niet ontsierd zou zijn geweest door een enorm spandoek met 'Te Koop' erop, dat voor de veranda langs was gespannen. Allyn zou het eraf hebben gerukt, maar het gaf hem de gelegenheid zich andermaal over zijn verarmde omstandigheden te beklagen.

Op weg naar huis had Kemp hem op de hoogte gesteld dat hij in zijn afwezigheid failliet was verklaard en dat Mrs. Carnegie – om de onwaardige behandeling van deurwaarders te vermijden – haar toevlucht had gezocht in het huis van haar vader, en dus kon het Allyn in dit stadium nauwelijks meer iets schelen. De verkoop van het huis zou hem wellicht van wat contanten voorzien, maar ondertussen vormde oprecht gekerm over deze miserabele gebeurtenissen een prima dekmantel voor zijn ware angst om opnieuw ondervraagd te worden, nadat die vervloekte krant het verhaal nieuw leven had ingeblazen.

Ongeduldig troonde hij Kemp mee naar de zitkamer, maakte geen aanstalten om hem een consumptie aan te bieden en liet zich in een leunstoel vallen, een toonbeeld van uitputting en neerslachtigheid.

'Goed dan. U ziet hoe ik van streek ben, Kemp. Hoeveel erger kunt u het maken?'

'Ik wilde nog één keer de details van de overval bespreken.'

'Voor de honderdste keer, bedoelt u. In de hoop dat ik in verwarring zal raken en een fout maak.'

Terwijl hij snauwend antwoord gaf op dezelfde oude vragen, trok hij zijn laarzen en sokken uit, maar die belediging leek Kemp niet op te vallen.

'U zei dat u twee overvallers hoorde wegrijden. Dat wil zeggen, twee paarden?'

'Ja.'

'Ik dacht dat u destijds beweerde dat er mogelijk meer op de weg stonden te wachten.'

'Dat zou kunnen. Ik weet het niet.'

'Maar u zag en hoorde die mannen duidelijk wegrijden?'

'Ja.'

'Ik vraag dit omdat brigadier Pollock nu meer assistentie heeft en zij het gebied waar u kampeerde grondig hebben onderzocht, zelfs tot en met de nabijgelegen helling naar de Blackwater-kreek...'

'Nou, én?'

'Nou, het viel hen op dat er behoorlijk wat dode planten te bespeuren vielen op de oever van de beek, die kennelijk een tijdje terug al zijn vertrapt.'

'Wat heeft dat met deze kwestie te maken? Wie weet wie daar heeft lopen rondscharrelen of staan vissen.'

'Zeg dat wel. Maar Pollock besloot om ook aan de andere kant van de rivier te gaan kijken, precies aan de overkant van de plek waar de overval plaatsvond, en vond een eindje verderop een kleine roeiboot, ondergedompeld in de modder.'

Allyn fronste zijn wenkbrauwen, in een poging verveeld over te komen, terwijl zijn maag verkrampte van de zenuwen. Hij wenste ineens dat hij toch de whisky had gepakt; hij kon wel een borrel gebruiken. Liefst een dubbele.

'Het interessante van die roeiboot is dat de bodem van de romp kapot was, vernield, alsof iemand de boot opzettelijk heeft laten zinken. Je gaat je afvragen waarom iemand dat zou doen.'

'Wat doet zo'n stomme, oude, verwaarloosde roeiboot ertoe?'

'Aha, maar het was geen oude boot. Afgezien van de beschadiging was hij zogoed als nieuw. Waarom zou iemand een in uitstekende staat verkerende roeiboot laten zinken, denkt u?'

'In 's hemelsnaam! Hoe moet ik dat verdomme weten? Die smerige Zuidzee-arbeiders zeker, die vernielen alles wat ze niet kunnen eten om hun bazen een hak te zetten.'

'Ja. Wij dachten ook aan vandalisme, maar het gekke is dat niemand die langs dat stuk rivier woont een roeiboot mist.'

273

Allyn leunde achterover en sloot zijn ogen. 'U klinkt duivels slim, Kemp, maar ik weet het niet, en het zal me verdomme ook een zorg wezen wat er met die stomme roeiboot is gebeurd.'

Kemp leunde voorover, met zijn handen tussen zijn knieën geklemd. 'Wat dacht u hiervan. Stel dat de misdadigers die plek voor de overval uitkozen, zodat ze de buit naar de kreek konden brengen en per boot konden ontsnappen. Om de boot vervolgens naar de overkant te varen, het ding te vernielen en op een gereedstaand paard of paarden te springen en ervandoor te gaan. Niemand zou hen zoeken aan die kant van de rivier. Ze zouden rustig richting de zonsondergang kunnen wegrijden.'

Allyn knikte geïnteresseerd. 'Dat is mogelijk. Onwaarschijnlijk, denk ik, maar mogelijk.'

'Precies. Maar als u Willoughby en McPherson hebt gezien en hen hoorde wegrijden – in verschillende richtingen, overigens, want Willoughby moest immers de stad in. U zei toch dat ze in verschillende richtingen verdwenen?'

'Ja, dat klopt. Natuurlijk. Dat lijkt me wel.'

'Dan moet er een derde geweest zijn. De man in de boot.'

'Lieve deugd! U zou wel eens gelijk kunnen hebben.'

'Maar u hebt geen andere stem gehoord? Geen derde man?'

'Als ik een derde man had gehoord, had ik dat wel gemeld.'

Kemp zuchtte. 'Dat is teleurstellend, omdat het zoveel logischer zou zijn. Want weet u, we zijn er inmiddels achter dat het wapen van Willoughby niet is afgevuurd, wat betekent dat McPherson alledrie heeft doodgeschoten, de bewakers én Mr. Taylor. Maar hij staat niet bekend als eersteklas schutter.'

'Dan heeft een van de misdadigers die stonden te wachten zeker geschoten.'

'Dat brengt het aantal bendeleden op minstens vier. Of misschien vijf. Mogelijk zes, als je aan de andere kant van de rivier ook nog iemand zet. Dan blijft er al met al weinig over voor iedereen. Voor een zichzelf respecterende crimineel nauwelijks de moeite van drie moorden waard. Iemand die op de loonlijst staat, zou meer kunnen verdienen.'

Carnegie haalde een zakdoek tevoorschijn en snoot zijn neus. 'Ik krijg hoofdpijn van al die theorieën van u. Ik snap niet waarom u ze aan mij opdringt. Ik was een van de slachtoffers, en sinds die bewuste dag ben ik niet meer gezond geweest. Ik heb genoeg zorgen aan mijn hoofd, Kemp, zonder dat ik uw werk voor u moet doen. En let wel, ik ben van plan mijn beklag te doen bij de premier over de manier waarop u me heeft behandeld.' Hij stond op. 'Als u me nu wilt excuseren, ik geloof dat ik recht heb op een dutje na die rampzalige reis per koets.'

Toen hij zich eindelijk van Kemp had bevrijd, schonk hij zichzelf een drinkbeker whisky in en viel terug in zijn stoel. Na een paar slokken voelde hij zich weer wat beter, blij dat hij terug was in het comfort van zijn eigen huis. Hij was opgehouden met piekeren over Perry en het goud, wat dat betrof had hij alle hoop laten varen, maar zolang hij zich aan zijn verhaal hield, kon Kemp hem niets maken, kon hij hem de schuld niet in de schoenen schuiven. Hij mocht er dan dicht bij zitten met zijn theorie over de boot, maar wat dan nog? Ze konden hem op geen enkele manier in verband brengen met die boot. Hij was de zonsondergang niet tegemoet gereden, zoals Kemp had beweerd; hij was daar gebleven waar hij verondersteld werd te zijn.

En McPherson en Willoughby konden mekkeren zoveel ze wilden. Zij waren nog altijd de twee hoofdverdachten. Het enige dat Kemp tot dusver had ontdekt, was dat ze waarschijnlijk enkele medeplichtigen hadden. Terwijl de echte medeplichtige, Baldy Perry, klaarblijkelijk allang met de noorderzon was vertrokken.

Wat zijn faillietverklaring betrof, die was eerder positief dan negatief. Zijn schuldeisers zouden genoegen moeten nemen met een handjevol centen, terwijl hij – onder een vloerplank in ditzelfde huis – een paar honderd pond opzij had gelegd voor slechtere tijden.

'Haal alles maar uit de kast, Kemp,' sprak hij honend, zijn glas heffend. 'Van mij krijg je niet meer te horen.'

Terug in zijn kantoor, waar hij zijn verslag schreef, was Kemp geneigd het met hem eens te zijn. Hoewel hij het haatte om stappen te ondernemen op basis van een tip van die vermaledijde McPherson, begon ook hij te geloven dat Carnegie er op een of andere manier zelf bij betrokken was.

Hij keek op naar de foto van de koningin aan de muur en sprak haar aan.

'Maar het blijft een verdomd moeilijk op te lossen geval, mevrouw, als ik zo vrij mag zijn.'

Pollock had het er razend druk mee. Hij had de roeiboot leeg laten lopen en aan boord van een jacht laten hijsen, die hem vervolgens naar een kade in Maryborough vervoerde. Daar werd hij op een wagen gehesen en naar diverse scheepsbouwers, groot en klein, in de stad gereden.

Uiteindelijk was het Karl Grossmann, een Duitse immigrant met een snelgroeiende reputatie als vakkundig scheepsbouwer, hoewel zijn zaak zich nog in het beginstadium bevond, die de roeiboot herkende. Hij was met afschuw vervuld dat zijn handwerk op de bodem van de rivier was aangetroffen.

'*Mein Gott!*' riep hij uit. 'Wat is er mit mein boot gebeurd?' Hij beklopte de kiel. 'Kijk! Massief! Ik gebruik alleen hout van topkwaliteit. Verdammt, iemand heeft hem domweg vernield.'

Pollock grijnsde. 'Dat hebben ze zeker, kameraad. Ze hebben hem met opzet laten zinken, denk je ook niet?'

'*Verdammt,* een gat erin gehakt aan de binnenkant! Stomme idioten.'

'Weet je nog aan wie je hem hebt verkocht?'

'Natuurlijk. Een grote vent. Een visser, zei hij.'

'Engels?'

'Nee. Australisch.'

'Ik bedoel, het was niet iemand van de Zuidzee-eilanden of een aboriginal of een Chinees?'

'Nee. Zoals ik al zei. Een van jullie.'

'Hoe zag hij eruit?'

Karl haalde zijn schouders op. 'Zoals ik zei. Grote kerel. Visser. Varkensoogjes. Warrige baard.'

'Wat voor kleur haar?'

'Weet ik niet. Die vent droeg een gebreide muts, zoals al die vissers. Met zo'n kwastje erbovenop, weet je wel?'

'Heeft hij contant betaald?'

'Iedereen betaald hier contant, geen leningen.'

'Heb je de boot voor hem in de rivier gelegd?'

'Ja. Ik heb het hem laten zien, hij dreef als een kurk. Ginds het achterweggetje af.'

'Heeft iemand anders hem met de boot gezien?'

'Wie zou dat moeten zien? Hij betaalt me, ik laat de boot in de rivier. De boot is van hem. Ik ga weg, ik had werk te doen. Ik wist zeker dat hij niet zou zinken.'

'Wanneer heb je hem de boot verkocht?'

'Aha. Dat moet ik nakijken. Kom binnen, brigadier. Wil je misschien een glas cider? Erg gut. Misschien kun je me vertellen waar we meer flessen kunnen kopen, zodat we het kunnen gaan verkopen.'

'Praat eens met Clive Hillier van de entrepotwinkel in Wharf Street. Hij kan je wellicht verder helpen.'

'Meen je dat? Wil je die naam eens voor me opschrijven?'

'Maar natuurlijk.'

Pollock schreef de naam in zijn aantekenboekje, scheurde de bladzijde eruit en gaf die aan Karl in ruil voor een heerlijk glas cider, waarna hij wat rondstruinde over het erf en de diverse roeiboten en andere vaartuigen in aanbouw bestudeerde, hoewel hij er weinig verstand van had.

Toen Karl terugkwam met een enorm grootboek en met zijn vinger op de boeking wees, schudde Pollock zijn hoofd.

'Dat is Duits. Je zult het voor me moeten vertalen.'

'Ach, *natürlich.* Ik schrijf niet zo goed in Engels. De datum is 14 maart. Hij betaalde me zeven shilling.'

Veertien maart? Drie weken voor de overval. Pollock was opgewonden.

'En zijn naam? Heeft hij een naam opgegeven?'

'Ja. Hij heeft hem voor me gespeld.'

Pollock keek verbaasd naar het krabbelige buitenlandse handschrift. 'Staat daar McPherson? J. McPherson?'

'Ja, dat klopt. Mr. McPherson. Dat was zijn naam.'

De brigadier stond perplex. Was McPherson open en bloot in de stad geweest destijds? En zou hij dan werkelijk zijn echte naam opgeven? De bandiet had meer lef dan de duivel, maar dit was vragen om moeilijkheden.

'Nog één ding, Karl. Had die vent een rode baard?'

'Nee, nee, nee. Ik herinner me hem goed. Een grote, stoere visser. Hij had een baard zoals de mijne. Blond. Noord-Europees, zoals jullie hier zeggen, Scandinavisch. Blond. Niet één grijze haar. Gewoon blond. Hij was wel aan een knipbeurt toe, trouwens, heb ik gezegd. Dan wordt hij veel voller.'

Pollock stak zijn hand uit. 'Dank je, Karl, je hebt ons enorm geholpen, en bedankt ook voor de cider. Feliciteer je vrouw maar, hij is heerlijk.'

'Hoe zit het met de roeiboot? Wat doen jullie daarmee?'

'We houden hem nog een tijdje op het bureau, en als we ermee klaar zijn, kun je hem terugkrijgen.'

'En hoeveel ik betalen?'

'Niets. Je mag hem zo hebben.'

Weken later was Pollock, die met grote verwachtingen van start was gegaan, geen steek verder. Geen van de vissers die hij had ondervraagd wist iets over die roeiboot of over de eigenaar ervan, en zijn beschrijving deed al helemaal geen lichtje branden. Het enige dat hij kon melden aan de commandant die was aangesteld om op zíjn politiebureau het bevel te voeren, was de zekerheid dat de roeiboot voor de overval was gebruikt door iemand die beweerde McPherson te heten, maar zijn baas was niet onder de indruk. Hij was van mening dat de theorie meer gaten vertoonde dan de ongelukkige roeiboot en wees erop dat de beste aanwijzing op dit moment was dat McPherson een makker was van Willoughby, want waarom zou hij de jongere man anders in zijn verklaring hebben opgenomen?

'Het zijn duidelijk kameraden,' zei hij. 'Die zitten ergens samen ondergedoken. Neem agent Lacey mee en rijd de heuvels in, het kan me niet schelen hoelang het duurt of dat je helemaal naar Bowen moet reizen, waar McPherson meermalen is gesignaleerd, je zorgt maar dat je hem vindt. Neem voedsel mee, bied beloningen aan, steekpenningen, maar vind ze. Of een van hen. Als we er een hebben, krijgen we de ander ook wel.'

'Maar die boot dan? Iemand moet die visser in die roeiboot hebben gezien; we zouden in elk geval moeten uitzoeken wie hij was voor we die theorie helemaal afschrijven.'

'Die is al afgeschreven. Haal geld en voorraden, desnoods een lastpaard, maar ga de wildernis in en vind ze. Tussen haakjes, ik wilde aldoor nog zeggen dat het me spijt dat je de politiewoning moest verlaten. Het was niet mijn idee. Ik hoop dat jullie prettig wonen in dat huisje.'

'Dat gaat best,' mompelde Pollock, liever dan te moeten toegeven dat zijn vrouw het heerlijk vond in een nieuw huis te wonen, weg van het politiebureau, waar ze zo dikwijls door klagende burgers waren gewekt, ongeacht het tijdstip van de nacht. Hij keek bepaald niet uit naar de vrijwel hopeloze taak om McPherson en Willoughby op te sporen, aangezien de kans groot was dat ze de staat hadden verlaten, maar die avond ging hij er met Mike Lacey voor zitten en stelden ze samen een plan op. Ze besloten zoveel mogelijk politiebureaus op het platteland en langs de kust te bezoeken om hulp in te roepen om de desbetreffende districten grondig te doorzoeken, vreemdelingen te controleren en de plaatselijke bevolking eraan te herinneren dat er voor beide mannen beloningen waren uitgeloofd. Op de eerste dag reden ze richting de heuvels, op weg naar het noorden.

Dat was voor Mal Willoughby maar goed ook, want hij bewoog zich in tegengestelde richting. Hij verliet de heuvels in het binnenland niet en had Maryborough en Gympie inmiddels achter zich gelaten en was, ondanks het ruige gebied, intussen een eind op weg naar het zuiden. Zijn vader had altijd geroepen dat het kind een kompas in zijn hoofd had en dat kwam hem nu goed van pas, want hij had een bestemming bedacht. Tegen de tijd dat hij op de vlakten aankwam, bevond hij zich meer dan honderdvijftig kilometer ten noordwesten van Brisbane en deed hij het rustig aan om zijn paard niet uit te putten. Nu en dan voegde hij zich bij andere mannen die hij op de eenzame route tegenkwam: zwervers, ossendrijvers, goudzoekers met wie hij het kampvuur deelde, in de wetenschap dat deze zwijgzame types een beetje gezelschap soms niet onaangenaam vonden, maar hij bleef ver uit de buurt van boerderijen en dorpen. Mal had geen behoefte meer aan informatie.

Toen hij de brede Condamine-rivier bereikte, grijnsde hij tevreden en begon hem stroomopwaarts te volgen. Op een kruispunt van onverharde wegen in niemandsland stond een wegwijzer, die hem ervan verzekerde dat het dorpje Chinchilla zo'n honderd kilometer verderop lag. Maar hij hoefde nog slechts de helft van die afstand af te leggen. Toen de zon aan de namiddagse hemel begon te zakken en groepjes papegaaien zich naar hun slaapplaatsen haastten, sloeg hij het smalle pad in dat hij zich zo goed herinnerde en stopte om het hek naar de boerderij van zijn oom te openen.

Mal staarde om zich heen. De weilanden lagen er verdord bij, hadden dringend behoefte aan regen. De laatste keer dat hij hier was geweest, jaren geleden, was het rond de kleine melkveehouderij groen en weelderig geweest. Maar behalve dat was er niets veranderd. De boerderij zelf was even vervallen als altijd, met grijze houten planken die schreeuwden om een laag verf, een raam aan de voorzijde waarin het glas ontbrak en de gebruikelijke troep die overal lag; zelfs de roestende ploeg waaraan hij als kind zijn voet had gesneden, lag nog altijd troosteloos onder een boom. Oom Zilver, zo genoemd vanwege zijn zilvergrijze haar, was de broer van Mals overleden moeder, en stond niet bekend om zijn netheid en al evenmin om zijn werklust. De boerderij leverde amper genoeg op om Zilver en zijn vrouw in hun levensonderhoud te kunnen voorzien.

Magere honden kwamen blaffend naar buiten gerend toen Mal naderde, en Zilver kwam uit het huis geslenterd in wat Mals vader altijd zijn uniform had genoemd: een mouwloos flanellen overhemd, een flodderige werkbroek die met een touw omhoog werd gehouden en afgedragen laarzen.

'Wat moet je?' vroeg hij krassend.

'Ik dacht dat je misschien een kop thee zou kunnen missen,' zei Mal grijnzend.

Zilver staarde hem met zijn tranende ogen aan. 'Wel heb ik ooit! Ben jij het echt, Sonny? Ik herken je amper met die baard. Nou, nou, wel heb ik ooit! Waar kom jij ineens vandaan?'

'Ik was in de buurt, oom, en ik dacht dat ik wel even langs kon rijden om te zien hoe het met jullie gaat.'

'Dat is aardig van je, kom binnen, Sonny. De vrouw is niet meer. Die is vorige winter overleden.'

Mal steeg af. 'Dat spijt me. Ik was altijd erg gesteld op tante Dot.'

'Dat is zo. Dat is zo. Maar ze kreeg een lelijke longontsteking met complicaties erbij, zei de dokter, en ze kon niet goed ademhalen. Het was een opluchting voor die arme vrouw dat ze eindelijk mocht gaan, dat kan ik je wel vertellen.'

'Ach, dat is triest. Kan ik eerst mijn paard ergens verzorgen? We hebben een zware rit achter de rug vandaag...'

'Tuurlijk. Neem het maar mee naar de achterkant. Een eind gereden zeker?'

Mal knikte. 'Dat kun je wel zeggen.'

Twee dagen later verdiende Mal zijn kost op de voor hem gebruikelijke, gemoedelijke manier. Zilver klaagde eindeloos over zijn reuma en liet het melken van de koeien en het eten koken aan zijn neef over, wat Mal met alle plezier deed. Hij had de stamppot van Zilver die eerste avond geproefd en hoefde voorlopig niet weer.

Om de rest van zijn tijd te vullen, begon hij met onkruid wieden in de overwoekerde moestuin – ooit de trots van zijn tante – en wist zowaar een paar bedden met aardappels en koolraap op te diepen die zonder hulp in leven probeerden te blijven, waarbij hij enige orde in de keurige rijen schiep door gerooide planten te herplanten. 's Avonds zat hij met zijn oom bij de haard en legden ze een kaartje of amuseerde Mal hem met de gangbare trucs.

Uiteindelijk werd hij echter bekropen door het gevoel dat de oude man het recht had de reden voor dit onverwachte bezoek te weten.

'Ik blijf niet lang,' begon hij. 'Ik moet in beweging blijven, maar het is prettig hier een tijdje te kunnen uitrusten. De zaak ligt eigenlijk als volgt...'

Zilver rookte zijn pijp en luisterde aandachtig, terwijl Mal hem vertelde dat hij op de vlucht was en hoe dat zo was gekomen.

'Dat is min of meer het hele verhaal,' zei hij tot slot. 'Het is een grote puinhoop, en ik zit ermiddenin.'

Zijn oom tikte met zijn pijp tegen de bakstenen van de haard en zuchtte. 'Ik vroeg me al af wanneer je het zou vertellen.'

'Wist je het dan?'

'Natuurlijk. Dit is niet bepaald het einde van de wereld. Ik ga nu en dan naar Chinchilla om voorraden in te slaan en een krant te kopen. Je bent beroemd, Sonny, zelfs hier. Ze hebben bij het politiebureau zelfs een "Gezocht"-poster opgehangen waarop met vette letters jouw naam en de beloning van vijftig pond staan gedrukt.'

'Heeft de politie je niet lastiggevallen?'

'Geen paniek. Waarom zouden ze? Ik heet Zilver Jeffries, geen Willoughby. Ik heb er niets mee te maken.'

'Dat is mooi. Ik zou je geen overlast willen bezorgen.'

'Geen probleem, Sonny. Maar wat doe je als je hier vertrekt?'

'Ik weet het niet. Verder naar het zuiden trekken, vermoed ik. Ik heb zelfs al overwogen om dwars over te steken en naar West-Australië te gaan. Daar vinden ze me nooit.'

'Vergeet dat maar. Je kunt die woestijn nooit in je eentje doorkruisen. Je hebt een karavaan kamelen nodig wil je dat redden. Je zou ter plekke het loodje leggen.' Hij porde in het vuur. 'Heb je ooit overwogen om jezelf aan te geven?'

'Nee.'

'Waarom niet? Het zou een stuk veiliger zijn. Met de beschuldigingen die jou ten laste worden gelegd, kun je zonder pardon worden neergeknald.'

'Nee.'

'Sonny, denk eens goed na. Je kunt niet voorgoed op de vlucht blijven. Als je jezelf hier aangeeft, kun je een advocaat regelen, een eerlijk proces krijgen. De mensen laten zien dat je onschuldig bent. Ik zal garant voor je staan, getuigen dat je een eerlijke jongen bent. En je zuster ook. Ik heb een brief van haar gekregen, ze maakt zich doodongerust over je.'

'Is de politie bij haar geweest?'

'Ja. Ze sporen iedereen op die jou kent, dus daar moet je in elk geval niet heen gaan.'

'Dat was ik niet van plan. Ik dacht wel dat het zo zou gaan.' Mal leegde zijn tabakszakje en rolde een sigaret.

'Is dat je laatste tabak?' vroeg Zilver.

'Ja. Maar ik kan wel zonder.'

'Nee, dat kun je niet. Ik ga morgen de stad in om wat voorraad in te slaan en dan neem ik wat voor je mee. Wil je verder nog iets?'

'Alleen wat lucifers en thee,' zei hij somber. 'Veel meer heb ik niet nodig. Ik houd mijn bagage zo licht mogelijk.'

'Het spijt me, Sonny. Maar luister, denk in de tijd dat ik weg ben eens na over wat ik heb gezegd. Je bent je hele leven al onderweg, dat weet ik, maar dit keer ligt het anders. Het zal beter met je aflopen als je jezelf aangeeft. Je bent geen professionele crimineel. Die kerels hebben kameraden en bendes die ze helpen en nog worden ze gevangen...'

'Je hoeft me over hen niets te vertellen. Ik heb ze ontmoet. En ik wil niets met hen te maken hebben. Ze maken de problemen alleen maar groter.'

Zilver was gefascineerd. 'Wie ben je tegengekomen?'

'Dat is niet interessant, oom. Ze zijn allemaal gestoord.'

'Waar heb je al die tijd eigenlijk uitgehangen?'

'In de heuvels,' antwoordde Mal vaag. Hij kon zichzelf er niet toe brengen om zijn genoeglijke verblijf op Fraser-eiland en zijn strandstek aan de Orchideeënbaai te noemen, zelfs niet tegenover zijn oom. Die periode, alsmede zijn momenten met Emilie, waren hem erg dierbaar geworden; gedachten eraan vormden zijn enige verdediging tegen de depressiviteit. Hij dagdroomde de hele tijd over haar en viel dikwijls in slaap met overpeinzingen hoe hij haar daarheen kon meenemen. Eerst met de boot naar de anglicaanse missiepost op het eiland, dan een paar paarden lenen, want het was een hele rit dwars over het eiland naar de oceaankust, om er met haar naartoe te rijden en haar gezicht te mogen aanschouwen als hij haar het ongerepte strand en het zuiver witte zand toonde, en haar vervolgens te wijzen op het prachtige groen van het regenwoud met de orchideeën... al die orchideeën die daar als juwelen glinsterden... Soms viel hij halverwege deze idyllische hersenspinsels in slaap, maar dat was niet erg...

Zilver zat te dommelen in zijn oude leuningstoel en dus sloop Mal stilletjes naar zijn bed in het buitenverblijf, waar het hem opviel dat de nachten kouder werden. Hij kon waarschijnlijk wel een paar extra dekens van Zilver lenen voor hij vertrok.

Nadat zijn oom vroeg in de ochtend met paard en wagen was vertrokken, maakte Mal het melken af, waarna hij de koeien in het weiland liet en de zware melkbussen naar het toegangshek een eind verderop zeulde, zodat de melkboer ze op zijn ronde kon meenemen. Droevig genoeg moest hij constateren dat de boerderij er verwaarloosd bij lag, ten gevolge van Zilvers gebrek aan belangstelling. Hij had nog maar twaalf koeien, die geen van alle drachtig leken, en dus stond de roomafscheider in de koestal te roesten. Ook de houten karn stond er werkeloos bij, in tegenstelling tot de tijd dat tante Dot er boter en kaas mee maakte en die verkocht. Hij wou dat hij langer kon blijven en de boerderij weer kon helpen opbouwen, maar dat was onmogelijk. Vroeg of laat zou iemand zich gaan afvragen wie er bezig was het bedrijf van de oude Zilver een opknapbeurt te geven, en hij kon niet toestaan dat de vriendelijke oude man beschuldigd zou worden van het beschermen van een voortvluchtige.

Hij lachte toen Zilver eindelijk thuiskwam en in opgewekte stemming van de wagen strompelde, al zwaaiend met een fles rum, maar hij had voordat hij aan de drank ging in elk geval alle benodigdheden zoals thee, bloem, suiker en een stuk rundvlees gekocht. Mal ondersteunde hem naar de keuken en liep toen terug om de wagen uit te laden en het paard te verzorgen. Zilver had ook een aantal kranten gekocht, maar er stond niets in over de overvallers, en dus las Mal ze dankbaar terwijl zijn oom in zijn stoel zat te snurken.

Toen hij Zilver wakker maakte, aten ze geroosterd vlees en gebakken groente, waarna Mal voorstelde om een kaartje te leggen, maar Zilver was er niet toe in staat en dat, zo dacht hij grijnzend, was begrijpelijk, en dus gingen ze allebei vroeg onder de wol, tevreden en in alle rust.

Ergens in de nacht hoorde Mal de honden blaffen, maar hij weet het aan de maan of misschien sloop er een dingo rond, en hij draaide zich in elk geval weer om.

Toen hij wakker werd, viel het zwakke ochtendlicht door de bomen en stonden er twee mannen over hem heen gebogen, die met de koude, metalen loop van hun geweer naar hem wezen. Achter hen, op de achtergrond, stond de bleke en verontrust uitziende Zilver.

'D'r uit, Willoughby!' zei een van de mannen. 'Sta op. Kleed je aan. Langzaam. Doe het vooral langzaam.'

Ze deden een stap achteruit, hun geweren nog altijd op hem gericht terwijl hij zich aankleedde, in de wetenschap dat dit zijn gang was naar een kille cel. Mal nam inderdaad de tijd, trok zijn met vacht gevoerde jas aan over zijn flanellen overhemd en werkbroek.

'Je staat onder arrest,' verkondigde zijn overmeesteraar, en Mal zuchtte gelaten. Het was nauwelijks een verrassing.

Terwijl ze hem naar buiten dreven, kwam Zilver met Mals paard aanlopen. 'Het spijt me, Sonny,' zei hij. 'Het komt allemaal goed,' en Mal wendde zich geschrokken tot hem.

'Heb je me aangegeven?'

'Het is echt beter zo,' mompelde Zilver.

'Voor wie, Zilver?' zei de brigadier van politie, die Mal later leerde kennen als Moloney, en geen beroerde vent bleek. Hij spuugde Zilver voor de voeten. 'Je zult je beloning krijgen.'

Mal keek zijn oom droevig aan. 'Ik dacht dat je me geloofde.'

'Dat doe ik, Sonny. Dat doe ik heus.'

'Maar waarom dan?'

'Vooruit, opstijgen, mijn zoon,' zei Moloney. 'Je bent geld waard voor die kerel, daarom. Hij beweert dat hij je oom is. Jammer dat je hem niet kent zoals wij hem kennen. De oude Zilver zou zijn ziel nog voor een zesstuiverstuk verkopen. Hij heeft al een feestmaal ter waarde van die vijftig pond besteld bij de plaatselijke kruidenier. Wil je nog iets aan hem kwijt voor we gaan?'

'Nee.' Mal hees zich op zijn paard en volgde de politieagent, die al richting weg reed. Brigadier Moloney volgde hem en liet het hek met opzet open.

Moloney was niet van plan dezelfde fout te maken als Mals eerste overmeesteraar. Eenmaal op de weg aangekomen, beval hij zijn gevangene af te stappen, fouilleerde hem op wapens, nam hem zijn veedrijverszweep af en liet hem toen pas weer opstijgen.

'Noemt je familie je Sonny?' vroeg hij, maar Mal kon enkel knikken.

Vervolgens werd hij vastgebonden aan zijn paard en nam de agent de teugels om de gevangene naar Chinchilla te leiden.

Het viel Moloney, die naast Willoughby reed, op dat hij ondanks zijn boeien goed in het zadel bleef zitten, ook toen de brigadier de paarden in handgalop liet lopen om de bijna vijftig kilometer zo snel mogelijk af te leggen. Deze kerel was een echte *bushman*, mijmerde hij. Zijn oom had gezegd dat Willoughby ongeveer tweeëntwintig was, maar hij zag er jonger uit. Anderzijds zou Zilver zich gelukkig mogen prijzen als hij wist hoeveel tien plus tien was. Behalve als er een beloning bij kwam kijken. Dan aasde hij op elke penny.

Ze kwamen de stad binnen via een achterafweggetje en staken een paar velden over om de gevangene vervolgens op te sluiten in het uit één cel bestaande arrestantenlokaal achter het politiebureau, waarna Moloney – enorm opgelucht – naar het telegraafkantoor liep om de boodschap, dat hij de crimineel Willoughby in hechtenis had genomen, naar het hoofdkwartier in Brisbane te sturen.

Het nieuws verspreidde zich binnen tien minuten als een lopend vuurtje door de stad en nieuwsgierigen haastten zich naar het politiebureau om het bericht te verifiëren en zo mogelijk een glimp op te vangen van de beroemde misdadiger.

'Eindelijk wordt Chinchilla beroemd!' riepen ze opgewekt, terwijl ze Moloney ophitsten om meer informatie te geven, en teleurgesteld

283

keken toen bleek dat er geen schietpartij had plaatsgevonden en dat Willoughby zonder verzet was meegekomen. De brigadier liet het aan de agent over om verdere vragen te beantwoorden, terwijl hij achterom liep om te kijken hoe zijn gevangene het maakte.

'Alles goed hier?'

'Ja, meneer.'

'Kan ik je ergens mee van dienst zijn?'

'Ik zou wel iets willen eten. En me scheren.' Hij wist een flauwe glimlach op te brengen. 'Het lijkt erop dat ik deze akelige baard niet langer hoef te dragen.'

'Oké.'

Terwijl de vrouw van Moloney een ontbijt maakte voor de mannen, onder wie de gevangene, wist een verslaggever van de plaatselijke krant achterom te sluipen en een blik op de gevangene te werpen, die er inderdaad uitzag als een woeste barbaar, met een ruige baard en kraalachtige blauwe ogen. Een grote vent bovendien, een heuse crimineel in levenden lijve! Hij maakte zich vlug uit de voeten en ging op zoek naar de enige fotograaf in de stad, die gespecialiseerd was in familieportretten, aangezien de *Chinchilla Leader* – vooralsnog – geen foto's plaatste.

Tegen de tijd dat hij terugkeerde met zijn metgezel, die lang had lopen zoeken naar de juiste apparatuur voor een dergelijk belangrijk portret, was de barbier inmiddels langs geweest. In plaats van een afschrikwekkende schurk zat daar nu ineens een jongen met een kinderlijk gezicht die er met zijn gladde wangen, onschuldige blauwe ogen en zacht blond haar eerder uitzag als de oogappel van elke moeder.

Na een meningsverschil met Moloney, waarbij de verslaggever het recht opeiste om een foto van de gevangene te mogen maken, erop wijzend dat de reputatie van de stad op het spel stond en dat de plaatselijke bevolking het recht had om als eerste een foto van de boef te zien, aangezien er nog tal van fotografen zouden volgen, liet de brigadier zich uiteindelijk vermurwen. Hij stond zelfs toe dat hij, staand naast de gevangene, werd vastgelegd op de gevoelige plaat. Tenslotte kwam het niet dagelijks voor dat een plattelandsagent zijn collega's in twee andere staten wist te verslaan door een arrestatie als deze uit te voeren.

Ondertussen veranderde de verslaggever, al krabbelend in zijn aantekenboekje, zijn verhaal. Hij had gehoord dat Moloney de gevangene met Sonny aansprak, wat een stuk beter bij de man paste en veel interessanter was dan gewoon Mal. En dus raakte de beroemde misdadiger vanaf dat moment bekend onder de naam Sonny, de jongen met het kindergezicht die geen vragen wilde beantwoorden en enkel verklaarde: 'Ik ben onschuldig. Ik heb in mijn leven nooit een vlieg kwaad gedaan.'

De verslaggever, die Jesse Fields heette, had het heimelijke gevoel dat Moloney het met hem eens was, hoewel hij dat niet wilde erkennen. Er was iets aan deze jongen dat Jesse deed denken aan zijn jongere broer, die was overleden na een val van een paard. Hij ging terug naar zijn kantoor, schreef het verhaal over de arrestatie voor zijn krant en telegrafeerde de volledige tekst ook naar de *Brisbane Courier* en de *Sydney Morning Herald*.

Vervolgens zocht hij in de oude kopij en duikelde de geringe informatie die hij bezat over de overval en de moorden op, constaterend dat Willoughby's geweer niet was afgevuurd, hoewel dat geen excuus vormde. Hij zou een ander wapen, van zijn handlanger of handlangers, gebruikt kunnen hebben. Het verhaal had zoveel aandacht getrokken dat diverse politici zich ermee bemoeiden en eisten dat deze maniakken zouden worden gevangen, maar hij sloeg hun meningen over en ging meteen naar het laatste verslag, waarin die gladjanus James McPherson een of andere krant in Maryborough had aangeschreven en verklaarde onschuldig te zijn, niet alleen hij zelf maar ook Willoughby. Zijn redacteur had, net als Jesse trouwens, de volledige tekst van de brief gelaten voor wat die was. Ze hadden simpelweg het commentaar uit een krant in Brisbane overgenomen waarin de brief louter werd beschouwd als een interessant artikel, dat overigens niet serieus genomen moest worden.

Moloney kreeg de opdracht geen tijd te verliezen. Een telegram van de hoofdinspecteur van politie in Brisbane, ene Jasper Kemp, gaf hem het bevel de gevangene onmiddellijk over te dragen. Extra politieagenten uit het stadje Miles zouden hem tijdens de reis van bijna tweehonderdvijftig kilometer vergezellen.

'Nou, dat was dan dat,' zei de eigenaar en hoofdredacteur van de *Leader*, toen ze twee dagen later toekeken hoe de gevangene en zijn hele gevolg de stad uit reden. 'Chinchilla heeft tenminste één dag in de belangstelling gestaan.'

'Welnee. Het is nog niet voorbij,' zei Jesse. 'We kunnen nog altijd een rol spelen.'

'Ach, hou toch op, Jesse. Je hebt me gisteravond ook al tot in de kleine uurtjes wakker gehouden over dit onderwerp. Wat maakt het uit dat die jongen beweert dat hij nooit iemand kwaad heeft gedaan? Hij was er toch? Hij was erbij betrokken.'

'Maar waar is het goud dan? En de bankbiljetten? Willoughby had pech. Zijn zadel was zo dun als papier. Als hij geld had, had hij Zilver gewoon kunnen vragen om nieuwe spullen voor hem te kopen.'

'Wie vertrouwt Zilver nou?'

'Hij! Moloney zei dat de jongen het amper kon geloven toen bleek dat Zilver hem had aangegeven. Hij meende dat hij veel meer uit Willoughby had kunnen lospeuteren als die niet zo geschokt had gereageerd.'

'Maar dat is niet gelukt. We volgen het verhaal – omdat iedereen hier wil weten hoe het verder gaat – maar voor de rest zit ons aandeel erop.'

'Mooi niet. Ik ga met Zilver praten. Snap je het dan niet? Die jongen heeft een tijdlang bij hem gewoond; hij heeft vast van alles losgelaten. En voor een paar pond extra trekt Zilver zijn mond nog wel een keer open. McPherson moet Willoughby kennen, omdat hij voor hem opkwam. Ik wil wedden dat die jongen weet waar de grote vis zich ophoudt, en dat heeft hij mogelijk aan zijn oom verteld.'

Oom Zilver zeurde en klaagde tegen Jesse Fields.

'Het is beter zo, heb ik aldoor tegen Sonny gezegd. Ik wilde dat hij zichzelf zou aangeven. Ik wilde niet dat hij als een hond zou worden afgeknald. Het is een goede jongen. Kijk maar eens wat hij op de boerderij heeft gepresteerd, alles is opgeruimd en zo. Ben eindelijk die ploeg kwijt die hier al zo lang rondhing. Hij molk zelfs de koeien.' En zo ging hij maar door.

Jesse liet hem praten en vermeed het pijnlijke onderwerp beloning zorgvuldig tot hij de kans kreeg Willoughby's aanspraak op onschuld te noemen.

'Wat is er gebeurd?' vroeg hij. 'Kwam hij zomaar ineens op familiebezoek, aangezien u zijn oom bent?'

'Ja, dat klopt. Ineens stond hij voor mijn neus. Ik herkende hem niet eens met al dat haar op zijn gezicht.'

'En hij heeft u nooit iets verteld van wat hij allemaal heeft uitgespookt?'

'Niet veel. Maar ik wist vanaf het begin waar het om draaide. Ik ben niet blind, weet u. En ik kan lezen. Ik wist dat mijn eigen vlees en bloed betrokken was bij die roofoverval op het goudtransport.'

'Zo te horen zit ik op een dood spoor,' zei Jesse. 'Ik zocht naar het ware verhaal achter die overval, ben zelfs bereid een paar pond neer te tellen, maar het lijkt me dat Willoughby tegenover u net zo gesloten was als tegenover Moloney en alle anderen in deze stad.'

Zilver sprong op van de keukentafel, waaraan hij op kosten van Jesse een borrel nuttigde, overduidelijk bereid zijn verhaal te heroverwegen.

'Wat bedoel je, dat hij me niets heeft verteld? Ik ben zijn oom toch zeker, of niet dan? Het duurde wel even, maar hij moest het ergens kwijt. Natuurlijk heeft hij me over de overval verteld.'

'Wat dan?' vroeg Jesse spottend. 'Dat hij een onschuldige omstander was?'

'Het meeste is bekend,' gromde Zilver. 'Heb je nog meer van dat spul? Weet je, dat stomme joch drinkt niet eens. Zijn pa klokte het met liters tegelijk naar binnen, maar Sonny raakt de fles nooit aan. Komt hier ineens opduiken zonder ook maar één halve liter voor zijn oude oom bij zich.'

Jesse overpeinsde zijn woorden terwijl hij naar zijn zadeltas liep en een kwart liter rum mee naar binnen nam. Willoughby was maandenlang ontkomen aan een intensieve zoektocht door de politie; niemand had zelfs een glimp van hem opgevangen. Het feit dat hij, als geheelonthouder, was vergeten om de gebruikelijke drank ter introductie mee te nemen voor zijn oom Zilver, was wellicht zijn eerste fout geweest. Want Zilver keek zijn bezoeker nu glunderend aan.

'We nemen even een klein glaasje rum,' zei Jesse, duidelijk makend dat de rest van de rum met hem zou vertrekken. 'Daarna moet ik gaan.'

'Het meeste is bekend,' herhaalde Zilver, genietend van de drank. 'Sonny heeft me alles verteld. Van A tot Z. Ik vermoed dat ik de enige ben die weet wat er precies is gebeurd. En weet je waarom? Omdat Sonny het aan míj heeft verteld. Hij meende dat ik, omdat ik zo vriendelijk was hem onderdak te bieden, zoals hij zei, het recht had om het te weten. Wat zeg je me daarvan?'

Zilver stak zijn kin strijdlustig naar voren en Jesse knikte bemoedigend, terwijl hij de stakker had kunnen wurgen.

'Ach, kom op, Zilver. Ik ben hier alleen om wat achtergrondinformatie te verzamelen over Willoughby, over zijn familie en dergelijke. Wat hij je heeft verteld over de overval moeten leugens zijn, aangezien hij nog altijd beweert een brave jongen te zijn. Leuke poging, kameraad.'

Zilver was beledigd. 'Is dat zo? Nou, luister maar eens goed. Sonny zat in diezelfde stoel. Hij verontschuldigde zich dat hij met zijn problemen bij mij aanklopte, en hij vertelde me hoe alles is gegaan, zo waar als ik hier zit. Ik heb hem enkel aangegeven omdat me dat het beste leek en, nou ja, vanwege die beloning, dat begrijp je. Waarom ik niet en een ander wel...'

Jesse haalde zijn aantekenboekje tevoorschijn. 'Wat zei hij precies, Zilver? Ik geef geen geld en ook niet meer rum tot ik het hele verhaal te horen krijg, en dan zonder al die franje van je.'

'Jezus! Waarom zou ik liegen? Ik heb het uit de eerste hand vernomen. Ik heb niets te verbergen. Je kunt mij nergens van beschuldigen. Het ging als volgt... Hij werkte op de goudvelden en boerde daar heel aardig. Hij was altijd al een geluksvogel, onze Sonny, wist altijd overal een cent te verdienen...'

Zo goed en zo kwaad hij het zich kon herinneren, vertelde Zilver de verbaasde verslaggever het verhaal van de hinderlaag zoals Mal Willoughby dat zelf aan hem had verteld. Jesse was zo opgewonden, zo geboeid door de hele geschiedenis dat hij de verteller regelmatig moest onderbreken om alles goed op papier te krijgen. Hij wist dat dit meer was dan een goed verhaal, het was een fantastische zet, en dus beloonde hij Zilver nu en dan met een glaasje rum om te zorgen dat hij op dreef bleef. Hij wist dat de oude man een verhaal dat zo simpel en eerlijk klonk als dit nooit zelf had kunnen verzinnen. Willoughby was er niet eens bij geweest. Hij had het bevel opgevolgd en was naar Maryborough gereden om, zoals afgesproken, de politie in te lichten dat het goudtransport onderweg was en dat ze een escorte wilden tijdens het gevaarlijkste stuk van de route. Een plan dat niet was opgezet door Willoughby, maar door de goudcommissaris en de brigadier van politie in Maryborough, want ook met de data waarop het transport zou plaatsvinden was opzettelijk gerommeld.

Toen het verhaal helemaal was verteld, zat Jesse nog met enkele vragen.

'Hoe zit het met McPherson? Wat zei hij over hem?'

Zilver krabde zich op zijn hoofd en keek gretig naar de fles rum. 'Niets. Hij zei alleen dat hij een aantal bandieten was tegengekomen, maar dat hij niets van hen moest hebben.'

'Niets van hen moest hebben?' Jesse lachte. 'Moest hij ze aardig vinden soms?'

Zilver was wederom beledigd. 'Je kent Sonny niet. Hij heeft ze vast en zeker ontmoet, maar ze konden zijn goedkeuring niet wegdragen. Hij vond het maar vreemde gasten.'

'Welke bandieten?'

'Hoe moet ik dat weten? Dat heeft hij niet gezegd.'

Jesse leunde achterover. 'Zilver, je bent uiterst behulpzaam geweest en ik zal je daarvoor belonen. Alsjeblieft. Daar ligt twee pond op tafel. Maar Sonny is een onbelangrijke figuur. Ik heb informatie nodig over McPherson. Voor McPherson heb ik het dubbele over.'

Hij zag de pijn in Zilvers ogen toen deze naar het geld staarde, maar zelfs Zilver kon over McPherson geen verhaal verzinnen.

'Sonny heeft McPherson niet één keer genoemd. Hij heeft in zijn eentje het binnenland doorkruist, Jesse, zonder hulp van wie dan ook. Helemaal in zijn uppie. Alleen. Ik wist dat hij dat niet zou volhouden. Daarom moest ik hem wel aangeven,' jammerde hij. 'Het was slechts een kwestie van tijd.'

'Goed. Nog één ding. Hij moet ergens een schuilplaats gehad hebben. Waar zat hij? Als we dat wisten, waren we een heel eind op de goede weg om McPherson te vangen.'

'Eerlijk, maat, ik weet het niet. Als ik het wist, zou ik het zeggen.'

'Dat zal wel. Nu nog eens van voren af aan. Vertel me eens wat meer over Sonny zelf, over zijn ouders. Waar is hij opgegroeid?'

Zilver gniffelde. 'Sonny is zo'n beetje onderweg opgegroeid. Sinds het moment dat hij een kniebroek droeg, heeft hij met zijn ouwe een zwervend bestaan geleid. Er valt weinig over te vertellen. Zijn pa was een zuiplap, maar Sonny wilde geen kwaad woord over hem horen...'

Stukje bij beetje wist Jesse voldoende achtergrondinformatie los te peuteren om het karakter van de jonge Willoughby enigszins te kunnen schetsen.

'En vrienden? Wie waren zijn vrienden?'

Zilver haalde zijn schouders op. 'Een jongen als Sonny had overal vrienden, op kermissen en zo. Iedereen mocht hem, maar hij was een eenling.'

'Onafhankelijk?'

'Ja, dat is het woord. Hij vroeg niemand ooit om een gunst. Daarom heeft hij hier ook zo flink meegeholpen, snap je...'

En toen kwam ik in beeld, mijmerde Jesse. Het interview was voorbij. Hij pakte zijn spullen, liet het geld en de rest van de rum op tafel achter en nam afscheid van oom Zilver.

Op de terugweg naar Chinchilla hield hij zichzelf bezig door alvast een opzetje te maken voor een hoofdartikel dat in de voornaamste nationale kranten alsmede in de plaatselijke krant zou worden opgenomen, en zocht hij naar een kop die mogelijk als volgt zou luiden: 'Het leven van Sonny Willoughby'. Of iets van die strekking. Een echte primeur. En het zou niet de laatste keer zijn.

Brisbane was gehuld in zware regenbuien op de avond dat schimmige figuren in donkere oliejassen bedaard richting de politiekazerne reden om hun gevangene over te dragen. Toen ze in de stallen afstegen, wendde Willoughby zich tot brigadier Moloney.

'Mag ik u om een gunst vragen?'

'Maar natuurlijk.'

'Wilt u op mijn paard passen?'

Moloney probeerde opgewekt te doen. 'Wil je dat ik voor het dier zorg?'

'Afhankelijk van hoe zich alles ontwikkelt. Als ik hem niet kom halen, is hij voor u. Striker is een prima paard en slim bovendien. Ik zou niet willen dat zomaar iemand hem in zijn bezit krijgt.'

Moloney knikte en zag dat de andere leden van de bereden politie zich bedroefd afwendden, omdat ze de gedachte waardeerden.

'Bij mij is hij in goede handen, Sonny.'

In pension Belleview heerste een uitgelaten stemming. De lerares en de jongeheer die secretaris was van een minister hadden hun verloving bekendgemaakt tegenover Mrs. Medlow, die het razend druk had om al haar andere gasten op de hoogte te stellen van dit nieuws. Ze had Miss Tissington zelfs voorgesteld dat ze misschien een theepartijtje, voor een minimaal bedrag, zou kunnen organiseren, maar het stel had haar aanbod afgeslagen en koos voor privacy.

Ruth vond dat Daniel dat fraai had verwoord, dat stukje over de bescherming van hun privacy, maar goed, Daniel bewoog zich in illustere kringen, waar diplomatie – zoals hij zelf dikwijls opmerkte – een manier van leven was. Parlementariërs, zo wist ze inmiddels dankzij Daniels interessante waarnemingen, waren bijzonder moeilijke mensen om mee om te gaan. Omdat tact niet een van haar sterke kanten was, bewonderde Ruth Daniel enorm om de manier waarop hij had gereageerd. Zelf zou ze botweg 'nee' hebben geantwoord op het ordinaire voorstel van Mrs. Medlow; ze koesterde geenszins de wens om zich meer dan nodig in te laten met de vreemden en bemoeials die dit pension bewoonden. Sterker nog, Ruth was geneigd te geloven dat de aanhoudende nieuwsgierigheid en de goedkope opmerkingen die deze andere gasten maakten Daniel ertoe hadden aangezet om haar een aanzoek te doen.

Al sinds geruime tijd deelden zij en Daniel behoorlijk wat tijd samen, vooral om de kwestie te bespreken van de aankoop van twee percelen land, waar de vrouwelijke immigranten recht op hadden, en dat had geleid tot roddels, omdat mensen hen dikwijls samen het pension zagen verlaten. Uiteindelijk had Daniel – op een nogal geamuseerde manier – gezegd dat de roddelaars waarschijnlijk dachten dat ze een verhouding hadden.

Die vreselijke, leugenachtige suggestie deed Ruth zelfs nu nog weer blozen.

'Dat meen je niet!' had ze uitgeroepen, zich panisch afvragend hoe ze een einde konden maken aan die geruchten.

Maar het leek Daniel niet te deren. 'De enige manier om praatjes als deze te weerleggen is door onze verloving aan te kondigen, als je me die eer tenminste zou willen doen, Ruth.'

Ze was stomverbaasd. Zenuwachtig. Stotterde van verwondering. 'Mijn hemel. Ik weet het niet. In 's hemelsnaam, Daniel. Is dit een huwelijksaanzoek?'

'Het spijt me. Ik was inderdaad van plan, mijn lieve dame, om mijn aanzoek op een wat waardiger manier te brengen en zeker niet hier in dit openbare park. Het ontglipte me gewoon. Maar we kunnen het goed vinden samen en, zoals je weet, is mijn carrière erg belangrijk voor me. Ik ben niet van plan eeuwig secretaris te blijven.' Hij lachte. 'Tenzij ik staatssecretaris kan worden. Grapje van mezelf. En ik heb een dame aan mijn zijde nodig, die uit het juiste hout is gesneden, als je begrijpt wat ik bedoel. Maar natuurlijk heb je tijd nodig om hierover na te denken, en ik ben een geduldig man.'

Ruth voelde zich enorm gevleid. Ze wist precies wat hij bedoelde met 'uit het juiste hout gesneden' en beschouwde zichzelf als bij uitstek geschikt. Een man in zijn positie zou een dame aan zijn zijde nodig hebben, een dame die Engels sprak zonder het grove accent dat in deze stad overheerste, ondanks dat het de hoofdstad van deze staat was. Ze had vierentwintig uur nodig om tot het besluit te komen dat ze zijn aanzoek accepteerde, en haar verloofde was zeer verheugd. Hun eerste vluchtige kus wisselden ze uit toen ze op de verduisterde veranda van pension Belleview stonden te schuilen voor de neerstortende regen.

Ruth was opgelucht dat Daniel haar niet in verlegenheid bracht met sentimentele liefdespraatjes, omdat hun relatie was gestoeld op een veel degelijker basis, die bestond uit wederzijds respect. De intimiteit, die ze vreesde, zou naderhand op een geschikt moment wel volgen.

Om hun verloving te vieren nam Daniel haar voor een diner mee naar het prestigieuze Royal Arms Hotel in Queen Street. Ze vond het er ontzaglijk duur, maar Daniel verwierp haar bezwaren en hield vol dat het essentieel was dat ze op de juiste plaatsen gezien werden. Hij bestelde wijn die, zo moest Ruth toegeven, voortreffelijk smaakte, maar ze protesteerde toen hij een tweede fles wilde bestellen – aangezien ze weinig dronk – en tot haar ontzetting werd Daniel boos op haar.

'Je kijkt niet op een cent in een restaurant als dit,' siste hij.

Ze hield liever voor zich dat het niet zozeer de centen waren die haar dwarszaten, als wel het feit dat Daniel zo langzamerhand duidelijk aangeschoten begon te worden. Tegen de tijd dat hij de tweede fles had weggewerkt, en erop aandrong dat ze ten minste een glas nam, was haar verloofde dronken en praatte hij veel harder dan haar lief was.

De volgende ochtend verontschuldigde hij zich evenwel tegenover haar, verklarend dat hij zich uit blijdschap en opwinding over die gewichtige aangelegenheid had laten gaan, en natuurlijk vergaf Ruth hem. Ze vond zijn terneergeslagen houding nogal vertederend.

Toen hij die dag naar kantoor ging, had Daniel wat hij een 'gewichtige' kater noemde, en hij was opgelucht dat zijn baas voor zaken de stad uit was. Geleidelijk, naarmate de dag vorderde, begon hij zich weer wat beter te voelen en hij was enorm ingenomen met zichzelf.

Het was een langdurige, ergerlijke klus geweest om de hele papierhandel te regelen die ermee gemoeid was om Ruth en haar koppige jongere zuster dat stuk land te bezorgen. Ze hadden het gebied rond de Eagle Farm verscheidene keren bezocht voordat ze hun oog uiteindelijk lieten vallen op twee aangrenzende percelen van elk acht hectare. Het was een landelijke omgeving, nogal vlak en saai, geschikt voor landbouw, had de tussenpersoon enthousiast gezegd, maar Daniel – die beter was ingelicht – wist dat het gebied, dat niet ver van de rivier lag, binnen afzienbare tijd een buitenwijk zou worden van de groeiende havenstad Brisbane; het feit dat ze in staat waren zestien hectare te verwerven zonder een cent uit te geven was een meevaller van groot belang.

De gebruikelijke complicaties begonnen toen uiteenlopende kantoorbedienden die bij de verschillende ministeries werkten zoveel mogelijk hindernissen op hun pad aanbrachten. Aanvankelijk waren er bezwaren dat twee vrouwen, alleenstaand bovendien, aanspraak maakten op een stuk land, maar Daniel was in staat bewijs op tafel te krijgen dat een dergelijke rijksbijdrage zich niet beperkte tot mannen. Daarna volgde een ernstiger bezwaar. Men vond het gebied rond Eagle Farm zo langzamerhand te duur worden om weg te geven, en ze probeerden hen ervan te overtuigen elders, verder landinwaarts, waar kolonisatie werd aangemoedigd, te zoeken.

Ruth was teleurgesteld, maar ze begreep de logica erachter. Tenslotte was een schenking van dergelijke grote percelen land in haar ogen buitengewoon grootmoedig, en de belanghebbenden zouden dankbaar moeten zijn, ongeacht waar het land zich bevond.

Daniel keek er anders tegenaan. Hij wilde Eagle Farm. Nadat hij voorzichtig links en rechts had geïnformeerd, wist hij een ambtenaar te vinden die bereid was de aanvraag van de gezusters Tissington op een eerder tijdstip te dateren, in ruil voor twee pond die hem onder tafel werd toegestopt. Hij wist dat Ruth nooit zou instemmen met omkoping, maar hij was evenmin van plan de twee pond uit eigen zak te betalen en dus verzon hij een eenvoudige verklaring en vroeg haar om het geld.

'Jullie aanvraag voor het land rond Eagle Farm is gehonoreerd, maar er wordt een toeslag van een pond per perceel in rekening gebracht omdat de aanvraag zo laat is ingediend. Ik vond het beter dat te betalen in plaats van op zoek te moeten naar een ander stuk grond verder landinwaarts, wat ook te ver zou zijn voor jullie om in Brisbane te kunnen blijven lesgeven.'

Ruth was het meteen met hem eens, hoewel ze er nooit over had nagedacht om daadwerkelijk op Eagle Farm te gaan wonen; het oorspronkelijke plan was om de twee percelen direct weer te verkopen.

'Hoe zou ik daar kunnen wonen, Daniel? Er staat geen huis, en ik kan me niet veroorloven er een te laten bouwen.'

'Toch wel. Ik zal binnenkort op zoek gaan naar een koper voor het land van Emilie. Dan beschik je over voldoende geld om een aardig optrekje op jouw perceel te bouwen.'

'Maar Emilie is het er mogelijk niet mee eens. Ze voelde er sowieso weinig voor om de grond te verkopen.'

'Dat zei je al. Maar Emilie moet vooruitdenken. Stel je voor dat jij je eigen huisje had, dan zou ook zij een thuis hebben. Je weet zelf maar al te goed hoe onzeker het leven van een gouvernante kan zijn. Ze zou veel beter af zijn als ze een positie op een school kon vinden, zoals jij hebt gedaan, zodat ze onafhankelijk zou zijn van andermans huishouden.'

'Dat is waar. We zouden het huis samen bezitten, aangezien het gebouwd zou zijn met het geld dat haar perceel had opgeleverd...'

'Op jouw perceel.'

'Ja. Het lijkt me een uitstekend idee. Ik ben je bijzonder dankbaar, Daniel. Ik had dit nooit allemaal in mijn eentje kunnen uitpluizen.'

Ondertussen worstelde Ruth met een ander probleem. Haar zuster had haar vijftig pond gestuurd en Ruth had er zelf twintig bijgelegd, die naar Londen gestuurd moesten worden als deel van de terugbetaling aan het Genootschap dat hen financieel had gesteund, maar ze maakte zich zorgen dat het geld het Genootschap niet zou bereiken, aangezien de postverbinding niet bepaald betrouwbaar was.

'Het is zo'n groot bedrag,' sprak ze bezorgd. 'Ik zou wanhopig worden als het onderweg verdween. Ik voel me sowieso ellendig dat Emilie meer heeft weten te sparen dan ik; stel je voor hoe vreselijk het zou zijn als onze betaling niet bij het Genootschap terechtkomt. We zouden het niet kunnen vervangen.'

'Laat dat maar aan mij over. Ik stuur het wel op in een diplomatieke postzak. Op die manier is het geen probleem, tenzij de boot zinkt...'

'O, Daniel! Maak daar toch geen grapjes over.'

'Sorry. Het enige dat je moet doen is de brief op de gebruikelijke manier adresseren en hem goed verzegelen, dan stuur ik hem met de regeringspost weg. Het ministerie van Koloniën zal hem doorsturen naar jullie Genootschap.'

'Wat fantastisch. Het zou een enorme opluchting voor me zijn.'

Daniel was zeker van plan het geld voor Ruth op de post te doen, maar hij wist niet goed hoe het in zijn werk ging met die diplomatieke postzakken, waarvan hij zeker wist dat ze bestonden, en terwijl hij dat probleem overpeinsde, dacht hij ook na over het Genootschap. Ruth had nog maar onlangs verteld over hun sponsor, en hij had er weinig aandacht aan geschonken, maar nu, met haar brief en al dat geld in zijn bureaula, begon hij te twijfelen aan de authenticiteit van het Genootschap. Wat hadden ze in feite voor de dames geregeld? Ze hadden de boottocht betaald, meer niet. Vervolgens hadden ze hen aan hun lot overgelaten. Ze hadden hen niet de beloofde posities bezorgd en hen verder ook op geen enkele manier gesteund. Ze verdienden haar loyaliteit niet. Noch haar geld.

De dag nadat ze hun verloving hadden aangekondigd, had Daniel – als Ruths verloofde – een beslissing genomen. Hij haalde de brief uit de la, verbrandde die en hield het geld zelf, waarvan hij een deel gebruikte voor hun feestelijke etentje in het Royal Arms Hotel. Aangezien hij binnen afzienbare tijd gezinshoofd zou zijn, deed hij wat hem het beste leek. Ze konden zich niet veroorloven om geld weg te geven, want hij had geen spaargeld en zijn salaris bedroeg slechts negen shilling per twee weken meer dan dat van Ruth. Ze was een goed opgevoede jongedame; ze zou er niet over peinzen hem naar zijn financiële achtergrond te vragen, en godzijdank was er geen overbezorgde vader in de buurt die daarover vragen stelde, dus hoefde het onderwerp niet eens ter sprake te komen.

Wel zat hij met Emilie in zijn maag. Ze was duidelijk een dwaze, jonge romanticus, want ze had uitzinnig gereageerd op de aankondiging van hun verloving, feliciteerde hen beiden uitvoerig en stuurde de hartelijke groeten aan Mr. Bowles, die al snel veranderde in haar lieve zwager. Ze kondigde, enigszins verlegen, ook aan dat zij en haar Engelse aanbidder, Mr. Hillier, wellicht binnenkort tot een regeling zouden komen, aangezien zich duidelijk genegenheid tussen hen had ontwikkeld.

Ruth, de oudere zuster, maakte zich zorgen over deze ontwikkeling en wilde meer weten over Mr. Hillier en zijn positie. Ze hoopte dat Emilie hem zou meenemen naar Brisbane om haar te ontmoeten voordat ze zichzelf definitief zou binden.

'Ze is nogal wispelturig,' zei Ruth tegen Daniel. 'Joost mag weten wat dat voor vent is. Ze zegt dat hij een entrepotwinkel beheert, te vergelijken met die van de douane, vermoed ik, maar het lijkt me nauwelijks een geschikte betrekking voor een heer.'

Daniel was het met haar eens. Hij wilde niet dat een of andere vent zich in dit stadium aan de Tissington-meisjes zou opdringen. 'Zeg maar tegen je zuster dat ze voorzichtig moet zijn. In die noordelijke steden kom je allerlei vreemde vogels tegen. Het wemelt er van de bandieten en oplichters. Ik moest er persoonlijk op toezien dat hoofdinspecteur Kemp erheen zou gaan om het gebrek aan orde en gezag te onderzoeken, en hij liet meteen na aankomst aldaar meer politieagenten in Maryborough stationeren.'

'Wat kan ik eraan doen?' vroeg Ruth zorgelijk. 'Ze beweert met klem dat het allemaal prima gaat.'

'Ach, nou ja, misschien is dat wel zo, zolang ze maar niets met die kerel begint voordat we de kans hebben gehad om hem te beoordelen. Wat schrijft ze over het land?'

'Ze heeft alle benodigde papieren getekend, waardoor ze dat perceel bezit, dankzij jouw hulp, dat erkent ze ook, maar ze weigert ronduit de grond te verkopen.'

'Heb je haar verteld dat de verkoop van haar perceel een meevaller voor jullie beiden zou betekenen en jou in staat zou stellen om een huis te bouwen op het andere stuk land?'

Ruth zuchtte. 'Dat begrijpt ze, maar ze is van mening dat we geen van beide percelen zouden moeten verkopen. Ze zegt dat de waarde ervan de komende jaren sterk zal stijgen. Ik kan haar gedachtegang gewoon niet volgen. Arme Emilie, ze kan amper rondkomen en spaart elke halve stuiver. Ik geloof dat ik haar te veel op het hart heb gedrukt dat ze zuinig moet leven.'

'Dan moet je haar duidelijk maken dat een ieder die een rijksbijdrage in de vorm van land accepteert wettelijk verplicht is om binnen een bepaalde tijd verbeteringen op het betreffende perceel aan te brengen. Dat betekent een omheining of irrigatie of zelfs een huis bouwen. Waar moet ze dat geld vandaan halen? Het alternatief is om de grond snel te verkopen en die verplichting bij de koper neer te leggen. Ze hebben inspecteurs, weet je, die in de gaten houden wat er met de uitgegeven percelen gebeurt.'

'Ja, ik herinner me dat je me dat hebt verteld, en daar heb ik Emilie op gewezen, maar ze houdt vol dat er geen haast bij is. Ik ben bang dat ze niet wil verkopen, en dat is haar beslissing, maar Daniel, er is niets dat mij weerhoudt om mijn stuk grond te verkopen.'

'Goed zo!' zei hij, terwijl hij uit het raam van de kleine zitkamer in pension Belleview staarde. 'Dan gaat al je geld op aan de huur die je hier moet betalen. Je hebt nu de kans om een eigen huis te bezitten; je zou erop moeten staan.'

'Maar hoe?'

Daniel haalde zijn schouders op. 'Het is niet aan mij om je te zeggen wat je moet doen, maar als ik jou was, mijn lief, zou ik een ander voorstel doen. Je zuster woont weliswaar goedkoop in dat gat ginds, maar hier in de hoofdstad van de staat is geen sprake van lage huren, en huur staat gelijk aan weggegooid geld. Waarom stel je niet voor dat jij je perceel verkoopt om met de opbrengt daarvan een huis op haar perceel te zetten? Een huis dat ook voor Emilie altijd een thuis zou vormen. Ik bedoel, mijn hemel, een huis op een stuk grond van acht hectare valt amper op.'

Hoofdstuk 10

Hoewel het nog maar tegen de middag liep, begaf Bert Manningtree zich alvast naar het leslokaal voor een praatje met de gouvernante.

'Ik denk dat u er voor vandaag maar beter mee kunt ophouden, juf. Het gaat steeds harder regenen. U kunt maar beter naar huis gaan voor het onmogelijk wordt.'

De kinderen juichten en hun vader grijnsde. 'Dat is even boffen, hè?' Hij wendde zich tot Emilie. 'Het is nog vroeg voor de moesson-periode, maar het voelt wel zo. Deze regenbui kon wel eens dagen-lang duren.'

Alice was ontzet. 'Gaan we nog wel lunchen bij u thuis, juf?'

'Het is nog maar vrijdag,' zei ze. 'We moeten afwachten hoe het weer aanstaande zondag is. Ik heb de kinderen uitgenodigd om zon-dag bij mij te komen lunchen, meneer. Mrs. Mooney heeft toegezegd dat ze hen komt halen en weer terugbrengt. Tegen die tijd zal het toch zeker wel opgeklaard zijn?'

Hij schudde zijn hoofd. 'Ik zou er niet al te veel op rekenen, maar het is erg aardig dat u ze hebt uitgenodigd. Jullie zullen rustig moeten afwachten, kinderen.'

'Maak je maar niet druk,' reageerde Emilie, die zag hoe teleurge-steld ze waren. 'Als het deze zondag niet lukt, dan een volgende.'

'Paul Dressler is bij ons thuis,' zei Manningtree tegen haar. 'Aange-zien hij in een vriendelijke stemming verkeert, heeft hij aangeboden u naar huis te brengen in zijn sjees, dus ga maar gauw, juf. Ik blijf hier wel om deze leerlingen te overhoren.'

Dressler was een charmante man. Hij vond het helemaal niet erg dat Emilie vroeg of hij langs het postkantoor wilde rijden, zodat ze een brief kon posten. Ze had genoeg van haar meningsverschil met Ruth over de verkoop van dat stuk grond en voelde zich nog altijd schuldig dat ze had gelogen over haar zogenaamde spaargeld. En over het feit dat ze had verzwegen dat ze haar huisje nu bezat. Ruth had het geld van de verkoop van haar perceel nodig en ze kon maar beter haar gang gaan, zeker omdat ze het geld wilde gebruiken om een huis voor hen beiden op Emilies perceel te bouwen. Ze vond het een bijzonder spannend idee als ze tijd had om erover na te denken. Hoe dan ook, in haar brief stemde ze erin toe dat Ruth een passend huis zou laten bouwen en liet ze weten uit te zien naar de bouwplannen.

Wat de lunch op zondag betrof: aangezien ze Clive had uitgenodigd op zijn aandringen om haar thuis te mogen bezoeken, besloot ze ook Mrs. Mooney en de kinderen uit te nodigen om de fatsoensnormen te bewaken. Clive zou haar bescheiden manipulaties wel doorzien, maar hij zou er niets aan kunnen veranderen. Als hij kwam, zouden de anderen er al zijn. Echter, uit de woorden van Mr. Manningtree en nu ook uit die van Mr. Dressler, concludeerde ze dat ze wellicht niemand zou ontvangen, en in zekere zin was dat een opluchting. Ze vond het heerlijk om op zondag, haar enige vrije dag, in haar eentje wat aan te rommelen in huis.

Hoewel ze haar lange tweed overjas droeg, was Emilie doorweekt tegen de tijd dat ze terug was bij de sjees. Ze hees zichzelf erin en Mr. Dressler liet een vochtige krant op haar schoot vallen toen ze verder reden, waarbij de zichtbaarheid heel slecht was door de stromende regen.

'Je zult hem moeten drogen bij de haard, juffrouw, om er iets van te kunnen lezen,' zei hij, het paard mennend door straten waar het water al flink doorheen stroomde.

Uiteindelijk kwamen ze bij haar hek. 'Als u zich zorgen maakt om deze storm, kom dan gerust naar ons toe, oké?'

'Dank u, Mr. Dressler, maar ik red me vast en zeker wel.'

'Nou, maak je geen zorgen, ik houd de rivier in de gaten. Het waterpeil kan behoorlijk stijgen, daarom heeft Paddy het huisje zo hoog gebouwd, maar waakzaamheid is altijd geboden.'

Emilie besloot binnenkort een grote paraplu te kopen en ze daalde voorzichtig de treden naar het huisje af, treden die inmiddels in een glibberige waterval waren veranderd en haar schoenen ruïneerden. Ze zuchtte, opende de deur en werd begroet door een warme windvlaag. Vanwege de lichte regenval die ochtend had ze alle ramen dichtgedaan, en nu rook het huis vochtig en muf.

'Verdorie,' riep ze uit, terwijl ze zich ontdeed van haar doorweekte overjas. 'Ik raak nooit gewend aan dit klimaat. Hoe kan het in vredesnaam warm zijn én regenen dat het giet?'

Ze besloot om de haard meteen aan te doen, zodat haar kleren konden drogen, maar de houtstapel, die eveneens doornat was, bood geen uitkomst en dus trok ze haar kleren uit en liep naar de keuken, waar het hout voor het fornuis in elk geval droog lag. Hoewel het nog maar halverwege de middag was, was het donker en triest in huis. Ze kon de rivier niet eens zien, dus had ze geen flauw idee of het water al was gestegen.

Ze voelde zich ingesloten, een zeldzame ervaring in dit huisje, nu het uitzicht naar alle kanten was weggenomen, en Emilie zette thee, pakte een paar koekjes uit de koektrommel en ging er troosteloos op zitten kauwen. Ze waren droog en niet erg smakelijk, hoewel ze het recept van Kate nauwkeurig had gevolgd.

'Kennelijk niet zo zorgvuldig als had gemoeten,' merkte ze op. Omdat ze niets anders te doen had, besloot ze de krant – die ze ergens in huis had laten vallen – te redden.

Sinds ze als alleenstaande vrijgezel gedwongen was haar eigen potje te koken, had ze geleerd vindingrijk te zijn en was Emilie er tot haar vermaak achter gekomen dat de 'koloniale' stijl van koken beter bij haar paste. Terwijl Kate voortdurend bezig was met de voorbereidingen voor het familiediner, vond Emilie het gemakkelijker – en sneller – om boven op het fornuis te roosteren en te koken, waarbij de oven de warmte leverde, en dus gebruikte ze, met een wrang lachje, het fornuis nu om de krant te drogen. Tevreden over zichzelf had ze uiteindelijk zes heel droge, krakende pagina's in handen, die ze alleen nog op volgorde moest leggen.

Met een schok las ze de koppen op de voorpagina.

SONNY WILLOUGHBY GEVANGENGENOMEN

Sonny? Wie was Sonny? Was het Mal?

De kolommen die volgden maakten al snel duidelijk dat hij gevangen was genomen in het zuiden van Queensland, in het stadje Chinchilla, en dat hij inmiddels was overgebracht naar een gevangenis in Brisbane.

Door haar tranen heen las Emilie elke wrede regel op de pagina keer op keer. Het was kwaadaardig, afschuwelijk, zoals ze over hem schreven. Er werd met geen woord gesproken over de mogelijkheid dat hij onschuldig was, alleen een samenvatting van de overval, de moorden, de goudroof en zijn aandeel in die gruwelijke misdaad.

Aan de achterkant ging het verder. Een vreselijke uitleg over zijn gevangenneming, ergens op een afgelegen boerderij nabij de Condamine-rivier, waar dat ook mocht zijn. De bandiet – bandiet? – was in zijn slaap op die boerderij verrast, nadat hij was aangegeven door zijn oom, die nu recht had op de beloning. Die zou worden uitbetaald, uiteraard, door de eigenaar van de *Maryborough Chronicle*, die namens de inwoners al meer dan een jaar eiste dat er meer aandacht kwam voor orde en gezag.

Emilie haatte hem. En Mals oom erbij. Hoe kon hij een onschuldig man dit aandoen? Tot overmaat van ramp had de oom de mensen op de hoogte gebracht van Mals roepnaam, een familienaam. Sonny. Was er dan niets heilig voor die kerel? Die afschuwelijke kerel.

Er werd een beschrijving gegeven van de omstandigheden waaronder Mal die stad had verlaten, onder strenge bewaking, met extra politiebegeleiding, door een spervuur van scheldwoorden van de plaatselijke bewoners, die zich hadden verzameld om getuige te zijn van het voorval, en Emilie voelde zijn kwelling, Mals kruistocht, alsof het de hare betrof. De vernedering moest vernietigend zijn geweest.

Vervolgens las ze dat de gevangene niets te zeggen had, helemaal niets, en weer huilde ze.

Die hele middag en avond zat Emilie te wachten. Ze was ervan overtuigd dat Clive haar – ondanks de regen – zou komen opzoeken, om haar van dit nieuws op de hoogte te brengen, voor het geval ze het niet had gelezen. Om zijn medelijden te betuigen. Mal was hun vriend en hij zat in de gevangenis voor misdaden die hij niet had gepleegd. Clive zou vast en zeker komen. In dit soort noodsituaties hadden fatsoensnormen niets te betekenen.

Die avond viel Emilie in slaap op de bank, gekleed in haar dagelijkse spullen, wat ze liever deed dan Clive in haar nachtgewaad ontvangen.

Op zaterdag bleef de regen met bakken uit de lucht komen, en haar enige bezoeker was Mrs. Dressler, die vrolijk en onbezorgd was over 'dat beetje water' en Emilie wat van haar overheerlijke varkensworstjes en een kwarktaart bracht.

De zondag verliep min of meer hetzelfde voor Emilie. De *Chronicle* verscheen in het weekend niet, dus was er geen nieuws over Mal. Het goot wederom, het dak begon te lekken en het water stroomde onder haar voordeur door, wat haar er tijdens het dweilen en zwabberen aan herinnerde dat dit huisje slechts als een vishut was gebouwd. Onder een stuk zeildoek dat ze in de schuur had gevonden, waagde Emilie zich even naar buiten, waar ze constateerde dat de rivier inderdaad ongeveer een meter was gestegen maar bij lange na geen bedreiging vormde. Mrs. Mooney stuurde haar barkeeper om zich ervan te verzekeren dat Emilie haar, noch de kinderen, voor de lunch hoefde verwachten, en ze verzekerde hem dat ze dat niet deed. Ze was niet in staat zich te concentreren op een boek of op een andere opbouwende activiteit, het enige dat ze kon, was ijsberen, treuren om Mal en wensen dat Clive zou komen om haar te troosten, en deze stad, dit land haten om zijn wreedheid, om zijn belabberde weersomstandigheden en zijn onrechtvaardigheid.

En toen kwam Clive. Om acht uur 's avonds, toen het minder hard regende. Clive kwam en Emilie gooide zichzelf in zijn armen.

'O, mijn God,' huilde ze. 'Waar heb je gezeten? Ik werd bijna gek van bezorgdheid.'

'Mijn hemel, Emilie!' riep hij uit, overdonderd als hij was. 'Verwachtte je me echt voor de lunch? Ik zou je in dit weer niet al die moeite laten doen. Maar kom, houd op, meisje, of je zult ook doornat worden. Laat me eerst deze natte spullen eens uittrekken.'

Hij gooide zijn hoed en jas op de bank. 'Mijn vader had het altijd over de regens in India, maar ik wil wedden dat dit weer hem ook te gortig zou zijn! Het is gewoonweg verschrikkelijk, of niet soms? Vooruit, geef me eerst eens een knuffel en zeg dat je niet boos op me bent.'

Hij beantwoordde haar knuffel met een lange, stevige kus en Emilie kon ruiken dat hij had gedronken. Ze vond het moeilijk om zich los te maken uit zijn omhelzing, maar ze moest standvastig zijn.

'Nu niet, Clive, alsjeblieft. Ik moet met je praten.'

'Waarover?' Met één arm hield hij haar nog vast en hij streelde met zijn neus in haar nek. 'Heb je me gemist? Ik heb het zo vervloekt druk gehad, nauwelijks een moment voor mezelf...'

'Wil je even luisteren, Clive? Alsjeblieft!' Emilie liep bij hem weg. 'Heb je de krant van vrijdag niet gelezen?'

Lachend wreef hij nadenkend over zijn kin. 'Vrijdag? Wat is er vrijdag gebeurd?'

'Ze hebben Mal gearresteerd!'

'Och, mijn hemel, da's waar ook. Die arme Mal. Maar het was slechts een kwestie van tijd. Dat moet hij zelf ook geweten hebben.'

'Maar hij is onschuldig.'

'En dit is zijn kans om het te bewijzen.' Hij beende wat heen en weer door de kamer. 'Dit huisje is veel groter dan het van de buitenkant lijkt. En zo gezellig ook op een regenachtige avond.' Hij liet zich in de grote leuningstoel vallen en klopte op zijn schoot. 'Kom eens bij me zitten en zeg me wat je dit weekend allemaal hebt gedaan.'

Geërgerd bleef Emilie uit zijn buurt. 'Geef je dan helemaal niets om Mal? Ik heb het hele weekend zitten wachten om jou te kunnen vragen wat we kunnen doen.'

'Wij? Emilie, het spijt me voor hem, geloof me. Maar niemand kan op dit moment iets voor hem doen. Het is nu aan de politie.'

'Ze zouden die Mr. Carnegie moeten arresteren.'

'Wie weet doen ze dat wel. Pollock zei dat Kemp hem in Brisbane had ondervraagd en ervoor zorgt dat hij daar blijft, maar ze kunnen hem nergens van beschuldigen. Ze hebben geen bewijzen.'

'Ze moeten toch iets hebben?'

'Kunnen we het ergens anders over hebben? Dit gesprek is nutteloos.'

'Ik beschouw het allerminst als nutteloos,' snauwde ze. 'Hij is onze vriend. We kunnen niet werkeloos toekijken en hem domweg laten ophangen. Een onschuldig man.'

'Kom, in vredesnaam. Ze zullen hem niet zomaar ophangen. Hij moet eerst officieel in staat van beschuldiging worden gesteld, dan gaat hij een tijdje het gevang in en daarna zal hij door een rechter worden berecht...'

'Maar hij hoort niet eens in de gevangenis te zitten! Het is afschuwelijk.' Ze bleef piekeren over het onderwerp en eiste dat Clive iets zou doen, hoewel ze geen zinvolle suggestie wist te doen, en uiteindelijk verloor hij zijn geduld.

Hij sprong op, greep zijn jas en hoed en ging vlak voor haar staan. 'Ik kom een andere keer wel terug, als je weer verstandig kunt praten.

300

Ik weiger om me door jou te laten beschuldigen voor zijn tegenslagen.'

'Dat doe ik niet. Het komt gewoon doordat ik het hele weekend heb zitten piekeren. Ik had gehoopt dat je zou langskomen, zodra je de krant had gelezen...'

'Zoals ik al zei, ik heb het razend druk gehad. De wereld draait niet om Mal Willoughby, hoewel jij daar anders over lijkt te denken. Je kent de beste man amper, Emilie. Je gedraagt je als een dom schoolmeisje.'

Ze wilde niet dat hij wegging. 'Het spijt me, Clive, het is gewoon allemaal zo oneerlijk en... meer dan dat. Het is tragisch!'

'Nou, die tragedie mag je houden, dan zie ik je volgende week wel weer.'

Slaand met de voordeur verliet hij het huis, Emilie opnieuw in tranen achterlatend. Ze realiseerde zich dat ze hem niet eens een kop koffie of thee had aangeboden of had geïnformeerd of hij al warm had gegeten, en dat speet haar enorm. Hoe kon ze zo onnadenkend zijn? Zo onhoffelijk? Zijn eerste bezoek aan haar huis, en het was uitgedraaid op een ramp. Hij zou waarschijnlijk nooit meer een woord met haar willen wisselen.

Vermoeid, neerslachtig en hopeloos eenzaam kroop ze in bed, haar kussen vastklemmend, in de hoop dit miserabele weekend met de slaap te ontvluchten.

Er was evenwel een andere man, die ze overigens niet kende, die wél snel reageerde toen hij hoorde dat Willoughby was opgepakt.

'Hij slaat door, zeker weten,' zei McPherson tegen Ward. 'Ik moet hier als de donder weg.'

'Dat lijkt me een slimme zet. Voor je het weet staat zijn foto in de krant en zullen de mensen hem misschien herkennen. Hij zei dat hij een hele tijd heeft rondgezworven in de heuvels voor hij jou tegenkwam. Maar maak je over ons geen zorgen, we zeggen gewoon dat we hem nooit hebben gezien. Nooit van hem hebben gehoord.'

McPherson maakte zich niet druk over Ward of over de familie Foley. Die konden wel voor zichzelf zorgen. Hij had een goed paard uitgekozen en was al bezig zijn spullen te verzamelen.

'Die klootzakken krijgen me nooit. Ik ga zó ver naar het noorden dat ze uitgeput zullen raken.'

Brigadier Pollock hoorde het nieuws toen hij het kuststadje Bundaberg, slechts tachtig kilometer ten noorden van Maryborough, binnenreed.

Agent Lacey was opgelucht. 'Kunnen we nu terug naar huis, baas?'

'Ik weet het niet,' zei Pollock nors. Hij voelde zich een dwaas, dat hij Willoughby hier achternajoeg, terwijl die kloothommel zich honderden kilometers in tegengestelde richting bevond. Elke hoop op promotie voor het opnieuw vangen van Willoughby was nu verkeken. En klaarblijkelijk reisden de twee bandieten, McPherson en Willoughby, niet samen. Een was naar het zuiden getrokken. Was de andere noordwaarts gegaan? Dat was een mogelijkheid, maar hij kon evengoed naar het westen zijn afgereisd. Vijftienhonderd kilometer in een willekeurige richting. Hopeloos.

Hoewel ze hun zoektocht aanvankelijk op het heuvelgebied hadden geconcentreerd, waar ze boerderijen en kleine nederzettingen aandeden onder begeleiding van de plaatselijke politie, die daar trouwens absoluut niet van gediend was, hadden ze nergens ook maar een gerucht opgevangen dat McPherson zich ergens in de buurt ophield.

Pollock verdronk zijn zorgen in een kroeg, die halfverscholen lag onder de dampende palmen, die glinsterden vanwege de recente regenval. De kroeg had een rieten dak, een kale aarden vloer, wat de andere paar klanten – die geen van allen laarzen droegen – allerminst stoorde. Het waren ruw uitziende kerels met verweerde koppen en kille, vermoeide ogen, die niet onder de indruk waren van het feit dat er een geüniformeerde politieagent in hun midden was, maar dat kon Pollock niet schelen. Hij negeerde de boze, starende blikken en de spottende opmerkingen en stond in zijn eentje aan de vettige bar zijn derde warme biertje te nuttigen terwijl hij wachtte op agent Lacey.

Hij had besloten dat ze inderdaad naar huis zouden gaan. Er viel nog genoeg politiewerk te doen in Maryborough en de omringende districten, zonder dat ze hun tijd verdeden met de jacht op McPherson, die in het beste geval al een dwaallicht was. En het leek hem beter zijn baas niet te informeren, want die was gek genoeg om hem te bevelen verder te zoeken. Die had geen flauw benul hoe gigantisch groot deze vervloekte staat feitelijk was.

Toen ze geen reactie van de agent aan de bar kregen op hun zijdelingse opmerkingen besloot een roodharige kerel hem rechtstreeks aan te spreken.

'Hé, agent. Zeker op zoek naar Willoughby? Heb je buiten al in de plee gekeken? Wie weet zit hij daar.'

Die grap werd met bulderend gelach begroet, maar Pollock bleef recht voor zich uit staren en besefte dat de fraaie flessen tegenover hem op de plank achter de bar waarschijnlijk niet meer dan versieringen waren, waarschijnlijk gevuld met thee. Hij dwong zichzelf om vriendelijk over te komen.

'Willoughby is gepakt. Kent iemand McPherson?'

Dat veroorzaakte een korte stilte, gevolgd door meer honend gelach, maar tegen de tijd dat Lacey naar binnen slenterde, hadden de mannen hun belangstelling voor de nieuwkomer verloren.

'Ik heb een slaapplaats voor vannacht gevonden,' zei de agent tegen Pollock. 'Op een rivierboot. Eentje zonder ongedierte.'

'Voor de verandering,' gromde Pollock, die de barkeeper gebaarde een drankje voor zijn collega in te schenken.

'En dat is nog niet alles,' mompelde Lacey. 'Een klein ventje dat ik daar tegenkwam, vertelde me dat McPherson vriendjes heeft in Bowen.'

'Nou, én?'

'Wat vind je, moeten we daar een kijkje gaan nemen?'

'Godsamme, Mike! Dat is achthonderd kilometer of meer vanaf hier. Ik wilde Willoughby gevangennemen. Dat is niet gelukt. Ik ga niet achter McPherson aan. We weten niet eens zeker dat hij betrokken was bij de overval bij de Blackwater-kreek.'

'Geloof je die brief van hem?'

'Ja en nee. We vertrekken uit dit muskietennest en gaan naar huis. Zodra we aankomen, stuur je een telegram naar de politie in Bowen om naar hem uit te kijken. Het is jouw tip.'

Lacey was tevreden. 'Bedankt, baas. Ik voelde weinig voor zo'n tocht, maar vond dat ik het toch moest zeggen.' Hij sloeg zijn bier in een paar slokken achterover en leunde op de bar.

'Hé. Weten jullie ergens een tent waar je iets te eten kun krijgen?'

De andere mannen leken wat te ontdooien. Bundaberg was vooralsnog niet meer dan een gat. Geen politie, geen cafés, alleen een verzameling hutten, opgebouwd in het regenwoud bij de Burnett-rivier, niet al te ver van de eenzame kust. Een nederzetting aan de kust die de weg vrijmaakte voor nieuwe suikerplantages.

'Buiten boven de kampvuren hangt wel het een en ander,' antwoordde een man met tegenzin. 'Zelf drank meenemen.'

Pollock werd de volgende ochtend wakker op de licht deinende boot en voelde zich opmerkelijk gezond, de grote hoeveelheid drank die hij had genuttigd in aanmerking genomen, maar goed, ze hadden dan ook prima gegeten. Verse vis gewikkeld in palmbladeren en in de kolen gekookt, terwijl het vlees erboven dichtschroeide en de potten met aardappelen en maïs aan ijzeren haken hingen te sudderen... het was een hele traktatie gebleken. Na die avond hield hij dierbare herinneringen over aan het ruige Bundaberg. Net als Mike Lacey. Die niet vergat de politie in Bowen, een andere suikerstad, een telegram te sturen.

Na het ellendige weekend was Emilie blij dat ze weer aan de slag kon, en ze keek verlangend uit naar het comfort en de veiligheid van haar eigen leslokaaltje. En naar de afleiding, dacht ze er verdrietig bij terwijl ze kwiek doorliep. De zon liet zich weer zien en schitterde fel zonder een greintje schuldgevoel vanwege haar afwezigheid de afgelopen dagen, en het weelderige groen langs de route reageerde dampend. Er lag wederom een eentonige, hete dag voor haar. Soms snakte Emilie naar een dagje kou, echte kou, met loeiende haarden en wollen truien en sokken en sjaals.... Ze zuchtte, een inzinking nabij.

In de keuken hadden Kate en Nellie het over niets anders dan de gepakte bandiet, terwijl de kinderen hun ontbijt aten, tot zwijgen gebracht door de komst van Mrs. Manningtree, die overigens in een zeer goede bui verkeerde en Emilie zelfs vroeg naar haar weekend.

'Wat zonde dat u de lunch met de kinderen moest uitstellen.'

'O, ja, het was jammer dat ik hen moest teleurstellen, maar met uw goedvinden doen we de volgende zondag opnieuw een poging.'

'Maar natuurlijk. Wat hebt u het hele weekend gedaan?'

'Erg weinig. Ik kon niet veel doen met al die regen. Normaal gesproken ben ik graag in de tuin bezig.'

'Goeie genade. Als u van plan bent hier te blijven, zult u toch moeten wennen aan de regen. Het regenseizoen is nog niet eens echt begonnen. We laten ons sociale leven nooit bederven door de regen.'

Terwijl ze doorratelde over hun drukke weekend, het bal vrijdagavond in het vrijmetselaarshuis en het verjaardagsfeestje van de burgemeester, begon Emilie zich af te vragen of ze berispt werd omdat ze haar eigen activiteiten voor het weekend had afgezegd. Nellie bespeurde dat er iets mis was en verdween het huis in, terwijl Kate naar de aangrenzende provisiekast liep, buiten de vuurlinie maar binnen gehoorsafstand.

'Ons weekend was werkelijk perfect. Vochtig, dat moet ik toegeven, maar dat maakte het eigenlijk allemaal een stuk leuker. Zo'n beetje iedereen was op komen dagen voor de burgemeester. Ik was eigenlijk verbaasd u daar niet te treffen. Het was een gebaar ter ondersteuning van de burgemeester, die uiteraard, zoals je weet, een goede vriend van ons is. Uw Mr. Hillier was er ook en hij maakte behoorlijk veel indruk, dat moet ik zeggen.'

'Dat is prettig,' zei Emilie mat, die nu begreep waar dit gesprek naartoe leidde.

'Ik was echter benieuwd naar zijn partner. Ik bedoel, aangezien hij toch uw vriendje, of althans wordt verondersteld uw vriendje te zijn...'

'Mr. Hillier is een vriend.'

'Natuurlijk. Maar u kunt het mij niet kwalijk nemen dat ik nieuwsgierig ben, dus ik moest het wel vragen. Misschien kent u haar, een lang meisje met rood haar, best aantrekkelijk, op een opzichtige manier.'

'Nee, ik ken haar niet.'

'O. Weet u het zeker? Ze heet Fleur en nog iets.'

Emilie schudde haar hoofd. 'Nee. Maar ik ben blij dat u zo'n fijn weekend achter de rug hebt. Als u me wilt excuseren, mevrouw? Ik moet mijn aandacht nu echt aan de kinderen gaan besteden.'

Wie was Fleur?

Hoewel Emilie haar werkgeefster niet de voldoening had gegund om bezorgd te lijken, was ze woest. Clive had tegen haar gelogen. Het hele weekend razend druk? Kennelijk wel, maar niet met zijn werk, zoals hij had doen geloven. Vervolgens had hij de brutaliteit gehad om haar bezorgdheid om Mal te betwisten, terwijl hij de galante ridder had gespeeld voor een ander meisje. En hij was nijdig vertrokken. De hele dag werd haar concentratie door deze teleurstelling beïnvloed. Ze had de pest aan de term 'vriendje', maar het was waar dat ze Clive als meer dan een vriend beschouwde, en dit nieuws deed zeer. Emilie hoopte dat Clive er een of andere eenvoudige verklaring voor zou hebben. Misschien was dit meisje familie van hem of zo. Maar waarom had hij haar – in dat geval – dan niet eerder genoemd?

Wie was die Fleur toch?

Ze werkte als barmeid in Brisbane toen ze de hoffelijke Engelsman had ontmoet. Hij was op weg naar de goudvelden in Gympie, maar zozeer onder de indruk van Fleur dat hij zijn vertrek voortdurend uitstelde tot ze het voorstel deed hem te vergezellen.

Clive stond perplex. 'Goeie genade, nee! Uit wat ik heb gehoord, zijn de leefomstandigheden ginds behoorlijk primitief. Je kunt onmogelijk mee!'

'Waarom niet? Er gaan genoeg vrouwen mee. Ik kan paardrijden en ik kan prima koken op een kampvuurtje. Ik wil wedden dat jij dat niet kunt zeggen.'

'Maar dan nog...'

'Je kunt niet in je eentje werken,' reageerde ze meteen. 'Je hebt iemand nodig. Laat me met je meegaan! We zouden veel plezier kunnen hebben. En stel je voor dat we goud vinden! Alsjeblieft, Clive, zeg ja!'

Het kostte haar niet lang hem over te halen, herinnerde Fleur zich met een brede glimlach. Ze hadden aanvankelijk inderdaad veel lol samen.

Maar na een paar weken in het stoffige, door vlooien geteisterde kamp, waar ze overdag omringd waren door het lawaai en het geschreeuw van wanhopige gouddelvers en tijdens de chaotische nachten moesten schuilen voor de ruzies tussen dronken lui, werden ze geconfronteerd met de harde werkelijkheid. Ze hadden allebei hard gewerkt. Fleur had zich aan haar afspraak gehouden door voedsel te zoeken, dat boven het kampvuur te koken en door hem bij het delven te helpen, maar ze was het al snel flink beu. Vooral omdat ze amper een korreltje goud vonden, terwijl anderen wel succesvol waren. Het plezier veranderde in een dagelijkse sleur. Fleur huiverde terwijl ze terugdacht aan die akelige tijd. Ze hadden veel ruzie, waarbij Fleur hem de schuld gaf dat ze geen goud vonden en hem een hopeloos figuur noemde, waarop hij reageerde door extra hard te werken, van

305

's morgens vroeg tot 's avonds laat, om daarna op zijn veldbed met-een in slaap te vallen. Hij was zó geobsedeerd door de speurtocht naar goud dat hij geen aangenaam gezelschap meer was. Hij was ronduit saai.

Fleur zorgde zelf wel voor een beetje lol. Ze sloop dikwijls de tent uit wanneer hij lag te slapen om zich bij de menigte in en rond de drankhutten te voegen, en dat veroorzaakte alleen maar meer ruzies, omdat hij haar meestal betrapte.

Daar ontmoette ze ook de oude Stan Colman, een goudzoeker met veel ervaring.

Fleur keek onderhand uit naar een vorm van broodwinning die haar in de gelegenheid zou stellen dit vreselijke oord te verlaten. Het had weinig zin om blut te vertrekken, terwijl er overal in de heuvels bij Gympie goud opdook, en dus pakte ze het weloverwogen aan. Zodra een delver goud had gevonden, was het te laat om hem in te palmen. Hij zou waarschijnlijk abrupt vertrekken, mogelijk met zijn favoriete hoer aan zijn arm – nee, ze moest inzetten op een potentiële winnaar.

Ze had aldoor het gevoel gehad dat deze man een voortreffelijk delver was, die wist wat hij deed, en dus bleef ze regelmatig even voor een praatje staan als ze zijn mijn passeerde, wat ze zo vaak mogelijk probeerde te regelen. Stan was gevleid door de aandacht van het 'knappe juffie', zoals hij haar noemde, en Fleur waakte ervoor dat ze hem nimmer tegenover Clive noemde. Niet dat haar knappe partner trouwens enige concurrentie zou vermoeden van een zestigjarige delver met een witte baard.

Zodra het nieuws rondging dat Colman een rijke ader had gevonden, verzon Fleur een excuus om naar de winkel te gaan, zodat ze via Stans concessie kon lopen om hem te feliciteren.

'Je bent een toffe meid,' zei hij. 'Dat is erg aardig van je. Ik heb dit keer een goede ader gevonden, en zodra ik alles heb gedolven, ben ik hier weg. Er ligt hier voldoende kleur om een leven lang mee voort te kunnen.'

Ze zuchtte. 'Ik wou dat ik met je mee kon. Hij slaat me, weet je.'

Die leugen miste zijn uitwerking niet...

Stan schrok ervan. 'Wie? Hillier? Ik ga hem persoonlijk een pak ransel geven.'

'Dank je, maar dat maakt de zaak er niet beter op. Ik zit aan hem vast. Ik kan me niet veroorloven weg te gaan.'

Hij knipoogde. 'Wees daar maar niet zo zeker van. Wacht maar tot ik het sein geef, dan verdwijnen we samen. Ik zal zorgen dat je een leuke tijd hebt, daar kun je van op aan. Wat zeg je ervan?'

'Ik zou me niet aan je willen opdringen, Stan.'

'Wat nou, opdringen? Ik zou er apetrots op zijn om een jonge meid als jij mee te nemen.'

Fleur drukte een vluchtige kus op het bebaarde gezicht. 'Je bent een echte heer, Stan. Ik zou je eeuwig dankbaar zijn...'

Ze gingen naar Maryborough en daarna naar Brisbane, en zolang er geld voorhanden was, hadden ze een geweldige tijd, verbleven ze als meneer en mevrouw Colman in de beste hotels en spendeerden ze geld aan alles wat hun hartje begeerde, van mooie kleren en kistjes champagne tot het genereus trakteren van oude en nieuwe vrienden.

Toen de geldbron uiteindelijk opdroogde, kende Stan geen spijt. 'Ik heb een fantastische tijd achter de rug, Fleur. Ik ga nu op weg naar de nieuwe goudvelden. Heb je zin om mee te gaan?'

'Ik ben bang van niet,' zei ze lachend. 'Ik heb meer dan genoeg van al dat vuil en dat stof.'

Ze gingen als vrienden uit elkaar. Stan liet haar niet platzak achter. Het kwam niet bij hem op om Fleur te vragen een deel van alle ponden terug te betalen die hij met de regelmaat van een toegewijde geldverkwister in haar tas had gestopt; het lag eenvoudig niet in zijn aard. Bovendien hield ze enkele waardevolle juwelen en een paar koffers vol met modieuze kleding aan hem over. Maar haar oudere metgezel had de voormalige barmeid een veel grotere gunst verleend; hij had haar geïntroduceerd in de hogere kringen, zodat ze nooit meer eentonig werk zou hoeven doen. Nooit meer.

Ze vond al snel een andere heer, die al even vrijgevig én tien jaar jonger was dan Stan, zodat ze in alle comfort in het hotel kon blijven. Hij was getrouwd, had een stel kinderen en dat kwam Fleur zeer gelegen; ze wilde hem niet voortdurend om zich heen en bovendien moest ze plannen maken.

Uiteindelijk besloot ze dat ze een hotel zou moeten kopen. Of, zoals haar beste vriendin Madeleine – die enige ervaring in de sector had – haar met klem adviseerde, een bordeel. Een voornaam bordeel. Ondertussen was haar rijke weldoener zo verliefd op de mooie roodharige geworden dat hij haar van harte steunde, zeker toen ze opmerkte dat een snelgroeiende stad als Maryborough een goede plek zou zijn om te beginnen. Hij zat in de scheepvaart en, zoals Fleur al vermoedde, zou het hem perfect passen als hij zijn minnares in een andere stad kon onderbrengen, om haar vervolgens daar te bezoeken zonder dat hij steeds smoezen moest verzinnen voor zijn vrouw.

De twee dames, Fleur en Madeleine, kwamen op een regenachtige vrijdagmiddag aan in de havenstad Maryborough, en op weg naar het Prince of Wales Hotel, ploeterend door een stortbui, kreeg Madeleine vrijwel meteen een hekel aan de stad. Ze was al flink verkouden en bleef weldra in bed, ervan overtuigd dat ze een longontsteking had opgelopen.

Fleur was uit sterker hout gesneden. Ze liet een kamermeisje komen om hun natte kleren te drogen en persen, droogde haar haar met een handdoek, bracht er pommade op aan en stak het met spelden op een elegante manier op, zoals ze dat in Brisbane had geleerd. Ze koos een dure japon van gestreepte groen-zwarte tafzijde met een laag uitgesneden lijfje en vervolmaakte het plaatje met haar oorbellen van smaragd.

'Als je naar beneden gaat, zou je een hoed moeten dragen,' zei Madeleine snotterend, terwijl ze toekeek. 'Dat is gebruikelijk, en je hebt er tenslotte genoeg.'

'Wat maakt het uit? Ik ga niet naar buiten. Ik zal eens voor wat sensatie zorgen. Ik stel mijn eigen regels op.'

Ze zweefde de trap bijna af, vol zelfvertrouwen, zich blijmoedig bewust van de starende blikken van dames met grote hoeden toen ze door de foyer liep en een blik wierp in de zitkamer en de drukbezette eetzaal.

Een serveerster haastte zich naar haar toe en vroeg of mevrouw al wilde zitten, aangezien haar gezelschap kennelijk nog niet was gearriveerd. Het was, zelfs in Maryborough, ongehoord dat dames in hun eentje uit eten gingen. In deze eetzaal sowieso niet.

'Dadelijk,' zei Fleur op gebiedende toon. 'Ik neem aan dat het door de regen komt. Ik zal de diverse ruimtes nog eens langsgaan.'

'O, ja, mevrouw. Iedereen is laat vanavond. Maar u kunt hierbinnen wachten als u wilt.'

Nadat ze haar doel had bereikt, namelijk dat zij hier wel degelijk alleen zou kunnen dineren, trippelde Fleur terug naar de foyer, waar ze zichzelf in een vergulde spiegel boven een verwelkte palm bewonderde. Ze kon nu beweren dat ze in de steek was gelaten als gevolg van de weersomstandigheden en de andere eters ongestoord observeren. Van de vrouwen die ze tot dusver had gezien, slordig geklede types, vreesde ze vanavond geen concurrentie, en je wist maar nooit of er een begerig heerschap binnen handbereik was. Fleur gaf haar eigen geld liever niet uit, tenzij er geen alternatief was.

Het alternatief kwam de hal inlopen vanuit de biljartkamer, en de dame met het rode haar deed een stap voorwaarts om hem aan te spreken.

'Wel heb ik ooit, Clive! Wat toevallig dat ik jou hier tref.'

Hij staarde haar aan. 'Mijn hemel! Fleur. Ik herkende je amper.'

Fleur keek zelfvoldaan. 'Heel wat anders dan indertijd op die smerige goudvelden, of niet soms?'

'Zonder meer,' zei hij met een zuur lachje. 'Je ziet er prima uit.'

'Net als jij, mijn beste.' Ze nam hem bij de arm. 'Wat leuk om je weer eens te zien. Je moet me een drankje aanbieden en me vertellen hoe het met je gaat.'

Hij keek om zich heen. 'Ik moet er werkelijk vandoor...'

Maar Fleur was allerminst van plan om hem te laten ontkomen.

Ze pruilde. 'Maar dat kan niet! Je moet me alle nieuwtjes vertellen. Je kunt toch wel even wat tijd voor me vrijmaken? Ik logeer hier in het hotel en verveel me dood.'

Hij trok een wenkbrauw op. 'In je eentje?'

'Nee. Ik ben samen met een vriendin. Maar zij voelt zich niet lekker.' Ze lachte. 'Zie je wel, weg met die zondige gedachten van je. Waar kunnen we een drankje krijgen?'

'Ik weet het echt niet, Fleur. De hotels in deze stad hebben geen zitkamers voor dames.'

'Dat geeft toch niet,' zei ze tegen hem. 'We kunnen altijd in de eetzaal gaan zitten. Kom nu mee. Het is vochtig in deze hal.'

'Goed dan,' sprak hij zwakjes, en Fleur was zeer verheugd.

'Fantastisch. Dan kunnen we eens uitgebreid bijpraten.'

Clive vond het eigenlijk niet erg om als disgenoot te worden gevorderd. Hij was geïntrigeerd door Fleurs transformatie van plattelandsmeisje naar deze modieuze figuur. Hij vond dat ze te opzichtig gekleed was en er, naar zijn smaak, nogal ordinair uitzag, maar haar kleding liet in elk geval zien dat ze alles op de juiste plek had zitten, waarbij de volle boezem die hij zich zo goed herinnerde praktisch voor zijn ogen uit haar japon viel. Ze was even stoutmoedig als altijd en bezat weer die doldwaze humor die hem destijds zo in haar had aangetrokken en die snel in rook was opgegaan in de smerige omstandigheden op de goudvelden.

Terwijl hij naar haar lach en haar schaamteloze, hilarische verhalen over haar reizen met de oude Stan Colman luisterde, ontdekte hij tot zijn verbazing dat hij geen wrok jegens haar koesterde omdat ze hem destijds in de steek had gelaten. Hij voelde zich toentertijd weliswaar gekwetst en boos, maar het was waarschijnlijk een zwaardere klap voor zijn trots dan voor zijn hart geweest.

Hoe dan ook, toen hij zich realiseerde dat zíj meende dat hij inmiddels een welvarende zakenman was, aangezien hij vage voornemens had genoemd om in de stad te investeren, bleek diezelfde trots hem ervan te weerhouden die indruk te corrigeren. Een beetje een vergelding voor het feit dat zij hem ooit voor gek had gezet.

Als oude vrienden zaten ze inmiddels aan het diner en ze genoten juist van een derde fles wijn, die Fleur had besteld, toen ze werden gestoord door Walt White, die Clive weliswaar had aangesproken maar zijn ogen nauwelijks van Fleur kon afhouden.

'Daar zit je, ouwe rakker! We hebben een gunst nodig, Clive. Zoals je weet is er hier morgenavond een daverend feest. Ter ondersteuning van de burgemeester. Met de verkiezingen voor de deur.' Hij schonk Fleur een innemende glimlach.

'Ik moet zeggen, waarde dame, hij is geen al te beste burgemeester, maar in elk geval beter dan het alternatief. Dus Clive, ouwe jongen, we zullen hem verrassen met een fraaie toespraak, en we hebben jou uitgekozen om die aan het gezelschap voor te lezen.'

Clive was niet onder de indruk. 'O nee, Walt, mij niet gezien. Zoek maar iemand anders.'

'Er is niemand anders.' Hij richtte zich wederom tot Fleur. 'Vindt u ook niet dat hij een prachtige stem heeft – zoetgevooisd bijna.'

Ze stemde met hem in. 'O, ja, en zo heerlijk Engels. Je moet het doen, Clive.'

'Dat moet je inderdaad. Van een weigering wil ik niets horen, en hij moet u ook meenemen. U zult de mooiste vrouw van het bal zijn.'

'Een bal! Wordt er gedanst? Fantastisch! We zouden het enig vinden. Dank u... eh...?'

'White,' zei Clive tandenknarsend. Hij had bewust nagelaten om hen aan elkaar voor te stellen.

'Dat is dan geregeld,' zei Walt triomfantelijk. 'Ik zal een plaats aan mijn tafel vrijhouden voor jou en deze wonderschone jongedame.' Hij klikte zijn hielen tegen elkaar, maakte een buiging voor Fleur – 'Adieu, jongedame' – en maakte zich uit de voeten.

'De idioot!' zei Clive.

'Doe niet zo akelig, hij is erg aardig. En het is kennelijk een eer voor jou om die dinges voor te lezen. Ik kijk met genoegen uit naar het bal. We zullen veel plezier hebben.'

Clive kreunde. 'Luister, Fleur, ik moet gaan.'

'Nu al?'

'Ja. Ik heb morgen een drukke dag.'

'Waarom ga je niet even mee naar mijn kamer voor een slaapmutsje?'

'Nee. Ik zou je vriendin absoluut niet willen storen.'

'Ze zou het niet erg vinden.'

'Nee. Kom, laten we gaan.'

'Nou, goed dan. Ik heb mijn schoonheidsslaapje toch nodig voor morgenavond. Je vergeet het niet, hè?'

'Ik vermoed van niet.'

Ze kuste hem op de wang toen ze van tafel opstonden. 'Geweldig. Je bent een schat.'

De volgende ochtend, uit pure gewoonte, was Fleur alweer vroeg op, hoewel ze door de regen nog altijd aan het hotel was gekluisterd. Ze nam uitgebreid de tijd voor het ontbijt en raakte daar aan de praat met een charmante Fransman, die haar vertelde dat hij een plantage-bezitter was, en een poosje later glipte ze de bar van het hotel binnen, niet voor een drankje maar om informatie in te winnen.

Een barmeid was – voor openingstijd – bezig om de glazen te poetsen. Ze keek verbaasd op toen ze een dame zag binnenkomen.

'Het spijt me, mevrouw, we zijn nog niet open. En...' fluisterend, 'we mogen hier geen dames serveren.'

'Dat weet ik,' zei Fleur lachend. 'Ik logeer hier in het hotel en dwaal een beetje rond, op zoek naar iets om te doen. Het is een heel fraaie bar, nietwaar? Best groot.'

In de loop van het gesprek met de praatgrage barmeid over het hotel en de stad noemde ze Clive Hillier.

'Kent u hem?' vroeg de vrouw.

'O, ja,' antwoordde Fleur, die geen geheim maakte van haar achtergrond. Wat haar betrof, mochten mensen denken wat ze wilden. Ze stelde haar eigen regels op, zoals ze zo vaak riep. 'Ik heb samen met Clive in Gympie een mijn gehad.'

De vrouw was sprakeloos. 'Echt waar?' Vervolgens staarde ze Fleur strak aan. 'Mijn hemel! Jij bent Fleur! Ik heb daar ooit in de drankwinkel van Salty gewerkt. Ik zou je niet hebben herkend!'

'Ik heb geluk gehad,' zei Fleur grijnzend.

'Goed gedaan. Wil je even een klein slokje?'

'Ik zeg geen nee tegen een cognacje. Een hartversterkertje na al die wijn van gisteravond.'

Ze slikte de cognac snel door, om de barmeid niet in moeilijkheden te brengen, en schoof het glas naar haar terug.

'Vertel eens wat meer over Clive. Wat spookt hij tegenwoordig zoal uit?'

'Hij is manager van de entrepotwinkel.'

'Werkt hij daar?'

'Ja, al een hele tijd. Hij heeft een vaste vriendin. Een onderwijzeres. Een aardig ding. Vriendin van Mrs. Mooney.'

'Nou, die moet hem in het gareel kunnen houden.'

'Daar lijkt het wel op. Maar op mannen is geen peil te trekken.'

'Zeg dat wel. Wie is die Fransman?'

'Bedoel je Mr. Deveraux? Is hij niet de goedheid zelve? Hij geeft iedereen fooien alsof het geld op zijn rug groeit. Hij bezit een grote suikerplantage aan de overkant van de rivier...'

Er kwam een barkeeper binnen met een zwabber en een emmer. 'Je bent laat,' snauwde het meisje hem toe, en Fleur knikte haar toe, wetend dat het tijd was om te gaan.

Ze dacht na over Clive. En die zou goed boeren? En iets zoeken waarin hij kon investeren? Ik dacht het niet.

De eetzaal was groter gemaakt doordat de schuifdeuren waren opengezet, zodat in de aangrenzende zaal gedanst kon worden, en de hele ruimte was fraai aangekleed met palmen en kleurrijke Chinese lampions. Een band, die bestond uit een pianist, twee violisten en een drummer, was al bezig warm te draaien toen de eerste gasten arriveerden. Clive hield zich aan zijn belofte om Fleur naar het bal te vergezellen, maar hij was ontstemd en somber, allerminst enthousiast over zijn verplichtingen op deze warme, vochtige avond. Niet dat

Fleur daarmee zat; hij zag er erg aantrekkelijk uit in zijn donkere pak, gesteven boord en vlinderdas. Een ideale begeleider voor de dame die in het middelpunt van de belangstelling stond, zodra ze de zaal betraden. Een vluchtige blik leerde Fleur dat geen van de smakeloos geklede vrouwen in dit gezelschap zich met haar kon meten – ze droeg haar favoriete japon en was verheugd dat ze nu de kans kreeg om daarmee te pronken. Madeleine, die behoorlijk de pest in had dat ze niet was uitgenodigd, had Fleurs haren opgestoken in een waterval van krullen, waarbij haar gezicht werd omlijst door kleinere krulletjes. Haar baljurk, die haar schouders bloot liet, was van roze satijn, en de gelaagde rok was afgezet met zilverkleurige biezen; de pareldruppeloorbellen in haar oren maakten het geheel af.

Mr. White stormde naar voren. 'Mijn hemel, u ziet er fantastisch uit. U brengt ons allemaal in verlegenheid! Vooruit, kom erbij zitten. We mogen Clive ook vooral niet uit het oog verliezen.'

Clive vond het hele schouwspel veel weg hebben van een theemiddagje, met mensen die roken naar natte kleren en mottenballen en die zich verdrongen om binnen te komen of om een gratis drankje te bemachtigen. En Fleur zag er absurd uit, ondanks Walts dwepende complimenten.

Fluisterend vertelde ze hem dat de japon haar een fortuin had gekost, en uit beleefdheid besloot hij de opmerking te negeren.

De avond sleepte zich voort. Mrs. Mooney kwam langs en snauwde naar hem. Mrs. Manningtree stond eindeloos met Fleur te kletsen en Clive, die zich zorgen maakte om Emilie, nam zijn toevlucht tot de whisky.

Een roffel op het drumstel kondigde de speeches aan en uiteindelijk las Clive de overdreven vleiende toespraak voor, maar tegen die tijd luisterde er niemand meer, en dat kon hem geen ene moer schelen. Hij dronk champagne, te veel champagne, samen met de sentimentele burgemeester, en liep wankelend terug naar hun tafel, waar hij Fleur met oude en nieuwe kennissen aantrof, die gezamenlijk balladen zongen omdat de muzikanten inmiddels kennelijk waren uitgeschakeld.

Dronken en depressief fluisterde hij Fleur toe dat hij vertrok.

'Maar je kunt nog niet weg! Het is nog vroeg!' riep ze lachend uit.

'Ik ga, Fleur. Je hoeft niet thuisgebracht te worden.'

'O, nou, goed dan,' verzuchtte ze. 'Maar mijn vriendin Madeleine voelt zich een stuk beter. Waarom leid je ons morgen niet rond door de stad? Ze heeft er nog niets van gezien.'

'Dat kan niet. Ik moet werken.'

Dat veroorzaakte een bulderend gelach bij Fleur en haar vrienden.

'Het is morgen zondag, Clive!' hielp ze hem herinneren. 'Wees eens aardig. Die arme Madeleine heeft een vreselijke tijd achter de rug.'

'Natuurlijk doet hij het,' sprak Walt White. 'Je kunt de dames niet teleurstellen, Clive.'

'Vooruit dan maar,' stemde Clive in. Het leek de enige uitweg op dit moment.

Ergens gedurende de avond was Fleur erin geslaagd de aandacht te trekken van Mr. Deveraux, die zijn glas naar haar ophief, dus zodra Clive zijn hielen had gelicht, ging Fleur op zoek naar hem, maar helaas bleek ook hij al vertrokken.

De aandacht die Walt White haar schonk, begon zo langzamerhand te vervelen – hij begon handtastelijk te worden en stonk uit zijn mond. Hij vond zichzelf geweldig en vertelde haar dat hij een belangrijke functie vervulde in de stad, maar toen hij een suggestieve opmerking in haar oor fluisterde, kwam de oude Fleur weer tevoorschijn.

'Hoepel op, vieze ouwe griezel!'

Vernederd verliet hij het feestje, heimelijk wraak zwerend. Hij zou haar niet één keer in de krant noemen. Met geen woord. In zijn benevelde brein was hij alweer bezig met zijn eerstvolgende tekst voor zijn rubriek met society-nieuws, niet vergetend dat de burgemeester, overmand door emoties, naar huis gedragen had moeten worden.

Zondagochtend. Clive had als een blok geslapen. Onder invloed van de drank, zo hielp hij zichzelf herinneren, maar hij voelde zich goed en was blij dat hij vroeg genoeg was opgestapt om de pret te overleven zonder al te veel naweeën van de goedkope gratis drank die werd geschonken. Hij was liever nog even blijven liggen, maar de scheepsdienstregeling hield geen rekening met de rustdag, dus was er werk aan de winkel.

Hij greep een handdoek, trok een witte linnen broek aan die hij onder zijn matras had gelegd om geperst te worden en liep door de gang, voorbij de vuile badkamer naar de 'doucheruimte', een vreemde constructie, afgeschermd door een laag scherm van golfplaat. Het water was warm maar had voldoende kracht, omdat het uit een hoger gelegen tank stroomde, om een mens te doen bijkomen. Terwijl hij stond te douchen, dacht hij terug aan de vorige avond – dé gezellige gebeurtenis! – en begon te lachen. Het was werkelijk een vrolijke bende geweest, met al die mensen die een wit voetje probeerden te halen bij Fleur. Het verbaasde hem dat ze zo naïef waren!

'Ik heb zeker veel lol gehad,' mijmerde hij. 'Ik heb genoeg gedronken om een schip tot zinken te brengen.'

De regen was ondertussen veranderd in motregen en dus begon het alweer flink warm te worden toen hij de straat uit liep met een vierkante geoliede doek over zijn schouder geslagen. Zo vroeg in de ochtend was er niemand op straat, behalve een groepje zwarten die mest op een kar schepten – hun dagelijkse klusje in Maryborough – maar doordat de uitwerpselen van de paarden, ossen en geiten die door de stad zwierven werden beroerd, veroorzaakten ze een weeïg-zoete lucht, die Clive zijn pas deed versnellen.

Op de kades waren ze alweer druk bezig om vracht en passagiers in te schepen, maar Clive kwam om toe te zien op de mogelijk late lossing van illegale drank, om zo heffing van accijns te voorkomen. Toen alles in orde bleek, aanvaardde hij de uitnodiging van de kapitein van de bark *Virginia* om zich bij hem te voegen voor het ontbijt en het verplichte glaasje rum.

Terwijl de dag goed op gang kwam, opende hij de entrepotwinkel om zijn toevlucht te zoeken in zijn kantoor, waar hij de diverse kranten uit andere staten, die hij bij de schepen had afgehaald, doornam.

Ineens herinnerde hij zich echter weer dat hij had beloofd om Fleur en haar vriendin een rondleiding door de stad te geven, en dat irriteerde hem, hoewel het eigenlijk een kleine moeite was. Bovendien was hij wel nieuwsgierig naar wat de twee vrouwen van plan waren. Fleur had gezegd dat ze erover dachten een hotel te kopen. Wat Fleur betrof was dat onwaarschijnlijk, maar de andere vrouw was voor hem een onbekende partij. Het was misschien geen slecht idee om te proberen hen van het plan af te brengen.

Deze keer presenteerde hij zich bij het hotel in zijn sjees. De dames stonden al op hem te wachten. Fleur vertoonde absoluut geen tekenen van vermoeidheid na gisteravond en zag er zelfs heel toonbaar uit in een op maat gemaakt bruin mantelpakje met een fraaie bijpassende hoed.

Ze babbelde er vrolijk op los, terwijl ze haar vriend introduceerde als de 'lieve Clive'. Eén vluchtige blik op Madeleine leerde Clive dat dit tweetal niet op zoek was naar een hotel. Eerder naar een pand om een bordeel in te beginnen.

Terwijl ze door de stad reden, zat Madeleine voortdurend te klagen over het weer, de hitte, het waardeloze hotel. En Clive gaf haar in alle opzichten gelijk.

'Deze stad stelt weinig voor,' gaf hij toe, 'er zijn nu al te veel hotels. Er is weinig geld te verdienen hier, nu de trek naar de goudvelden grotendeels voorbij is, en met het risico jullie te beledigen, dames, er zijn ook veel te veel bordelen. Hoewel de gemeenteraad druk bezig is die gelegenheden aan te pakken.'

Tegen de tijd dat ze terug waren bij het hotel had Madeleine haar belangstelling voor Maryborough verloren, hoewel Fleur graag wilde blijven.

Daar komt niets van in, dacht Clive. Niet als ik er iets over te zeggen heb, althans. Fleur was niettemin gecharmeerd, gevleid zelfs, dat hij voorstelde haar die avond weer op te zoeken.

'Tot dan,' zei ze opgewekt, en verdween via de trap van het hotel, Madeleine voor zich uit duwend.

'Hij is niet gek,' zei Madeleine boos. 'Hij weet wat we van plan zijn, Fleur. En je hebt zelf gezegd dat hij geen geld heeft.'

'Je weet maar nooit,' reageerde Fleur. 'Hij lijkt erg populair te zijn. Hij zou wel eens als kruiwagen kunnen dienen.'

'Larie. Je hebt gehoord wat hij zei. Er zit geen geld hier, alleen boeren en woudlopers. Allemaal vrekken. Ik snap niet waarom ik me hierheen heb mee laten slepen. Het is een godvergeten, vreselijk oord.'

'Misschien ook niet. Nu je je weer beter voelt, moet je eens met me gaan lunchen. Het eten is hier goed, dat is tenminste iets.'

Het personeel had hard gewerkt onder leiding van Mrs. Mooney om de eetzalen weer op orde te brengen en alles stond alweer op zijn plaats toen de twee dames zich bij de deur meldden, gevolgd door Mr. Deveraux, die erop stond dat ze hem zouden vergezellen op deze miezerige zondag.

Ze kwamen erachter dat hij een weduwnaar was, dat hij een suikerplantage in de buurt bezat en een aantal andere op de Fiji-eilanden. Het was een vrolijke man, die waardering had voor Fleur omdat ze hem aan het lachen maakte, en hij was erg teleurgesteld toen hij vernam dat de dames besloten hadden om terug te keren naar Brisbane.

'Ach, maar u kunt nog niet vertrekken. U moet eerst mijn plantage bezoeken. Ik kan u ervan verzekeren dat mijn huis erg comfortabel is. Er is zoveel interessants te zien en ik zal erg goed voor u zorgen.'

Het kostte wat moeite om Fleur te overreden. Alles wat buiten de stad lag, beschouwde zij als bush en daarvan had ze haar buik vol. Zonder de gevoelens van Mr. Deveraux te willen kwetsen, probeerde ze aan Madeleine duidelijk te maken – door met haar voet op de hare te drukken – dat dit geen goed idee was, maar Madeleine was ondertussen dolenthousiast.

'We nemen de uitnodiging met alle plezier aan, Mr. Deveraux,' zei ze vastberaden.

Hij was klaarblijkelijk naar Maryborough afgereisd om meer arbeiders te werven, maar het schip met de eilanders uit het Zuidzeegebied bleek in Cairns vertraging te hebben opgelopen, en dus zou hij die middag naar huis terugkeren.

'Dames, zodra u zover bent, zal ik een rijtuig voor u sturen.'

Er volgde een discussie over het tijdstip van hun bezoek, tot Madeleine verkondigde dat elk moment voor haar geschikt was. Uiteindelijk werd Fleur, na een twee-tegen-één stemming, overgehaald dat ze Mr. Deveraux evengoed meteen vanmiddag konden vergezellen.

Toen ze hun koffers stonden te pakken, was Fleur kwaad. 'Waar was dit nou voor nodig? Ik heb helemaal geen zin om op een of andere stomme boerderij te gaan logeren.'

'Wat maakt het uit? Hij is erg enthousiast over jou, Fleur. We hebben toch niets beters te doen. Tenzij je oprecht geïnteresseerd bent in Hillier.'

'Natuurlijk niet!'

'Nou dan. Zou het niet grappig zijn als hij je vanavond hier komt opzoeken om te ontdekken dat de vogel is gevlogen? Voor de tweede keer.'

Die gedachte vrolijkte Fleurs dag meteen op.

Het voertuig van Mr. Deveraux, dat werd gemend door een kleurling, was een gerieflijk rijtuig dat prima bescherming bood tegen de barre weersomstandigheden. De veerlieden omringden het gezelschap met extra zorg, en het viel Fleur op, toen de koets en de paarden veilig aan de overkant waren afgeleverd, dat hun nieuwe vriend hun waarschijnlijk een ruime fooi had gegeven, te oordelen naar hun glunderende gezichten.

Ze reden via modderige wegen door uitgestrekte velden met zwartgeblakerde stoppels, die er zo grimmig en deprimerend als een slagveld uitzagen. Nors staarde Fleur naar de lange rijen zwarte arbeiders, die zich als grafrovers over het donkere landschap voortbewogen.

Ze huiverde. Ze vond het een afschuwelijk gebied. Het was enkel geschikt voor zwarten, en de honderden krijsende kraaien, die met een scherpe blik pikkend over het ruwe terrein stapten.

Natuurlijk moest Madeleine een domme vraag stellen.

'Is er een bosbrand geweest, Mr. Deveraux?'

Geërgerd slaakte Fleur hoorbaar een zucht, maar Deveraux bleek een geduldig man. Hij legde uit dat ze de rietvelden voor het kappen afbrandden en noemde de redenen daarvoor, waarna hij de verschillende stadia van de kweek van suikerriet opsomde. Fleur dacht dat ze van benauwdheid en uit pure verveling zou flauwvallen.

Bij de eerste poort zonk Fleur de moed in de schoenen. Ze wist het! Waarom had Madeleine niet naar haar geluisterd? Het huis waarmee ze werden geconfronteerd was een typisch voorbeeld van een boerderij in de bush, en hoewel netter dan de meeste, was het nog altijd niet meer dan een somber houten huis...

'Dat is het huis van mijn bedrijfsleider,' verklaarde Deveraux, toen de koetsier de poort achter hen sloot en weer verder reed.

Ten minste anderhalve kilometer verderop gingen ze de bocht om en dit keer was er geen vergissing mogelijk. Opgewonden gaf Madeleine Fleur een duwtje met haar elleboog. Het was een groot huis, witgeschilderd met hoge zwarte blinden en even elegant als de eigenaar zelf. Het huis werd omringd door een fraai ontworpen formele tuin met in vormen gesnoeide heggetjes, bloembedden en fonteinen, die het tafereel rust en een zekere bekoring verleenden.

'Wat prachtig!' riep Madeleine uit, en Fleur deed haar best om zich niet te vergapen.

'Ik ben blij dat u het mooi vindt,' zei hun gastheer, toen het rijtuig knarsend tot stilstand kwam op kiezelstenen van de oprijlaan en zwarte bedienden met paraplu's naar buiten gerend kwamen om hen te begroeten.

Enkele weken later waren ze alledrie terug in Maryborough, waar ze aan boord gingen van een schip dat naar Brisbane voer, alwaar Madeleine afscheid zou nemen van Fleur en Mr. Deveraux, die aan boord zouden blijven. Ze waren onderweg naar Suva, op de Fiji-eilanden, waar ze zijn andere suikerplantages zouden bezoeken.

Op die beslissende zondagavond begaf Clive zich opnieuw naar het Prince of Wales Hotel. Dit keer zou hij een openhartig gesprek aangaan met Fleur. Het hoefde niet onaangenaam te worden, maar hij zou haar er duidelijk op wijzen dat hij hier zijn eigen leven leidde, dat ze ieder hun eigen weg moesten gaan, of ze nu bleef of niet. Ze kon van hem niet meer verwachten dan van elke andere kennis. Het hele weekend was hij bang geweest Emilie tegen te komen, terwijl Fleur aan zijn arm hing. Niet dat die kans tot dusver erg groot was geweest – Emilie bezocht geen hotels, en de motregen van vanochtend zou haar ongetwijfeld ook binnenhouden. Aangezien hij zich niet meer dan de helft van alle voorvallen op die met drank overgoten avond in de overvolle eetzaal kon herinneren, was hij Mrs. Manningtree volkomen vergeten. In zijn belevingswereld bestond de bedroevende vrouw amper.
Belangrijker was dat hij Fleur streng zou toespreken. Als zij en haar eigenaardige vriendin erover dachten het zoveelste bordeel in deze stad te openen, ja, dan zou hij het ronduit zeggen: denk goed na. Een waarschuwing, een dreigement – hoe je het ook wilde noemen.
Hij zou haar, als zakenman, zelfs advies kunnen geven, aangezien hij gezegd had dat hij in de stad wilde investeren, zonder precies te noemen waarin. Het was net iets voor Fleur om zijn idee te jatten. Ze hadden kennelijk geld te besteden. Hij zou haar aanbevelen dat hun soort bedrijf meer levensvatbaarheid had in een stad als Brisbane of in het nieuwe, beroemde gouddelversstadje Charters Towers.
Hij moest Fleur zien te lozen. Ze was te onvoorspelbaar, te aanhankelijk om in Maryborough te blijven, waar ze hem voortdurend lastig zou vallen.
Clive was onthutst toen Mrs. Mooney hem meedeelde dat de dames waren vertrokken. De stad hadden verlaten.
'Waar zijn ze naartoe?' vroeg hij verbijsterd.
Zijn motieven verkeerd interpreterend, reageerde Mrs. Mooney koeltjes.
'Ik heb geen flauw idee. Misschien zijn ze per schip vertrokken, Clive.'
'Vandaag in elk geval niet.'
'Misschien per koets. Een van de dames leed aan zeeziekte, meen ik me te herinneren.'

317

Mrs. Mooney vond het prachtig om – wat zij als zodanig interpreteerde – zijn teleurstelling te zien, terwijl Hillier zich richting de bar begaf. Hoe durfde hij Emilie te bedriegen met die slet! Het was geen leugen. Ze waren inderdaad per koets vertrokken, maar het was een privé-rijtuig geweest. En dat was van Mr. Deveraux.

Maar Clive pakte in de besloten bar opgelucht zijn glas whisky beet. Ze waren weg! Godzijdank!

Er waren ook verscheidene vooraanstaande ambtenaren in de bar, die de vorige avond nogmaals beleefden of bezig waren te herstellen en hij bleef een tijdje bij hen rondhangen, totdat hij besloot dat hij Emilie maar eens moest opzoeken. Tenslotte was het nog vroeg.

Maar het bezoek bleek een vergissing te zijn. Tijdverspilling. Het hele weekend was van begin tot eind tijdverspilling geweest. Eerst Fleur en haar eisen en vervolgens Emilie met haar fixatie op de problemen van Mal, of mogelijk, op Mal zelf. Dat was moeilijk vast te stellen. Clive had voorlopig meer dan genoeg van de vrouwen.

Hij kwam haar niet ophalen die maandag, ook al schonk Emilie overdreven veel aandacht aan de kinderen en hun avondeten om hem extra tijd te geven. Ze zat over zoveel dingen in dat ze hem gewoon moest spreken, om al haar zorgen op een rijtje te krijgen.

De kokkin liet zich niet voor de gek houden. 'Ga naar huis, Emilie. Die Mr. Hillier van jou heeft het vanavond kennelijk te druk. Je weet toch dat de schepen op elk uur van de dag lossen, en hij moet er bij zijn om te controleren dat er niet wordt gesjoemeld. En trek je maar niets aan van alles wat mevrouw over hem heeft gezegd. Ze is gewoon jaloers, dat is alles. Ze zou hem best zelf willen inpalmen.'

Nellie, die niet bekendstond om haar tact, keek verbaasd op. 'Maar het is echt waar.'

'Wat is waar?' vroeg Emilie, het meisje zodanig in de hoek drijvend dat ze niet afgeleid zou worden door de fronsende Kate.

'Dat zei ik daarnet tegen Kate, toen ik terugkwam van boodschappen doen. Ik kwam mijn zuster tegen in de stad, weet u, die werkt als keukenhulp voor Mrs. Mooney...'

'En wat had ze te vertellen?' vroeg Emilie zachtjes.

'Waarom houd je je klep niet eens!' snauwde Kate tegen Nellie, die knorrig reageerde.

'Waarom zou ze het niet mogen weten? Ik zou het willen weten als het mijn vriendje aanging.'

Emilie was ontzet dat ze hier stond te luisteren naar dit soort achterklap, maar niet voldoende om de drang naar meer informatie te overwinnen. Ze zette zich schrap.

'Hij was bij haar, die vrouw, het hele weekend. Je kunt het iedereen vragen. En sterker nog, in de pub beweren ze dat ze een tijdlang met hem heeft samengewoond op de goudvelden, voordat hij terugkeerde naar de stad. Levend in zonde!'

'Stompzinnig geklets uit de kroeg!' zei Kate boos. 'Breng jij de kinderen maar eens naar boven. Het is bedtijd.'

Nellie was opstandig. 'Het is waar. Die vrouw, Fleur heet ze, heeft het zelf aan Doris de barmeid verteld. Het kon haar geen jota schelen.'

'En Doris ook niet, wil ik wedden,' brieste Kate.

'Nee, dat klopt,' zei Nellie onschuldig. 'Ze vond het een leuke grap. Ze zei dat Fleur een toffe meid was.'

Emilie haalde gehaast haar jas en hoed en liet Kate en Nellie achter om de zaak onderling uit te vechten. Ze voelde zich als een luistervink die straf had verdiend vanwege haar overtredingen. Voor ze vertrok, overhandigde Kate haar de krant. 'Je wilde dat ik deze voor je zou bewaren,' zei ze vriendelijk. 'En hier is nog wat van mijn gehaktbrood voor bij het avondeten. Je lievelingsgerecht. En stoor je niet aan die kletspraatjes.'

'Zal ik niet doen. Maar wees niet boos op Nellie. Het is belangrijk om te weten met wie je te maken hebt.'

Ze sprak alweer zo kalm en zelfverzekerd dat het Kate tevreden stemde. 'Zo mag ik het horen. Tot morgenvroeg.'

In een lang hoofdartikel in de *Chronicle*, geschreven door Walt White, werd een interessante visie op de gevangenneming van Mal gepubliceerd, waarin de hoofdredacteur vasthield aan zijn eerdere beweringen dat, volgens de briefschrijver, McPherson, de twee mannen onschuldig waren en waarin hij tegelijkertijd rechtvaardigheid opeiste voor de families van de vermoorde mannen.

Emilie las het artikel grondig door maar vond het nogal verwarrend, eerder een tirade tegen de politie dan een echte poging om een gefundeerde conclusie te presenteren. Ze fronste. Het verhaal leek eigenlijk kop noch staart te hebben. Het was domweg een opsomming van meningen, alsof hij iedereen te vriend wilde houden. Iedereen, behalve de politie.

Ze wilde dat ze de moed had om die man op te zoeken, ten behoeve van Mal, en hem durfde vertellen wat ze – uit de eerste hand – over hem wist. Dat Mal echt onschuldig was. Maar ze durfde niet. Het kwam bij haar op dat dit iets was wat Clive zou kunnen doen.

Clive.

Emilie voelde enkel een zekere verdoving. Omtrent hem. Omtrent alles. Ze at het gehaktbrood koud op. Ze sneed een kleine, overheerlijke pawpawvrucht, die ze van een van de vele scheefgegroeide pawpawbomen in de tuin van de familie Manningtree had geplukt, in stukjes en was van plan er enkele op te eten maar was zó afwezig dat ze uiteindelijk alles verorberde. Ze legde de zaadjes weg om ze ooit te herplanten en herinnerde zich hoe de tuinman haar op een schaamte-loze manier had gewezen op het verschil tussen mannelijke en vrou-welijke bomen, dusdanig dat het haar had doen blozen en dat ze zich had voorgenomen dit niet onder de aandacht van de kinderen te brengen.

Maar het waren bijzonder sappige, zoete vruchten, die er voor het grijpen hingen. Net als de bananen, die met trossen, zoals ze die noemden, in huis werden gehaald. Een stuk of twaalf bananen per tak. Een klein wonder voor een meisje uit Londen.

Als je je leven een beetje op orde had, was dit vreemde stadje hele-maal zo gek niet om in te wonen. Er was een overvloed aan voedsel, dat bovendien niet duur was. Een echte winter, zoals zij die kende, was er niet en de zomerkleren waren dan ook een stuk goedkoper dan kleding van zware kwaliteit. Ze had geleerd hoe ze met haar werkgevers moest omgaan – hij was aardig, zij kon genegeerd wor-den – en enig gevoel te krijgen voor de verschillende nationaliteiten die Maryborough bevolkten, alsmede voor de schijnbaar ruige kerels die haar overigens altijd beleefd behandelden. Emilie wist ook dat het tijd was om Kate en Nellie eens bij haar thuis uit te nodigen. Een bi-zar idee in haar vorige leven, maar inmiddels noodzakelijk als erken-ning voor hun vriendelijkheid. Het waren vriendinnen geworden.

Ruth zou het niet begrijpen, maar Ruth had dan ook haar eigen le-ven. Het was verdrietig dat ze had besloten zich in Brisbane te vesti-gen. Op een of andere manier had Emilie gehoopt dat ze binnen af-zienbare tijd weer bij elkaar zouden komen, en kennelijk dacht Ruth dat ook, zeker nu ze binnenkort het langverwachte Tissingtonhuis, gebouwd op het tweede perceel in Brisbane, zouden bezitten.

Emilie zuchtte. Ze voelde zich beter. Sterker. Ze vroeg zich af of het door alle pawpaws kwam die ze had verorberd. Maar ze voelde we-derom de prikkel om zichzelf te zijn. Om te vechten tegen de neer-slachtigheid die haar de laatste tijd in haar greep leek te hebben. Haar gezonde verstand zei haar dat ze moest ophouden medelijden met zichzelf te hebben. Huilen en treuren om Clive als een zielig kasplant-je moest ook afgelopen zijn. Hij houdt van me? Hij houdt niet van me? Dat siert je niet, Emilie. Waar stond zwart op wit dat knappe mannen als Clive geen andere vriendinnen konden hebben, in het he-den of verleden? Was ze zelf ook niet terughoudend over Mal?

Op dit moment leek het niet echt belangrijk wat ze voor Mal of Clive voelde. Clive had gezegd dat hij op een dag voor de rechter zou moeten verschijnen. Om zijn onschuld te bewijzen, uiteraard.

Emilie wist weinig van het rechtssysteem, maar ze wist wel dat een verdachte een heer moest regelen om voor hem op te komen. Wie zou Mal moeten vragen?

'O, mijn God!' Emilie keek om zich heen in het huis dat ze met zijn geld had gekocht en staarde over haar terrastuin naar de donkere werveling van de rivier. Die mannen kostten geld. Hoe beter ze waren, hoe meer geld ze kostten.

Wie moest Mal regelen? Had hij eigenlijk wel geld? Wat gebeurde er met mensen die zich niet konden veroorloven om een juridisch adviseur – al was het maar iemand met middelmatige geloofsbrieven – in te huren? Waar was Clive? Hij zou het wel weten.

Emilie pakte pen en papier en begon een lijst met vragen op te stellen over een juridisch adviseur en maakte daarnaast een lijst met suggesties die Mals onschuld konden bewijzen, althans zoals zij ertegenaan keek. En een lijst met mensen die konden instaan voor zijn goede karakter. Tot dusver waren dat er slechts drie, onder wie die vreselijke oom, maar het was een begin. Ervaren als ze was met pen en papier, spendeerde Emilie uren om al haar gedachten en ideeën op te schrijven, vastberaden als ze was om ze de volgende dag aan Clive voor te leggen, ondanks zijn vervelende gedrag en ook al zou ze te laat op haar werk komen, want ze had Clive nodig om haar voor te stellen aan een plaatselijke advocaat. Ze zouden hem laten informeren of Mr. Willoughby inmiddels zo iemand in de arm had genomen, en zo niet... het antwoord lag voor de hand. Dan zou Emilie Tissington een advocaat inhuren.

Ze stopte alle bladzijden keurig in een map, als naslagwerk voor de toekomst, klapte haar bed naar beneden en stond haar haar te borstelen toen ze, kijkend in de spiegel op de logge toilettafel – het enige andere meubelstuk in 'Paddy's' slaapkamer – werd bekropen door een andere gedachte.

'Wat ben jij dom!' zei ze tegen de spiegel. 'Je verwaarloost je verstand! Gebruik je hersenen, meisje. Je hebt Clive niet nodig. Je hebt Ruth nodig. En haar verloofde. Hoe vaak en hoe trots ook heeft ze je niet verteld dat hij secretaris is van de procureur-generaal? Als zij geen juridisch adviseur met kwaliteiten kennen, wie dan wel? Het antwoord lag al die tijd voor de hand, en je bent zo dom geweest het niet te zien.'

Die nacht dutte ze af en toe even in, te vol met plannen om echt te kunnen slapen, en toch stond ze 's ochtends vol energie op, gretig als ze was om haar plannen uit te voeren. De dag omarmend.

'Wat?' Mrs. Manningtree plofte bijna uit elkaar toen Emilie haar voorstel tijdens het ontbijt uiteenzette.

'Zoals ik al heb uitgelegd,' zei Emilie kalm, staande naast de ontbijttafel, 'is het voor kinderen gebruikelijk om nu en dan het schoolwerk even los te laten. Vakantie. Ze hebben nauwelijks een dag vrij gehad sinds mijn komst.'

'En afgelopen weekend dan? Toen bent u zaterdagochtend niet geweest.'

'Dat is geen echte vakantie voor hen.'

'U bedoelt dat u zelf aan vakantie toe bent? Dat is de eigenlijke waarheid hierachter, of niet?'

'Zoals ik al zei, mijn zuster heeft zich verloofd, en aangezien ze mijn enige familielid is in dit land, zou ik haar graag bezoeken, ook om mijn toekomstige zwager te ontmoeten.'

Emilie wist dat het een goede indruk zou maken als ze de werkgever van Mr. Bowles zou noemen, maar ze kon zichzelf er niet toe zetten, ze kon zich niet tot hetzelfde niveau verlagen als die boze vrouw aan tafel.

'Ik zeg alleen dat het gebruikelijk is dat kinderen 's zomers en 's winters een keer vakantie houden.'

'De boog kan niet altijd gespannen zijn, bedoelt u?' vroeg Mr. Manningtree, die op een spekzwoerdje kauwde.

'Ja, meneer. En ik dacht dat dit een geschikt moment zou zijn.'

'Ik zou niet weten waarom niet. Jij bent naar school geweest, Violet. Had jij nooit vakantie?'

'Jawel, maar dit is anders.'

'Op wat voor manier?'

Emilie werd weggestuurd, terwijl de discussie voortduurde, maar later kwam Mrs. Manningtree naar het klaslokaal om te zeggen dat ze drie weken verlof kon nemen, onbetaald.

'Vanaf de dag dat ik per schip naar Brisbane kan vertrekken,' onderhandelde Emilie.

'Goed. Dat moet maar. Gaat Mr. Hillier met u mee?'

Emilie veinsde verbijstering na die hatelijke opmerking. 'Mijn hemel, nee hoor,' antwoordde ze lachend.

Hoofdstuk 11

Mal bevond zich inmiddels in een duistere cel in gezelschap van een paar vaste bajesklanten, maar hij zweeg nog altijd in alle toonaarden. Hij verkeerde in een roes. Hij had nooit echt onder ogen gezien dat hij daadwerkelijk gepakt kon worden, laat staan dat hij gearresteerd en geboeid zou worden, in de ene na de andere cel zou belanden en in steden door spottend lachende mensen zou worden uitgescholden. Hij had eenvoudig niet gedacht dat het ooit zou gebeuren. Ze hadden de echte daders intussen allang moeten vinden.

Maar toen begonnen zijn celgenoten tegen hem te praten, het hele verhaal uit hem te trekken om de tijd te doden, en ze begonnen deze Sonny Willoughby aardig te vinden.

'Je moet voor jezelf opkomen, maat, niemand anders doet het,' waarschuwden ze hem. 'Je kunt maar beter opstaan en je stem laten horen. Mokken heeft geen enkele zin.'

'Wie zou er luisteren?'

'Een heleboel mensen. Er zitten daarbuiten verslaggevers die er alles voor over hebben om te horen wat jij te zeggen hebt en om jouw foto in de krant te krijgen...'

'Wat heeft het voor zin? Niemand zal me geloven.'

'Hoe weet je dat? Je moet ze wakker schudden.'

De andere man trok aan een lege pijp. 'Dat zal hij niet gauw doen. Hij is verslagen. Ze hebben hem geklopt.'

Mal vond dat soort opmerkingen verschrikkelijk. Hij lag de hele nacht wakker op zijn door ongedierte geplaagde stapelbed, gekwetst door de belediging. Was hij verslagen?

'Mooi niet,' mompelde hij bij zichzelf, keer op keer. Hij betwijfelde of het enig nut zou hebben, maar hij moest het proberen...

De lachende Sonny Willoughby werd de lieveling van de kranten. Hij praatte met iedereen die hem wilde aanhoren, met verslaggevers, met de politie, en vooral met de strenge mannen die het kantoor van de openbaar aanklager op hem af stuurde, ook al wist hij dat ze probeerden een zaak tegen hem op te bouwen. Dagelijks kwamen er hordes mensen naar de gevangenis van Brisbane, enkel om een glimp van hem op te vangen, van wie sommigen vóór hem en anderen tegen hem waren, maar allemaal waren ze even nieuwsgierig. Dames stuurden hem bemoedigende briefjes, en een verslaggever, een zekere Jesse uit Chinchilla, leek vrijwel iedere dag langs te komen en had telkens weer nieuwe vragen.

Mal vertelde hun alles wat hij wist, zo vaak dat hij het hele verhaal inmiddels kon dromen, maar hij benadrukte telkens weer dat hij McPherson noch de maten van de Schot kende.

Op advies van Jesse vroeg hij of hij Carnegie mocht ontmoeten, zodat de man hem recht in zijn gezicht moest beschuldigen, maar dat verzoek werd afgewezen.

Hij zag zijn eigen foto in de kranten, las de verslagen, die weinig verband leken te houden met wat hij te zeggen had en ontdekte tot zijn grote schrik dat er ingezonden brieven waren die eisten dat hij onmiddellijk zou worden opgehangen.

'Ik wist dat het geen zin had,' zei hij tegen Jesse. 'Ik lees die verdomde kranten niet meer, en de cipier zei dat ik met niemand hoef te praten als ik dat niet wil.' Hij had er genoeg van een circusattractie te zijn.

'Dan lees je ze toch niet. Bovendien gaan de verslaggevers zich nu toch weer op andere dingen richten.'

'Dus ik ben inmiddels oud nieuws?'

'Voor mij niet, Sonny. Heb je wat geld achter de hand?'

'Waarvoor? Ze brengen me hier niks in rekening.'

'Voor een juridisch adviseur. Of liever nog, een advocaat. Je hebt er eentje nodig om je straks tijdens de rechtszaak te vertegenwoordigen.'

'Wanneer vindt die plaats?'

'Dat duurt nog wel even. Ze willen eerst meer weten. De twijfel bestaat dat jij geen schoten hebt gelost...'

'Hoe kon ik? Ik was er niet bij.'

Jesse tekende cirkels op de bladzijde en doorkruiste ze met strakke lijnen. Hij had met de openbaar aanklager gepraat, volhoudend dat er een grote kans was dat de jongen de waarheid sprak. En de openbaar aanklager had geantwoord: 'Dat is jouw mening. Hij heeft ook jou ingepalmd, Jesse. Hij maakt misbruik van jouw goede vertrouwen; hij zou de Brisbane-rivier nog aan een verdrinkende man kunnen verkopen. En hij is geen kind meer. Hij doolt al jaren rond, leeft van leugens en bedrog.'

'Maar hij heeft nooit echt moeilijkheden veroorzaakt.'

'Dan is hij zeker in het verkeerde gezelschap terechtgekomen.'

'Zoals Carnegie?'

Jesse had die opmerking geplaatst om de man die Sonny naar de bewuste plek had gelokt te beschuldigen, maar tot zijn verbazing nam de aanklager hem serieus.

'Ook die invalshoek onderzoeken we. Carnegie is vooralsnog niet vrijgepleit, maar dat wil ik niet gedrukt zien staan.'

'Carnegie en Willoughby?' vroeg Jesse, verwonderd.

'Het zou om een mislukt complot kunnen gaan.'

'Tja, maar waar zijn dan het goud en de contanten?'

'Vraag dat maar aan je maatje Willoughby. Wij hebben alle tijd. Een flinke dosis van het eilandleven op Sint-Helena zou hem wel eens kunnen overhalen om te praten. Ginder hoeft hij niet op zo'n tactvolle behandeling te rekenen.'

Nog altijd spelend met zijn potlood, de vormen inkleurend, keek Jesse weer op naar Mal.

'Weet je zeker dat je geen geld hebt?'

'Natuurlijk weet ik dat zeker. Aha, wacht eens even! Denk je soms dat ik ineens met het geld van de overval op de proppen zal komen? Je bent even dom als de rest.'

'Nee, dat denk ik niet. Maar de buit is nooit teruggevonden, en vanwege die moorden is er in het hele land geen heler die dat goud zou aanraken met al die publiciteit eromheen.'

'Hoezo niet? Goud is goud. Er staat geen stempel op. Word eens volwassen, Jesse.'

Jesse zuchtte. 'Jij was daarginds op de goudvelden. Kun je dan niemand bedenken die het mogelijk heeft gedaan?'

'Nee. Dat zeg ik aldoor tegen iedereen.'

'En McPherson dan? Misschien heeft hij de buit.'

'Zou hij dan de moeite nemen om de krant te schrijven? Hij zou onderhand in China zitten.'

'Maar als je hem niet kent, waarom beweert hij dan dat jij ook onschuldig bent?'

Mals blauwe ogen knipperden niet eens. 'Misschien weet hij meer dan ik. Hij heeft Carnegie aangewezen.'

Jesse gaf het op. Maar gewezen op Sonny's eerstvolgende bestemming, het gevreesde gevangeniseiland Sint-Helena, besloot hij het eiland nog de volgende dag te bezoeken. De paar shilling die hij er uitdeelde aan cipiers voor informatie omtrent Sonny Willoughby zouden goed besteed zijn. Werk op tijd maakt wel bereid, dacht hij bij zichzelf.

Met de dag leven, besloot Mal stoïcijns terwijl hij in de sloep klauterde en zijn voetboeien opnieuw werden vastgemaakt. Hij had van zijn celgenoten in Brisbane genoeg over het gevangeniseiland Sint-Helena gehoord om te weten dat het geen vakantieoord was, en de grimmige gezichten van de gevangenen die geboeid aan de riemen zaten, straalden dat eveneens uit. Hij knikte hen toe, maar werd weldra richting boeg geduwd, waar hij alleen, geboeid en met de rug naar de rest van het gezelschap mocht zitten.

'Als je overboord springt, zink je als een baksteen,' waarschuwde een cipier, terwijl een ander het uitschaterde.

'En niemand hier zal je achterna springen.'

Mal negeerde hen. Het was een fraaie lenteochtend. Hij had deze rivier nooit eerder bevaren en dus viel er veel boeiends te ontdekken, ongeacht de dingen die hem aan de andere kant stonden te wachten.

Eenmaal voorbij de kades stond er een aantal prachtige huizen op de oevers, zelfs op de hoge kliffen van Kangaroo Point aan de overzijde, waarna ze enkele akkers passeerden en de rivier zich al kronkelend tussen het dichte, weelderige groen van de bush een weg zocht naar de zee. De schone, prikkelende geuren vormden een verademing na de zurig stinkende cellen, en hij voelde zich als herboren, ontspannen. Vissen spetterden in het water, vogels schoten omhoog en omlaag en de vakkundige roeiers deden de boot met de stroming mee glijden. Uren later kwamen ze bij de met mangroven begroeide riviermonding en voeren de zee op.

Dromerig herinnerde Mal zich zijn tocht naar Fraser-eiland met zijn regenwoud en hoge pijnbomen en de paradijselijke Orchideeënbaai, en hij vroeg zich af of hij het ooit weer zou zien. Toen er in de verte een stipje van een eiland te ontwaren viel, had hij zich er praktisch van overtuigd dat Sint-Helena vergelijkbaar zou zijn. Terwijl de boot van koers veranderde en recht tegen de wind in voer, gaf hij zichzelf de opdracht uit te rekenen hoe ver het eiland zich van het vasteland bevond en hij besloot dat het ruim zes kilometer moest zijn. Op een kalme dag voor een fitte man niet onmogelijk om zwemmend te overbruggen. Afgezien van de haaien. Dat van die haaien vond hij een ongeloofwaardig verhaal. Hij had de hele dag naar het water zitten staren en er niet één kunnen ontdekken. Hij was niet bekend met de gevreesde monsters en besloot dat ze zich vermoedelijk in de diepte ophielden. Niettemin had hij er graag eentje willen zien.

Het gevangeniseiland leek echter in niets op Fraser-eiland. Het was klein en vlak, en toen ze de kust naderden, zag hij hoge bakstenen muren voor zich opdoemen. Het was een echte gevangenis, constateerde hij teleurgesteld, overeenkomstig zijn beruchte reputatie als zwaarbeveiligde inrichting, een geïsoleerde kolonie voor de zwaarste criminelen van de staat. Het was nog altijd moeilijk te bevatten dat hij tot die categorie werd gerekend.

De sloep gleed aan land en Mal keek verlangend naar het kristalheldere, ondiepe water, wensend dat hij erin kon duiken om zich te bevrijden van de gevangenisgeur die hem tegenwoordig permanent omgaf, maar na enige verwarring, veroorzaakt door alle boeien, werden de gevangenen op de met piekerig gras begroeide wal gezet.

Nadat de boot op de scheepshelling was getrokken, werden de gevangenen met behulp van zware gummistokken over de weg richting de gevangenis voortgedreven. Mal was de enige met voetboeien en strompelde voortdurend, wat enig oponthoud veroorzaakte en de cipiers woedend leek te maken, want ze schopten hem telkens vloekend weer op de been.

'Waarom hebben ze verdomme zo'n haast?' mompelde hij tegen een van de andere gevangenen.

'Omdat ze hun avondeten anders mislopen,' fluisterde de man terug. 'Wij hebben dat van ons al gemist.'

Ze passeerden de poort en betraden de duisternis van de gevangenis en Mal huiverde. Hij struikelde voor de zoveelste keer, nog altijd niet in staat deze schuifelende gang te beheersen, en de anderen liepen haastig door, terwijl hij achterbleef met een cipier die hem keer op keer met zijn gummiknuppel op de rug sloeg, tot ze het omheinde veld hadden overgestoken.

Binnen in het langwerpige cellenblok stonden de gevangenen achter de getraliede ramen hun voortgang passief te aanschouwen, totdat een man schreeuwde: 'Zien jullie wie dat is? Dat is de bandiet Willoughby, die al dat goud heeft gejat bij die overval in het noorden.'

Baldy Perry grijnsde veelbetekenend. Het waren allemaal dwazen. Hij kuierde naar het raampje om een blik op de boef Willoughby te werpen, maar schudde vervolgens zijn hoofd.

'Dat is Willoughby niet. Zijn naam is Ned Turner.'

'Loop heen! Zeker is dat Willoughby.'

'Dat is Willoughby niet, ik zeg het je. Ik ken die vent, en zijn naam is Turner. Ik heb hem eens met McPherson ontmoet. Ze hadden ruzie om een paard.'

De anderen lachten hem spottend uit. 'Niet weer, Baldy. Je zeurt altijd maar door over het feit dat je McPherson kent. Maar zo te horen kun je het ene gezicht niet van het andere onderscheiden.'

'En of ik dat verdomme kan. Die vent daar heet Turner, en wacht maar eens af. Hij kan bevestigen dat ik een kameraad ben van McPherson. Dan zul je wel anders piepen.'

Misschien was het alleen maar een excuus, erkende Emilie, maar omdat ze hem in geen dagen had gezien – niet sinds hun woordentwist van afgelopen zondag – vond ze het niet meer dan beleefd om Clive te laten weten dat ze van plan was een bezoek te brengen aan Brisbane, en dus ging ze, met knikkende knieën, bij hem op de zaak langs.

Clive was verrast, maar duidelijk niet onaangenaam, en dat gaf haar zelfvertrouwen.

'Mijn lief! Wat een genoegen! Kom verder.' Hij begeleidde haar door de brede winkel en langs een korte toonbank, waarachter klemborden met vrachtbrieven in rijen aan de houten wand hingen. De vloer bestond eveneens uit donkere planken, en haar nieuwe schoenen kraakten toen ze de grote ruimte, omzoomd door enorme vaten voorzien van gele sluitingen, doorkruisten.

'Je ziet er goed uit, Emilie,' zei hij, terwijl hij haar naar zijn kantoor achter in het pand begeleidde. 'Kom binnen, dit is mijn domein.'

Zijn kantoor was erg kaal; er stonden enkel een tafel en een stoel, omringd door bankjes waarop – heel slordig – allerlei officiële boeken, journaals en andere paperassen lagen opgestapeld, maar haar blik viel op het uitzicht, en instinctmatig liep ze ernaar toe.

'Wat een prachtig uitzicht!'

'Ja, dat is schitterend. We zitten hier zo hoog en precies in de bocht van de rivier, waardoor we hem in twee richtingen kunnen overzien. Die oude Mary-rivier ziet er vanaf hier het mooist uit, vind je ook niet?'

'Zeker weten.' Uiteindelijk draaide ze zich weer naar hem om. 'Clive, ik wilde even zeggen dat het me spijt van die dwaze woordenwisseling...'

'Lieve schat, dat hoeft echt niet. Ik was het al helemaal vergeten. Ik heb je de afgelopen dagen niet kunnen afhalen, omdat ik het extreem druk had. Schepen die door de storm waren opgehouden, liepen eindelijk de haven binnen en hielden me telkens bezig.'

Ze wenste dat hij zijn drukke werkzaamheden niet had genoemd. Hoewel ze zichzelf had beloofd de geruchten te negeren, kreeg haar irritatie plotseling de overhand.

'Ja, ik heb gehoord hoe druk.'

'Wat bedoel je?'

'Ik heb gehoord dat je sociale leven ook drukbezet was.'

'O, dat,' zei hij ongeduldig. 'Ik neem aan dat je met Mrs. Mooney hebt gesproken.'

'Nee,' zei Emilie stijfjes.

'Je hebt in elk geval met iemand gepraat, dus laat me het maar even uitleggen.'

'Het interesseert me werkelijk niet, Clive.'

'Waarom begin je er dan over? Feit is dat er een oude bekende van me in de stad was.'

Ze draaide zich om en staarde wederom uit het raam. 'Ik hoorde dat het een jonge bekende was.'

'Gaan we woordspelletjes spelen? Ze was een oude bekende, die een paar dagen in de stad doorbracht, samen met een vriendin die ziek was. Ik verkeerde niet in de veronderstelling dat ik jouw toestemming nodig had om wat tijd met haar door te brengen, maar als ik je heb beledigd, bied ik hierbij mijn excuses aan.'

Het speet Emilie dat ze deze discussie had aangewakkerd. Clive was verbaal altijd veel gehaaider dan zij. Hij bracht haar in verwarring.

'Je hoeft je niet te verontschuldigen.'

'Maar ik doe het toch. Het spijt me dat ik je pijn heb gedaan door een oude vriendin te ontmoeten. Ik wilde het zondagavond aan je

328

vertellen, maar toen begonnen we meteen al op de verkeerde voet.'
Hij deed de deur dicht en sloeg zijn armen om haar middel. 'Zeg dat
je me vergeeft, lieve schat. Ik zou je van mijn levensdagen niet willen
kwetsen.'

Hij wreef met zijn neus in haar nek, trok haar tegen zich aan en
knuffelde haar, en Emilie kon hem niet weerstaan, want al haar argumenten en voornemens gingen verloren terwijl hij haar zachtjes wieg-
de en haar met zoveel vuur kuste dat ze zich zo slap als een vaatdoek
voelde in zijn armen.

Ze hoorden stemmen buiten en Emilie maakte zich snel los, bang
als ze was dat er iemand binnen zou komen, maar Clive lachte.

'Dat zijn de leveranciers maar.'

Emilie was echter al bezig haar haar onder haar hoed te fatsoene-
ren en bloosde hevig. 'Nee, ik moet echt gaan. Ik kwam alleen maar
vertellen dat ik verlof opneem en een tijdje naar Brisbane ga.'

'Waarom?'

Opnieuw voelde ze haar wangen rood worden. 'Mijn zuster heeft
zich verloofd; ze wil dat ik kom kennismaken met mijn toekomstige
zwager.'

'Wat leuk. Feliciteer hen van harte. Ik wou dat ik met je mee kon,
maar ik kan alleen vrij nemen als de overheid daartoe het groene licht
geeft.'

'Ik wou ook dat je mee kon,' zei ze zachtjes, en ze meende het. Wat
heerlijk zou het zijn geweest om met hem in Brisbane te zijn, ook al
ging ze er om persoonlijke redenen naartoe. Ze zou hem graag aan
Ruth hebben voorgesteld en misschien zou zich tijdens hun samen-
zijn, weg van hier, wel een betere relatie hebben ontwikkeld. Wie
weet wat hen kon overkomen in het romantische gezelschap van het
verloofde stel?

Maar het kwam allemaal goed, met de zegen én de hulp van Clive.
Hij regelde alles voor haar, vond een eenpersoonshut voor haar op
een stoomboot, zorgde dat haar bagage mee kwam en stelde haar
zelfs voor aan de kapitein.

Hij stond op de kade om haar uit te zwaaien en kuste haar innig
waar iedereen bij stond.

Emilie noemde niet haar andere missie, uit angst hem te ergeren,
noch dacht ze in de opwinding van haar vertrek aan Mal. Maar ze
dacht er wel aan naar de bank te gaan en al haar geld op te nemen. Of
beter gezegd, Mals geld.

Clive dacht er liever niet meer aan hoe hij Emilie had behandeld.
Haar had gekweld. Hij had tegen haar gelogen over zijn drukke
weekend, en dat wist ze. Hij had gelogen over zijn relatie met Fleur
en hij was er vrijwel zeker van dat ze ook dat begreep. Hij wilde dat
ze tegen hem had geschreeuwd, hem had beschuldigd onbetrouwbaar

te zijn, hem had gestraft, en door dat te doen, hem enigszins had verlost van zijn schuldgevoel. Maar Emilie was te bedeesd, te rationeel voor dat soort aanstellerij en daar had hij misbruik van gemaakt. Daar had Clive inmiddels spijt van; hij had iets goed te maken tegenover haar.

Hij vroeg zich af of deze plotselinge reis naar Brisbane er iets mee te maken had. Zocht ze bewust afstand van hem? Hij hoopte van niet. Als ze hem meer tijd had gegund, had hij kunnen regelen dat hij met haar meeging, ook om haar zuster met haar verloofde eens te ontmoeten. Vanwaar ineens die haast, vroeg hij zich af.

Het speet hem ook van Fleur. Het speet hem dat hij zich zo idioot had aangesteld. Maar het was een grote verrassing geweest om haar weer te zien en, dat moest hij toegeven, een genoegen. Ze was een sloerie, maar een heel sexy sloerie, en een seksleven had hij de laatste tijd niet gehad.

En nog steeds niet, dacht hij schouderophalend. Fleur had hem even beroerd behandeld als hij Emilie. Al met al had hij een belabberd weekend achter de rug.

Mal had meteen problemen in de kille waskeet, niet met de cipiers, maar met een andere gevangene, Baldy Perry, die hem met een rake klap in zijn rug velde.

Baldy ging als een gek tekeer, omdat ze hem niet wilden geloven, waardoor zijn positie in de gemeenschap sterk wankelde.

'Hoe heet je?'

Mal gleed over de grond en probeerde op te staan van het glibberige groene beton.

'Willoughby, idioot,' schreeuwde hij. 'En wie ben jij godverdomme?'

'Ik ben een maat van McPherson,' sprak Baldy briesend, 'en ik weet dat jij geen Willoughby heet. Jij bent Turner.'

Hoewel Mal moest toegeven dat niemand met een beetje verstand in deze tijd Willoughby zou willen zijn, moest hij zichzelf beschermen tegen deze krankzinnige, en Baldy schrok van het resultaat. Hij was verzwakt door het harde werken, de slechte behandeling en ondervoeding, maar hij had zich in het gezelschap bevonden van mannen die net zo verzwakt waren. Deze gevangene was niet alleen jonger, hij was ook nieuw op het eiland, en fit. Hij ging staan, en met vuisten die van ijzer leken sloeg hij Baldy de hoek in tot de cipiers met hun zwepen en gummistokken het heft weer in handen namen.

De twee mannen troffen elkaar de volgende ochtend opnieuw, dit keer bij de geselpaal, voor hun straf van zestig zweepslagen.

Terwijl Baldy naar voren werd gehaald, sprak Mal – die geschokt was door de strenge straf – hem toe.

'Het spijt me. Ik wist niet dat dit het gevolg zou zijn.'

330

Baldy negeerde hem. Hij gilde het uit toen de eerste zweepslag op zijn naakte rug neerdaalde, een rug die al vol littekens zat, maar zweeg vanaf dat moment, terwijl zijn bloed op het schavot druppelde.

Toen Mal op zijn beurt naar voren werd gehaald en aan de geselpaal werd gebonden, was hij allesbehalve stil. Terwijl de gesel zijn rug openreet en het tellen voortduurde, schreeuwde hij scheldend op zijn folteraars, over het onrecht dat hem werd aangedaan, op zijn oom Zilver, op de kranten die hem uitmaakten voor moordenaar en op iedereen die hij kon bedenken die hem ooit had verraden. Zijn geschreeuw was zijn manier om uiting te geven aan de pijn, aan de foltering waarvan hij amper kon geloven dat een mens dit kon verdragen, terwijl geüniformeerde mannen met kille gezichten er met verveelde onverschilligheid bij stonden te staren en praatten en rookten. Zijn kreten waren ook een vorm van bevrijding, een bewuste bevrijding van de angst die zich in hem had opgebouwd vanaf het moment dat Pollock hem had gearresteerd.

Terwijl andere gevangenen het bevel kregen hem los te maken en op de grond te leggen, zoals ze ook bij Baldy hadden gedaan, zodat zijn wonden met bijtend zout konden worden gedept, luisterde hij naar de waarschuwingen van een gewichtige hoofdopzichter over goed gedrag, die hij vervolgens voor de voeten spuugde.

De eerstvolgende twee weken bracht Willoughby in eenzame opsluiting door in een cel die in een andere was gebouwd, zodat er wel lucht maar geen licht binnenkwam. Eenmaal per dag werd er, om ongeveer zes uur 's ochtends, schatte hij, door de gleuf onder in de deur brood en water naar binnen geschoven. Ze mochten dan in staat zijn het licht buiten te sluiten, geluiden hoorde hij toch wel.

Hij hoorde geen mensenstemmen, dus hij veronderstelde dat hij een flink eind uit de buurt zat van de leef- en werkruimtes, omdat hij eerder honderden gevangenen in rijen opgesteld had zien staan voor uiteenlopende werkzaamheden. De meesten van hen droegen voetboeien.

Aanvankelijk lag hij met zijn buik op de koude stenen vloer om zijn rug de kans te geven te genezen, met niets anders te doen dan te denken en te luisteren, waarbij zijn voorkeur naar dat laatste uitging. Hij realiseerde zich dat, hoewel dit eiland voor gevangenen waarschijnlijk een hel op aarde was, het voor vogels een toevluchtsoord moest zijn en hij kende ze allemaal bij naam. Kookaburra's waren er voor het aanbreken van de dag al. Daarna kwamen al het kleine grut met hun luidruchtige getjilp. Meeuwen waren er altijd, krijsend, zoekend naar voedsel. De eksters zongen 's morgens en het was een genot naar hun heldere, doordringende noten te luisteren. En zo waren er talloze vogels. Hij hoorde het krijsen van de kraaien, het gezang van de klauwiers en alle andere, de rust van de middagen en vogels die 's avonds weer overvlogen, als ze zich, net als hij, voorbereidden op de nacht. Mal vertrouwde op de vogels om enige regelmaat in zijn dagen te brengen. Als ze druk in de weer waren, stond hij op in de duisternis en deed oefeningen. Hij probeerde hun gezang en gefluit te imiteren, knabbelde aan het oudbakken brood en was zuinig met zijn voorraadje water, en toen hij eruit mocht, struikelde hij naar buiten, even sluw als een vogel die haar nest beschermt door een gebroken vleugel te veinzen, juist omdat hij niet was gebroken. Hij wist dat als hij dit oord wilde overleven, hij zijn volle verstand nodig zou hebben, en dit was niet het moment om blijk te geven van zijn innerlijke kracht. Hij zag er bijna deerniswekkend uit toen ze hem vanuit het volle daglicht weer in een normale cel gooiden.

De shillingen die hij had betaald waren goed besteed, maar de informatie was teleurstellend. Een cipier krabbelde een briefje aan Jesse waarin hij Willoughby's omstandigheden in de gevangenis beschreef.

> Binnen een dag verkeerde de gevangene in de problemen. Hij raakte in gevecht met een andere gevangene, Baldy Perry genaamd, en als gevolg daarvan werden beide mannen gegeseld. De nieuwkomer schreeuwde als een mager varken, maar was vervolgens opstandig en beledigde de hoofdopzichter, waarna hij in eenzaamheid werd opgesloten. Na zijn vrijlating bleek hij slap in de benen en viel hij tijdens het appèl meermalen op de grond, waarna hem een licht baantje in de zuivelfabriek werd toebedeeld.

Jesse giste dat de schrijver een voormalig politieman was, gezien het karakter van zijn verslag.

> Ik heb persoonlijk nadere inlichtingen ingewonnen met betrekking tot de aard van de desbetreffende ruzie, wat niets meer of minder bleek dan een stompzinnige woordenwisseling over wie McPherson het beste kende. Gevangenen beweren altijd dat ze die boef kennen. Volgens Perry reisde jouw man onder de naam Ned Turner. Ik hoop dat deze informatie waardevol zal blijken.

Waardevol, dacht Jesse peinzend. Ja, ik betaal je ervoor, maar wat moet ik hiermee? Wie kent McPherson het beste? Kende Sonny de bandiet dan toch? Had hij gelogen? De klootzak! Jesses teleurstelling had bijna tot gevolg dat hij zijn spullen pakte en naar huis afreisde. Had Willoughby hem voor gek gezet? En hoe zat dat met zijn schuilnaam? Ned Turner. Hij schudde zijn hoofd, en vroeg zich af waarom hij zich had laten inpakken door die schelm, die evengoed een oplichter kon zijn, zoals de openbaar aanklager had beweerd.

Terwijl hij zich beraadde over zijn volgende zet, kwam hem het nieuws ter ore dat James McPherson weer had toegeslagen: hij had eerst een postkoets en vervolgens een veeboer beroofd. Getuigen waren ervan overtuigd dat het om McPherson ging. Jesse haastte zich naar het hoofdbureau van politie om uit te zoeken waar deze misdaden zich hadden voorgedaan.

De geruchtenstroom in de gevangenis had de oorzaak van het gevecht weliswaar vertroebeld, maar ongeacht de conclusies die werden getrokken, wist Mal dat hij Perry de mond zou moeten snoeren.

Zodra hij de kans kreeg, ging hij op zoek naar Baldy Perry, om hem wat kaas toe te stoppen die hij uit de boterfabriek had gejat. Hij herinnerde zich Perry inmiddels als de lompe boerenpummel die hij destijds in gezelschap van McPherson was tegengekomen in die kroeg, maar op een of andere manier moest hij zorgen dat de rollen werden omgedraaid. Hij kon zich niet veroorloven dat iemand hem in verband zou brengen met McPherson.

Baldy was niet de man om zijn wrok te uiten als hij voedsel kreeg aangeboden, hoewel hij het niet kwijt was. Hij verorberde de kaas binnen een seconde.

'In mijn ogen ben je nog steeds Ned Turner,' gromde hij.

Mal grijnsde. 'Iedereen heeft wel eens een andere naam nodig. Maar vertel eens, hoe kwam je daar achter?'

'Ik wist het meteen,' kraaide Baldy. 'Weet je niet meer dat je destijds in Brisbane een keer hebt staan ruziën over een paard met mijn maat McPherson?'

'Met *McPherson*?'

'Ja. En hij dwong je om je horloge af te geven.'

'Jezus! Dat klopt. Daar stond jij bij. Maar die andere kerel, die mijn horloge en bijna ook mijn paard inpikte. Je wilt toch niet zeggen dat dat McPherson was?'

'Zeker weten, maat.'

'Allemachtig! Ik had het niet zo handig aangepakt als ik had geweten dat dat McPherson was. Je meent het!'

Baldy was tevreden: hij had de naam goed onthouden en, beter nog, dit bewees zonder enige twijfel dat hij, Baldy, een maat was van McPherson, hoewel deze dwaas de grote baas niet eens had herkend tijdens hun ontmoeting. Het zou een mooi verhaal zijn voor hier. Niet dat het er iets toe deed; binnenkort kwam hij vrij.

De jongen was duidelijk onder de indruk. 'Heb je veel klussen met hem samen gedaan?'

'Genoeg,' pochte hij. 'Luister, ik zou je wel het een en ander kunnen vertellen. Jim en ik, wij waren beste maatjes. Wij hebben onze grote slag geslagen. Ik zal een rijk man zijn als ik hieruit kom.'

Mal lachte bijna hardop, maar hij had het probleem opgelost en

333

wilde dat graag zo houden, en dus liet hij die stomkop kletsen. Hij wist al dat van Baldy werd beweerd dat hij een grote leugenaar was, en dus luisterde er nooit iemand naar hem, maar deze nieuwkomer deed dat wel; hij had intussen besloten bevriend te blijven met Baldy.

'Een dezer dagen moet je me maar eens voorstellen,' zei hij, maar Baldy lachte.

'Wanneer dan? Jullie tweeën zijn allebei op weg naar de strop.'

'Ik niet. Ik was er niet eens bij toen het gebeurde, en McPherson zegt dat hij niet in de buurt van Maryborough was. Althans dat beweren de kranten.'

Hij hield zich ineens in. McPherson had hem dat persoonlijk verteld; hij wist niet eens zeker of het in de kranten had gestaan. Maar het viel Baldy, die genoot van de vleiende woorden, niet op.

'Vergeet de kranten. Jim was erbij.' Hij staarde sluw om zich heen. 'Ik heb hem zelf gezien.'

'Waar?'

'In Maryborough, luister je dan niet?'

'Daar heb ik hem nooit gezien.'

'Nou, dat zal ook wel niet, omdat je hem niet kent zoals ik,' schaterde Baldy. 'Luister, als je nog eens wat van die kaas hebt, geef die dan aan mij, dan zal ik op je passen. Er loopt hier een aantal vervelende kerels rond die hun oog weleens zouden kunnen laten vallen op een knap joch zoals jij, als je begrijpt wat ik bedoel.'

Mals nekharen ging recht overeind staan toen Baldy stampend de binnenplaats overstak. Hij dacht nog steeds na over wat hij precies te horen had gekregen, toen de bel rinkelde ten teken dat de luchtpauze van een halfuur voorbij was.

Hij schuifelde met de anderen de kantine in en wachtte geduldig met zijn tinnen bord om de gebruikelijke prak opgediend te krijgen, pakte een stuk schimmelig brood en ging in de menigte staan om het voedsel met gebruik van zijn vingers en het brood naar binnen te werken. Vervolgens ging hij in de rij staan om het vieze bord onder een kraan af te spoelen. Het voedsel speelde hem geen parten, het gesprek wel.

Baldy was een leugenaar en een stomkop. Wat hij gezegd had, was voor hem misschien gesneden koek maar voor Mal absoluut niet. Hij verwelkomde de duisternis en lag er op zijn brits over na te denken, zich amper bewust van het gevloek en gemopper om zich heen.

Baldy kon McPherson niet in Maryborough gezien hebben, omdat hij daar destijds domweg niet was. Dus dat was een leugen.

Het vreemde was dat hij Mals bewering, dat hij niet bij de Blackwater-kreek was geweest, had geaccepteerd zonder een keer met zijn ogen te knipperen, zonder hem zelfs maar te bespotten, hoewel hij voor die misdaad was gearresteerd.

Vervolgens had hij gezegd dat Mal McPherson in de stad niet zou hebben herkend. Toch werd hij verondersteld McPhersons medeplichtige te zijn; Baldy had zelfs gezegd dat ze beiden opgehangen zouden worden.

Het was bijna alsof Baldy wist dat Mal niet bij de overval was betrokken. En als dat zo was, hoe wist hij het dan?

Baldy beweerde dat hij een rijk man zou zijn als hij vrijkwam. Als dat niet de zoveelste leugen was, klopte zijn verhaal over de klussen die hij in gezelschap van McPherson had gedaan in elk geval niet. Mal had zelf kunnen constateren dat McPherson er bepaald niet warmpjes bij zat.

Hij kon de slaap niet vatten, het was onmogelijk in te dutten terwijl al de tegenstrijdigheden uit dat gesprek door zijn hoofd spookten. Baldy had geloofd dat Mal McPherson inderdaad niet had herkend toen ze elkaar in Brisbane waren tegengekomen. Maar waarom, als hij wist dat ze verondersteld werden de overval samen te hebben uitgevoerd, geloofde hij Mal toen deze volhield dat hij onbekend was met de identiteit van McPherson?

De daaropvolgende dagen stelde Mal zich tot doel om zoveel mogelijk aan de weet te komen over Baldy Perry's verleden. Aangezien iedereen zo'n grondige hekel aan hem had, bleek dat niet erg moeilijk. Hij had eerder gezeten, voor een gewapende overval... en zat dit keer vast omdat hij een man in Maryborough in elkaar had geslagen.

'Heeft hem bijna lam gemept,' werd er gezegd.

'Denk je dat hij iemand zou kunnen vermoorden?' vroeg hij een oudere man.

'Die stommeling zou alles willen doen als hij meende er straffeloos mee weg te komen. Hoezo? Ben je bang voor hem, jongen?'

'Nee,' antwoordde Mal vastberaden.

'Da's waar ook. Jij bent degene die hem een pak slaag heeft gegeven.'

Er was echter één man die, hoewel met tegenzin, respect had voor Baldy. 'Ik ken hem van vroeger, in het verre westen. Het was altijd al een klootzak, maar hij kan goed schieten. Handige kerel tijdens de jacht.'

Mal was zich bewust van het feit dat hij wellicht naar een speld in een hooiberg zocht, dat de wanhoop hem deed speuren naar een aanwijzing die niet bestond en dat hij Baldy's leugens en bluf verdraaide tot ze pasten in zijn theorieën. Dat hij ze verkeerd interpreteerde.

Maar de verdenkingen hadden postgevat in zijn hoofd en hij kon ze niet meer laten verdwijnen. Om deze reden meed hij Baldy, bang om hem te alarmeren, tot het moment waarop hij iets had bedacht om hem te vragen waardoor Baldy definitief in verband kon worden gebracht met de moorden. Maar wat moest hij vragen? Hij pijnigde zijn hersenen, op zoek naar een manier om Baldy zich te laten verspreken, maar er schoot hem niets te binnen en hij begon zich af te vragen wie er nu werkelijk zo dom was – hij of Perry?

De tijd begon te dringen; Baldy had nog maar een maand te gaan voor hij werd vrijgelaten. Mal vroeg toestemming om iemand een telegram te sturen, maar de cipiers lachten hem vierkant uit.

'Scheer je weg, idioot. Wie denk je dat je bent? Koning Uitschot?'

Zijn aanhoudende verzoeken leverden hem meermalen een pak slaag op, maar hij bleef volhouden, tot de hoofdopzichter, kapitein Croft, er lucht van kreeg en hem – uit nieuwsgierigheid – liet ophalen.

'Wat hoor ik allemaal voor onzin? Gevangenen hebben niet het voorrecht om telegrammen te versturen.'

'Maar dit is dringend, meneer. Ik zou u erg dankbaar zijn.'

'Je meent het. Wie is er overleden?'

'Niemand, edelachtbare. Het gaat om slechts één zinnetje.'

'Dat zou ik denken. Ze kosten geld. En wat behelst die zeer belangrijke zin? Kun je schrijven?'

'Ja, meneer.'

'Schrijf het dan voor me op.' Hij schoof een vel papier en een potlood over zijn bureau.

Mal schreef snel: 'Ik moet je iets vertellen. Dringend'.

'Juist, ja. En naar wie moet dit toe? Je vriendin?'

'Nee, meneer.' Mal schreef de naam en het adres op hetzelfde vel en Croft staarde ernaar.

'Als het zo belangrijk is, waarom kun je het dan niet aan mij vertellen?'

'Neem me niet kwalijk, meneer, maar dat kan ik niet.'

'Is dat een belediging? Want ik heb middelen om dat soort gedrag te corrigeren.'

'Nee, meneer. Absoluut niet, meneer, wat dat betreft heb ik mijn lesje geleerd.'

'In dat geval kun je nu weer zwaar werk op je gaan nemen. Je kunt gaan. Informeer de cipier. Ik zal hierover nadenken.'

Hij staarde naar het telegram. De brutaliteit van die vent. Maar hij had deze zaak met belangstelling gevolgd en hij wist dat de politie moeite had hem op te lossen. Dit klonk alsof Willoughby op het punt stond een bekentenis af te leggen. Het was zijn loopbaan wellicht niet waard om hem iets in de weg te leggen. En hij had niets te verliezen als dat wat de gevangene te vertellen had larie bleek te zijn. Het was beter iemand anders met de verantwoordelijkheid op te zadelen. Hij zou de ontvanger voor de kosten van het telegram laten opdraaien.

Agent Lacey hield het telegram onder zijn neus en was zo vriendelijk om niet te zeggen: 'Ik heb het toch gezegd.' Pollock zat over op de stapel papieren op zijn bureau gebogen. Hij was sinds hun terugkeer van de mislukte zoektocht naar de bandieten gedegradeerd tot het natrekken van achterstallige dossiers.

'Het lijkt erop dat de beloning zijn werk wederom heeft gedaan,' zei Lacey. 'Iemand in Bowen heeft McPherson verraden.'

'Dat zie ik. Ik vraag me af hoe dat zo is gekomen.'

'Ik neem aan dat we dat te zijner tijd wel te horen zullen krijgen, maar nu we ze allebei hebben, zal er wel een doorbraak volgen. Of zal iemand zijn mond opendoen. Willoughby houdt zich aan zijn verhaal, maar McPherson is gehaaider. Nu hij in hechtenis is genomen, zal hij wellicht niet zo arrogant meer doen. Waar brengen ze hem naartoe, denkt u?'

'Ze kunnen maar beter op hun hoede zijn; hij is al eerder ontsnapt nadat hij was opgepakt. Met een beetje geluk brengen ze hem hierheen. We hebben hier nu ook rechters en de nieuwe rechtbank. De rechtszaak zou hier gehouden moeten worden. Net als die van Willoughby trouwens, maar ik wil wedden dat de politiek ook een vinger in de pap wil.'

Hij vond een excuus om even aan het politiebureau en zijn vervelende taak te ontkomen en ging naar huis om een kopje thee te drinken met zijn vrouw.

'Ik voel me een enorme stumper,' zei hij tegen haar. 'Ik ben de verkeerde kant op gegaan om Willoughby te zoeken. En ik kreeg een tip dat McPherson op weg was naar Bowen. Ik had gewoon moeten volhouden.'

'Maar je hebt de politieagenten in Bowen gewaarschuwd dat hij in de omgeving zou kunnen zijn.'

'Nee. Dat heeft Lacey gedaan. Hij zal om die reden worden bevorderd, terwijl ik achter mijn bureau zit en niet-betaalde boetes moet innen. Ik begin zo langzamerhand te denken dat ik het maar moet opgeven. Iets anders moet gaan doen. Een boerderij kopen of ergens anders een baan zoeken.'

Ze bracht hem een paar scones met boter. 'Nee, dat moet je niet. Je bent een prima politieman en je houdt van je werk.'

'Vroeger wel, ja,' sprak hij lusteloos. 'Maar ik geloof dat ik in een doodlopende straat ben beland, schat.'

Hij at zijn scones op. Dronk zijn thee. Staarde uit het raam naar hun buurman, een visser, die bezig was de netten die over hun waslijn hingen te repareren. Hij dacht aan die boot, die goede roeiboot die uit de rivier was gedregd en nu op het terrein van het politiebureau lag, waar hij meer ergernis dan belangstelling wekte. Daar was evenwel niets aan te doen. De zoveelste onvruchtbare aanwijzing...

Lacey stond hem in het politiebureau op te wachten.

'Er is een telegram gekomen...'

'Dat heb ik gezien. McPherson is opgepakt.'

'Nee. Deze is voor u. Hij is afkomstig van Willoughby. Hij wil bekennen.'

Pollock griste het vel papier uit zijn handen. 'Daar geloof ik niks van! Wat voert hij nu weer in zijn schild?'

'Het is aan u om dat uit te zoeken. Hij schrijft: "Ik moet je iets vertellen. Dringend".'

337

Toen Pollock permissie vroeg om te reageren op dit telegram en Brisbane bij de eerstvolgende gelegenheid te verlaten, weigerde zijn meerdere ronduit om hem toestemming te geven.

'In Brisbane lopen meer dan genoeg adequate politieagenten rond. Zij moeten het maar afhandelen. Ik zal doorgeven dat Willoughby bereid is tot praten.'

'Dat had hij zelf ook kunnen doen, meneer. Maar hij heeft om míj gevraagd. Ik ken hem. Ik ken de zaak. Ik geloof echt dat het belangrijk is dat ik het onderhoud zelf voer.'

'Brigadier Pollock, u mag de zaak dan kennen, u hebt weinig vooruitgang geboekt. Begrijpt u dat dan niet? En mag ik u eraan herinneren dat u degene bent aan wie die schurk wist te ontsnappen? Uw verzoek is afgewezen.'

Voor Pollock was dat de laatste druppel. Het kon hem niets meer schelen. Zoals zo vaak werd gezegd, het was Sydney of de bush. Winnen of verliezen als een kaart werd omgedraaid.

'In dat geval, meneer, zie ik mij genoodzaakt om naar uw meerdere te stappen. Ik zal Mr. Kemp een telegram sturen dat ik voor dringende zaken naar Brisbane zal komen en hem daarbij de reden opgeven.'

'Doe dat en je bent ontslagen!'

'Het is niet aan u, meneer, om mij te ontslaan. Mr. Kemp heeft daar wellicht ook iets over te zeggen. Hij was hier in Maryborough en begreep hoe de vork in de steel zat, veel beter – als ik zo vrij mag zijn – dan u.'

'Hoe durft u deze toon tegen mij aan te slaan! Voor de dag om is, bent u weer een gewoon agent.'

Pollock schoof een formulier over het bureau naar hem toe. 'Dit is een tijdelijke ontheffing van mijn plichten hier; wilt u dat alstublieft ondertekenen. Ik zal mijn aanvraag voor vergoeding van de onkosten binnenkort indienen. Als u niet tekent, stuur ik Kemp het telegram. Ik vertrek, hoe dan ook, en wat mij betreft steekt u dit politiebureau in uw...'

Zijn chef weigerde te tekenen. Pollock stuurde Kemp een telegram, maar wachtte niet op zijn antwoord, waarin stond dat hij op het oordeel van zijn meerdere moest vertrouwen.

Tegen die tijd was Pollock thuis allang bezig zijn koffer te pakken.

De vreugde van de hernieuwde, en naar Emilies gevoel sterkere vriendschap met Clive veranderde niets aan haar vastberadenheid om Mal de helpende hand te bieden. Het is mijn plicht, hield ze zichzelf voor, met de gedrevenheid van een missionaris, toen ze aan de reling van het stoomschip ten afscheid naar iedereen zwaaide.

Ze was verrast en geroerd geweest dat er mensen waren die de moeite hadden genomen om haar uit te zwaaien, vooral omdat ze maar voor een paar weken wegging, maar ze stonden er allemaal...

338

Clive, Mrs. Mooney en de familie Manningtree met aanhang. Mr. Manningtree had iedereen in zijn wagen geladen en hen voor de gelegenheid naar de kade gereden: de kinderen, die razend enthousiast waren, en zelfs Kate en Nellie, hoewel zijn echtgenote in geen velden of wegen te bekennen was. Emilies buren, het echtpaar Dressler, waren er ook, en ze beloofden een oogje op haar huis te houden, terwijl Mrs. Dressler haar een kanten zakdoekje gaf, verpakt in vloeipapier en versierd met een roze strik. Ze vond al die onverwachte hartelijkheid een beetje overweldigend en nam zich voor dat ze als tegenprestatie voor iedereen cadeautjes zou meenemen uit Brisbane. Het leek bijna alsof het familie was; ze hadden haar laten merken dat ze niet langer alleen stond.

Toen het stoomschip de Mary-rivier op voer, de bocht nam en stroomafwaarts richting zee ging, begaf Emilie zich naar de salon voor een kopje thee, om even later terug aan dek te komen om een tijdje toe te kijken hoe het schip vorderde. Ze was zich nu veel sterker bewust van haar omgeving en ze herinnerde zich haar eerste reis via deze rivier, toen ze zo nerveus was geweest en slechts een vaag idee had gehad waar ze naartoe ging.

Die middag, toen de stoomboot de riviermonding achter zich had gelaten en door het blauwe water van de Herveybaai sneed, veranderde Emilies stemming, want voor haar lag Fraser-eiland, de plek waar Mal zich ooit had verscholen. Terwijl ze stond te staren naar het gekleurde gesteente van de kliffen langs de kust kon ze deze onderneming niet langer als haar plicht beschouwen, omdat ze werd herinnerd aan zijn onbekommerde grijns en zijn levendige blauwe ogen, en aan het feit dat hij zoveel om haar gaf. De zorgen om hem begonnen weer van voren af aan.

Dagen later voer het schip om de punt van een ander groot eiland heen, het eiland dat de entree tot de Moretonbaai aan de monding van de Brisbane-rivier bewaakte. Dit was bekender terrein. Ze voelde zich onderhand een doorgewinterde reiziger. Het schip uit Londen had twee ongelukkige meisjes door deze baai gevoerd en ze was hem overgestoken onderweg naar Maryborough, op die trieste boot met al die emigrantenvrouwen. Nu wist ze exact waar ze naartoe ging en keek ze enthousiast uit naar het moment waarop ze Ruth eindelijk weer zou zien.

In de baai was het behoorlijk woelig, wat nogal wat zeeziekte tot gevolg had, waardoor een aantal mensen aan dek stond te braken.

Een heer die ze op het schip had ontmoet, kwam bij Emilie staan.

'Geen last van de deining, juffrouw?'

Ze lachte. 'Niet echt. Ik vind het verstandiger om hierboven in de frisse lucht te blijven.'

'Het is godzijdank een aangename reis geweest.'

'Ja, inderdaad.'

Hij wees op een eiland dat ze passeerden. 'Dat is de gevangenis.'
Emilie keek verbaasd op. 'Ik dacht dat het een leprakolonie was.'
'Dat was het ook, jaren geleden, maar het is nu een zwaarbeveiligde gevangenis. Daar sturen ze alle zware jongens heen. Die bandiet Willoughby zit daar ook, zeggen ze. Dat is de kerel die in ons district die moordlustige overval heeft gepleegd...'

Hij bleef doorpraten, zoals reizigers doen, informatie spuiend: 'Dat kleine groepje eilanden stond vroeger bekend onder de naam de Groene Eilanden. De strafkolonie bevond zich in Dunwich. Ze hadden daar een inheemse gevangene die Napoleon heette, omdat hij op Bonaparte leek, maar hij was een echte herrieschopper en veroorzaakte zoveel overlast dat ze hem hebben verbannen naar dat eiland. Zo heeft het eiland zijn naam gekregen. Sint-Helena... begrijp je wel. Maar hij was slimmer dan Bonaparte. Hij bouwde een kano en ontsnapte. Ik weet niet of ze hem ooit nog weer gepakt hebben...'

Maar Emilie hoorde amper wat hij vertelde. Ze staarde ontzet naar de onheilspellende stenen muren, die zo totaal misplaatst waren op dat kleine eiland. Het was te afschuwelijk om bij stil te staan. Te oneerlijk. Ze moest haar blik afwenden, met tranen in haar ogen.

Ruth stond haar op te wachten toen het stoomschip aanmeerde, die lieve Ruth.

Emilie rende over de loopplank en gooide zichzelf in de armen van haar zuster. 'O, mijn hemel. Wat is het heerlijk je te zien! Het lijkt jaren geleden...'

Ruth verstijfde en deed een stap naar achteren. 'Werkelijk, Emilie. Al die emoties, in het openbaar! Beheers jezelf. Ik ben natuurlijk ook blij om jou te zien, maar we zijn geen kinderen meer.' Ze trok Emilies hoed recht en deed het bovenste knoopje van haar jas dicht. 'Zo, dat is beter. Je gezicht is behoorlijk bruin. Ik heb je nog gewaarschuwd uit de zon te blijven. Draag je soms geen hoed?'

Tot de orde geroepen, probeerde Emilie het uit te leggen. 'Jawel, maar ik loop vrij veel en ik neem aan dat de wind...'

'Laat maar. We zullen je bagage gaan halen. Ik hoop dat je niet al te veel hebt meegenomen.'

'Nee, ik heb alleen dit valies.'

'Mooi. Je kunt mijn kamer delen. Ik heb er een extra bed in laten zetten, dus we zitten wel een beetje krap.'

'Ik heb wel wat spaargeld. Ik kan zelf wel een kamer betalen.' Emilie wilde liever geen kamer delen, want ze moest over zoveel dingen nadenken.

Ruth was beledigd. 'O, juist ja. Nu je dat huurhuisje hebt, is een kamer delen met je zuster zeker niet meer goed genoeg.'

'Lieve help, welnee. Ik wil met alle liefde een kamer delen. Ik wil je alleen geen ongemak bezorgen.'

'Dat is geen kwestie van ongemak, maar een kwestie van geld. Ik heb een hekel aan geldverspilling. Aangezien jij spaargeld hebt, mag je echter de helft van mijn wekelijkse huur betalen.'

'Prima.' Emilie knikte gedwee. Ruth leek langer en magerder, en haar stem klonk veel scheller dan ze zich kon herinneren.

'Kom mee. We moeten snel wandelen. Ik wil dat je Mr. Bowles nog voor de lunch ontmoet. Gelukkig dat je op een zaterdag aankomt, anders had je in je eentje naar pension Belleview gemoeten.'

Na al die tijd in een provinciestad voelde Brisbane voor Emilie weer aan als een echte stad; de mensen waren er chic gekleed en de winkels waren werkelijk wonderbaarlijk, ze had gewoon moeite om niet te blijven staan staren naar alle etalages.

'Ik verheug me zeer op de ontmoeting met Mr. Bowles,' zei ze tegen Ruth, terwijl ze haar best deed om haar bij te benen. 'Het is erg opwindend.' Ze keek naar Ruths gehandschoende hand.

'Je hebt me je ring nog niet laten zien.'

Ruth schoot uit haar slof. 'Waag het eens om het onderwerp ring te noemen en Mr. Bowles in verlegenheid te brengen. Het is zo'n onvolwassen houding! Ik heb dat soort kleinoden niet nodig.'

'Nee. Ik veronderstel van niet. Nee.'

Hij stond op de veranda in een glanzend zwart pak dat enigszins werd opgefleurd door een gesteven puntboord en een smalle das. Zijn haar was met behulp van pommade plat over zijn langwerpige, vaalgele hoofd gekamd en aan de zijkant van zijn scherpe neus zat een grote moedervlek. Hij begroette Ruth hartelijk en knikte Emilie toe toen ze aan elkaar werden voorgesteld.

'Het is me een bijzonder genoegen kennis te maken, Miss Tissington.' Hij keek op zijn zakhorloge en stopte die weer terug in het vestzakje. 'We zijn laat voor de lunch, Ruth.'

'Ja, het spijt me. Laten we naar binnen gaan.'

Hij bood niet aan om Emilies valies te dragen, dus pakte ze die zelf op en volgde hen naar binnen, waar ze werden begroet door Mrs. Medlow, die Emilie opwachtte.

'Wat leuk u weer eens te zien, jongedame.'

'Het is leuk om terug te zijn.' Emilie lachte. 'U ziet er goed uit, Mrs. Medlow.'

'Ach, ja, m'n kind. Altijd druk in de weer. En hoe bevalt het in het noorden?'

'Erg goed. Erg landelijk na Brisbane, en anders, dat moet ik toegeven, maar ik red me prima.'

'Dat is fijn om te horen...'

Emilie zag haar zuster vanuit de deur naar de eetzaal naar haar fronsen. 'Ik kan maar beter gaan. Zou u mijn valies in uw kantoor willen zetten? Dan kom ik het straks halen.'

'Doe geen moeite. Ik laat het wel naar uw kamer brengen door een van de kamermeisjes.'

Ruth was boos. 'Moest je echt zo nodig met haar staan praten? Mr. Bowles is al naar binnen gegaan.'

Emilie werd rood, niet vanwege de berisping, maar omdat ze zich hun houding herinnerde toen ze hier pas waren. Zij en Ruth hadden zich niet verwaardigd om met wie dan ook in het pension om te gaan; sterker nog, ze waren behoorlijk onbeleefd geweest tegen de andere gasten. Sinds die tijd had ze geleerd dat mensen gewoon mensen waren, ongeacht hun afkomst, en dat een vriendelijk woord zijn eigen beloning bracht. De eenzaamheid had haar ertoe gedwongen om minder kritisch te zijn, maar zelfs zij had zich niet gerealiseerd hoezeer ze was veranderd. Tot op heden. Het was duidelijk dat Ruth een dergelijke uitdaging niet was tegengekomen, want ze was nog even gereserveerd als altijd. Emilie besloot dat ze maar beter behoedzaam te werk kon gaan; tenslotte had Ruth zo haar gewoontes, en het zou zonde zijn als haar zuster overstuur raakte.

Tijdens de lunch was Mr. Bowles tevreden om te luisteren naar Ruth, die hem de hemel in prees, opmerkend dat hij zoveel belangrijk werk deed in het parlement, waarop hij Emilie uitnodigde voor een rondleiding door 'het Huis', die ze verheugd accepteerde. Op zijn beurt sprak hij over Ruths uitstekende pogingen om de giebelige meisjes op de Damesschool iets bij te brengen. Hun wederzijdse bewondering beviel Emilie wel, maar op een of andere manier mocht ze Mr. Bowles niet. Hij was zo serieus, zo gewichtig, zonder een greintje humor in zich. Sterker nog, dacht ze triest, hij en Ruth leken in veel opzichten erg op elkaar.

Emilie bracht het onderwerp van hun grondbezit ter sprake, enthousiast als ze was over die meevaller. 'Wat hebben we toch een geluk. Ik wil de percelen land dolgraag bekijken.'

'We gaan volgend weekend,' zei Ruth tegen haar.

'Waarom morgen niet?'

'Morgen schikt het Mr. Bowles niet.'

'Maar het is zondag.'

Hij liet een gemaakt lachje zien. 'Mijn minister lijkt mijn aanwezigheid belangrijk te vinden, ongeacht de dag van de week. Soms vraag ik me wel eens af hoe hij het zonder mij zou moeten redden.'

'Nou, ik ook,' reageerde Ruth. 'Je zult geduld moeten hebben, Emilie. Hoe dan ook, mijn stuk land wordt binnen enkele dagen verkocht.'

'O! Nu al? Hoeveel vraag je ervoor?'

'Dat kunnen we aan Mr. Bowles overlaten,' zei Ruth. 'Hij begrijpt het marktproces.'

Emilie wendde zich tot hem. 'Dat geloof ik graag. Maar hoeveel kan Ruth verwachten? Ruwweg.'

'Mijn beste Emilie, ruwweg is niet het woord,' zei hij stijfjes. 'Ik zal de gangbare prijs vragen.'
'En die is?'
Ruth kwam tussenbeide. 'Dat weten we vooralsnog niet. Maar verwacht alsjeblieft niet dat Mr. Bowles zich zal vernederen tot handelen. Ik ben dankbaar voor welk bedrag dan ook.'

Nadat hij was vertrokken, zaten Emilie en Ruth in hun slaapkamer herinneringen aan vroeger op te halen, en Emilie voelde zich een stuk beter. Haar zuster was veel meer ontspannen en er viel zoveel te bepraten.
'Ik heb vader geschreven,' vertelde Ruth, 'om hem te laten weten waar we wonen en wat we doen, maar hij heeft niet gereageerd.'
'Hij heeft je brief waarschijnlijk niet gezien. Zíj zal hem wel verbrand hebben. Heb je hem verteld dat je je hebt verloofd?'
'Ja. Dat heb ik in de tweede brief gezet. Ik had het gevoel dat hij daar recht op had.'
'En nog altijd geen reactie?'
'Dat is nog te kort geleden.'
Emilie haalde haar schouders op. 'Ik zou er niet op rekenen!'
'Werkelijk, Emilie, wat een achterdocht! We zullen het moeten afwachten. Ik mis Engeland best,' voegde ze er droefgeestig aan toe. 'Ik kan amper wachten tot we teruggaan.'
Die uitspraak verraste Emilie. 'Wellicht heeft Mr. Bowles daar ook een mening over.'
'Dat klopt. Zodra we het ons kunnen veroorloven, zijn we van plan Engeland te bezoeken, en uiteindelijk zullen we voorgoed terug naar huis gaan.'
'Maar dat is zijn thuis niet.'
'Hij zou het graag willen. Hij heeft er altijd naar verlangd in het moederland te wonen. Maar hoe zit het met Mr. Hillier? Hij is Engels. Wat een geluk. Wie weet ben je wel vóór mij weer thuis.'
'Dat betwijfel ik. Hij heeft het nooit over thuis.'
'Dan moet je hem aanmoedigen. Dit land is zo primitief.'
Emilie lachte. 'Lieve help. Als je Brisbane primitief vindt, moet je eens naar het noorden komen. Maryborough is een volstrekt andere wereld. Het is pioniersland, maar dat maakt het tegelijkertijd ook heel boeiend. Ik wou dat je met me mee kon, al was het maar voor een weekje of zo.'
Ruth huiverde. 'Daar heb ik geen tijd voor, en ik heb veel liever dat jij weer hier komt wonen. Ik maak me zorgen om je.'
'Dat is nergens voor nodig, schat. Ik red me wel.'
Ze praatten nog een hele tijd door en besloten toen een wandeling te maken in de botanische tuin, aangezien het een heerlijke dag was, niet te heet en niet te koud. Gewoon perfect, besloten ze eensgezind.

Emilie maakte Ruth aan het lachen, door blijk te geven van haar kennis van inheemse exotische planten, en Ruth ontspande zich voldoende om haar zuster te amuseren met verhalen over de directrice, die nogal excentriek was en de gewoonte had de leerlingen op bijeenkomsten in het Frans toe te spreken, hoewel niemand haar dan begreep.

'Behalve jij,' giechelde Emilie. 'Hoe is haar Frans?'

'Abominabel,' riep Ruth uit, 'maar ik vertrek geen spier, ik sta te knikken en te glimlachen alsof ik onder de indruk ben, omdat ik het gerucht heb gehoord dat ze erover denkt om mij plaatsvervangend directrice te maken.'

'Geweldig,' zei Emilie. 'Maar jij wist je waardigheid altijd al goed te behouden. Ik zou het verpesten; ik zou in lachen zijn uitgebarsten.'

Ze waren zo gelukkig samen, zo betrokken bij elkaar en hadden zoveel om over te praten, dat ze nu en dan zelfs arm in arm liepen. Toen ze uiteindelijk even op een bankje in het park gingen zitten, zodat Ruth de veters van haar schoenen kon strikken, wist Emilie dat dit het moment was waarop ze Mal moest noemen en haar zuster om advies kon vragen. Ze twijfelde niet aan Ruths integriteit. Ze wilde altijd doen wat juist was.

'Blijf nog even zitten,' begon ze. 'Ik wil je iets vertellen over een vriend van mij, die ze vreselijk onrecht hebben aangedaan.'

'Welke vriend?'

'Zijn naam is Mal Willoughby.'

'Je hebt hem nooit eerder genoemd. Wat bedoel je met onrecht?'

'Wettelijk onrecht.'

'Dan moet hij een rechtskundig adviseur inhuren om voor hem op te komen, en niet een of andere beunhaas.'

'Ik ben blij dat je het met me eens bent. Ik zal je vertellen wat er is gebeurd...'

Ruth was beleefd genoeg om haar niet te onderbreken, maar terwijl Emilie het droevige verhaal in grote lijnen vertelde, zag ze het gezicht van haar zuster verbleken en vervolgens in een hardvochtige frons trekken. Ze kon haar verhaal echter niet afbreken; ze moest het allemaal vertellen, zodat Ruth het zou begrijpen.

'En waar is hij nu?' vroeg Ruth ten slotte.

'In de Sint-Helena-gevangenis, een eiland bij de monding van de rivier. We zagen het liggen toen we...'

Ruth sprong op. 'Houd op. Houd onmiddellijk op. Ik wil er geen woord meer over horen. Ik wist wel dat ik je niet alleen had moeten laten. Dit is het meest ontstellende verhaal dat ik van mijn levensdagen heb gehoord. Moord. Bandieten. Ben je gek geworden? Ga je om met dat soort gezelschap? Je gaat niet weer terug naar die stad. Ik zal morgen meteen regelen dat ze je bezittingen opsturen.'

Emilie was gekwetst. 'Ruth. Alsjeblieft. Ga zitten en luister. Ik heb waarschijnlijk niet goed uitgelegd...'

'Je hebt meer dan voldoende uitgelegd. En hoe zit het met Mr. Hillier? Wat heeft hij erover te zeggen?'

'Hij gelooft ook dat Mal onschuldig is. Hij was zijn partner op de goudvelden.'

'Heeft Mr. Hillier op de goudvelden gewerkt?'

'Allerlei mensen gaan op zoek naar goud.'

'Niet de mensen met wie ik omga. Het wordt tijd dat we teruggaan, zodat jij tot bezinning kunt komen. Je bent volkomen krankzinnig geworden. Ik wil hier geen woord meer over horen. Ik kan me niet voorstellen waarom je denkt dat ik dit soort gruwelen wil horen.'

Emilie weigerde zich te verroeren. Ze keek naar haar zuster op. Smekend. 'Mr. Bowles heeft contacten in de rechtswereld. Je hebt zelf gezegd dat mijn vriend geen beunhaas moet nemen. Hij kan me adviseren wie Mr. Willoughby zou moeten inhuren.'

Ruth sloeg haar handen voor haar oren. 'Geen woord meer. Hoor je me? Geen woord. En je mag dit alles op geen enkel moment, en onder geen beding, aan Mr. Bowles voorleggen. Je gedrag is walgelijk.'

Ze sloeg haar omslagdoek om, alsof het ineens killer was geworden en liep met grote passen weg. Ellendig en bedroefd stond Emilie op om haar te volgen, zich afvragend of ze inderdaad een beetje gek was geworden door zich met Mal in te laten... in de wetenschap, ook toen ze het verhaal uitvoerig zat te vertellen, dat een jongedame van haar stand dit soort zaken niet eens zou moeten bespreken, laat staan betrokkenheid zou erkennen.

Toen ze Ruth had ingehaald, werd ze getrakteerd op een woedende les – haar gedrag was niet alleen teleurstellend maar ook pijnlijk. Had ze dan geen zelfrespect? Kennelijk niet. En het was duidelijk een grote vergissing dat ze erin had toegestemd dat Emilie in haar eentje naar die bizarre, afgelegen plek was afgereisd, aangezien ze geen enkel idee had hoe ze zich moest gedragen zonder begeleiding. Ruth zanikte en zeurde de hele weg terug naar pension Belleview, en Emilie twijfelde er niet aan dat het einde niet in zicht was geweest als Mr. Bowles hen niet had staan opwachten op de veranda aan de voorzijde van het pension.

Zodra de twee dames zich bij hem voegden en sierlijk in twee rotanstoelen hadden plaatsgenomen, verkondigde Ruth dat Emilie niet zou terugkeren naar 'die plaats'.

Hij leek niet erg enthousiast. 'Ik dacht dat je een goede betrekking had in Maryborough?' vroeg hij aan Emilie.

'Het is gewoon niet passend,' antwoordde Ruth voor haar. 'Ik zal uitkijken naar een betere positie voor haar. In deze stad. Ik denk werkelijk, uit eigen ervaring, dat het nogal vernederend voor ons is om ons in te laten met dergelijke boerenkinkels. Dat is gewoonweg niet het soort mensen met wie wij gewend zijn om te gaan.'

'Jij niet,' reageerde Emilie humeurig, maar Ruth negeerde haar.

Emilie zat kokend van woede te luisteren terwijl de andere twee

345

het over ditjes en datjes hadden, totdat hun gesprek zich toespitste op de stukken grond bij Eagle Farm.

'Ik zal volgende week plannen maken voor ons huis,' zei Bowles. 'Ik heb al gesproken met de vaklieden die de uitbreiding van de ministerswoning hebben verricht en ze zijn bereid me een gunstige prijs te bieden.'

'Dat is fantastisch,' zei Ruth. 'Ik weet zeker dat Mr. Lilley de beste mensen heeft uitgekozen.'

Ons huis? Emilie was niet in de stemming om hen toe te staan dat ze als vanzelfsprekend aannamen dat ze het ermee eens was. Zijn huis? Wie dacht Mr. Bowles wel dat hij was, om het zijn huis te noemen? Het huis zou met het geld van Ruths land gebouwd worden op Emilies perceel. Het behoorde aan hen, niet aan hem. Pas toen drong tot haar door wat er gaande was. Ze was zozeer opgegaan in haar eigen zorgen dat ze er voorheen weinig aandacht aan had besteed. Maar natuurlijk, wanneer hij met Ruth trouwde, zou hij recht hebben op... Lieve help! Als haar echtgenoot zou hij Ruths vermogen in zijn bezit krijgen.

En waar blijf ik in dat geval? vroeg ze zichzelf af. Ruth mocht dan vinden dat ze een vergissing had begaan door zich met Mal in te laten, ze was niet compleet achterlijk.

Emilie leunde naar voren en onderbrak hun gesprek. 'We hebben uiteraard wel een juridisch adviseur nodig om de benodigde papieren op te stellen voor dit huis dat op mijn land wordt gebouwd. Om de eigendomsrechten vast te stellen.'

'Je hebt helemaal geen advocaat nodig,' snauwde Ruth, die wellicht dacht dat Emilie dit onderwerp gebruikte om via een omweg te worden voorgesteld aan een rechtskundig adviseur.

Bowles was nog vastberadener. 'Er is geen enkele noodzaak om iemand in te huren. Ik ben heel goed in staat om de papieren in orde te maken. Tenslotte werk ik voor de procureur-generaal. Daar hoeven jullie, jongedames, je het hoofd niet over te breken.'

Zo, dacht Emilie, dus ik krijg helemaal geen zeggenschap in deze kwestie. En zoals het nu lijkt, zal ik dit huis niet delen met mijn zuster maar met hen. En het samen met hen bezitten.

Ze legde haar handen stevig over elkaar op schoot. 'Ik weet nog niet zeker of ik wel een huis op mijn perceel wil laten bouwen.'

Hij knipperde een paar keer met zijn bleke ogen. 'Pardon?'

Ruth bloosde. 'Let maar niet op haar. Ze voelt zich niet zo lekker vandaag.'

'Met mij is niets mis. En ik wil de akte van mijn perceel graag zien, Mr. Bowles. Ik heb begrepen dat die bij u op kantoor ligt.'

'Doe niet zo belachelijk,' riep Ruth kwaad uit. 'Tenslotte heeft Mr. Bowles alles voor ons geregeld. Je zou niet eens geweten hebben dat we land konden krijgen...'

'Dat is waar, en ik ben u erg dankbaar voor die goede raad, Mr. Bowles, maar ik wens geen huis neer te zetten op dat stuk land. Voorlopig althans niet.'

'Maar ik heb mijn land verkocht!' riep Ruth uit.

'Nee, dat heb je niet. Nóg niet. Maar dat is aan jou. Je kunt het nog steeds doen als je dat wilt en ergens een kleiner perceel kopen, om jullie huis op te bouwen. Ik heb momenteel geen behoefte aan een huis.'

'Emilie! Je kunt daar niet blijven wonen. Het is te duur. We hebben een huis nodig.'

'Vergeet niet, Ruth, dat ik slechts op bezoek ben. Ik heb er niet in toegestemd Maryborough te verlaten.'

'Dat zullen we nog wel eens zien!' Ruth stond op. 'Wil je ons excuseren, Daniel? Ik geloof dat Emilie nogal in de war is.'

Ruth werkte haar haastig naar hun slaapkamer.

'Hoe durf je! Hoe durf je op die manier tegen Mr. Bowles te spreken! Je gaat dadelijk naar buiten en bied je excuses aan. Volgens mij ben je volkomen geschift geworden. En wat is dat voor onzin dat je geen huis wilt bouwen? We hebben een eigen huis nodig. Besef je niet hoe fortuinlijk we zijn? Toen we destijds uit Engeland vertrokken, dachten we voor de rest van ons leven in gehuurde kamers te moeten wonen...'

'Dus uiteindelijk is dit toch niet zo'n slecht land,' merkte Emilie op.

'Die opmerking is onnodig en zelfingenomen. Het staat je niet.'

'En jouw gezeur begint me op mijn zenuwen te werken.'

'Juist. Ik word gestraft omdat ik je geen toestemming geef Mr. Bowles om hulp te vragen voor die criminele vriend van je. Maar je kunt erop rekenen dat die truc niet zal werken. Denk maar niet dat je mij kunt dwingen mijn normen en waarden te verlagen voor die schandelijke zaak van jou.'

'Dat heeft er niets mee te maken. Dat zoek ik zelf wel uit. Ik wil niet onvriendelijk zijn, maar ik heb het gevoel dat het voor iedereen beter is dat jullie, als pasgetrouwd stel, straks een eigen huis zouden hebben. Laat mij erbuiten.'

'Je bent jaloers! Dat is het. Je bent jaloers omdat ik een fatsoenlijke man heb gevonden en jij niet...'

'Ach, Ruth, hou op. De bel klinkt voor het eten. Ik ga naar binnen.'

Ze vormden een gespannen drietal tijdens de maaltijd, maar Emilie was vastbesloten. Ze veronderstelde dat haar relatie met Ruth en met Mr. Bowles een tijdlang grimmig zou zijn, maar daar kwamen ze wel overheen. Met een beetje geluk zouden ze zelfs begrip kunnen opbrengen voor haar standpunt. Ze voelde zich eenzaam, opgezadeld als ze was met dit afkeurende stel. Ze miste Clive en haar andere vrienden in Maryborough. Dat waren tenminste opgewekte mensen.

Emilie keek om zich heen in de rustige eetzaal, zich afvragend wie al die mensen waren en wat ze deden. Het leken fatsoenlijke mensen, zoals Ruth zou zeggen, maar haar zuster sprak – afgezien van Daniel – nooit iemand van hen aan. Toen herinnerde ze zich een gezicht, het gezicht van een grote, vriendelijke man die samen met zijn vrouw altijd aan het tafeltje naast hen had gezeten. Mr. Kemp. Hoofdinspecteur Kemp. Hij had haar eens in Maryborough, voor het hotel van Mrs. Mooney, aangesproken en ze was als de dood geweest voor hem. Doodsbang om iets te zeggen dat Mals vrijheid in gevaar zou brengen. Maar dat gold immers niet meer, nu hij in hechtenis was genomen.

Ze had nog steeds geen idee hoe ze een betrouwbare juridisch adviseur moest uitkiezen die dit soort zaken behandelde. Misschien kon Mr. Kemp haar helpen. Emilie huiverde bij de gedachte, maar ze kende de man tenminste. Dat was beter dan de aandacht te vragen van een advocaat, die haar misschien pas over een paar weken kon ontvangen. Zoveel tijd had ze niet. Hoe meer ze erover nadacht, hoe bezorgder ze werd dat ze niet het lef had om bij Mr. Kemp langs te gaan, maar ze moest het eenvoudig proberen. Morgenvroeg meteen.

Pollocks eerste ontmoeting met Kemp was allerminst gunstig verlopen. Het schip had vroeg in de ochtend aangelegd en de brigadier haastte zich linea recta naar het politiebureau om de komst van de hoofdinspecteur op de versleten stenen trap af te wachten. Hij kende het oude houten gebouw goed, omdat hij zijn eerste jaren als diender hier had doorgebracht. Hij had te horen gekregen dat de hoofdinspecteur doorgaans tegen achten kwam en dat paste hem prima. Hij stak een sigaret op en slenterde wat op en neer voor het politiebureau, terwijl hij agenten die de hele nacht hadden gewerkt – zoals hij ooit ook had gedaan – vermoeid huiswaarts zag keren.

Toen hij de lange, vertrouwde figuur de straat in zag lopen, zette hij zijn hoed recht en wreef zijn laarzen nog even langs zijn broekspijpen om ze extra te laten glanzen.

'Goedemorgen, meneer.'

'Lieve deugd, Pollock. Je laat er geen gras over groeien. Wat is er aan de hand? Geef je papieren maar af en kom mee naar mijn kantoor.'

Pollock verbleekte. 'Het spijt me, meneer, ik heb geen papieren, maar ik weet zeker dat het goed komt.'

'Wat goed komt? Je moet verlofpapieren hebben. Een tijdelijke overplaatsing? Geef ze maar aan mijn wachtcommandant.'

'Ik had geen tijd om ze te regelen, meneer.'

Kemp fronste. 'Geen tijd? Hoe bedoel je? Moet ik hieruit opmaken dat je je post zonder toestemming hebt verlaten?'

'Ja, meneer.' Pollock had zich niet gerealiseerd dat Kemp zo moeilijk kon doen. 'Maar dit was noodzakelijk.'

'Kraam dan geen nonsens uit over dat er geen tijd was.'

'Het spijt me, meneer.'

'Je staat onder arrest, brigadier. Ga je onmiddellijk melden.'

Kemp was geïrriteerd. Hij was zeer geïnteresseerd in het contact tussen Willoughby en deze man, maar hij kon ongehoorzaamheid niet ongestraft laten, ongeacht wie het betrof. Op weg naar zijn kantoor instrueerde hij zijn wachtcommandant om de zaak te bekijken.

Hij liet Pollock tot laat in de middag wachten en liet hem toen ophalen.

'Je meerdere in Maryborough heeft jou ronduit geweigerd toestemming te geven om naar Brisbane te gaan...'

'Maar het is belangrijk, Mr. Kemp. Dat weet u. En ik heb al een dag verkwist.'

'Dan kun je de dagen die je hier verknoeit maar beter gaan tellen, want om de zaak te regelen, ben je vanaf dit moment met onbetaald verlof.'

'Zoals het met mijn loopbaan gaat, kan ik beter ontslag nemen.'

'Dat is aan jou,' zei Kemp toonloos. 'Je hebt een telegram gekregen van gevangene Willoughby. Wat had je in gedachten?'

'Ik heb toestemming nodig om hem op dat eiland te bezoeken.'

'Je vraagt om toestemming. Dat is geruststellend. Welnu, je mag de gevangene bezoeken zodra ik toestemming heb gekregen van kapitein Croft, de hoofdopzichter van de gevangenis.'

'Dat is niet nodig. Hij zou Willoughby niet hebben toegestaan dit telegram te sturen als hij het niet belangrijk had gevonden, en verwacht ongetwijfeld dat ik reageer.'

'Je hebt, zoals ieder ander, schriftelijke toestemming nodig om een gevangene te mogen bezoeken.'

'Maar dat neemt dagen in beslag. Kunt u hem geen telegram sturen, meneer?'

'Ik zal erover nadenken. Morgenvroeg om acht uur hier melden.'

'Stel dat Willoughby van mening verandert? Ik weet vrijwel zeker dat hij op het punt staat te bekennen.'

Kemp lachte. 'Een paar dagen extra in die gevangenis zullen hem wellicht nog gretiger maken.'

Drie dagen gingen voorbij voordat Pollock in staat was aan boord te gaan van de gevangenissloep, waarbij hij het officiële document, getekend door Kemp, overhandigde, en tegen die tijd was hij er praktisch van overtuigd dat de hele politiehiërarchie zich tegen hem had gekeerd en dat hij de schuld kreeg van een moordzaak die niet opgelost en niet vergeten kon worden.

Croft, die er smaakvol uitzag in zijn duidelijk op maat gemaakte zwarte uniform met zilveren knopen, heette hem welkom.

'Wat een genoegen je te ontmoeten, kerel. Ik krijg zelden bezoek. Ik heb een speciale lunch voor je laten bereiden, maar laat me je eerst eens rondleiden. We gaan hier goed vooruit, weet je. We kunnen praktisch in al onze behoeften voorzien, zou je kunnen zeggen. De gevangenen hier verdienen hun eigen onderhoud, zoals het hoort. Een heer uit het Hogerhuis, weet je wel, in Londen, heeft Sint-Helena twee maanden geleden bezocht. Lord Blessington, om precies te zijn, een prima kerel. Hij beschouwde dit als een modelgevangenis. Hoewel verscheping van gevangenen uit het moederland is stopgezet, heeft hij het gevoel dat die methode nieuw leven ingeblazen zou moeten worden. We hebben honderden eilanden in Queensland, we zouden nog wel een dozijn van dit soort gevangenissen kunnen openen zonder iemand op het vasteland een strobreed in de weg te leggen, en daarmee de onsterfelijke dankbaarheid van de Britten verdienen die dringend verlegen zitten om celruimte...'

Jemig, wat kan die vent kletsen, dacht Pollock. Het enige waarin hij was geïnteresseerd, was Willoughby te vinden; hij zat er niet op te wachten een gezellig dagje door te brengen met Croft, maar hij kon zich niet veroorloven ook deze man tegen zich in het harnas te jagen...

Hij werd meegevoerd naar de kalkovens en het veld met suikerriet, vervolgens naar de suikerfabriek en vandaar naar de akkers waar gevangenen in linnen kledij druk bezig waren, de hele tijd hopend dat hij een glimp van Willoughby zou opvangen. De rondleiding leek eindeloos, van de zeedijken in aanleg naar de omheining van hoge bakstenen muren en vandaar naar de werkplaatsen, waar gevangenen laarzen, zeilen en kaarsen maakten, om via de andere uitgang verder te gaan naar de zuivelfabriek en de hoefsmid. Hij liep zonder een woord langs de stokken en geselpalen op de strafplaats, omdat hij de noodzaak ervan inzag, terwijl Croft als een ervaren gids onafgebroken kletste tot hij zich uiteindelijk gedwongen zag om rechtstreeks naar Willoughby te informeren.

'Ik heb hem nog nergens gezien.'

'Hij is niet ver weg. Maak je geen zorgen om hem. Hij is bezig gaten te graven voor mijn nieuwe, ondergrondse watertanks. Wat zou je zeggen van een borrel? Ik heb wat wijn koel liggen.'

De lunch was uitstekend en duurde eindeloos. De hoofdopzichter woonde in een plezierig onderkomen met tuin, dat hij graag aan anderen liet zien. Nu en dan had Pollock medelijden met de man, die kennelijk zo'n grote behoefte aan gezelschap had, en op andere momenten ergerde het hem dat dit alles zo ontzettend veel tijd in beslag nam. De sloep op het strand stond tot zijn beschikking, lag te wachten tot hij terug wilde keren naar Brisbane, maar Croft schonk maar wijn en vertelde hem over zijn nieuwste plan om wijndruiven te gaan telen op het eiland.

'Ze noemen dit eiland een hel,' vertrouwde Croft hem na enkele glazen wijn toe, 'maar je moet de orde tenslotte handhaven. Vind je ook niet?'

Pollock stemde met hem in. Wat gevangenissen betrof, leek dit de beroerdste niet.

'Ze sturen me de verschrikkelijkste misdadigers,' voegde Croft er ter verdediging aan toe, en wederom knikte Pollock begrijpend.

'U zult het wel druk hebben om ze allemaal in het gareel te houden. Maar als u het niet erg vindt, meneer, ik moet even met Willoughby praten. Het is zo langzamerhand een onuitstaanbare zaak voor me geworden.'

'Dat geloof ik graag. De kranten schrijven erg negatief over de politie wat die zaak aangaat, daarom heb ik besloten te proberen jullie te helpen. Ik zal die vent hierheen laten brengen en dan zullen we eens zien wat hij te melden heeft.'

Pollock herkende Willoughby amper toen hij het kantoor van de hoofdopzichter werd binnengeleid. Zijn stevige, jonge lichaam was veranderd in een broodmagere gestalte, en zijn blonde haar was geschoren, waardoor hij praktisch kaal leek. Zijn ogen – blauwe ogen, zoals Pollock in zijn verslag had gemeld, zo goed en kwaad hij het zich kon herinneren – leken te schitteren in de schaduwen van een gezicht vol kneuzingen.

'Hallo, brigadier Pollock,' zei hij toen hij met rammelende kettingen binnenkwam, en op dat moment herinnerde Pollock zich ook zijn rustige, beleefde stem. Hoelang was het eigenlijk geleden dat deze zelfde man naar zijn huis in Maryborough was komen rijden om te zeggen dat het goudtransport bij de Blackwater-kreek op versterking stond te wachten? Het leek jaren geleden.

'Hallo, Willoughby. Ik geloof dat je me wilde spreken.'

'Dat klopt, meneer.'

De brigadier wendde zich tot Croft. 'Is het goed als hij hier gaat zitten? Ik heb mogelijk een geschreven verklaring nodig.'

'Maar natuurlijk.' Croft leunde geïnteresseerd achterover in zijn stoel. 'Wat wilde je nu eigenlijk aan brigadier Pollock kwijt?'

Willoughby staarde naar hen. 'U kent me, Mr. Pollock. Ik zei dat ik met u wilde praten. Niet met hem.'

Pollock onderdrukte een oprisping. Hij had tijdens de lunch met Croft te veel gegeten. Hij was niet gewend aan maaltijden van vijf gangen.

'Dat zit wel goed,' antwoordde hij. 'De hoofdopzichter heeft het recht erbij te zijn. Als getuige. Je kunt vrijuit spreken.'

'Mooi niet. Wat ik te zeggen heb, heeft niets met hem van doen.'

351

Croft sloeg met zijn vuist op tafel. 'Ik wist het. Deze schoft heeft je hierheen gelokt om te kunnen klagen over de gevangenis.'

Even soepel als snel veranderde Willoughby's stem van een eisende in een vleiende toon, en Pollock luisterde vol verbazing.

'Ah, welnee, meneer. Zo moet u dat niet zien. Ik heb helemaal niets tegen uw gevangenis, behalve dat ik hier niet thuishoor, begrijpt u wel. Welnu, Mr. Pollock en ik kennen elkaar al heel lang. Ik moet hem iets vertellen, en als hij het niet gelooft, ligt de verantwoordelijkheid bij hem. Bij hem, niet bij u. Snapt u wat ik bedoel? Ik wil niet dat u spijt krijgt van de beslissing om deze ontmoeting te organiseren.'

Croft begreep het, al deed hij van niet. Hij raasde en tierde, hoewel niet met overtuiging, en uiteindelijk verliet hij de kamer.

De brigadier leunde tegen de vensterbank. 'Iemand heeft eens tegen me gezegd dat je de poot van een ijzeren pot zou kunnen praten, Willoughby.'

'Echt waar?' vroeg de zachte stem. 'En wie mag dat zijn?'

'Clive Hillier.'

'En is hij nog altijd een vriend.'

'Ja.'

'Dat is goed om te weten. Ik heb er maar weinig de laatste tijd.'

'Wat is er met je gezicht gebeurd?'

'Ik heb beloofd dat ik niets over de gevangenis zou zeggen.'

'Dat is zo. Goed, wat hebben we te bespreken?'

'Is dat alles?' Er was ontzetting maar ook teleurstelling op zijn gezicht te lezen, toen Willoughby klaar was met zijn uiteenzetting van een gesprek dat hij had gevoerd met een andere gevangene, ene Baldy Perry. Dit was geen bekentenis; het was niets. Het kon Pollock zijn baan kosten. Zijn bluf over ontslag nemen was nu reëel geworden. Hij kon met deze informatie niet bij Kemp aankomen; zijn onbetaald verlof zou verlengd worden tot in lengte van dagen.

'Heb je me hiervoor helemaal hierheen laten komen?' snauwde Pollock. 'Voor het gedaas van een of andere vervloekte krankzinnige. Ik heb nog nooit van die Baldy Perry gehoord!'

'Hij werd gearresteerd in Maryborough. Misschien hebt u hem zelf wel achter slot en grendel gezet.'

'Dat heb ik niet. Ik zal wel op pad geweest zijn. Maar wat dan nog? Hij beweert een maat van McPherson te zijn, en niemand hier gelooft hem. Zelfs de gevangenen niet. Alleen een sul als jij. Jezus, Willoughby, deze keer heb je me echt goed te pakken. Ik zie je hier al sterven. Je komt nooit van deze verdomde zandbank af als het aan mij ligt. Niet tot de dag waarop ze je opknopen.'

Mal had vooraf beseft dat het niet eenvoudig zou zijn; hij had zelf genoeg moeite gehad om zich ervan te overtuigen dat Baldy inderdaad iets van de overval af wist. Hij moest erg geduldig zijn met Pollock. Hij had het recht stoom af te blazen.

Hij wachtte tot de tirade ten einde was. 'Mag ik u een vraag stellen?'

De brigadier haalde zijn schouders op, want hij stond op het punt de moed op te geven en te vertrekken.

'Als ik verondersteld word de partner van McPherson te zijn, waarom vond Baldy het dan vanzelfsprekend dat ik niet wist dat McPherson destijds in Maryborough was?'

'Omdat hij een sufferd is.'

'Misschien.' Mal vermeed melding te maken van zijn eigen ontmoetingen met McPherson in Brisbane en later in de heuvels landinwaarts; als hij dat deed, zou hij de kuil voor zichzelf enkel dieper graven. Hij beweerde nog altijd niet betrokken te zijn geweest bij de overval en, uit noodzaak, dat hij de beruchte bandiet niet kende. 'Maar ik denk het niet. Hij was zo zeker van zichzelf, Mr. Pollock. Laat me het nog eens uitleggen. Ik geloof er niets van dat McPherson in Maryborough was. En u ook niet. Hij zou zichzelf nooit in de stad laten zien.'

'Wat onderstreept dat Perry een leugenaar is.'

'Ja. Daarin heeft u gelijk. Maar waarom zou hij zijn *maat* daar bewust plaatsen, als hij er geen reden voor had? Het is alsof hij hem voor de schuld wil laten opdraaien. Om zichzelf vrij te pleiten. Ik denk dat Baldy Perry meer weet van die overval.'

'Dat lijkt me een sterk verhaal.'

'Het verdient evenwel de aandacht. En die schurk weet, dat is overduidelijk, dat ík er niets mee te maken heb. Ik zag het aan zijn ogen. Hoorde het aan zijn stem.'

Pollock zuchtte. Hij krabde in zijn nek. Dit verhaal was zo lek als een zeef, maar Kemp had hem verteld dat, hoewel McPherson vastzat en zich schuldig had verklaard aan tal van overvallen, hij bij hoog en bij laag volhield dat hij niets met de moorden en het goudtransport te maken had. Hij beweerde dat hij destijds in Bundaberg zat en het bovendien kon bewijzen. De politie begeleidde hem nu naar het zuiden en ze reisden via Bundaberg om zijn bewering te onderzoeken, maar wat belangrijker was, dacht Pollock somber, ze hadden de neiging hem te geloven. Daarmee bleef alleen Willoughby over en, mogelijk, Carnegie. Nog altijd meer dan één.

'Waar heb jij gezeten op de dag van de overval tussen het moment dat je naar mijn huis in Maryborough kwam en het moment dat we het goudtransport tegemoet reden om dat te begeleiden?' vroeg hij.

'Ik heb wat rondgekeken in de stad. Ik was er nooit eerder geweest.'

'Misschien heb jij Baldy Perry wel gewaarschuwd.'

'Nee. Ik heb hem hier pas ontmoet.'

353

'Dat zeg jíj.' Er was iets anders dat Pollock wilde vragen, maar hij wist vooralsnog de woorden niet te vinden. Iets. Ondertussen stond hij zichzelf toe om Perry als verdachte in overweging te nemen, omdat er verder amper aanwijzingen waren. Hij was destijds in Maryborough geweest. Net als honderden andere soortgelijke jongens.

'Goed,' zei hij. 'Ik zal die Perry hier laten brengen en dan kun je hem met deze beschuldigingen confronteren. Ik benieuwd wat hij daarop te zeggen heeft.'

Mal schudde zijn hoofd. 'Luister, dat had ik zelf ook kunnen doen. Wat zou dat opgeleverd hebben, denkt u?'

'Een pak slaag.'

'Nee, dat is dus geen oplossing. Hij zal niet praten, niet tegen mij en zeker niet tegenover u, Mr. Pollock. Hij zou op zijn hoede zijn.'

'Wat heeft dit allemaal voor zin dan? Je beweert dat hij een verdachte is, maar we mogen hem niet ondervragen. Dit leidt tot niets. Ik beslis wat we met Perry aan moeten. Niet jij.' Hij stak zijn hand uit om zijn hoed te pakken. Het was tijd om te gaan. Hij kon de roeiers niet veel langer laten wachten.

De boot. Dat was het. De boot. De Duitse botenbouwer had de man die de nieuwe roeiboot had gekocht en vervolgens met opzet in de rivier had laten zinken immers beschreven. Dat was rond dezelfde tijd als de overval. In de rivier, niet ver van de monding van de Blackwater-kreek, waar de overval had plaatsgevonden.

Bijna nonchalant stelde hij zijn volgende vraag. 'Hoe ziet die Perry er eigenlijk uit?'

'Een rouwdouwer. Een grote klootzak, je moet hem je rug niet toekeren. Hij heeft een pafferig gezicht met kleine, schele oogjes. Hij is zo kaal als een kogel, maar hij heeft wel bakkebaarden, en ik zal je nog wat vertellen, er is hier een andere kerel die zegt dat hij goed kan schieten. In de bush. Je zou de baas kunnen vragen om hem aan te wijzen.'

'Dat is niet nodig,' zei Pollock droogjes, hoewel hij zonder meer van plan was dat te doen.

'Hoe nu verder?' vroeg Willoughby.

'Wat denk je zelf?'

'Perry komt binnenkort vrij. Jullie zouden hem moeten volgen. Eens kijken wat hij in zijn schild voert. Hij zou jullie naar het goud kunnen leiden.'

'Je bent een dromer, Willoughby. We hebben betere dingen te doen dan ex-gevangenen te volgen.'

'Dan komen jullie er dus nooit achter wat er is gebeurd.'

'Jazeker wel. Geniet jij ondertussen maar van je verblijf hier.'

Willoughby staarde uit het tralieraam. 'Is er dan niemand die me gelooft?'

De brigadier was niet in een meelevende stemming. Hij had geen bekentenis afgelegd, alleen een vage beschuldiging tegen een andere gevangene – niet veel om mee bij Kemp aan te komen.

'Als dat wel zo was, zou je hier niet zitten,' antwoordde hij en riep de bewakers naar binnen.

Kemp was niet onder de indruk van het verslag dat de brigadier uitbracht.

'Ik verwachtte een bekentenis, en het enige dat je hebt is het klassieke geval van een gevangene die de schuld op een medegevangene probeert af te schuiven.' Hij las de bladzijden er nog eens op na. 'Die Perry doet precies hetzelfde. Hij geeft McPherson de schuld, terwijl we inmiddels weten dat die schurk inderdaad in Bundaberg was. Hij stal een paard van een boer, die de diefstal vervolgens aangaf bij de politie en daarbij zijn buurman beschuldigde, waardoor een burenruzie ontstond. Inmiddels is de Schot zover dat hij maar al te graag bekent dat hij het paard heeft gestolen. Hij reed zelfs op het dier toen hij werd aangehouden. Dus daarmee is McPherson voor eens en voor altijd uit beeld. En dan nog iets...'

'Neem me niet kwalijk, meneer. Wat u zojuist zei is erg belangrijk. U beweerde dat Perry de schuld op McPherson schuift. En dat is nu precies dezelfde soort fout, als ik zo vrij mag zijn, die Willoughby eruit pikte toen hij met Perry stond te praten.'

Kemp fronste. 'Mijn fout?'

'Ja, meneer. Het is eenvoudig over het hoofd te zien, meneer, aangezien ik dat gesprek in mijn verslag moest weergeven. Het vereist enig logisch denkwerk,' voegde Pollock er verontschuldigend aan toe. 'Maar weet u, Perry had geen enkele reden om de schuld van zich af te schuiven. Hij is namelijk geen verdachte.'

'Wel een opschepper en een leugenaar, trouwens.'

'Dat klopt. Maar naar mijn mening is hij nu een verdachte. Zijn uiterlijk komt overeen met de beschrijving die de botenbouwer van de koper heeft gegeven. Het staat in het verslag.'

Hij wachtte terwijl Kemp de tijd nam om het verslag, dat op het eerste gezicht zo weinig leek op te leveren, nog eens zorgvuldig nalas.

'Goed,' zei hij ten slotte. 'Je grijpt je vast aan een strohalm, maar we laten hem naar de gevangenis hier overplaatsen, dan kunnen mijn agenten hem ondervragen.'

'Willoughby beweert dat we op die manier niets uit hem zullen krijgen.'

'Het kan me geen donder schelen wat Willoughby beweert.'

'Mag ik deelnemen aan het vraaggesprek?'

'Ja. Ik neem aan dat dat zinvol zou zijn. Maar ik heb nog een ander interessant feit om aan het dossier van Willoughby toe te voegen. Gisteren kreeg ik bezoek van een jongedame uit Maryborough, die ik toevallig ken.'

'En wie mag dat zijn?'
'Een zekere Miss Tissington.'
'De gouvernante? Die voor Mrs. Manningtree werkt?'
'Precies.'
'Wat heeft zij ermee te maken?'
'Laat me het even uitleggen. Kennelijk is ze bevriend met de jonge Willoughby. Goed bevriend. Zo goed zelfs dat ze naar Brisbane is gekomen om een advocaat voor hem te regelen.'
'Goeie genade!'
'Het is een heel fatsoenlijk en nogal verlegen meisje. Ze vroeg me om advies bij het uitkiezen van een geschikte heer, zoals ze het noemde. Natuurlijk was ik bijzonder geïnteresseerd in alles wat ze me over Willoughby kon vertellen. Dat lag ietwat moeilijker. Miss Tissington had er niet op gerekend ondervraagd te worden en er kwamen wat tranen los, maar na een kopje thee gooide ze alles eruit. Ze had hem ooit terloops in Brisbane ontmoet. En op een dag, toen ze door de straten van Maryborough wandelde, doemde onze jongen ineens weer op. Hij was dolblij haar weer te zien. En raad eens op welke dag dat was?'
'Ik heb geen idee.'
'Op de dag van de overval, brigadier. Diezelfde ochtend! Hij liep met haar naar huis en heeft bij de poort een tijdje met de jongedame staan praten. Op een uiterst behoedzame manier. Vervolgens verontschuldigde hij zich omdat hij haast had...'
'Om zich bij mij te voegen zeker?'
'Ja,' zei Kemp. 'Maar voor hij vertrok, maakte hij een afspraakje met haar. Om haar de volgende avond bij de poort af te halen en de bezienswaardigheden van Maryborough te laten zien.'
'Dat meen je niet! Die idioot zat dus gewoon bij zijn vriendinnetje. Hij heeft nooit uitgelegd waar hij in die tussentijd heeft gezeten? Hij beweerde dat hij wat door de stad had gereden.'
'Hij wilde haar kennelijk niet betrekken in de gebeurtenissen die volgden.'
'Dus de jongedame wachtte de volgende avond bij de poort tevergeefs op hem, omdat hij inmiddels op de vlucht was...'
'Niets is minder waar. Hij was er wél. Het lijkt mij dat Willoughby erg gecharmeerd is van Miss Tissington. Hij was er wel degelijk, levensecht, terwijl jij en je mannen het platteland afschuimden. Totaal in de verkeerde richting.'
Pollock kreunde, dankbaar dat Kemp het woord 'alweer' niet in de mond had genomen. Hij begon Willoughby zo langzamerhand te haten.
'Dat is ook nog interessant. Hij was bedroefd dat hij door omstandigheden niet haar aanbidder kon worden. Maar hij vertelde haar wat er was voorgevallen. Hij was erg overstuur, verklaarde dat hij

niemand kwaad had gedaan, maar dat hij nu op de vlucht was voor de politie en daarom even afscheid kwam nemen. Vervolgens verdween hij. Miss Tissington gelooft hem. Ze is ervan overtuigd dat hij onschuldig is en is bijzonder verontwaardigd dat hij zo onrechtvaardig wordt behandeld.'

Kemp leunde grijnzend achterover. 'Dus dat is bekend. Het ontbrekende uur is ingevuld. En Willoughby kwam via een omweg gewoon terug naar de stad om afscheid te nemen van zijn vriendin.'

'Ik betwijfel of ze zijn vriendin is,' zei Pollock. 'Tegenwoordig gaat ze met Clive Hillier. Die overigens ook bevriend is met Willoughby. Wat weet ze verder nog?'

'Niets, behalve datgene wat er in de kranten heeft gestaan.'

'Veel verder komen we hier niet mee,' sprak Pollock schouderophalend.

Kemp stemde met hem in.

Emilie zat in de lange gang, haar ogen neergeslagen, haar gehandschoende handen netjes gevouwen op haar schoot, terwijl ze de punten van haar schoenen bestudeerde die net onder haar lange, marineblauwe jurk uitstaken. Ze durfde niet op te kijken. In de gang liepen allerlei agenten druk heen en weer en ze hadden haar al zo vaak gevraagd of ze iets voor haar konden doen, dat ze zich bijna schaamde daar in het openbaar te zitten. Ze kon echter niet weg; ze had te horen gekregen dat ze hier moest wachten op Mr. Kemp, en dus moest ze blijven.

Alles leek saai en bruin. Bruin linoleum, bruine bankjes, muren die beige met bruin waren geschilderd. Zelfs de laarzen van de politiemensen waren bruin, ondanks het feit dat ze zwarte uniformen droegen. Hoe dan ook, het bruin sloot naadloos aan bij haar sombere stemming want ze was bang dat ze te veel had losgelaten tegenover Mr. Kemp. Ze was hier enkel voor advies en had er niet op gerekend dat ze in tranen zou uitbarsten. Wat een vertoning moest dat zijn geweest. Maar Mr. Kemp was een uiterst vriendelijke man; hij had begrepen hoe moeilijk het voor haar moest zijn om überhaupt naar het bureau te komen en te vragen om een gesprek met een belangrijke man, terwijl ze niet eens een afspraak had.

En toen was alles eruit gekomen. Hoe ze Mal had ontmoet en hem later opnieuw was tegengekomen in Maryborough. Enzovoort. Ze had zijn vragen naar waarheid beantwoord en had gaandeweg weer een beetje zelfvertrouwen gekregen, omdat hij zo aardig was en enkel beleefd knikte als ze antwoord gaf, zonder kritiek op haar of Mal te uiten. Het was alsof ze een gewoon, gezellig gesprek zaten te voeren. Het was veel gemakkelijker om het aan hem uit te leggen dan aan Ruth. Hij was niet gechoqueerd dat een gouvernante een vriend als Mal kon hebben. Maar dat zelfvertrouwen hielp haar ook om vast te stellen waar de grens lag. Zo had ze niet verteld dat Mal haar zijn geld had gegeven. Hij had gezegd dat ze dat van hem zouden afpakken, en Emilie wilde het risico niet nemen dat ze het moest overhandigen.

Toen ze vertelde dat Mal afscheid was komen nemen en daarna met de noorderzon was vertrokken, omdat hij werd achtervolgd door de politie, had Mr. Kemp gevraagd waarom ze de politie niet over die ontmoeting had verteld.

Die vraag deed haar schrikken. Ze herinnerde zich dat ze haar uiterste best had gedaan om zelfs niet in de buurt van het politiebureau te komen.

'Ik was te bang,' antwoordde ze naar waarheid. 'Ik wist niet wat ik moest verwachten. Ik heb geen ervaring met dit soort zaken.'

'Nee, jongedame. Natuurlijk niet. Maar hij bleef niet op het terrein, of wel? Ik bedoel, op of in de buurt van het erf van de familie Manningtree?'

'Mijn hemel, nee. Hij verdween. Ik had geen idee waar hij zat. Op een dag las ik echter dat hij was gepakt. Ik hoop niet dat ik iets verkeerds heb gedaan.'

'Ik geloof dat we dat wel door de vingers kunnen zien. Maar het had wel geholpen als we hadden geweten dat hij nog in de buurt was.'

Emilie staarde hem aan. 'Die man is onschuldig. Het kwam niet in me op om hem met nog meer problemen op te zadelen. Het is me nog steeds een raadsel waarom hij in de gevangenis zit.'

'Tja, welnu, dat moeten we afwachten.' Hij schreef een naam en adres op een papiertje en gaf dat aan haar. 'Dit is de man die u moet opzoeken uit naam van Mr. Willoughby. Mogelijk kan hij u verder helpen.'

En dus wachtte ze, tot de stem van Mr. Kemp haar in haar mijmeringen onderbrak. 'Miss Tissington. Alweer hier? Waaraan heb ik deze eer te danken?'

Ze sprong op. 'O, Mr. Kemp. Het spijt me dat ik u opnieuw stoor. Maar ik ben bij het kantoor van Mr. Harvey langs geweest en helaas vertelde zijn kantoorbediende me dat hij ziek is. Hij wordt voorlopig niet terugverwacht. Ik vroeg me af of u nog een andere heer kunt aanbevelen?'

Een verslaggever was getuige van Kemps belangstelling voor deze knappe jongedame en keek toe hoe de hoofdinspecteur van politie haar meetroonde naar zijn kantoor. Jesse Fields stond op het punt terug te keren naar Chinchilla, toen hij in de pub de hoofdredacteur van de *Brisbane Courier* ontmoette. De twee mannen sloten vriendschap toen bleek dat ze beiden geïnteresseerd waren in twee dezelfde onderwerpen, namelijk politiek en misdaad, en aan het einde van een lange drinkpartij was Jesse naar zijn hotel teruggestrompeld terwijl hij zich de wereld te rijk voelde.

Hij had een baan bij de gezaghebbende *Courier* in de wacht gesleept! Vaarwel, Chinchilla.

Omdat hij goed op de hoogte was van de Willoughby-zaak, was hij degene die daarover mocht berichten.

'Blijf er bovenop zitten,' zei de hoofdredacteur. 'Die ouwe Walt White van de krant in Maryborough beweert dat de politie echt een zooitje van deze zaak maakt. Ze bereiken niets, ook al hebben ze Willoughby in het gevang. Het was geen klus voor één man. Geef alles wat je hoort meteen door aan Walt. Houd hem te vriend, zodat we beide steden kunnen bestrijken.'

McPherson was gepakt. McPherson had een reeks van misdaden bekend, maar bewezen was dat hij zich ten tijde van de roofoverval in Bundaberg bevond. Jesse zorgde dat het verhaal bleef leven. Brigadier Pollock was vanuit Maryborough naar Brisbane gekomen en het gerucht ging dat hij zich momenteel met dezelfde zaak bezighield. Maar waarom?

Jesse sprak Pollock aan en kreeg alleen te horen dat de brigadier hier met verlof was.

'Raar soort vakantie, een beetje rondhangen op het hoofdbureau van politie,' had hij gesnauwd, maar Pollock zweeg als het graf.

'Er is iets gaande,' mompelde Jesse tegen zijn redacteur. 'Ik weet dat hij verslag uitbrengt aan Kemp. Maar waarover? Ik heb misschien wat extra shillingen nodig om deze en gene om te kopen.'

In de wetenschap dat de pers hem nog altijd op de hielen zat wat deze zaak betrof, gaf hij zijn mensen het bevel om in alle toonaarden over Perry te zwijgen. Hij stuurde twee van zijn meest betrouwbare agenten op weg om de man via de rivier op te halen, buiten de stad aan wal te zetten en hem vervolgens – goed geketend en voorzien van een kap – af te leveren, niet bij het hoofdkwartier, maar bij een cel in de politiekazerne. Hij was er nog steeds van overtuigd dat Perry's betrokkenheid niet meer was dan een bot dat hun door Willoughby was toegeworpen, en hij kon zich niet veroorloven dat de pers erachter kwam dat ze wederom de verkeerde beschuldigden. Ze hadden al genoeg te verduren omdat ze McPherson als schuldige hadden aangewezen, niet alleen van de kranten maar ook van woedende burgers, fans van die vervloekte Schot. Er hingen al verscheidene verslaggevers rond die kwijlend stonden te wachten tot ze de kans kregen om met die akelige McPherson te praten, die zijn rol als slachtoffer van politiefouten met verve speelde. Zijn zuidwaartse reis naar Brisbane door talloze kuststeden, op weg naar een gevangenisstraf voor de misdaden die hij wél had gepleegd, werd een ware triomftocht, waarbij het de politiebegeleiders lastig werd gemaakt en het gewone volk massaal opdraafde om de gevangene met bemoedigende kreten te begroeten en toe te juichen.

Rapportages van deze pluimstrijkerij maakten Kemp woest. De man was verdomme een crimineel, ook al had hij geen aandeel gehad in de goudroof. Waar ging het heen met de wereld?

Zelfs de procureur-generaal wilde McPherson ontmoeten. Het verzoek werd tijdens een formeel diner aan hem voorgelegd.

'Waarom in 's hemelsnaam?' had Kemp gevraagd.

'Ik heb zijn foto in de krant gezien,' antwoordde Lilley. 'Ik geloof dat hij de man is die me vorig jaar uit een rel heeft gered.'

'McPherson? Dat lijkt me sterk, meneer.'

'Hoe dan ook, ik wil de man graag ontmoeten. Wees zo vriendelijk om het te regelen, Kemp.'

De wereld draaide werkelijk dol. McPherson kreeg meer publiciteit dan een operaster. En brigadier Pollock liep hem nog altijd voor de voeten, zeurend over die stomme opmerkingen die Perry had geuit.

'Meneer, hij heeft verschillende gevangenen verteld dat hij een rijk man is!'

'Nou, vraag hem maar eens naar zijn rijkdom.'

'Dat heb ik gedaan. Hij beweert dat hij ze enkel wilde stangen. Voor de grap. Maar hoe meer ik erover nadenk, hoe meer ik geloof dat Willoughby gelijk heeft. Perry heeft er op een of andere manier mee te maken.'

'Je kunt iemand niet veroordelen op basis van vage verdenkingen.'

'We kunnen hem blijven bewerken, meneer,' drong Pollock aan. 'Uiteindelijk zal hij wel iets loslaten.'

'Als je dat werkelijk denkt,' reageerde Kemp vermoeid. Hij keek niet uit naar het weekend. Weer een officieel diner op zaterdagavond, een demonstratie van de bereden politie op zondagmorgen en diezelfde middag een theevisite, georganiseerd door de Dames voor de Verbetering van Vrouwelijke Gedetineerden. Mrs. Kemp was dol op dat soort functies – ze verleenden haar een plek, een zekere sociale status in deze rumoerige stad – maar Kemp was liever thuisgebleven om in de tuin te werken.

En daar zat, op deze vrijdagmiddag, Miss Tissington, die er beeldschoon uitzag in haar marineblauwe kledij en met dat parmantige strohoedje op haar donkere krullen. Haar lieflijke gelaat en haar onschuldige glimlach deden de somberheid van deze dag, althans tijdelijk, in rook opgaan. Geen wonder, mijmerde hij, dat de jonge Willoughby op het eerste gezicht voor haar was gevallen. Miss Emilie was absoluut een weldaad voor bedroefde ogen. Eerlijk gezegd vond hij het nogal galant van Sonny Willoughby dat hij zo'n enorm risico had genomen, enkel om zich aan zijn afspraak met haar te houden.

Hij zocht de naam van een andere advocaat voor haar op en overhandigde die aan haar met de mededeling: 'Ik weet zeker dat mijn vrouw het enig zou vinden u weer eens te zien. Kom vooral een keer langs, voordat u teruggaat.'

'Dank u, Mr. Kemp. Dat zou ik leuk vinden.'

'Mooi. Ik zal Mrs. Kemp vragen u een briefje te sturen. Welnu, als er verder nog iets is waarmee u zit, kom me dan opzoeken, hier of thuis.'

Ze knikte, alsof ze erover moest nadenken, en Kemp dacht even dat ze nog meer kwijt wilde, maar het moment ging voorbij. De ongerustheid maakte plaats voor een vriendelijke glimlach.

'Dat is erg aardig van u, Mr. Kemp.' Haar stem klonk niettemin zorglijk, alsof ze veel leed met zich meedroeg, en hij had met haar te doen. Als zijn dochter in leven was gebleven, was ze misschien ook wel zo'n lief wezen als Miss Tissington geworden.

Jesse was een vrolijke vent, en het lukte hem tijdig weg te duiken zodat Kemp hem niet zag, maar hij hoorde wel het gesprek dat plaatsvond tussen de hoofdinspecteur en het meisje voor ze zijn kantoor binnengingen. Haar stem verraste hem. Engels, en zo te horen nog niet zo lang geleden aangekomen. Wat deed zij hier? Zo geduldig wachtend op Kemp?

'Lieve hemel, wat een stuk,' riep hij uit tegen een passerende agent. 'Een meisje van hier, mag ik hopen?'

Hij grijnsde. 'Je hebt pech, Jesse. Ze komt uit Maryborough.'

'Een kennis van de baas?'

'Zou kunnen. Ik weet het niet.'

Meer kwam hij hier niet aan de weet. Jesse had gehoopt haar naam te kunnen achterhalen, maar het was veel interessanter dat ze uit Maryborough kwam. Hij geloofde niet in toeval. Hij besloot het politiebureau via de zij-ingang te verlaten, wat inhield dat hij langs het bureau van een bevriende agent zou komen.

'Zin om tegen zessen wat te gaan drinken in de *Pig and Whistle*?'

'Goed idee.'

Jesse keek om zich heen om zich ervan te vergewissen dat niemand meeluisterde. 'Wie is dat meisje uit Maryborough?' Hij knipoogde. 'Dat zou ik graag willen weten.'

De politieagent lachte gemaakt. 'Dat zal best.' Hij ging verder met het stempelen van de stapel papieren op zijn bureau en Jesse vertrok.

'Wát is ze?' riep hij verbijsterd uit.

Brigadier Ellis dronk zijn bier op en schoof de lege kroes over de bar om hem opnieuw te laten vullen.

'Ik dacht wel dat je dat interessant zou vinden. Ze is de vriendin van Willoughby. Ze is hier om voor hem te pleiten, zeggen ze. Haar naam is Miss Tissington. Ze is gouvernante. Niet slecht voor een kerel als Willoughby, of wel dan?'

361

'Dat kun je wel zeggen.'

'Ik zou nog wel wat meer kunnen vertellen, Jesse, maar dat kost je geld. En geen woord over je bron.'

'Oké. Vijf shilling.'

'Kemp is niet erg tevreden over Pollock. Het lijkt erop dat de plattelandsagent nog een blunder heeft begaan. Niet alleen heeft hij Willoughby laten ontsnappen, maar terwijl Pollock en zijn mannen de bush afstroopten, bleek de jonge Sonny – zo brutaal als wat – terug naar Maryborough te zijn gereden om zijn geliefde te bezoeken!'

'Ga weg!'

'Het is waar,' zei Ellis lachend. 'Het staat in een verslag. Een van mijn maten heeft het zelf gelezen. Er is geen twijfel mogelijk, die Sonny is een slimme jongen. De mannen denken dat hij nog steeds vrij zou rondlopen als zijn oom hem niet had aangegeven.'

'Wat heeft Pollock hierover te melden?'

'Hij zegt helemaal niets. En ik zal je nog wat vertellen, zijn dossiers liggen plotseling achter slot en grendel in het kantoor van Kemp.'

'Ik dacht dat hij hier met verlof was.'

'Dat is ook zo. Gedwongen verlof. Hij is zonder toestemming van zijn chef uit Maryborough vertrokken. Dus hij werkt zonder betaald te worden en heeft geluk dat hij niet in de nor is beland, maar Kemp heeft hem nodig. Hij liet hem naar Sint-Helena afreizen om nog eens met Willoughby te praten.'

'Wat is hij daar aan de weet gekomen?'

'Niets, voor zover we kunnen vaststellen.'

'Waarom zijn de dossiers dan opgeborgen?'

'Goede vraag. Er moet iets gaande zijn.'

Niet lang daarna zat Jesse achter zijn bureau met een nieuwe wending in het verhaal, en zijn hoofdredacteur bleek zeer geïntrigeerd.

'Willoughby's vriendin, hè? Goed gedaan, Jesse. Dus Sonny heeft de politie lekker laten zoeken, terwijl hij de tijd nam om het meisje te bezoeken. Die oude Walt White zal smullen van zo'n verhaal in zijn krant. Schrijf alles op en stuur de essentie ervan naar Walt, dan zorg ik voor een foto. Ik wil er een foto van haar bij. Waar logeert ze?'

'Dat weet ik niet.'

'Maakt niet uit. We vinden haar wel. Schrijf jij je verhaal maar.'

362

Hoofdstuk 12

'Waarom doet ze dit?' wilde Daniel weten.

'Ze probeert me gewoon te dwarsbomen.'

'Ik begrijp het niet. Ik dacht dat jullie goed met elkaar konden opschieten.'

'Dat is ook zo,' beaamde Ruth. 'Althans dat was zo. Ik bedoel, ze komt met allerlei vreemde ideeën terug uit dat provinciestadje.'

'Wat voor vreemde ideeën? Laat mij eens met haar praten.'

'Nee. Ze is zo koppig, dat heeft geen enkele zin. Ik heb de hele week al op haar ingepraat. Er valt geen zinnig woord met haar te wisselen. Ze staat erop de akte van haar stuk land te zien. Heb je die mee naar huis genomen?'

'Dat heb ik niet. Ik wil eerst een fatsoenlijke verklaring voor haar gedrag.'

'Misschien voelt ze zich beter als ze er even een blik op kan werpen, Daniel. Ze is zo dwaas bezig, misschien draait ze wel bij als ze de akte eenmaal onder ogen heeft gehad.'

'Misschien heb je gelijk.' Hij knikte. 'Wat ik wel mee naar huis heb genomen, is het contract voor de verkoop van jouw stuk grond. Je hoeft het enkel maar te ondertekenen en je zorgen voor de toekomst zijn voorbij. Je zult veertig pond op de bank hebben staan, genoeg om een huis te bouwen en in te richten.'

Ruth was teleurgesteld. 'Veertig pond? Ik dacht dat ik ten minste zestig pond zou krijgen.'

'Ik ook, maar naar het schijnt is jouw perceel nogal moerassig, niet geschikt voor mens of dier. Dat is begrijpelijk. Je kunt niet verwachten dat je de beste grond voor niks in je bezit krijgt, en Brisbane zelf is hier en daar ook moerassig, gezien het feit dat de stad aan de rivier ligt. De gevreesde muskieten die ons tegen het invallen van de duisternis plagen, zijn daarvan het bewijs, zoals je heel goed weet.'

'Maar dan nog, ik dacht dat een beetje meer...'

'Verder moest de commissie van de bemiddelaar er nog af, mijn lief. En het zegelrecht, dat tikt allemaal aan. Ik denk dat je aardig hebt verdiend. Maar als je niet wilt tekenen, kan ik best op zoek gaan naar een andere bemiddelaar...'

'O, nee, Daniel. Je hebt je best gedaan, dat weet ik zeker...'

'Ja. En een andere bemiddelaar biedt misschien weer minder.' Hij haastte zich naar de zitkamer om een kroontjespen en inkt van Mrs. Medlow te lenen, die wel beter wist dan Mr. Bowles te vragen naar de reden.

Er was geen bemiddelaar. Daniel was van mening dat hij recht had op het honorarium van een tussenpersoon, plus een beetje extra voor al zijn tijd en inspanningen. Hij was er inderdaad in geslaagd zestig pond te krijgen, en het geld dat hij achterhield was in hun beider belang. Als ze trouwden, zou ze er sowieso in delen.

Ruth tekende met een zucht van verlichting. Ze had het extra geld hard nodig om de huur te betalen en wat nieuwe kleren te kunnen kopen. De mazen begonnen zichtbaar te worden en haar ondergoed was praktisch versleten. Als ze verstandig winkelde hoefde ze maar een paar van die dierbare veertig pond te besteden, maar het was een heerlijk gevoel te beseffen dat ze niet elke stuiver hoefde om te draaien. Ze kon zelfs wat extra ponden, misschien tien of zo, naar het Genootschap sturen.

'Dank je, Daniel,' zei ze, hem het contract overhandigend. 'Je bent een enorme steun geweest.'

Hij lachte. 'Als je maar niet meteen royaal gaat winkelen.'

'O, nee. Ik zou niet durven. Maar hoe moet het morgen? Zaterdag. We hebben Emilie beloofd om haar de percelen te laten zien.'

'Waarom al die moeite, als ze in zo'n stemming verkeert?'

'Ik dacht dat als we aardig tegen haar zijn – ze is zo kinderachtig – en we laten haar het land zien en haar zelfs inspraak geven in waar het huis moet komen, dat ze misschien wel van gedachten verandert.'

'Als je erop staat. Ik neem aan dat het beter is. We hebben het tenslotte beloofd. Maar werkelijk, Ruth, je hoeft die buien van haar toch niet te tolereren? Je zou op je strepen moeten gaan staan. Het is duidelijk dat ze jouw gezonde verstand niet heeft.'

Ze hadden de hele week amper met elkaar gesproken. Ruth had geen idee hoe Emilie haar dagen doorbracht en ze was te boos om ernaar te informeren, maar nu besloot ze een andere benadering te proberen. Ze zou aardig tegen haar doen, dat moest wel; het was vernederend, de positie waarin ze zich momenteel bevond.

'Ik heb mijn stuk land verkocht,' zei ze. 'Er is een leuk bedrag overgebleven, na aftrek van commissie en zegelrecht.'

'Dat is mooi, zolang jij maar tevreden bent met het resultaat.'

'We willen je de omgeving nog steeds graag laten zien. Je wilt jouw perceel toch zeker wel zien, of niet?'

'Natuurlijk. Ik verheug me erop.'

'O, dat vind ik fijn. We maken er een dagje uit van. Mr. Bowles zei dat we om tien uur morgenvroeg met het openbaar vervoer kunnen. Het is een bus getrokken door paarden, zoals ze die in Londen ook hebben, en dat is redelijk comfortabel. De rit gaat via Fortitude Valley en langs de rivier voor we het binnenland in gaan, richting het gebied rond Eagle Farm, dat zich inmiddels redelijk heeft ontwikkeld.'

'Ik heb in de krant gelezen dat de Brisbane Turf Club van plan is daar een renbaan aan te leggen.'

'Ja, nou ja, ik weet zeker dat die niet in de buurt van onze percelen komt. Maar het betekent wel dat er meer voorzieningen zullen komen.'

'Dat ik meega, wil niet meteen zeggen dat ik toestemming geef om te bouwen.'

'Emilie, we hebben zoveel moeite gedaan geschikte percelen te vinden, ga gewoon mee en wees er blij mee. Het is zo spannend...'

Ze had gelukkig met geen woord over die misdadiger gerept, dacht Ruth.

Met toestemming van Kemp besloot Pollock een bezoek te brengen aan Carnegie, die inmiddels bij zijn broer op de hellingen van Paddington woonde. Australische acacia's, zwaar van de gele bloesems, bogen zich over de smalle weg terwijl de bijen eromheen zwermden, hun aanhoudende gezoem in de stilte van de dag een waarschuwing om uit de buurt te blijven. En dat is precies wat Pollock deed, er met een ruime boog omheen rijden. Hij was als de dood voor bijen.

Flinke lappen grond op de dichtbeboste heuvels waren ontruimd om plaats te maken voor grote houten huizen, maar er leek vooralsnog geen structuur te zijn aangebracht in de aanleg ervan. Hij reed verschillende doodlopende weggetjes in tot een vrouw, die in een stevig tempo heuvelopwaarts liep, hem de weg naar het huis van John Carnegie, een gepensioneerde schapenfokker, kon wijzen.

De broer verwelkomde hem van harte. Het was een praatgrage man, en toen hij in de gaten kreeg dat de brigadier uit Maryborough kwam, wilde hij maar wat graag ellenlang kletsen over die afschuwelijke overval en de goudroof die op klaarlichte dag had plaatsgevonden, vooral omdat zijn eigen broer slachtoffer was van die laffe aanval.

'Allyn heeft het erg zwaar gehad,' vervolgde hij. 'Verdomd jammer. En dan nog die hartaanval. Nou ja, vindt u het gek? Die arme kerel. Zijn vrouw heeft hem verlaten, weet u. Een heel ongelukkige toestand.'

Kennelijk had John Carnegie alleen zijn broers versie van het verhaal gehoord, inclusief die zogenaamde hartaanval, maar Pollock had niet de behoefte hem nader in te lichten.

'Had u moeite het huis te vinden?' vroeg Carnegie.

'Nee, meneer,' antwoordde Pollock, die het gesprek liever kort hield. 'Ik vroeg me af of Mr. Carnegie thuis is.'

'Ja, ja, natuurlijk. Komt u binnen, ik zal hem voor u halen.'

Hij werd binnengeleid in de zitkamer, een gerieflijke kamer met fa-milieportretten die neerkeken op massief cederhouten meubels. 'Dat is wijlen mijn echtgenote,' zei Mr. Carnegie, knikkend naar een foto van een mollige vrouw, die een centraal plekje had gekregen boven de schoorsteenmantel. 'Geweldige vrouw, ze is inmiddels bijna drie jaar geleden overleden. Kwam door haar hart, ze had altijd al een zwak hart, maar let wel, ze klaagde nooit, er is in al die jaren nooit één klacht over haar lippen gekomen. Uiteindelijk werd dat zwakke hart haar fataal. We woonden toen nog op de boerderij. Schapen, we fokten schapen, draaiden ook heel goed, maar toen zij stierf was de lol er voor mij af en besloot ik ermee te kappen. Mijn zoon...'

Ineens stond Carnegie in de deuropening. 'John,' zei hij streng, 'ik vermoed dat deze bezoeker voor mij komt.'

'Ja, ik wilde je net gaan halen. Zal ik het dienstmeisje vragen om ons thee te brengen?'

'Nee, dank je. Ik verwacht niet dat brigadier Pollock tijd heeft om hier lang te zitten.'

'Weet je het zeker?'

Pollock antwoordde voor hem. De broer was een aardige oude man, het was onnodig hem te kwetsen. 'Het is goed zo, dank u wel, Mr. Carnegie. Ik wilde alleen even kijken hoe het met uw broer gaat.'

'Dat is aardig van u,' mompelde hij, terwijl hij een stoel wilde op-zoeken, maar Allyn begeleidde hem naar de deur. 'Je kunt ons nu wel alleen laten, John. Ik wil Mr. Pollock even onder vier ogen spreken.'

Toen de deur eenmaal goed dicht zat, voer Carnegie uit tegen Pol-lock. 'Wat doet u hier in vredesnaam? Heb ik nog niet voldoende ge-leden zonder dat u ook nog eens mijn familie moet lastigvallen?'

'Ik blijf niet lang. Vindt u het goed als ik ga zitten?'

'Zoals u wilt.' Carnegie zelf bleef bij de open haard staan. 'Wat wilt u van me?'

'Ik weet zeker dat u weet dat McPherson is gearresteerd.'

'En?'

'Dus moeten we de overval nog eens bespreken. Er is vastgesteld dat hij die dag, zonder enige twijfel, in Bundaberg zat. Ver uit de buurt van de Blackwater-kreek. Toch beweerde u dat hij erbij was.'

'Kennelijk was het iemand die op hem leek.'

'Dat is ons probleem ook. Er zijn niet zoveel mannen die op Mc-Pherson lijken, met zo'n rode baard en dergelijke.'

'Ja, brigadier. Dat is jullie probleem. Niet het mijne.'

'Ik dacht dat u de beschrijving misschien zou willen herzien. Mis-schien hebt u zich vergist. Dat is overigens heel begrijpelijk onder dat soort gruwelijke omstandigheden...'

'Ik vergis me nooit. De beschrijving klopt. Als hij het niet was, dan iemand anders die op hem leek.'

'En u hoorde de overvallers duidelijk wegrijden?'
'Maar natuurlijk.'
'Ik dacht dat u misschien alleen Willoughby hoorde wegrijden.'
'En dat de rest bleef? Praat geen onzin. Ik heb de paarden horen vertrekken.'

Zoals gebruikelijk viel Pollock vanaf dat moment puur in herhaling, tot Carnegie ronduit weigerde zich nog langer te laten ondervragen.

Op zijn weg terug naar de stad vroeg Pollock zich af wat hij van dit gesprek had verwacht. Niet meer dan hij had gekregen, veronderstelde hij. Hij had overwogen om Carnegie te vragen of hij ene Baldy Perry kende, maar besloot dat die vraag kon wachten tot ze klaar waren met de ondervraging van Perry zelf. Wie weet leverde het iets op. Of niets.

Willoughby had honger. Hij had altijd honger hier in de gevangenis, zijn maag rammelde als een leeg blikje. Het maakte het werk in de groeven extra zwaar, zijn armen waren bijna te zwak om het houweel omhoog te krijgen, en hij had voortdurend kramp in zijn benen. Er was genoeg voedsel op dit eiland, het meeste werd door de gevangenen zelf verbouwd, maar ze zagen er zelden iets van terug. Hij keek verlangend naar het oerwoud dat de gevangenis omzoomde. Daar kon een man prima overleven: aan de kust was voldoende vis en in de bush was ongetwijfeld ook allerlei eten te vinden, maar het was zo'n klein eiland dat drijvers te voet eventuele weglopers binnen afzienbare tijd zouden hebben opgespoord. Als hij niet aan eten dacht, dacht Mal na over ontsnappen, over het maken van een vlot om naar het vasteland te roeien, maar de bewakers hielden de gevangenen zo nauwlettend in de gaten dat het moeilijk was om iets te bedenken wat een kans van slagen had.

Hij had nooit weer iets van Pollock vernomen, dus van die kant hoefde hij niet op hulp te rekenen, maar er gloorde een sprankje hoop aan de horizon. Het gerucht ging dat McPherson was gearresteerd. Volgens de cipiers had hij voor zoveel overvallen schuld bekend dat hij binnen enkele minuten de rechtbank weer uit zou zijn, op weg naar Sint-Helena.

'Je staat er alleen voor, Willoughby,' sprak een bewaker honend. 'Jimmy McPherson is vrijgesproken voor die moorden. Je kunt er maar beter het beste van maken, zolang je hier nog bent. Want vanuit de rechtszaal zul je rechtstreeks naar de galg moeten.'

McPherson. Mal moest hem dringend spreken. Het was een humeurige baas, maar mogelijk kon hij toch helpen. Nu hij was vrijgesproken voor de moorden, was hij wellicht geïnteresseerd in de verblijfplaats van het goud. Sterker nog, Mal wist het wel zeker. De truc was vervolgens om hem in contact te brengen met Perry. Met dat goud in zijn achterhoofd was de Schot mogelijk in staat informatie los te peuteren uit Perry of ze konden, als laatste redmiddel, hun krachten verenigen en de waarheid uit hem slaan. Mal had niets te verliezen en die listige McPherson kon er genoeg mee winnen. Hij lachte grimmig toen Perry op trotse toon verkondigde dat zijn maat McPherson op de lijst stond om zich bij hen te voegen.

Op een dag, kort daarna, echter, toen ze zich verzamelden voor de zondagse kerkdienst en Mal nog altijd bezig was om te bedenken hoe hij Baldy zou aanpakken, viel het hem op dat de man ontbrak.

'Waar is Baldy?' vroeg hij aan een bewaker.

'Vertrokken. Hij heeft zijn tijd erop zitten. Ze hebben hem gisteren meegenomen.'

Mal stond perplex. 'Ah, die stomme idioten!'

De bewaker deed een stap achteruit. 'Worden we brutaal?'

'Nee.'

'Houd dan je muil en loop door.' De gummistok daalde neer op Mals schouder om hem in het gareel te houden.

Terwijl de lekenpriester, die tevens hoofd van de zuivelboerderij was, zijn tekst opdreunde, zat Mal met zijn hoofd gebogen, zoals de gevangenisregels dat voorschreven. Het was voor al deze geharde misdadigers een overtreding als ze hun hoofd oprichtten in het huis van God, op straffe van de gesel. Hij luisterde naar de stem, maar niet naar de boodschap en probeerde zich erop te concentreren hoe hij in vredesnaam een vlot zou kunnen bouwen en niet aan Emilie te denken tijdens dit zo zeldzaam rustige uur. Mal veronderstelde dat ze hem zo langzamerhand had opgegeven. En waarom ook niet? Op dit tijdstip had hij echt alles tegen zich.

Emilie was hem echter niet vergeten; ze had het alleen niet meer over hem tegenover Ruth, maar op maandagochtend had ze wederom een bezoek af te leggen, dit keer aan de tweede rechtskundig adviseur die haar door Mr. Kemp was aanbevolen.

Haar zuster verkeerde in een opgewekte stemming toen ze zich op zaterdagochtend voor het ontbijt kleedden en bood Emilie zelfs haar beste zomerse strohoed te leen aan, die inmiddels met groene voering was afgezet om de felle gloed van de zon te neutraliseren.

'Het wordt vast een aangename dag,' zei ze. 'En als we terug zijn van Eagle Farm kunnen we je misschien nog die rondleiding door het parlementsgebouw geven. Ik wil dat je meer over deze stad te weten komt en beseft wat de mogelijkheden zijn. Jij hoort niet thuis in die vreselijke stad...'

'Daar is de bel,' zei Emilie, blij dat ze werden onderbroken. 'Heb je mijn handschoenen ergens gezien?'

'In de bovenste la.'

Er begon iemand op hun slaapkamerdeur te bonzen.

'Wie is dat in 's hemelsnaam?' vroeg Ruth, beledigd door het geschreeuw, maar toen ze de deur opende, stormde Daniel langs haar heen naar binnen.

Staand naast de toilettafel zag Emilie het verbouwereerd aan, maar Ruth was geschokt. 'Werkelijk, Daniel! Dit is onze slaapkamer!' Hij negeerde haar en stapte recht op Emilie af. 'Wie ben je? En wat hou je er voor gezelschap op na?'

'Je behoort hier niet te zijn,' hield Ruth vol. 'Daniel, alsjeblieft, niet zo hard. Wat zal men er wel niet van denken?'

'Van denken? Ze is al in ongenade gevallen.' Hij gooide haar de ochtendkrant toe. 'Heb je dit gezien?'

'Wat gezien?' Ruth pakte de krant op en staarde naar de voorpagina, waar artikelen stonden over nieuwe goudvondsten in het noorden en plannen voor een tramspoor in Brisbane. 'Ik snap niet...'

'Kijk op pagina drie,' zei hij knarsetandend.

Ruth leek ineens twee linkerhanden te hebben toen ze de krant wilde ontvouwen. Hij griste de krant uit haar hand, smeet hem op het bed en wees zo nadrukkelijk met zijn dunne vinger op een artikel dat het papier bijna scheurde.

'Wat is er dan?' vroeg Ruth, waarna ze de kop begon te lezen: "Sonny's liefje komt naar de stad". Sonny wie, Daniel? In 's hemelsnaam...'

'Willoughby. Die misdadiger,' snauwde hij, woest starend naar Emilie, die geschrokken achteruitdeinsde richting het raam. Ze bad. Hoopte tegen beter weten in dat haar naam niet genoemd zou worden...

Ruth las het artikel vlug door. En las het hoofdschuddend opnieuw. 'Een zekere Miss Tissington, die beweert dat Sonny Willoughby onschuldig is... van wie gezegd wordt dat Sonny haar onder de neus van de politie een bezoek heeft gebracht.' Ze keerde zich tegen Emilie. 'Wat heb je gedaan? Domme meid. Je had me beloofd dat je die vreselijke toestand uit je hoofd zou zetten.'

'Ik heb niets beloofd.'

Nu viel Daniel Ruth aan. 'Wist jij hiervan? Wist jij met wat voor slag mensen zij omgaat?'

'Nee. Ik bedoel, ik heb haar duidelijk gemaakt dat ik er niets meer over wilde horen. Daniel, ik heb geprobeerd haar tegen te houden.'

'Waarom heb je het mij niet verteld? Ik zou haar meteen weggestuurd hebben. Die man is een crimineel. Een moordenaar. En nu wordt jouw naam met de zijne in verband gebracht. Jouw naam! Mijn verloofde.'

'Niet mijn naam...'

'O, juist, ja. Nu moet ik zeker als de donder al mijn vrienden langs, en Joost mag weten wie nog meer om te verduidelijken dat het niet om míjn Miss Tissington gaat, maar om een andere Miss Tissington.

369

Denk je dat mensen dat onderscheid zullen maken? Dat zullen ze niet, moet je weten. Wat heb je me aangedaan? Het is jouw zuster. Haar naam straat in de krant! Denk maar niet dat wij vandaag ergens naartoe gaan. Ik wil niet met haar gezien worden.'

Toen hij de deur met een klap achter zich had dichtgesmeten, zette Ruth de tirade voort, en Emilie kon enkel ineenkrimpen onder deze woedende aanval. Ze was even diep geschokt als zij. Hoe kon Mr. Kemp haar dit aandoen? Hij leek zo'n vriendelijke man en ze had hem vertrouwd. Nu stond haar naam in de krant. Dames met hun achtergrond werden niet in een krant, onwillekeurig welke krant, genoemd. De wond was diep. Toen ze geen woorden meer kon vinden, barstte Ruth in tranen uit en zat Emilie in een andere hoek stilletjes te huilen.

Geen van hen maakte aanstalten om voor het ontbijt naar beneden te gaan. Ze wisten eenvoudig niet wat ze hiermee aan moesten. Ze voelden zich allebei te zeer vernederd om hun gezicht te laten zien.

Na enkele uren hield Emilie het niet meer vol in hun kamer. Ze spoelde haar gezicht af met koud water en probeerde de roodheid van het huilen weg te deppen.

'We kunnen hier niet de rest van ons leven binnen blijven zitten. Heb je zin om een wandeling te maken? We zouden ergens wat thee en cake kunnen gebruiken.'

Ruth reageerde venijnig. 'Ik wil nergens heen met jou. Ik wil niet met je gezien worden. Hoe eerder je hier vertrekt, hoe beter.'

'Het spijt me, Ruth. Ik had geen idee dat dit kon gebeuren. Ik ben alleen naar hoofdinspecteur Kemp gegaan, omdat jij niet wilde dat ik Mr. Bowles om de naam van een advocaat vroeg.'

'Juist. Dus nu is het ineens mijn schuld.'

'Nee. Mr. Kemp logeerde hier ooit, samen met zijn vrouw. Hij is een politieman, hoog in rang. Hoofdinspecteur van politie...'

'Ben je zelf naar de politie gestapt? Eerst criminelen, nu weer de politie. En dan de kranten. Ik heb me nog nooit zo diep geschaamd. Die arme Daniel. Het is vreselijk voor mij, maar Daniel, in zijn positie... Hij heeft hier totaal geen weet van gehad, en nu zal hij met jou over één kam worden geschoren. Het moet vernietigend voor hem zijn.'

'Ach, die vervloekte Daniel. Ik heb hem nooit vertrouwd.'

'Let jij maar op je woorden en durf hem niet te bekritiseren. Je bent momenteel niet in de positie om kritiek op wie dan ook te hebben. Daniel is een goede man, die zijn uiterste best doet voor ons...'

'Ammehoela,' reageerde Emilie vinnig. Ze had inmiddels een heleboel woorden van haar vriendinnen Kate en Nellie geleerd en een aantal van dezelfde strekking van het echtpaar Manningtree. 'Als je het mij vraagt, is hij gewoon een oplichter. Hij wil met jouw geld een huis op mijn grond laten bouwen. Een huis dat hij zich wil toe-eigenen. En wat draagt hij daaraan bij? Niets, voor zover ik kan beoordelen.'

Ruth sprong op. 'Eruit!' gilde ze. 'Eruit, en neem die ordinaire praatjes mee. En kom niet terug tot je bereid bent je te verontschuldigen.'

'Ik heb al gezegd dat het me speet, Ruth. Ik zou jou voor geen goud willen kwetsen. Ik had geen idee dat dit zou gebeuren.'

'Eruit.'

Mrs. Medlow stond waarschijnlijk wat rond te hangen, wachtend op haar. Want zodra Emilie de trap af kwam, stortte ze zich op haar.

'Zou ik u even kunnen spreken, Miss Tissington?'

De moed zonk Emilie in de schoenen. Meer moeilijkheden. Ze liet zich naar de zitkamer van de gastvrouw meetronen, enkel omdat ze geen oprecht excuus kon bedenken om weg te gaan.

Maar het viel allemaal nogal mee. Er lag een fonkeling in haar ogen toen ze Emilie vertelde dat ze de krant had gelezen.

'Mijn excuses daarvoor,' begon Emilie. 'Ik had geen idee dat iemand zich in mij zou interesseren. Ik snap echt niet waarom ze me zo nodig in de krant moesten zetten.'

'Maar je bent bijzonder interessant, jongedame. Jij kent Sonny Willoughby. Is het waar? Ken je hem echt?'

Emilie knipperde. 'Nou... ja.'

'Wat spannend! Mijn vriendinnen en ik zijn allemaal zo opgewonden. Je bent een beroemdheid. Maar vertel eens, schat, wat is hij in het echt voor iemand? Ik heb zijn foto hier ergens. Ik heb hem uit de krant geknipt. Hij is zo knap. Ga eens rustig zitten en vertel. Ik wil dolgraag alles over hem horen. De kranten beweren dat hij erg galant is.'

Tot haar verbazing barstte Emilie in snikken uit.

Mrs. Medlow was echter prima tegen de situatie opgewassen. Dit was de verrukkelijkste roddel die ze ooit was tegengekomen, hier onder haar eigen dak nota bene, en ze wilde er alles over horen. In de wetenschap dat de dames Tissington het ontbijt hadden gemist, liet ze een dienstmeisje thee en scones brengen terwijl zij haar medeleven betuigde met het meisje, erachter kwam dat ze haar Emilie mocht noemen, haar tranen droogde en een tijdje haar hand vasthield terwijl ze, triomfantelijk, uit eerste hand te horen kreeg over een aardige jongeman die Mal Willoughby heette en lief en vriendelijk en onschuldig was. Het echte verhaal over de beruchte misdadiger. Het was allemaal ongelooflijk spannend.

Nieuws gaat snel rond. Zelfs in de straten van een woelige, warrige stad als Maryborough, waar de wanorde evenredig groeide met de sterke uitbreiding van de rivierhaven, waar nationaliteiten botsten en boeren in conflict kwamen met stoere zeelui en havenarbeiders. De avonden brachten vrolijkheid en een tijdelijke wapenstilstand, totdat de gevechten weer begonnen, en dat gaf Walt White voldoende kopij als plaatselijk nieuws en nieuwe verwijten richting de onbekwame politie. Het verhaal over de gouvernante, echter, was van een ander kaliber, een keer iets anders dan geweld, en bovendien een nieuw aspect in de zaak-Willoughby, en het mooist van alles, een bewijs dat de plaatselijke politie nog altijd in het duister tastte. Hij smulde ervan. Hij neuriede terwijl hij zat te schrijven en maakte een rondedansje toen hij het pontificaal op de voorpagina van zijn *Chronicle* zag staan, en niet weggestopt op pagina drie, zoals de *Courier* had gedaan. Dit zou het verhaal weer doen opleven bij zijn lezers. Doen opleven in Maryborough. Hij hoefde maar weinig te veranderen aan de tekst die Jesse Fields hem had gestuurd, slechts hier en daar een zin. Waar Jesse had geschreven dat Sonny Miss Tissington had bezocht, maakte Walt ervan dat Miss Tissington de bandiet aangenaam had beziggehouden. Het kwam op hetzelfde neer, meende hij, maar dit klonk beter.

'Grote goedheid,' mompelde hij. 'Die gouvernante. Je weet het maar nooit met die zwijgzame types.'

Mrs. Mooney las het en schudde haar hoofd. 'Laat me niet lachen. Emilie zijn geliefde? Ik geloof er geen woord van. En Willoughby aangenaam bezighouden terwijl hij op de vlucht was? Klinkklare onzin. Je zou denken dat Walt in staat was echt nieuws te vergaren, zeker met die brand de afgelopen nacht in de stallen van Barney, die praktisch de helft van de straat in vlammen deed opgaan.'

Niemand van haar personeel sprak Mrs. Mooney tegen, maar zodra ze buiten gehoorsafstand was werd er levendig geroddeld. Het stond in de krant. Het moest wel waar zijn.

Clive las het ook. Hij schudde zijn hoofd. 'Mijn hemel, Emilie. Wat heb je in vredesnaam gedaan? Met wie heb je daarginds gepraat?'

Hij stak een sigaar op en las het artikel nog eens. Hij maakte zich niet zozeer druk over de bewering dat ze Mals geliefde zou zijn. Dat was krantenpraat. En het stukje dat zij hem vermaakt zou hebben, klonk hem ook niet aannemelijk in de oren. Maar het artikel beweerde tevens dat ze in Brisbane was om hem te helpen. Dat klonk weer wel als Emilie, die gekke meid. Hoe ze hem precies wilde steunen, stond er niet bij. Clive vroeg zich af waarom die zuster van haar had toegestaan dat ze de pers te woord stond. Maar ja, dacht hij, als zij net zo naïef is als Emilie...

De baliebediende stak zijn hoofd om de deur. 'Heb je de krant gelezen, Clive? Het ziet ernaar uit dat je concurrentie hebt. Van niemand minder dan Sonny Willoughby bovendien.'

'Hij is een vriend, van haar én van mij. En ik wil die facturen gecontroleerd en wel binnen vijf minuten op mijn bureau hebben liggen!'

Clive trok aan zijn sigaar en staarde uit het raam naar een zeilschip dat op weg was naar het bredere deel van de rivier. Hij wenste vurig dat hij met Emilie naar Brisbane was gegaan. Als hij die paar dagen niet zo in verwarring was gebracht door Fleur, had hij zichzelf misschien kunnen uitnodigen om haar te begeleiden, maar ze was lichtgeraakt en afstandelijk geweest. Hij vroeg zich af of ze al die tijd dat idiote plan om Mal te helpen al had gehad, naast het bezoeken van haar zuster. Misschien overwoog ze juridische bijstand voor hem te regelen, maar Mal was niet gek. Daar was hij allang zelf achteraangegaan. Mits hij het geld daarvoor had. Voor zijn zaak was een strafpleiter nodig en die waren niet goedkoop. Clive had wel eens gehoord dat die soms wel twee pond per dag in rekening brachten.

Hij miste Emilie. Hij had zich niet gerealiseerd hoezeer hij haar en haar lieftallige manieren zou missen. Het had enige tijd geduurd voor hij de echte Emilie achter dat vormelijke en keurige uiterlijk had gevonden. Voor hij de vrouw, warm en belangstellend, had leren kennen. Een vrouw die verdorie loyaler bleek dan goed voor haar was.

Binnenkort moest hij haar toch eens vragen wat ze precies voelde voor Mal Willoughby.

Mal was, op afstand, hevig verliefd op haar geweest. Maar ze hadden elkaar maar weinig gezien. Of wel? Hij was ineens onzeker. Hadden ze elkaar werkelijk ergens in Maryborough ontmoet? Was Mal bij het huisje komen opdagen?

Maar Clive kende Emilie, ook al was dit inderdaad het geval. Wetende dat hij op de vlucht was, zou ze er tegenover niemand met een woord over hebben gerept.

'Zelfs niet tegenover mij,' mompelde hij ongelukkig.

Het waren echter allemaal veronderstellingen. Hij wilde liever niet gissen naar de ware relatie tussen hen; het was aan Emilie om hem voor eens en voor altijd uit de droom te helpen, want het speelde enkel in op de jaloerse gevoelens die hij had ten opzichte van Mal. Ten opzichte van hen. Hij werd er neerslachtig van. Net als van die vervloekte krant, trouwens. Hij wou dat Pollock in de stad was, zodat hij kon uitzoeken wat er werkelijk gaande was in plaats van genoegen te moeten nemen met het onvolledige verhaal van Walt.

De afgelopen week had hij evenwel een bevredigend gesprek gehad met zijn bankdirecteur betreffende een lening om een zaak voor kwaliteitskleding te openen, en het leek erop dat hij zijn bedrijf binnenkort zou kunnen opstarten. Als zijn plannen werden goedgekeurd en de papieren waren ondertekend, zou hij zelf naar Brisbane kunnen afreizen om nieuwe voorraden in te slaan en, belangrijker nog, om Emilie in haar pension op te zoeken en te kijken wat ze van plan was. Dat zou echter deze week moeten gebeuren, anders zou ze alweer terug zijn.

Misschien was het beter gewoon af te wachten. Straks liep hij haar mis.

'Verdorie!' riep hij uit, zijn sigaar uitdrukkend. 'Waarom kon ze niet eerst met mij overleggen? Die verdomde Mal en zijn problemen ook.'

In de keuken waren Kate en Nellie koortsachtig aan het werk en hielden zich gedeisd, want mevrouw was op oorlogspad. Vandaag had ze een lunch georganiseerd voor een aantal bevriende dames, onder wie de burgemeestersvrouw, *Lady Mayoress,* zoals ze die noemde, en alles moest perfect zijn.

'Emilie zei dat het niet klopt,' fluisterde Kate. 'Ze zegt dat ze gewoon een *Mayoress* is omdat haar ouweheer ook geen *Lord Mayor* wordt genoemd.'

'En Emilie kan het weten,' reageerde Nellie grinnikend.

Op dat moment stormde Mrs. Manningtree zwaaiend met een krant de keuken in, terwijl ze tegen Kate begon te schreeuwen.

'Wist jij hiervan? Ik zweer het je, als je het wist dan ben je hier aan het eind van de week vertrokken. Vertrokken!'

'Pardon, mevrouw?'

'Dit! Dit! Die ellendige meid. De gouvernante. Ze heeft zich vlak onder onze neus met criminelen ingelaten. In mijn eigen huis! En dat uitgerekend vandaag!'

'Wat is er vandaag dan gebeurd?' vroeg Kate nerveus.

'Dit is er gebeurd!' Ze gooide de krant op de tafel. 'Kijk dan. Op de voorpagina.'

Kate veegde haar handen af aan haar schort en bekeek de pagina aandachtig. 'O, mijn God!'

'Wist jij hiervan? Ik wil de waarheid horen.'

'Nee, mevrouw. Ik weet er helemaal niets van.'

Nellie las mee over haar schouder. 'Ik ook niet.'

Hun bazin was woedend. 'Dat vervloekte hypocriete wezen. Ik heb altijd al gezegd dat ze verdomme te goed was om waar te zijn. Een beetje achter mijn rug afspreken met die bandiet. Die moordenaar. Hij had ons allemaal in ons bed kunnen vermoorden. Het is over en uit met haar, dat kan ik je wel vertellen. Geen wonder dat ze daar in dat huisje op zichzelf ging wonen. Een perfect liefdesnestje, terwijl ze hier elke dag komt om tegen mijn kinderen te preken. Die duivel heeft waarschijnlijk al die tijd bij haar gewoond. Joost mag weten hoe ik dat vanmiddag aan de dames moet uitleggen. Hebben jullie de eenden al gebraden?'

'Ja, mevrouw. Die zullen precies op tijd klaar zijn.'

'En de sinaasappelsaus?'

'Ja, die is al klaar.'

'Zorg ervoor. Ik wil dat de eenden zorgvuldig worden gesneden, zodat Nellie het vlees netjes kan serveren. Mijn menu zal in elk geval van niveau zijn, maar ik waarschuw jullie, ik wil niet dat de naam van die persoon ooit nog in dit huis wordt genoemd. Ik wist van het begin af aan dat er iets vreemds met haar was. Maar wilde mijn echtgenoot luisteren? O, nee. Een lieve, aardige meid, beweerde hij. Nu zal hij erachter komen wat voor lief ding we in huis hebben gehaald. De brutaliteit! Die stomme, ellendige meid!'

Mevrouw vloog de keuken weer uit en Kate wendde zich tot Nellie: 'Mijn hemel! Wat een opgewonden gedoe!'

Op zondagmorgen betaalde Mr. Bowles zijn huur en informeerde Mrs. Medlow dat hij pension Belleview ging verlaten.

Gissend naar de reden, voelde ze er weinig voor het hem gemakkelijk te maken. 'Van mijn vaste gasten eis ik opzegging,' zei ze. 'Van een week of een gelijkwaardig bedrag aan huur.'

'Ik geef u twee dagen.'

Daar kon ze weinig tegenin brengen, waarop ze het extra geld aannam. 'Mag ik uw toekomstige adres, om eventuele post door te kunnen sturen?'

'Ik kom wel langs. Als u mijn koffers naar beneden wilt laten brengen.'

Ze vroeg zich af of zijn verloofde wist dat hij vertrok. Miss Ruth was een hautain iemand – dat was het Engelse in haar, had Mrs. Medlow uiteindelijk erkend – maar ze was een goed mens en een uitstekende gast, die altijd exact op tijd betaalde en nooit voor enige overlast zorgde. En die arme kleine Emilie, dat was een schatje, zo onschuldig, zoals ze voor die Sonny Willoughby opkwam. Ze had nog steeds geen flauw benul wat voor tumult ze had veroorzaakt.

Wat Mrs. Medlow betrof, zij vond het geen verlies dat Mr. Bowles – met zijn stinksokken en vuile lakens – vertrok, ook al bekleedde hij een of andere overdreven post. De juiste soort vrouwen waren altijd betere gasten, schoner; heren zonder hun moeder erbij konden erg walgelijk zijn.

Miss Ruth was overstuur, dat was duidelijk, want Emilie bracht haar de maaltijden op de kamer, en dus hield Mrs. Medlow een oogje in het zeil. Toen ze Emilie bij de trap tegenkwam, wenkte ze haar.

'Weet je al dat Mr. Bowles is vertrokken?'

Emilie schudde haar hoofd. 'Nee toch!'

Toen wist Mrs. Medlow zeker dat hij zijn verloofde niet van zijn vertrek op de hoogte had gebracht.

'Ze is beter af zonder hem,' zei ze tegen een vriendin. 'Ik heb hem nooit gemogen. Een pluimstrijker, zoals ik ze zelden heb meegemaakt.'

Emilie probeerde het nieuws voorzichtig te brengen, maar Ruth was allerminst verbaasd. 'Het is heel verstandig van hem. Hij mag niet geassocieerd worden met een schandaal. Niet in zijn positie. En jouw aanwezigheid hier, in mijn kamer, zou hem onmiddellijk in verlegenheid hebben gebracht. Hoe kon hij het in 's hemelsnaam uitleggen, terwijl jij hier bent? Je vergt te veel van mensen, Emilie, dat is jouw probleem.'

De advocaat, Robert Lanfield, was een ontzagwekkende man met een witte haardos, grote bakkebaarden en doordringende groene ogen die haar zo ingespannen aanstaarden dat Emilie het gevoel had aan haar stoel geklonken te zijn. Hij klonk afgemeten, bijna kortaf, waardoor haar eigen stem tot een fluistertoon afzakte toen ze haar verhaal deed.

'Praat wat harder, mejuffrouw. Bent u familie van deze Mr. Willoughby?'

Ze klampte zich vast aan haar tas. Daarin zat, verstopt in een geheim zakje, al het geld, en ze had de tas niet uit het oog verloren sinds ze uit Maryborough was vertrokken.

'Nee, meneer. Gewoon een vriend.'

'Welnu, uw vriend heeft zich een hele hoop moeilijkheden op de hals gehaald. U wilt dat ik hem vertegenwoordig?'

'Ja, meneer. Hij is onschuldig.'

Lanfield deed alsof hij dat niet had gehoord. 'Als ik de zaak aanneem, moet ik inlichtingen verschaffen aan een strafpleiter. Begrijpt u dat?'

Ze knikte, want het kon haar niet schelen wat hij deed, als hij de zaak maar op zich nam. Als hij Mal maar redde.

'En u handelt op verzoek van Mr. Willoughby, neem ik aan?'

'Nee, meneer. Hij weet niet dat ik hier ben. Ik dacht dat u hem misschien kon opzoeken.'

'Hij zit in de Sint-Helena-gevangenis. Ik heb het erg druk, Miss Tissington. Een bezoek aan het eiland kost me minstens een dag.'

Emilie was verbijsterd. 'Hoe kunt u hem anders ontmoeten? U zult toch met hem moeten praten, Mr. Lanfield. Als u dat doet, zult u beseffen dat hij onschuldig is en dat het allemaal vreselijk onrechtvaardig is. Hij hoort absoluut niet in de gevangenis.'

Hij zuchtte. 'Goed, goed. Maar ik kan er niet zomaar heen gaan, als ik niet zeker weet dat hij bereid is mijn diensten te accepteren...'

Emilie voelde zich ineens een stuk beter, alsof ze eindelijk iemand had gevonden met wie ze de zware last in elk geval kon delen. 'Mr. Lanfield, dat doet hij, ik weet het zeker. Ik ben u zeer erkentelijk. Dit is een enorme opluchting voor mij. Ik heb me grote zorgen gemaakt...'

'Laten we kijken en afwachten. Ik zal Mr. Willoughby schrijven via het kantoor van de hoofdopzichter van de gevangenis en een bevestigend antwoord vereisen voordat ik iets ga ondernemen. Ik zal het u mettertijd laten weten.'

'Dank u, Mr. Lanfield. Ik vraag me echter af wanneer dat zal zijn, omdat ik aan het eind van de week terug moet naar Maryborough.' Hij leunde achterover. 'Eens even denken. Mijn secretaris kan uitzoeken welke vervoersmogelijkheden er zijn naar het eiland, die waarschijnlijk zeer veranderlijk zijn. Misschien is het mogelijk dat hij een koerier stuurt die de brief persoonlijk kan overhandigen en het antwoord dezelfde dag mee terug kan nemen. Het hangt ervan af. Maar hij zal zijn uiterste best doen. Meer kan ik er voorlopig niet over zeggen. Hij zal u zo snel mogelijk informeren.'

Ondanks zijn bruuske manier van doen stond de advocaat op en begeleidde haar naar de deur met een beleefd 'Goedendag, Miss Tissington'.

Emilie bedankte hem nogmaals en liep het kantoor van het personeel in, waar de secretaris met gebogen hoofd zat te werken. Ze stond aarzelend voor hem, zich afvragend of ze hem iets moest betalen, maar hij keek op, knikte haar toe en ging door met zijn werk, waarna ze het pand op haar tenen lopend verliet, blij dat ze aan de sombere omgeving kon ontsnappen.

Omdat ze niets anders te doen had en het onderhoud achter de rug was, slenterde ze terug naar het pension, waar ze op de veranda werd opgewacht door een voor haar vreemde heer.

Voor ze er erg in had, riep hij haar: 'Kijk eens deze kant op, Miss Tissington.'

Met afschuw vervuld zag ze zich geconfronteerd met een fotocamera. Er was een klik en een rookwolkje, waarna zijn hoofd tevoorschijn kwam. 'Dank u wel, juffrouw.'

'Wat doet u daar?' riep ze uit. 'Wat is dit?'

Hij pakte zijn camera en zijn statief in. 'Maakt u zich geen zorgen, juffrouw, u staat er beeldig op.' Het volgende moment was hij verdwenen, ijlings langs haar heen schietend, het hek uit.

Toen ze besefte wat er was gebeurd, haastte ze zich naar haar kamer en sloot de deur achter zich. 'O, mijn God. Ze zullen mijn foto toch zeker niet in de krant zetten? Het is zo stom. En zinloos.'

Als een zielig hoopje mens zonk ze neer op de rand van het bed, terwijl ze zich zorgen maakte om Ruths reactie. De gedachte aan de ruzie die deze foto zou veroorzaken, verlamde haar.

Ze hoopte dat Ruth hierdoor op school niet in de problemen zou komen. Haar zuster meende dat dit wel zou gebeuren. Emilie maakte zich bovendien zorgen over haar opmerking dat ze te veel van mensen eiste. Nee toch zeker? Ze zocht enkel juridische bijstand voor Mal. Het was niet de bedoeling dat dat algemeen bekend werd.

Later die dag, echter, kreeg Emilie een zwaardere klap te verwerken.

Mrs. Manningtree onthief haar van haar plichten, vanwege haar 'onverkwikkelijke achtergrond'. Het telegram was kortaf en kil.

'Slecht nieuws?' vroeg Mrs. Medlow toen ze het telegram had overhandigd.

'Nee.' Emilie wist een glimlach op te brengen. 'Gewoon een verzoek van een vriend.'

'Heb je al een advocaat gevonden?'

'Ja. Het ligt niet meer in mijn handen, wat een hele opluchting is.'

'Dat is fijn, liefje.'

Emilie ontvluchtte het pension. Ze liep een blokje om, in een poging de schok dat ze was ontslagen te verwerken, opgelucht dat ze een retourtje Maryborough had gekocht. Ze hoefde gelukkig geen huur meer te betalen voor het huisje. Maar verder? Ze haalde haar schouders op, al die zorgen, ze had er genoeg van. Ze zou gewoon een andere baan moeten zien te vinden.

Als wat? Emilie had geen flauw idee.

Toen Ruth binnenkwam, sprak ze niet over het telegram.

'Is alles goed op school?'

'Bedoel je dankzij zij jouw gedrag, Emilie? Men vroeg mij of ik de Miss Tissington in de krant was en ik kon antwoorden: "Absoluut niet!" Verder is er niets over gezegd. Ik hoop dat de zaak daarmee is afgedaan. Maar ik wil graag weten hoelang je nog denkt te blijven.'

'Tot volgende week zondag.' Dat was althans haar oorspronkelijke plan, mijmerde ze, dus daar kon ze zich evengoed maar aan houden, mits Mr. Lanfield bereid bleek Mal te vertegenwoordigen. Ze had hem gevraagd, toen ze de beschuldigingen tegen Mal uiteen had gezet, of het mogelijk zou zijn dat zij Mr. Willoughby opzocht, maar daarover was de advocaat heel duidelijk geweest.

'Absoluut niet. Bezoekers worden niet toegelaten. En het is sowieso geen plek voor jongedames.'

'Hé, Willoughby, de baas wil je zien. Hier komen.'

Mal klom uit de kalkkuil en veegde zijn handen af aan zijn ruwe katoenen overhemd. 'Wat is er aan de hand?'

'Misschien wil hij je uitnodigen voor het diner. Hoe moet ik dat verdomme weten?'

De bewaker liep achter hem aan terwijl ze de cellenblokken passeerden, op weg naar het administratiekantoor. Mal had er een gruwelijke hekel aan zo gecommandeerd te worden. Je was hier nooit alleen, tenzij je liever voor het andere uiterste koos: eenzame opsluiting. Hij verlangde vurig naar de eenzaamheid in de bush, naar de frisse, zuivere lucht. Toen ze langs een waterpomp kwamen, dacht hij ineens dat dit bezoekje wellicht geen problemen zou opleveren; misschien was Pollock teruggekomen.

'Mag ik me eerst even wassen?' vroeg hij, zich plotseling schamend omdat hij wist dat hij wellicht stonk, maar de bewaker gaf hem een duw. Hij kon de hoofdopzichter niet laten wachten.

378

Croft zat voor het gebouw te genieten van de zon, terwijl de tafel naast hem bezaaid lag met kranten. Nergens was een bezoeker te bekennen.

Hij keek op. 'Aha, Willoughby. Mr. Robert Lanfield biedt je juridische bijstand aan. Hij vraagt of je die accepteert.'

'Hoe dat zo?'

'Geef antwoord,' sprak Croft lijzig.

'Ja. Ik vermoed van wel, meneer. Maar wie is hij?'

'Mr. Lanfield is een heer die hoog staat aangeschreven. Mij wel bekend, moet ik zeggen. Je kunt je gelukkig prijzen dat hij zich voor je interesseert, dus zou ik niet zo weifelen, maar het aanbod met gepast fatsoen accepteren.'

'Ja, meneer, dat begrijp ik, maar ik vraag me alleen af hoe dit aanbod tot stand is gekomen.'

Croft lachte en liet hem een pagina van de *Brisbane Courier* zien. Hij knikte in de richting van een foto. 'Ken je dat meisje?'

Mal staarde ernaar. Het was Emilie. 'Wat is dit?'

Maar de kop sprak boekdelen. *Sonny Willoughby's vriendin.* Mal bloosde, zich schamend voor de vernedering die haar werd aangedaan. Ze zag er geschrokken uit op de foto.

'Nou?'

'Ja, meneer. Ze is een vriendin van me.'

'Een gouvernante, zegt men.'

'Ja, meneer.'

'Zo zit het dus. Die gouvernante van jou heeft Mr. Lanfield namens jou in de arm genomen. Je kunt gaan.'

'Neem me niet kwalijk, meneer, maar wat gebeurt er nu?'

'Je zult het gezelschap van Mr. Lanfield genieten. Andere gevangenen staan ook op het punt om voorgeleid te worden, maar slechts enkelen hebben het voorrecht vertegenwoordigd te worden. Je hoort het wel als hij is gearriveerd, dan zul je jezelf moeten opfrissen en naar de kapper moeten. Je kunt gaan.'

Mal aarzelde even en vroeg hem: 'Denkt u dat ik die foto zou mogen hebben?'

'Ik zei, je kunt gaan.'

De bewaker trok aan zijn arm, maar Mal bevrijdde zich van hem en beende vrijwillig weg. Emilie! Ze probeerde hem te helpen. Ze was hem dus toch niet vergeten. Maar deze juridische figuur zou betaald moeten worden; waar haalde ze het geld vandaan? En wat had de man te bieden behalve een snelle babbel? Mal wist weinig van advocaten en had maar weinig vertrouwen in hen.

Die nacht echter kreeg hij nieuwe hoop. Als deze Lanfield een beetje een goede prater was, zou hij hem misschien vrij kunnen pleiten. In dat geval zou Mal elk willekeurig baantje aannemen om de beste man terug te betalen, elke cent ervan, hoeveel het ook was. Anderzijds, als

Lanfield daar niet in slaagde, zou hij – net als zijn cliënt – de verliezer zijn. Bij een dode valt weinig te halen.

Maar Emilie. Wat moedig van haar om zich uit te spreken in een poging hem te helpen. Mal wist hoe verlegen ze was, hoe groot de inspanning geweest moest zijn, en hij was totaal overweldigd. Niemand in de hele wereld had iets om hem gegeven, zelfs zijn eigen zus niet, die geen vinger had uitgestoken, behalve dat ze een voorzichtige brief had geschreven toen hij net was gearresteerd. Waarin ze hem succes wenste. Daar had hij echt veel aan gehad.

Mal weigerde aan iemand te vertellen waarom hij bij de grote baas was geroepen; hij wilde niet dat Emilie hier genoemd zou worden. Het zou haar naam bezoedelen. En zo begon het wachten.

Baldy Perry was kwaad. Hij had gedacht vrij te komen, maar hier zat hij dan in een koude cel onder de politiekazerne, zonder een sterveling om mee te praten.

Ze hadden hem verteld dat er een vergissing was gemaakt en hij de rest van zijn tijd hier mocht uitzitten, maar dat slikte hij niet. Toegegeven, het was beter dan de slavenarbeid op het eiland en het eten was een stuk smakelijker, maar hij was niettemin achterdochtig, zoals hij met een kap op vanuit de boot in een gesloten koets was geleid. Er was iets gaande, en hij had geen flauw idee wat. Maar hoe waren ze hem op het spoor gekomen? Carnegie? Hij wilde wedden dat het Carnegie was, om hem betaald te zetten dat hij het goud niet had afgeleverd, maar Carnegie kon weinig zeggen zonder de verdenking op zichzelf te laden, dus Baldy veronderstelde dat hij beter zijn tijd gewoon kon uitzitten tot het moment dat ze hem wel moesten vrijlaten. Dan zou hij het goud halen. Allemaal voor hem. Hij zou een rijk man zijn en dan zou al die boerenkinkels op het eiland het lachen wel vergaan.

Het begon de volgende dag – het verhoor – door ene Pollock uit Maryborough, wat Baldy hielp herinneren dat hij op zijn tellen moest passen, geassisteerd door een aantal agenten uit Brisbane.

Om hen in verwarring te brengen, zeurde en klaagde hij over alles wat hij kon bedenken, en op de koop toe, beweerde hij dat zijn wettelijke termijn erop zat en dat hij vrijgelaten moest worden.

'En waar zou meneer dan wel heen gaan?' vroegen ze.

Baldy gromde. 'Waar ik heen ga? Naar de haven om een baantje te vinden, zodat ik een cent op zak heb om tenminste wat drank te kopen.'

Ze zaagden hem eindeloos door over Maryborough. Waar was hij geweest ten tijde van de overval? Die vraag lag voor de hand en hij had zich erop voorbereid.

'Ik weet het niet. Ik werkte daar. Wat voor dag was het?'

'Een zondag.'

'Zo'n vervloekte zondag. Hoe moet ik dat weten? Ik zal niet aan het werk zijn geweest. Waarschijnlijk lag ik mijn roes uit te slapen. Daarna zal ik wel weer naar de pub zijn gegaan.'

Hij was blij dat het een zondag was geweest. Anders waren er misschien oude roosters voorhanden geweest, waarop zijn afwezigheid op een werkdag stond vermeld.

'Houd je van vissen?'

'Ik? Nee. Verspilling van kostbare kroegtijd.'

'Heb je ooit een boot in je bezit gehad? Een roeiboot?'

'Wat zou ik met een boot moeten?'

'Op de rivier varen.'

Angstige momenten kwamen boven op een gunstig moment. 'Op die vervloekte rivier? Met al die krokodillen? Schei uit.'

'Ken je ene Mr. Carnegie?'

'De man die tijdens die overval is neergeschoten? Nee. Ik heb over hem gelezen, maar...'

'Ben je ooit op de goudvelden van Gympie geweest?'

'Ja. Ik en de rest van de wereld. Niks verdiend. Ik ben naar Maryborough getrokken voor een betaalde baan.'

'Ken je Mal Willoughby?'

'Ja. Heb hem in de nor ontmoet. Hij gaat hangen voor die overval.'

'Daarvoor kende je hem niet?'

'Ja. Nu ik erover nadenk. Ik heb hem eens met McPherson hier in Brisbane ontmoet.'

'Was hij bij McPherson?'

'Nee, ik. Jimmy is een kameraad van me. Willoughby kreeg ruzie met McPherson over een of ander paard. Destijds beweerde hij Ned Turner te heten.'

'Waarom zou hij dat doen?'

'Een geboren leugenaar, neem ik aan. Het is een stiekemerd, die Willoughby. Zo schuldig als wat, als je het mij vraagt.'

Naarmate het verhoor intensiever werd, begon de ongeduldige politie Perry genadeloos te slaan, wat weinig meer opleverde dan zijn hartgrondige gevloek.

Twee dagen later voegde Pollock zich bij de twee agenten uit Brisbane voor een ontmoeting met Kemp. Inspecteur Greaves was ervoor om Perry terug te sturen naar het eiland om zijn laatste weken uit te zitten.

'Het is een rotte appel, geen twijfel aan. Dit is de derde keer dat hij voor openbare geweldpleging zit, maar het kan haast niet anders of hij heeft met die overval niks te maken. Het feit dat hij rond die tijd in de stad was, wil niet zeggen dat hij de overval op zijn geweten heeft. Er waren meer dan een dozijn bekende criminelen in het gebied destijds. We hebben gewoon de goede niet.'

'Jawel,' sprak Pollock vastberaden. 'Ik ben ervan overtuigd dat hij de schuldige is. Hij had al zijn antwoorden klaar, maar ik ben meer geïnteresseerd in de dingen die hij niet heeft gezegd.'

'Zoals?'

'Het is een klager. Hij klaagde overal over, behalve over het feit dat hij langdurig werd verhoord. Geen kik heeft hij gegeven, omdat hij de bedoeling wel begreep zodra hij mij zag. Hij wist waarvoor we kwamen; hij bleef gemaakt lachend antwoord geven, tot hij een paar rake klappen kreeg. Op de momenten dat we de overval noemden, waren zijn antwoorden te gladjes, te gevat...'

Greaves onderbrak hem. 'We kunnen een man niet veroordelen op basis van wat hij níet heeft gezegd.'

'Maar het gegeven ligt er, snap je dat dan niet? Het ligt er. Hij had die zondag vrij. Hij had die boot kunnen kopen en na de overval kunnen laten zinken. Hij had een paard klaar hebben kunnen staan aan de overkant van de rivier om hem terug naar de stad te brengen. Ik ben nog steeds van mening dat het uit zijn houding spreekt, uit het feit dat hij zich niet kwaad maakt over onze suggesties...'

Kemp zuchtte en sloeg de bladzijden van het dossier om. 'Je begint al net als Willoughby te praten.'

De brigadier leunde achterover in zijn stoel en knikte. 'Inderdaad, nu ik erover nadenk. Dat klopt. Maar Willoughby had iets in de smiezen, en ik ook. Hoe meer ik over Willoughby nadenk, hoe meer ik ervan overtuigd raak dat hij in de val is gelopen.'

'Dus je probeert ons wijs te maken dat Willoughby niet meer dan een boerenknecht is. Die jongen is bekend bij alle artiesten en kermisvolk in deze helft van het land; hij is een oplichter...'

'En ze zeggen ook dat hij een scherpschutter is,' voegde de andere politieagent eraan toe.

'Nee, dat is hij niet,' zei Pollock vermoeid. 'Dat heb ik nagevraagd bij enkele van de agrarische mensen die ook attracties runnen. Ze lachten. Ze beweerden dat Sonny van een halve meter afstand nog geen doel kon raken. Het was een truc om publiek te trekken. Ze gaven hem een prijs, die hij vervolgens aan de achterkant van de kraam weer inleverde; ondertussen hadden anderen moed gevat om het ook eens te proberen. Maar luister... Baldy kon wel goed schieten. Dat is wel degelijk vastgesteld.'

Kemp onderbrak hem. 'Ik heb hier geen tijd voor. Sluit Perry weer op in de kazerne en blijf hem ondervragen. Verander van toon. Zeg dat we hem in de smiezen hebben en dat we hem in staat van beschuldiging stellen. Dat kan geen kwaad.'

'En Carnegie?' vroeg Pollock. 'Als ik hem nu eens opzocht en hem vertelde dat we Perry in hechtenis hebben genomen?'

'Dan zal hij waarschijnlijk zeggen: "Nou, én?"' reageerde Kemp vinnig. 'Laat hem met rust.'

'Nog één ding,' zei Pollock. 'Kunt u vragen of de openbaar aanklager zijn vervolging van Willoughby uitstelt, totdat we weten hoe het met Perry zit? Schuldig of onschuldig, hij kan het niet in zijn eentje hebben gedaan. Zelfs Carnegie beweert dat...'
Kemp knikte. 'Dat is redelijk. Ze hebben momenteel hun handen vol, en bovendien kan Willoughby geen kant op. Maar stel hun geduld niet op de proef, brigadier.'

Deze aanpak werkte evenmin. Perry bleef grijnzen. 'Jullie hebben niks tegen mij, anders was ik allang aangeklaagd. Ik kan jullie de namen geven van een dozijn voortreffelijke misdadigers die zich destijds in en rond Maryborough ophielden, maar jullie moeten mij er zo nodig uitpikken. Nou, ik kan jullie dit vertellen: jullie zijn aan het verkeerde adres. Ik heb er niets mee te maken, dus je steekt al die vragen maar in je achterste. Ik heb recht op een normale gevangenis met tijd om te luchten; jullie hebben niet het recht om me hier opgesloten te houden. Ik wil de baas zien.'

De daaropvolgende dagen waren de ergste die Emilie ooit had meegemaakt. Haar foto stond in de krant en Ruth was zó geschokt dat ze de hele avond chagrijnig deed, terwijl haar zuster wanhopige pogingen deed haar te troosten. Sommige mensen in het pension keken Emilie met de nek aan, terwijl anderen graag met haar in contact wilden komen. Met al die ongewenste aandacht en Ruth die haar voortdurend berispte, verloor ze weldra haar zelfvertrouwen en vond ze het moeilijk te bedenken wat haar volgende stap moest zijn. Ze schreef Mrs. Manningtree een brief, waarin ze haar spijt betuigde over het feit dat haar daden de familie mogelijk ongemak hadden bezorgd, maar vastberaden ontkende ze iets fouts te hebben gedaan.
Vervolgens schreef ze Clive een nogal verwarde brief, die te triest was om te posten, zodat ze hem meteen weer verscheurde en in plaats daarvan een kort briefje stuurde waarin ze vermeldde dat ze haar terugkeer een tijdje had uitgesteld. Het drong ineens tot haar door dat ze terug zou keren naar een stad waar iedereen wist dat ze was ontslagen, en haar gezicht kleurde bij de gedachte alleen al. Het zou ook wel in de plaatselijke krant hebben gestaan! De ene vernedering volgde op de andere.
Ze schudde haar hoofd; ze was er vooralsnog niet tegen opgewassen de mensen onder ogen te komen. Zelfs Clive niet, die het zou begrijpen. Maar was dat wel zo? Stel dat hij ook had gelezen dat ze Mals geliefde was? Verlangde ze te veel van hem? Ze wilde Mal schrijven en hem vertellen dat ze haar best deed, maar ze had geen idee wat het adres was en wilde er niet naar vragen. Ze huiverde bij de gedachte een brief te adresseren met 'Gevangeniseiland Sint-Helena', ervan overtuigd dat iemand van de autoriteiten de brief zou openen en lezen

en de inhoud openbaar zou maken. Al deze zorgen maakten van haar een wrak, totdat de secretaris van Mr. Lanfield haar informeerde dat Mr. Willoughby zijn diensten had geaccepteerd en dat de advocaat de verdachte bij de eerste gelegenheid zou bezoeken.

Dat hielp. Emilie vervoegde zich bij het scheepskantoor om haar terugtocht te annuleren en kwam op de terugweg, in Charlotte Street, langs een ander pension. Dat zag er heel aardig uit, en zonder tijd te verliezen stapte ze er naar binnen en huurde een kamer. De situatie met Ruth was onverdraaglijk geworden. Ze konden geen gesprek meer voeren zonder ruzie te krijgen.

Mrs. Medlow vond het jammer dat ze vertrok, maar Ruth niet. Sterker nog, ze leek opgelucht.

'Ik weet niet wat je van plan bent, nu je kennelijk niet terugkeert naar Maryborough, maar je lijkt vastbesloten je eigen zaakjes te regelen, wat dat ook moge inhouden, en ik wil liever niet weten wat dat behelst. Ik hoop dat jouw werkgevers deze verlengde vakantie goedkeuren.'

'Werkelijk? De laatste keer dat ik je daarover hoorde, wilde je dat ik mijn ontslag daar nam en hier in Brisbane een betrekking zou zoeken.'

'Niet zo gevat, Emilie. Je weet heel goed, althans dat zou moeten als je een greintje gezond verstand bezit, dat geen enkele werkgever in deze stad een sollicitatie van jou in overweging zal nemen. En ik kan me niet veroorloven om je te onderhouden.'

Emilie wist dat ze gelijk had, en dat ze geen referenties hoefde verwachten van Mrs. Manningtree, maar ze was alle berispingen meer dan beu.

'Dat geeft me ineens te denken, Ruth. Heeft Mr. Bowles jou de koopakte van mijn land gegeven?'

Ruth gooide haar hoofd gepikeerd in de nek. 'Ik heb hem niet meer gesproken.'

'En het geld voor jouw land dan? Je hebt het contract al een week geleden ondertekend.'

'Dat zijn mijn zaken. Mr. Bowles zal het me op een passend moment wel overhandigen.'

'Natuurlijk. Maar mocht je hem zien, zeg dan dat ik de akte graag wil hebben voor ik terugkeer.'

Ze pakte haar laatste spullen in. 'Ik wil geen ruzie met je, Ruth. Ik zit slechts een paar straten verderop. Ik zal je elke avond, na het diner, opzoeken. Het komt allemaal goed. Je zult het zien.'

'Ik hoop het,' reageerde Ruth, maar ze vergezelde Emilie niet naar de voordeur.

Hoofdstuk 13

Robert Lanfield had het eiland wel eerder bezocht om cliënten te horen en hij zat ook in het overkoepelende gevangenisbestuur van de staat. Hij vond het doodzonde dat zo'n schitterend klein eilandje zo'n lelijke gevangenis huisvestte, maar dat soort dingen gebeurde nu eenmaal, en gevaarlijke criminelen moesten veilig worden opgeborgen.

Zijn secretaris had hem voor deze ontmoeting met de gevangene van voldoende informatie voorzien om zich vertrouwd te maken met de zaak-Willoughby en de beschuldigingen die hem ten laste waren gelegd, dus hij was goed voorbereid om de jongeman onbevooroordeeld te woord te staan. Afhankelijk van Willoughby's houding kon hij de zaak nog altijd van de hand wijzen, maar het was belangrijk. Drie moorden en een gestolen goudvoorraad zouden nationale publiciteit met zich meebrengen, en hij kende al een uitmuntende strafpleiter die zich graag voor deze zaak wilde inzetten.

De politiezaak tegen deze jongeman was zwak, aangezien er geen medeplichtigen waren, dus wilde hij de zaak zo snel mogelijk laten voorkomen, hoewel hij inmiddels had gehoord dat de openbaar aanklager daar anders over dacht. Hij glimlachte. Hij kon het hun niet kwalijk nemen, maar het was een extraatje voor hem. En voor de gevangene natuurlijk.

Hoofdopzichter Croft bood hem een kop thee aan en wilde hem daarna een rondleiding door de gevangenis geven, maar Lanfield wees er beleefd op dat hij hier nu als juridisch adviseur was en de uitnodiging dus niet kon accepteren. Hij vroeg naar de gevangene en hoorde met belangstelling aan dat hij een stoutmoedig man was die geen enkel berouw toonde voor zijn daden, maar momenteel geen problemen veroorzaakte.

'Daar zorgen wij wel voor,' zei Croft, en Lanfield knikte, alsof hij daarmee instemde. Nu al berecht en veroordeeld, mijmerde hij. De man zat nog in voorarrest en zou hier niet eens moeten zitten, maar aangezien hij al eens was ontsnapt en de politie maandenlang had beziggehouden, betwijfelde hij of hij hem kon laten overplaatsen naar een gevangenis in Brisbane. Het was de moeite van het proberen niettemin waard. Het zou het leven voor mij een stuk gemakkelijker maken, dacht hij.

Hij was niet onder de indruk van de gevangene, hoewel hij – ondanks zijn kaalgeschoren hoofd – een knappe jongeman was met een gave, gebruinde huid en eerlijke blauwe ogen. Niet dat dit van enige invloed was op Robert Lanfield. In de dertig jaar dat hij een advocatenkantoor bestierde, had hij te vaak boeven ontmoet die hun uiterlijk als wapen gebruikten en wier blikken boter konden doen smelten. Noch liet hij zich inpakken door Willoughby's hoffelijke gedrag. Dat kon ook schijn zijn. Hij wilde weten wat er achter die enthousiaste grijns schuilging.

Voor een jury deed het uiterlijk er echter wel degelijk toe. Lanfield nam zich voor Croft te vragen of de jongen zijn haar mocht laten groeien.

Gewoonlijk vroegen gevangenen in voorarrest of hun handboeien verwijderd mochten worden, maar Willoughby kende dat recht niet of gaf er niet om. Zodra Lanfield zich had voorgesteld en zijn cliënt had laten plaatsnemen, vroeg Willoughby naar Miss Tissington. Hoe het met haar ging en hoe de advocaat en zij met elkaar in contact waren gekomen.

Lanfield legde het in het kort uit, maar Willoughby was niet tevreden. 'Als u het niet erg vindt, meneer, ik moet weten hoe het met de betaling zit. U verwacht toch zeker niet dat zíj betaalt?'

Lanfield zuchtte. 'De dame heeft een aantal dagen geleden aangeboden de kosten te vergoeden, volgens mijn secretaris.'

'Maar dat hoort niet. Ze kan zich dat niet veroorloven.'

'Dan zult u het moeten opbrengen.'

'Maar ik heb geen geld. Kan ik u een schuldbekentenis geven?'

'Mr. Willoughby, u kunt het aan de dame terugbetalen. Kunnen we nu verder? Ik moet alles over u weten, in het bijzonder alle details over de overval waarbij u was betrokken.'

'Ik was er niet bij betrokken. Ik was niet ter plaatse.'

De advocaat knikte. Dat was een goed begin. Hij had het woord met opzet gebruikt om zijn reactie te peilen. Hij had geleerd te luisteren naar de denkprocessen achter het gesproken woord.

'Of u het nu wilt of niet, u bent betrokken bij deze kwestie, en het is mijn plicht om te zorgen dat dat ongedaan wordt gemaakt. Welnu, waar bent u geboren?'

'Wat doet dat ertoe?'

'Heb wat geduld met me.'

Van Lanfield werd gezegd dat hij een harde, gevoelloze man was, maar als hem die bewering zou worden voorgelegd, zou hij geredeneerd hebben dat sentimentaliteit hem eenvoudig vreemd was. Hij beschouwde gevoelens als iets verwijfds, iets dat niet thuishoorde in de rechtspraak, tenzij het als laatste redmiddel gebruikt moest worden om een jury te bewerken. Dus toonde hij zich onbewogen toen hij de geschiedenis van de jongen aanhoorde, wiens opvoeding hij niet erger vond dan die van talloze andere kinderen met verarmde ouders. Maar Willoughby leek zelf ook nogal onbewogen. Het was misschien interessant hem een beetje uit zijn tent te lokken.

'Had u een hekel aan uw vader?'

'Nee.'

'Maar hij was een dronkelap! Heel onredelijk voor u op die leeftijd.'

'In welk opzicht?'

Lanfields ogen werden glazig. Kennelijk wist de jongen niet beter. Hij ging verder. 'Er is gezegd dat u een dief bent.'

'Vermoedelijk wel, als u het zo zegt. Maar ik zag er geen kwaad in, hier en daar een horloge of een portemonnee of zoiets, als ik eens aan de grond zat.'

'En u verwacht dat ik dat door de vingers zie?'

'Waarom zou u? Nu ik erover nadenk, ik ben zelf ook meermalen beroofd.'

'Als gevolg van het gezelschap waarmee u zich omgeeft.'

'Waarschijnlijk.'

'Het is bewezen dat onbeduidende misdaden van kwaad tot erger worden.'

'Ja.'

'Nou. Dat kan ook in uw geval worden gezegd.'

'Nee. Ik heb er nooit de moed voor gehad.'

Ze praatten verder over de goudvelden van Gympie, en tot zijn verrassing kreeg Lanfield te horen dat de verdachte en zijn partner ieder zo'n vierhonderd pond hadden verdiend met het delven.

'Ik was rijk,' zei Willoughby. 'Het was meer geld dan ik ooit in mijn leven had bezeten. Waarom zou ik wie dan ook beroven? Daarom nam ik juist dat baantje aan. Ik was zelf al eens beroofd tijdens mijn tocht naar het noorden. Ik veronderstelde dat die wegen niet veilig waren voor een man alleen met een fortuin op zak. Ik meende dat het een slim idee was om met het goudtransport naar Maryborough te rijden. En er nog voor betaald worden ook.'

'Maar de volgende dag werd u gearresteerd. Wat hebt u met het geld gedaan?'

Voor de eerste keer lag er een weifelende blik in zijn ogen. De plotselinge verandering was zijn ondervrager niet ontgaan.

'Ik heb het weggegooid. Waarom zou ik het aan de politie geven? Als ze me toen hadden opgepakt, hadden ze het in hun eigen zak gestoken.'

Hij loog, maar Lanfield besloot het te laten rusten. 'Vertel eens wat meer over die Carnegie.'

In werkelijkheid kende Lanfield Carnegie wel en had hij weinig met hem op, maar zijn mening deed er niet toe. Hij boog zich over zijn aantekeningen, terwijl Willoughby uitvoerig antwoord gaf.

387

'U beweert dus dat Mr. Carnegie u in de val heeft gelokt en u vervolgens als een van de bandieten heeft aangewezen om zijn eigen aandeel in de overval te verdoezelen?'

'Daar lijkt het in mijn ogen op.'

'Het lijkt ook erg onwaarschijnlijk. Mr. Carnegie was de goudcommissaris, een man met een goede reputatie. Het lijkt neer te komen op uw woord tegen het zijne.'

'En ik ben een nul.'

'Precies. U zult met iets beters moeten komen, Mr. Willoughby. Wat was de regeling die u met Miss Tissington trof?'

'Welke regeling?'

'U hebt haar na uw ontsnapping bezocht.'

'Ik heb haar niet bezocht, ik heb haar bij de poort opgewacht. Waarom heeft ze dat eigenlijk verteld? Ze had hier beter buiten kunnen blijven.'

'Omdat ze zich zorgen maakt om u.'

'Maar waarom heeft ze met de pers gepraat?'

'Dat heeft ze klaarblijkelijk niet. Ze raadpleegde een kennis van haar, Mr. Kemp, de hoofdinspecteur van politie, alleen voor de naam van een betrouwbare advocaat. Die verwees haar naar mij. Kennelijk heeft iemand op het politiebureau die informatie doorgespeeld aan de kranten.'

'Was ze overstuur?'

'Ik geloof van wel. Maar ik moet meer weten over uw regeling met haar.'

'Welke regeling, verdorie?'

'Laat ik het zo zeggen. U wordt verdacht van beroving van de goudkoets. U ontsnapt aan de politie. U neemt een groot risico door een bevriende dame midden in het centrum van Maryborough op te zoeken met de politie op uw hielen. Ik vraag me toch af of u haar het goud hebt overhandigd. Om veilig te bewaren.'

Willoughby barstte in woede uit. De stoel vloog weg toen hij op zijn voeten sprong en met zijn geboeide vuisten op tafel sloeg. 'Zeg dat niet! Durf het verdomme eens te denken! Ze is tien keer zoveel waard als jij of ik, klootzak. Zoiets zou ze niet eens in overweging nemen...'

Twee bewakers die alle opschudding hoorden, kwamen onhandig de kamer binnen en doken boven op Willoughby, maar zijn advocaat bleef kalm.

'Niks aan de hand. Laat hem met rust. Jullie kunnen gaan.'

Toen de rust was weergekeerd in de kamer en Willoughby naast het kleine tralieraampje stond, nam Lanfield opnieuw het woord.

'Het was niet meer dan een veronderstelling, Mr. Willoughby. Het soort veronderstelling waarmee de openbaar aanklager zal aankomen, dus daar moet u op voorbereid zijn.'

388

'Nee, dat hoef ik niet. Ik pik het gewoon niet. Ik ben alleen bij haar langsgegaan om me te verontschuldigen, om haar te zeggen dat ik in de problemen zat en dat ik me niet aan onze afspraak kon houden. O, Jezus Christus. Wat heb ik haar aangedaan? Vergeet dit alles, verklaar me maar schuldig.'

'Dat zou het enkel erger maken. Het goud is nog altijd niet terecht. Ga nu eens rustig zitten.'

Willoughby's reactie was een doorbraak. Hij was al met al veel te vrolijk geweest, had de vragen beantwoord op die jongensachtige manier die hem door de jaren heen had geholpen, die hem tot een prettig persoon had gemaakt. Het was geen schijn, het was de manier waarop hij had geleerd te overleven in al die jaren dat hij te maken had met een dronken vader, zonder thuis en zonder een duidelijke bron van inkomsten. Maar het was niet voldoende. De vervolgende partij kon zijn onschuldige façade evengoed afbreken, waardoor een onzekere en mogelijk gewelddadige man aan het licht zou komen.

Lanfield stelde hem die vraag. 'Bent u gewelddadig?'

'Nee.'

'Hebt u zichzelf nooit hoeven verdedigen in gevaarlijke situaties?'

'Soms.'

'Waarmee? Een geweer?'

'Nee. Ik draag nooit een geweer.'

'Met de vuisten dan?'

'Nee. Met een veedrijverszweep.'

'Juist. En u kunt goed overweg met een veedrijverszweep?'

'Ja.' De stem klonk dof. Vrijblijvend. Lanfield wist genoeg. Hij had de schade wel eens gezien die bedreven mannen met die lange, kronkelende zwepen konden aanrichten. Deze jongeman was absoluut niet het zachtaardige type waarvoor hij zichzelf aanzag. Het was bijzonder intrigerend.

'Vertel eens wat meer over die Baldy Perry.'

'U krijgt niets anders te horen dan wat ik brigadier Pollock heb verteld. Het zat vooral in hetgeen hij níet zei, dat was belangrijk.'

Lanfield had het gevoel dat zijn cliënt enige aanmoediging nodig had. 'Het zal u verrassen dat het me uitermate interesseert. U gedraagt zich alsof u een sprookjesachtig leven hebt gehad; zelfs uw betrekkingen met die jongedame lijken geen andere basis te hebben dan een aantal vluchtige ontmoetingen...'

'Dat is waar,' reageerde Willoughby venijnig.

'U accepteert zonder twijfel het bevel van Carnegie om het kamp te verlaten en naar de stad te rijden...'

'Dat deden de anderen ook.'

'U laat Pollock die zondagochtend een uur lang in de steek zonder daarvoor een reden te geven, voor u met de politie meerijdt naar het transport...'

'Hoe moest ik weten dat er een overval gaande was?'

'En plotseling begint u te luisteren naar de gevangene Perry. Het lijkt me, Mr. Willoughby, dat u voor het eerst in uw leven ging nadenken. Ongeacht of het toeval of wijsheid was. Ik moet nu echter gaan. Ik stel voor dat u uw leven eens wat serieuzer probeert te nemen. We beginnen met mijn rekening. Aangezien Miss Tissington heeft aangeboden uw onkosten te betalen, schrijf ik hierbij een schuldbekentenis waarin staat dat u Miss Tissington geld bent verschuldigd. Hier tekenen, alstublieft.'

Willoughby tekende. 'Ik heb haar een brief geschreven. Kunt u die voor mij bezorgen?'

'Nee. Dat is tegen de regels. Maar als u wilt zal ik uw goede wensen aan haar overbrengen.'

'Dank u, Mr. Lanfield.'

Lanfield verzamelde zijn paperassen. 'Het zou nuttig kunnen zijn als u nog eens nadacht over de eventuele relatie tussen Mr. Perry en Mr. Carnegie.' Hij fronste. 'En over wie het goud nu eigenlijk heeft. U was op de goudvelden. Kunt u niemand bedenken die met Mr. Carnegie samengespannen zou kunnen hebben, nu u hem als verdachte ziet?'

'Nee.'

'Welnu, mocht het alsnog lukken, dan kunt u mij dat schrijven, via het kantoor van Mr. Croft. Ik wens u veel geluk, Mr. Willoughby. Ik zal mijn uiterste best voor u doen.'

Op de terugweg piekerde Lanfield over Carnegie. Hij was een bekende gokker. Als hij er inderdaad bij betrokken was, kende dit soort misdaad een precedent, alhoewel het vorige voorbeeld slecht was uitgevoerd. De heerschappij van de vuist en het geweer in het noordelijke binnenland was zó gangbaar dat er maar weinig daders ooit waren gevangengenomen, maar goudcommissaris Griffen was gesnapt.

Een aantal jaren geleden was Griffen, een dwangmatige gokker, vervallen tot de misdaad. Vanuit Rockhampton begeleidde hij in het gezelschap van twee cavaleristen een transport van meer dan zevenduizend pond aan goud en bankbiljetten, en toen ze ergens onderweg hun kamp opsloegen schoot Griffen de beide mannen in hun slaap dood. Griffen bekende de moorden en de roof later en werd ter dood veroordeeld. Zijn verklaring dat de mannen verdwaald waren in de bush en dat ze aangevallen moesten zijn, had hem niet gered. Hij leidde de autoriteiten uiteindelijk naar de plek in de bush waar hij de buit had verstopt.

Een precedent. Lanfield knikte. Een misdaad waarvan een andere man wellicht dacht dat hij dat beter kon, samen met een medeplichtige en met meer oog voor detail. Hij twijfelde er niet aan dat Kemp en zijn agenten zich ook bewust waren van de Griffen-zaak, maar dat leidde hen niet noodzakelijkerwijs naar Carnegie. Er waren andere goudcommissarissen en talloze goudtransporten in deze onstuimige tijd. Het noorden van Queensland leek ook een echte schatkist aan goud te herbergen en de bodem daarvan was vooralsnog niet in zicht. Was Carnegie het brein achter deze misdaad? Volgens Willoughby wel. Maar alleen door eliminatie van een andere verdachte. In werkelijkheid had hij niets om op voort te borduren.

Zou Carnegie zoiets in zijn eentje aandurven? Lanfield meende van niet. Niet zonder de hulp van een crimineel element. En die Perry? Hoe moest hij het verband aantonen? Willoughby beweerde dat Perry was vrijgelaten, daarom was het noodzakelijk dat hij hem zou opsporen. Absoluut noodzakelijk.

Miss Tissington was een aardig meisje. Maar dwaas genoeg om in deze zaak verwikkeld te raken. Wat moesten haar ouders ervan denken? Terwijl ze keurig plaatsnam tegenover de advocaat, lag er een gretige, verwachtingsvolle blik op haar gelaat die – zo vermoedde hij – weldra zou verdwijnen. Het was ongelukkig maar noodzakelijk. Hij beantwoordde haar vragen over Willoughby geduldig en stelde haar op haar gemak. Ja, het ging goed met hem en hij was opgewekt door de ontwikkelingen. En hij stuurde zijn hartelijke groeten, maar...

'Hoe hebt u de jongeman ontmoet, Miss Tissington?'

Haar antwoord vervulde hem met schrik. Ze waren niet eens fatsoenlijk aan elkaar voorgesteld! Hij had haar op straat aangesproken alsof ze een of ander goedkoop type was. Lanfield zette zijn bril recht en staarde naar haar. 'Wist uw vader hiervan?'

Ze bloosde en legde haar omstandigheden uit.

'Juist, ja. En keurde uw zuster deze kennismaking goed?'

'Mijn zuster wist er niets van.'

'Legt u mij dan alstublieft eens uit waarom u genegenheid opvatte voor een man die feitelijk een zwerver was?'

'Zijn deze vragen werkelijk nodig, Mr. Lanfield?'

'Inderdaad.'

Ze schudde ongerust met haar hoofd. 'Ik weet het niet. Hij was aardig tegen me. Vrolijk. Toen ik hem in Maryborough ontmoette leek hij zo oprecht verheugd me weer te zien, bij toeval, dat hij me de adem benam. En...'

Hij zag vocht in haar ogen ontstaan en onderbrak haar. 'We willen geen tranen nu, of wel? We zijn hier om Mr. Willoughby een dienst te bewijzen.'

Ze slikte. 'Ik was ongelukkig. Mijn bazin deed moeilijk. Ik had geen vrienden. Ik was eenzaam en hij was gewoon erg aardig tegen me.'

Hij knikte. 'Aha. Was hij uw minnaar?'

'Nee! Dit was pas de derde keer dat ik hem ontmoette, toen hij kwam vertellen dat hij in moeilijkheden verkeerde! Zeker niet!'

'Wanneer was de vierde keer?'

'In mijn huisje toen...' Ze zweeg ineens.

'Ga door.'

'In de tijd dat hij zich voor de politie schuilhield, kwam Mal me een keer opzoeken. Hij maakte zich zorgen om mij.'

'En niet over zichzelf?'

'Niet echt. Hij bleef niet lang. Hij zei dat hij ergens naartoe moest.'

'En u hebt de politie ook bij die gelegenheid niet geïnformeerd?'

'Nee. Mr. Lanfield, alstublieft, ik heb hun niets verteld over dat bezoekje.'

Hij klakte goedkeurend met zijn tong. 'Dat is maar goed ook. Heb het er verder maar niet over. Welnu, heeft Mr. Willoughby u iets gegeven?'

'Wat bedoelt u?'

'Heeft hij u geld gegeven? De waarheid, alstublieft.'

Ze reageerde gepikeerd. 'Ik vertel de waarheid en snap niet wat dit te maken heeft met deze zaak.'

'Er is een groot bedrag aan goud en bankbiljetten spoorloos, Miss Tissington. Tot op heden bent u de enige persoon, bij de politie bekend, die hij na de overval heeft ontmoet. Hij heeft een groot risico genomen door u op te zoeken. U hebt duidelijk gemaakt dat hij erop vertrouwde dat u hem niet zou aangeven; in dat geval zou hij u ook de opbrengst van de overval hebben kunnen toevertrouwen.'

Ze verstijfde van schrik. 'Nee! Wie bedenkt zoiets? Nee. Hij heeft het geld niet gestolen en hij heeft het niet aan mij gegeven.'

Het was onvermijdelijk dat ze begon te huilen. 'Dat is een verschrikkelijke beschuldiging,' weende ze. 'Ik besefte niet eens dat ik iets verkeerds deed door niet te rapporteren dat Mal na zijn ontsnapping bij de poort op mij wachtte.'

'Kom nou toch. U was wellicht geschokt en overstuur destijds, toen u van zijn moeilijkheden hoorde zoals u dat noemt, maar het moet later toch doorgedrongen zijn? U bent een hoog opgeleide jongedame; u moet geweten hebben dat het uw plicht was dit aan de politie te melden. Toch hebt u dat niet gedaan. Ik vraag het nogmaals, heeft hij u iets gegeven? Iets van geld misschien, Miss Tissington?'

Ze trilde onbeheerst en hij schonk haar een glas water in, waarvan ze een deel op haar rok morste. Nog altijd huilend, zat ze te zoeken in haar handtas terwijl hij er zwijgend, onverstoord bij zat, in de veronderstelling dat ze wederom naar een zakdoek zocht, aangezien de zakdoek die ze gebruikte al nat was van tranen, maar in plaats daarvan haalde ze een bundeltje bankbiljetten tevoorschijn dat ze op zijn bureau gooide.

'Hier! Daar hebt u het. Dit is Mals geld. Zijn eigen geld. Hij heeft het op de goudvelden verdiend. Hij heeft het aan mij gegeven, omdat hij zei dat de politie het toch zou afpakken zodra ze hem vingen. Hij zei dat hij liever wilde dat ik het kreeg.' Ze liet zich snikkend achterover in haar stoel vallen. 'Ik schaamde me. Ik wilde het niet aannemen, maar hij stond erop. Het is geen gestolen geld, heus niet! Ik heb het meegenomen om zijn juridische bijstand te kunnen betalen. Om u te betalen, Mr. Lanfield.'

Hij sloeg zijn handen tevreden in elkaar. Dus Willoughby had het geld toch niet weggegooid. Sterker nog, dit was een verstandige zet geweest. Misschien was er toch nog hoop voor die dwaas. Niettemin had hij het meisje er nooit bij moeten betrekken. Lanfield was er inmiddels van overtuigd dat hij te maken had met een stel domme ganzen. Ze had zich nooit in de buurt van de politie moeten wagen, hoe aardig die Kemp ook was, en wat Willoughby betreft, misschien was hij inderdaad verkeerd geïdentificeerd. Of in de val gelokt, zoals hij beweerde. Lanfield had ook de neiging te geloven dat ontsnappen onder de gegeven omstandigheden niet zo'n slecht idee was. Hij kon beweren dat Willoughby voldoende redenen had om voor zijn leven te vrezen, in die stad, op dat moment. Maar hij had zich elders bij de politie moeten aangeven.

'Hebt u nog met anderen over uw vriendschap met Mr. Willoughby gepraat?'

'Ja. Met Mr. Clive Hillier. Die ook bevriend is met Mr. Willoughby. Ze waren partners op de goudvelden.' Ze keek hem uitdagend aan. 'Clive denkt ook dat Mal onschuldig is.'

'Weet hij van dat geld? Of dat Mr. Willoughby u heeft bezocht terwijl hij op de vlucht was?'

'Nee.'

'Dat is een opluchting. Hij kan getuigen van het goede karakter van Mr. Willoughby, neem ik aan.'

Ze knikte vermoeid. 'Ja. Kan ik nu gaan?'

'Natuurlijk. U bent erg behulpzaam geweest, Miss Tissington. Vragen als deze kunnen een hele beproeving zijn, maar u hebt zich er wonderwel doorheen geslagen; u hoeft zich geen zorgen te maken. Stop uw geld nu maar weer weg. Het is van u. Niets om u voor te schamen.' Hij liep om het bureau heen, pakte het rolletje bankbiljetten op en gaf dat aan haar.

'Als u wilt, mag u mijn secretaris tien pond geven voor mijn werkzaamheden tot dusver. Ik moet nu binnenkort een strafpleiter inschakelen en die zal heel wat meer kosten, dus wees daarop voorbereid.'

Hij glimlachte. 'Het lijkt erop dat Mr. Willoughby heeft geïnvesteerd in zijn eigen verdediging. Hij heeft geluk een vriendin als u te hebben.'

Allyn Carnegie voelde zich misschien sterk genoeg om die sukkel van een politieman uit Maryborough te behandelen met de minachting die hij verdiende, maar de keurig geklede man in zijn zitkamer was van een totaal ander slag. Zodra Carnegie Robert Lanfield uit zijn sjees had zien stappen, wist hij dat er moeilijkheden op komst waren, en het had niets te maken met zijn schulden. Een advocaat van Lanfields formaat verliet zijn kantoor niet voor simpele boodschappen. Hij trok zijn schouders op en wendde een schuifelende tred voor toen hij naar een van de gemakkelijke stoelen liep.

'Mijn hart, weet u, dat functioneert niet meer zo goed sinds ik ben neergeschoten, Lanfield. Wilt u soms een kop thee? Of misschien een glas cognac?'

'Nee, dank u, Mr. Carnegie. Het spijt me te horen dat u zich niet goed voelt. Ik wilde u eens spreken over die kwestie. Ik moet u allereerst informeren dat ik hier ben als vertegenwoordiger van Mallachi Willoughby...'

'Ik heb u niets te vertellen.'

'Dat is nauwelijks de houding die ik van u verwachtte, meneer. Ik dacht wel dat u niet zou staan te trappelen mij te helpen, aangezien u een slachtoffer was van die gruwelijke overval. Ik realiseer me dat het een ervaring is waar u liever niet over uitweidt, maar ik zou het erg waarderen als u me uw versie van de gebeurtenis zou willen geven.'

Lanfields pluizige bakkebaarden verborgen niet zijn onbuigzame kaak en zijn kille groene ogen. Hij boezemde Allyn angst in, die besloot dat hij hem beter voor dan tegen zich kon hebben. Tenslotte kon hij zijn verslag ondertussen zo'n beetje uit het hoofd opdreunen, dus had hij weinig te verliezen.

'Ik ben die hele toestand zo zat,' mompelde hij. 'Steeds weer hetzelfde verhaal afdraaien. U verwacht hopelijk niet dat ik ga getuigen dat de man die u verdedigt een goed karakter heeft? Een moordenaar. Ik bedoel, dat is gewoon lachwekkend.'

'Absoluut niet, mijn beste man. U begrijpt het niet. Ik heb eenvoudig uw versie van het voorval nodig, aangezien Willoughby beweert dat hij niet op de plek des onheils aanwezig was.'

'Hij kan liegen tot hij een ons weegt. Hij was wel degelijk aanwezig, dat kan ik u verzekeren. Hij kwam samen met hen terug.'

'Hen?'

'Wie zijn medeplichtigen ook waren.'

Na een korte inleiding kreeg Lanfield Carnegies versie van het verhaal te horen, en hij waakte ervoor de man niet te onderbreken, aangezien duidelijk was dat de verteller ervaring had.

'U had het mis over McPherson. Is het mogelijk dat u zich ook heeft vergist in Willoughby's aanwezigheid?'

'Absoluut niet. Ik kende hem. Ik hem heb nota bene ingehuurd.'

'Ik heb gehoord dat het eigenlijk uw plaatsvervanger was, Taylor, de heer die is doodgeschoten, die Mr. Willoughby – op uw aanraden – heeft ingehuurd.'

'Dat klopt.'

Lanfield staarde hem over zijn brillenglazen heen strak aan. 'En toch stond Mr. Taylor bekend als een scherpzinnig man. Een man die erom bekendstond dat hij iemands karakter goed kon inschatten.'

Hij was dit juweeltje aan informatie tegengekomen toen hij de opmerkingen in de politierapporten en krantenknipsels eens kritisch had doorgenomen; een constatering die door meerdere enthousiaste inwoners van Maryborough was gedaan, en hij vond het belangwekkend, aangezien Willoughby de indruk had gehad dat Taylor en Carnegie niet bepaald goed met elkaar konden opschieten.

Maar Carnegie sloeg bedroefd de ogen neer. 'Die fout heeft hem zijn leven gekost.'

'Daar lijkt het wel op.' Lanfield maakte plotseling een einde aan het gesprek. 'Ik waardeer uw medewerking, Mr. Carnegie. Ik had gehoopt dat u bij nader inzien wellicht anders zou denken over mijn cliënt.'

'Hoe zou ik dat kunnen? Hoewel ik gewond was, herkende ik hem meteen.'

'Natuurlijk. Vriendelijk bedankt dat u me wilde ontvangen. Ik zal de zaak zo goed en zo kwaad dat gaat voorbereiden voor de strafpleiter.'

Carnegie verbleekte. 'Welke strafpleiter?'

'De jurist die u in de rechtbank zult tegenkomen,' zei Lanfield op sadistische toon. 'Mr. Willoughby zal gebruikmaken van een strafpleiter; ik ben slechts een nederige schakel in het hele proces. Ik zal mijn visitekaartje achterlaten, Mr. Carnegie. Ik vraag niet om gunsten, maar ik concludeer dat u een eerlijk man bent. Als u ooit zou twijfelen aan de aanwezigheid van Mr. Willoughby bij de overval, kom me dan vooral opzoeken. Het is nooit te laat om iets recht te zetten.'

'Dat heb ik al gedaan,' reageerde Carnegie nerveus.

'Inderdaad. En de ene dienst is de andere waard. Heeft u ooit van de Griffen-zaak gehoord?'

'Griffen. Nee. Wat is dat?'

Lanfield wilde bijna applaudisseren. Dat was precies het antwoord dat hij nodig had. Er was geen enkele goudcommissaris die niet wist wat de Griffen-zaak inhield. Deze man zat glashard te liegen.

'O, een stukje historie,' mompelde hij. 'Niet relevant, neem ik aan.'

Hij maakte het zich gemakkelijk in zijn sjees, reed over de steile hellingen naar de rivier en nam daar de afslag richting de stad.

'Leer om leer,' zei hij, alsof hij het tegen de openbaar aanklager had. 'Jullie horen mijn jongedame uit, dus moet ik jullie heerschap ondervragen. De rechtbank zal haar het vuur ongetwijfeld na aan de schenen leggen, maar dat is kinderspel vergeleken met wat mijn strafpleiter met jullie getuige zal doen.'

Lanfield was er inmiddels nog sterker van overtuigd dat Willoughby onschuldig was. Hij had echter geen idee wie de dader wel was. Het was mogelijk dat Carnegie erbij betrokken was, maar hij was geen detective; het was niet zijn werk om de feitelijke daders te vangen. Dat was aan de politie. Zijn taak was om Willoughby vrij te krijgen.

Hij volgde de rivier naar de kade en stuurde zijn sjees Queen Street in, naar zijn club, waar strafpleiter Allenby hem zat op te wachten. Allenby won graag, en deze zaak was niet alleen goed te winnen, er stond ook veel publiciteit op het spel. Er bestond bij het publiek veel dwaze sentimentaliteit over Willoughby, dankzij de fraaie foto's in de krant en de jeugdige naam Sonny die hem was toebedeeld, maar de publieke opinie was pas echt in zijn voordeel toen bekend werd dat zijn eigen oom, die hij had vertrouwd, hem voor de beloning had aangegeven. Het beste wat de oom voor de jongen had kunnen doen, zo bleek nu.

Lanfield kon zijn geluk amper geloven toen Miss Tissington bij hem was komen aankloppen. Allenby zou de zaak in behandeling nemen. Hij zou staan te trappelen. Maar ze moesten het wel even over het meisje hebben. Ze zou teruggestuurd moeten worden naar Maryborough, zodat ze voorlopig buiten bereik van de openbaar aanklager zou zijn.

Hij maakte zich zorgen over Miss Tissington. Ze was wellicht geschikt als getuige van zijn goede karakter, mits ze in de getuigenbank niet zou flauwvallen van de plankenkoorts. Willoughby zelf zou echter ook in hun voordeel werken. Was er ooit een beter moment voor hem geweest om zijn innemende manieren op een zinvolle manier te gebruiken? Lanfield wenste dat dames ook zitting konden nemen in een jury.

'O, was het maar weekend,' verzuchtte Lanfield. Al dat haastige gereis was slecht voor de lever. Hij had zijn gezin beloofd om hen op zaterdagmorgen mee te nemen naar hun huis in Sandgate aan zee, op voorwaarde dat er geen pottenkijkers – zijn woord voor gasten – werden uitgenodigd. Hij was niet in de stemming voor gezelschap, oud noch jong. Soms dacht hij wel eens dat het leven van een strandjutter best aangenaam kon zijn als men geen vrouw en drie dochters hoefde te onderhouden. Die gedachte bracht hem abrupt terug in de realiteit.

Hij had een bezoek gebracht aan Kemp, vond hem een voorkomend man maar iemand die zich niet in de kaart liet kijken. Hij leek geen mening te hebben over Willoughby of Carnegie en repte met geen woord over Miss Tissington, wat Lanfield prima paste – hij hoopte dat ze haar zouden vergeten. Maar dat was niet waarschijnlijk. Hij werd vervolgens overgedragen aan brigadier Pollock, die uit eigenbelang handelde. Hij was de agent die Willoughby had laten ontsnappen en nog altijd leed onder de consequenties.

In tegenstelling tot Kemp, die tijdens hun gesprek telkens andere onderwerpen aansneed, was de brigadier als een hond met een bot. Hij was vastbesloten deze zaak op te lossen, wat Robert bewonderenswaardig vond, althans zolang hij niet kon bewijzen dat Willoughby bij de overval was betrokken.

Pollock liet echter geen twijfel bestaan over zijn vermoeden dat Carnegie de hele overval wellicht had beraamd. Een klus uitgevoerd door bekenden. Wat niet inhield, zo benadrukte hij, dat Willoughby definitief onschuldig was. Allenby zou Pollocks mening graag horen; hij wilde zijn grote dag in de rechtbank en keek uit naar het moment waarop er niets van Carnegies verhaal heel zou worden gelaten, of het nu waar of onwaar was.

Het goede nieuws echter, was dat de crimineel Perry nog altijd in hechtenis zat en niet was verdwenen in het moeras der vrijheid.

'Dus u gelooft Willoughby wat dat betreft?'

'Het is mogelijk, dat is alles.'

'Mag ik Perry bezoeken?'

'Niet zonder toestemming van Kemp. Het is trouwens geen goed idee. We hebben hem eindeloos ondervraagd, maar tot dusver heeft hij niet doorgeslagen.'

'Het lijkt me, brigadier, dat aangezien jullie Perry ergens hebben opgeborgen en hem nog altijd verhoren, het meer dan mogelijk is dat ik hem bezoek.'

Pollock liet zich vermurwen. 'Luister, Mr. Lanfield. Om eerlijk te zijn, denk ik dat Perry ermee te maken heeft. Maar de andere agenten hier delen mijn mening niet, dus is het nogal riskant, als u begrijpt wat ik bedoel. Als u aandringt om hem te mogen bezoeken, raak ik hem misschien kwijt. Dit is het enige dat ik kan doen om hem onder druk te houden.'

'Mooi. Uiteindelijk streven we hetzelfde doel na, brigadier. De daders van deze misdaad moeten berecht worden. Dus kan ik u beter vertellen dat ik oprecht geloof dat Carnegie een leugenaar is.'

'Hebt u hem gesproken?'

'Dat is niet verboden.'

'Wat had hij te zeggen?'

'Alles wat men zou verwachten.'

'Wat? Hoe? Ik bedoel, heeft hij ergens een blunder geslagen? Ik heb mijn hersenen erover gepijnigd...'

'Laten we zeggen dat ik een leugen uit zijn mond hoorde komen. Anderzijds heb ik Willoughby niet op een leugen kunnen betrappen.' Als hij dat verhaaltje over het weggooien van zijn op de goudvelden

397

verdiende geld niet meerekende, althans, dacht hij bij zichzelf. 'De openbaar aanklager kan maar beter op zijn tellen passen. Willoughby is onschuldig; hij zal geen eenvoudige prooi worden. Wat hebben ze zonder de getuigenis van Carnegie?'

Lanfield geloofde in de werking van de wet, reden waarom hij van Kemp had geëist dat Willoughby van het gevangeniseiland werd gehaald en in de staatsgevangenis aan de rand van de stad zou worden vastgezet. Kemp had beloofd het verzoek in overweging te nemen.

Als hij er niet in toestemde, kon hij zich altijd nog tot procureur-generaal Lilley wenden, al was het alleen op grond van het feit dat hij toegang moest hebben tot zijn cliënt. De reis naar het eiland nam een volledige dag in beslag.

De advocaat fronste en riep zijn secretaris naar binnen.

De secretaris van Mr. Lanfield kwam op Emilies nieuwe logeeradres langs om haar de boodschap te geven dat ze vrij was om naar Maryborough terug te keren.

'Wat betekent dat precies?' vroeg ze bezorgd. 'Mr. Lanfield behandelt de zaak toch zeker wel, of niet?'

'Maar natuurlijk. Mijn baas heeft alles onder controle.'

'Ik dacht dat ik beter kon blijven, voor het geval hij me nodig zou hebben.'

'Dat is absoluut onnodig, juffrouw.'

Emilie keek hem doordringend aan. 'Wat kan het Mr. Lanfield schelen of ik blijf of vertrek?'

De secretaris hoestte beschaamd. 'Ik ben niet meer dan de boodschapper, juffrouw.'

'Nee, nee, dat is onzin. Ik voel het gewoon. Wil hij dat ik vertrek? Ben ik hem tot last? Ik zal hem heus niet storen, geloof me.'

Lanfields secretaris was een ernstige jongeman, die zichzelf graag zag als een Lanfield in de dop, met diens strenge kaak en indrukwekkende oogopslag, maar hij had de dossiers gelezen en vond de relatie tussen de beklaagde en deze jongedame vreselijk romantisch. In plaats van als een misdadiger kwam Sonny Willoughby juist over als een galante heer en Miss Tissington als een trouwe vriendin. Hij wenste dat hij zelf een vriendin als zij had; sterker nog, kijkend naar het meisje voor hem wenste hij dat zíj zijn vriendin was.

'Lieve help, nee, Miss Tissington. U stoort niemand.' Hij wierp een vluchtige blik over zijn schouder, alsof hij zich ervan wilde verzekeren dat er niemand meeluisterde. 'Ik denk dat het gewoon beter is. U moet op Mr. Lanfield vertrouwen; hij probeert u te beschermen. Tegen de rechtbank, snapt u? Dat is geen prettige plek. U zou enige afstand moeten bewaren, als ik zo vrij mag zijn.'

Geen moment in de afgelopen vreselijke tijd was het in Emilie opgekomen dat zijzelf misschien voor de rechter zou moeten verschijnen. Ze voelde zich uitgeput. Ze was amper in staat de woorden te fluisteren.

'Denkt hij dat ik misschien als getuige opgeroepen zal worden?'

De secretaris knikte bedroefd, de pijn met haar delend. 'Niet door Mr. Lanfield, begrijp me goed. Maar door de andere partij.'

'O, mijn God! Wat heb ik gedaan? In 's hemelsnaam.' Ze greep hem bij de arm.

'Is alles goed, juffrouw?'

Emilies zucht klonk bijna als een snik. 'Ja, dank u. U bent erg vriendelijk. Wilt u me nu excuseren? Alstublieft. En bedankt. Ik zal u mijn adres in Maryborough opsturen. Als u het niet erg vindt, ik ben er momenteel even niet toe in staat.'

Ze vluchtte door de gang en via de binnenplaats naar haar kamer, een veel luchtiger kamer dan die ze met Ruth had gedeeld. Hij had zelfs een privé-balkon waar ze 's avonds buiten kon zitten en in alle rust de gebeurtenissen van de dag kon overpeinzen, maar op dit moment was het eerder een eenzame schuilplaats, niet veel anders dan alle andere ellendige plekken waar ze had gewoond sinds ze hun ouderlijk huis hadden verlaten. En langer geleden nog, sinds hun geliefde moeder was gestorven.

Emilie nam haar toevlucht tot haat. Ze haatte de vrouw die met haar vader was getrouwd. Ze haatte hem om zijn onverschilligheid. Ze haatte Ruth om haar pedante eigenbelang, maar voor alles haatte ze Mal Willoughby. Hij was de oorzaak van alle vernederingen. Hij was de reden dat ze haar baan had verloren, dat er over haar werd geroddeld in een stad waar normaal gedrag niet eens aan de gestelde eisen voldeed. Hij had haar doen vervreemden van haar zuster. Hij had alles op zijn geweten, deze hele toestand, omdat hij ronduit krankzinnig was. Een persoon die ze in eerste instantie links had moeten laten liggen, in de tijd dat ze beter wist... of beter had moeten weten.

God, wat haatte ze hem. Emilie huilde. Ze wilde niets van hem weten, noch van zijn geld – dat ze morgenvroeg pertinent aan Lanfield zou overhandigen – en ze wilde hem ook nooit weer zien. Ze beefde van angst bij de gedachte dat ze in de getuigenbank werd gezet ten overstaan van een publiek, terwijl de hele wereld meekeek: het allerergste dat iemand kon overkomen. Ze zou het Willoughby nooit vergeven. Nooit. Niet zolang ze leefde. In haar wilde gedachtegang overwoog ze zelfs om aan boord van een schip te gaan dat haar niet naar Maryborough maar naar Londen zou brengen. Emilie wilde dolgraag naar huis. Ze haatte dit land.

Ruth vond haar zuster ongebruikelijk zwijgzaam, berouwvol zelfs, toen deze kwam zeggen dat ze met het eerstvolgende schip zou terugkeren naar Maryborough. Het verraste haar niet. Het was de hoogste tijd dat Emilie haar verantwoordelijkheden onder ogen zag.

'Ik hoop dat je in het vervolg beter zult opletten met wie je je inlaat.'

'Ja, dat zal ik doen. Heb je nog iets van vader gehoord?'

'Nee. Kennelijk is hij niet geneigd te schrijven, en daarmee is de kous af.'

'En hoe zit het met Mr. Bowles?'

'Wat is er met hem?'

'Heb je iets van hem gehoord?'

'Je moet je realiseren dat hij een drukbezet man is...'

'Te druk om zijn verloofde op te zoeken? Het spijt me, Ruth, maar ik wil de koopakte van mijn land toch echt graag zelf hebben. Ik wil hem meenemen.'

'Ga het hem dan zelf vragen,' sprak Ruth woedend. 'Je kunt niet verwachten dat ik hem achternaloop.'

Plotseling barstte ze in tranen uit en Emilie sloeg haar armen om Ruth heen. 'Wat is er, liever? Wat scheelt eraan?'

Ruth viste in haar zak naar een brief en smeet die naar Emilie. 'Daar! Ben je nu tevreden? Het spijt me dat je hier ooit naartoe bent gekomen. Je hebt alles verpest.'

Haar zuster hoefde niet te raden naar de inhoud. De brief was beknopt. Bowles had de verloving vergebroken vanwege 'sociale verschillen' en wenste Ruth voor de toekomst het allerbeste.

Emilie zweeg. Wat moest ze zeggen? Ze had deze breuk kennelijk veroorzaakt door het schandaal dat ze in hun leven had toegelaten, maar ze had het gevoel dat er meer speelde. Ze wilde Ruth niet nog erger van streek maken door te suggereren dat het verlies van een huis dat hem geen cent zou kosten mogelijk ook iets te maken had met Daniels veranderde inzicht. Ze zuchtte. Ze moest de schuld dragen, voorlopig althans, om het Ruth niet nog moeilijker te maken.

'Uiteindelijk zul je hem vergeten,' zei ze tot slot, waarop Ruth verstijfde.

'Natuurlijk zal ik hem vergeten, hij had niet eens het fatsoen om het me persoonlijk te komen vertellen. Maar de vernedering is niet te omschrijven. Iedereen weet dat ik verloofd ben. Hoe moet ik dit uitleggen? Wat zullen de mensen wel niet denken?' Ze liet zich in een stoel vallen. 'Ik heb vader zelfs geschreven dat ik ging trouwen. Nu zal zijn echtgenote erachter komen dat ik ben afgewezen... dat mens zal erachter komen!'

'Dat hoeft niet. Schrijf ze en zeg dat je van mening bent veranderd.'

'Liegen? Jij verwacht dat ik ga liegen?'

'Ja. In vredesnaam, Ruth. Denk toch voor de verandering eens aan jezelf. Je hebt nu voldoende geld, alles zal op zijn pootjes terechtkomen. Je zult het zien.'

'Maar hij heeft mijn geld!' riep Ruth uit.

'Dat zit wel goed, dat geeft hij wel terug.'

400

'Dan moet ik hem onder ogen komen! O, mijn God! Mijn hemel, wat kan er nog meer misgaan?'

'Niets,' zei Emilie vastbesloten. 'Niets. Als je geen zin hebt om de mensen hier vanavond onder ogen te komen, kom dan vanavond in mijn pension eten. Ik betaal...'

'Dat is ook zoiets dat me zorgen baart. Hoe kun je je veroorloven hier al die tijd te verblijven, terwijl je daarginds ook huur moet betalen? Het is mij een raadsel. Jouw kleren ook, sommige zijn behoorlijk nieuw.'

'Ik weet het,' zei Emilie sussend. 'Het is een lang verhaal, ik leg het nog wel eens uit. Maar het is allemaal eerlijk verkregen, geloof me. Op dit moment hoeven we ons enkel om onszelf te bekommeren. Zet nu je hoed op, dan gaan we naar Charlotte Street. Ze hebben er uitstekend eten.'

Gelukkig was Ruth niet in de stemming voor ruziemaken, ze was gewoon te moe om zich ergens druk over te maken, en Emilie glimlachte, denkend aan Mr. Lanfield.

'Ik ben geen bewaarnemer,' had hij die ochtend tegen haar gezegd. 'Je kunt het geld hier niet voor Mr. Willoughby achterlaten. Hij heeft het in goed vertrouwen aan u overhandigd. Het is van u. In het uiterste geval moet u rekenen op zo'n honderd pond aan onkosten, en die rekening zal aan u worden opgestuurd. Anderszins, Miss Tissington, heb ik geen belangstelling voor uw financiële situatie. Of die van Mr. Willoughby. Het is me een genoegen geweest u te ontmoeten, maar u kunt nu beter gaan. En wees zo goed deze zaak niet met de politie te bespreken als u eenmaal weer thuis bent.'

Ze mocht Mr. Lanfield. Hij was zo'n dominante man dat hij haar aanvankelijk angst had ingeboezemd, maar inmiddels wist ze dat hij het goed bedoelde. En hij straalde zelfvertrouwen uit. Ze hoopte dat ze er iets van meegepikt had, zodat ze Mr. Bowles met opgeheven hoofd tegemoet zou kunnen treden. Er was nu geen tijd meer te verliezen.

De portier bij de zij-ingang van het parlementsgebouw begeleidde haar naar een portier achter in het indrukwekkende zandstenen gebouw. Hij controleerde zijn personeelslijst en riep een mannelijke bediende om Dan Bowles te halen. Emilie moest buiten wachten en was teleurgesteld dat ze niet de kans kreeg om in elk geval een deel van het interieur te bewonderen.

Uiteindelijk kwam Bowles gehaast het gebouw uit.

'Wat doe jij hier?' siste hij, haar meetrekkend naar een hoge heg.

'Ik vertrek binnenkort, Mr. Bowles, en ik zou graag de koopakte van mijn perceel meenemen, als ik zo vrij mag zijn. Alsmede het geld dat mijn zuster had moeten ontvangen voor de verkoop voor haar stuk grond.'

'Dit is onvergeeflijk, Miss Tissington. Hoe durft u hier te komen!'
Emilie hield voet bij stuk, in een poging Mr. Lanfield na te streven.
Of althans zijn secretaris. 'Het is onvergeeflijk dat ik geen andere
keus heb dan u op te zoeken. Doe alstublieft wat ik u vraag.'
'Ik heb de koopakten niet hier. Zeg tegen uw zuster dat ik ze zal
opsturen.'
'Nee. U moet ze nu halen. Vandaag. Ik kom om vijf uur vanmid-
dag terug en dan hebt u ze hier klaarliggen...'
'Ga toch weg,' zei hij, vol afschuw, en liep richting de deur, maar
Emilie riep hem na: 'Zo niet, dan neem ik juridische stappen.'
Bowles bleef abrupt staan. De portier, gealarmeerd door haar
toon, keek belangstellend om de hoek. Bowles trok ineens van leer te-
gen haar.
'Stop met die onzin. U bent een vreselijk mens.'
'Ook goed, ik wacht niet langer. U zult binnenkort van Mr. Robert
Lanfield horen, waarschijnlijk vanmiddag al.'
Zijn gezicht trok wit weg en zijn stem klonk ineens verzoeningsge-
zind. 'Dit is allemaal erg vervelend...'
'Dat vind ik nou ook. Zult u hier om vijf uur zijn?'
Hij haalde zijn schouders op. 'Zoals u wilt.'
'Mooi. En ik eis ook een kopie van het contract dat mijn zuster
heeft getekend. Wees op tijd, Mr. Bowles.'
Nadat ze deze enorme krachtsinspanning had geleverd, rende Emilie praktisch naar de poort, waar ze opgelucht ademhaalde. Het was
gelukt.
Bowles was razend. Hij had haar grondrechten en Ruths geld,
maar het contract zou een verschil vertonen tussen het bedrag dat hij
tegenover haar had genoemd en hetgeen ze werkelijk had gekregen.
Er zat niets anders op dan even naar de bank te gaan en het verschil
op te nemen van zijn bescheiden spaargeld. Die vervloekte meid. Ze
had alles verpest. Wie zou haar frigide zuster anders moeten trouwen? Ze droegen werkelijk een etiket, dat stel.
Om vier uur die middag overhandigde hij de portier een verzegelde
envelop met het verzoek die aan die vrouw, Miss Tissington, te geven
als ze kwam. Doodsbenauwd dat Emilie inderdaad een advocaat in
de arm zou nemen als het geld in de envelop niet exact overeenkwam
met het bedrag dat in het contract stond vermeld, alsmede de kwitan-
tie na aftrek van de zegelrechten, had hij goed nageteld of het juiste
bedrag in de envelop zat. Ze zouden wellicht ontdekken dat er geen
tussenpersoon was geweest, maar wat kon hem dat nog schelen? Hij
kon beweren dat Ruth zo stom was dat ze niet meer wist wat hij precies had gezegd. Hij was gelukkig van ze af.

Dezelfde sloep die Mal van de Sint-Helena-gevangenis naar die in Brisbane vervoerde, keerde terug met een andere groep geketende gevangenen, onder wie de beroemde 'wilde Schot'. Zijn reputatie zorgde ervoor dat hij beter werd ontvangen door de bewakers dan types als Baldy Perry, maar de hoofdopzichter was niet onder de indruk. McPherson was veroordeeld tot vijf jaar op het eiland, dus werd hij meteen aan de dwangarbeid gezet.

'Om alvast te wennen,' lachte Croft grimmig.

Vier weken rotsen hakken voor de aanleg van een zeedijk onder de brandende zon was te veel voor McPherson. Dit was de hel op aarde. Hij kwam al snel in opstand. Eerst stal hij een Indiaanse strijdbijl, die hij onder zijn linnen wambuis om zijn middel bond. Vervolgens hakte hij een gat in de achterwand van het houten privaat en vluchtte de bush in.

Hij vloog tussen de bomen door naar het dichtbegroeide, ongerepte struikgewas tot hij ver genoeg weg was om een geschikte boom uit te kiezen. Eentje die niet zo groot van omvang was dat het een week zou kosten om hem te vellen, maar een die sterk genoeg zou zijn om op te drijven en een man naar het vasteland kon brengen. De haaien konden de pot op; hij waagde het erop. Hij wist dat er een walvisstation aan de overzijde van de baai was en vertrouwde erop dat als de haaien een beetje slim waren, ze zich daar ophielden, waar veel voedsel te halen viel.

Maar Crofts mannen waren zeer ervaren in deze oefening. Zodra het alarm klonk, trokken ze in waaiervorm de bush in en werd Mc-Pherson betrapt terwijl hij bezig was de geschilde boomstam naar het strand te zeulen. Eerst werd hij meegenomen naar de geselpaal waar hij werd afgeranseld, om vervolgens in een isoleercel te worden gegooid. Hij deed nooit weer een poging om te ontsnappen.

Er waaide een stormwind toen Emilies schip zich door de golven worstelde richting Moretonbaai, en de passagiers kregen te horen dat ze beter benedendeks konden blijven.

Emilie was opgelucht. Ze kon het niet verdragen dat eiland weer te zien. Of zelfs maar te denken aan Mal, tot ze was bijgekomen van het trauma dat haar bezoek aan Brisbane was geworden.

Er was een vrolijk gezelschap aan boord en ze raakte bevriend met een zendelingenechtpaar dat op de terugweg was naar Fraser-eiland. Ze toonden zich geïnteresseerd toen ze hoorden dat ze gouvernante was, en werkloos bovendien. Erg geïnteresseerd, zo bleek. Hun kleine zendingspost was opgezet om de aboriginals in contact te brengen met God, en ze hadden tot dusver bescheiden successen geboekt, maar ze zaten te springen om een lerares die vooral Engelse les zou moeten geven.

Ze waren hartstochtelijk in hun beschrijving van het schitterende eiland, met zijn regenwoud, zijn prachtige helderblauwe meren en fantastische zeepanorama's.

In weerwil van zichzelf merkte ze op dat een vriend van haar Fraser-eiland eens had bezocht en dat ook hij zo enthousiast had gesproken over de schoonheid ervan.

'Kent u de plek die Orchideeënbaai wordt genoemd? Ik meende dat die aan de oceaanzijde ligt.'

De vrouw schudde haar hoofd, maar de man dacht het te kennen. 'Er is een baai die mogelijk is genoemd naar de ontelbare orchideeën die in het nabijgelegen regenwoud groeien. Dat zal het wel zijn. U moet eens serieus nadenken over onze uitnodiging, Miss Tissington. Het is werkelijk een idyllisch leven en u hoeft zich geen zorgen te maken om de inboorlingen. Ze zouden ons nooit een haar krenken; het zijn heel opgewekte mensen. Veel nieuwsgieriger naar ons dan naar God, ben ik bang, maar alles kost tijd.'

Emilie dacht er serieus over na. Het leven daar leek zo vredig, een welkome vluchthaven van de hatelijke opmerkingen die ze nog te verwerken zou krijgen, en de onzekerheid over hoe het van nu af aan verder moest. Een schuilplaats.

Er lagen verscheidene schepen in de haven en op de kades leek een grote chaos te heersen, maar Clive kende de weg hier en hij was gemakkelijk te herkennen in zijn witte linnen pak en de keurige tropenhelm die hij tegenwoordig droeg. Hij grijnsde. De spelers op dit toneel onderscheidden zich door hun hoofddeksels. Arme vrouwen droegen sjaals of omslagdoeken, de wat beter gefortuneerden konden zich hoeden veroorloven. Arbeiders en zeelui droegen zweterige haarbanden, plantagebezitters platte strohoeden, terwijl buitenlui, bazen en veeknechten zich sierden met grote cowboyhoeden van ongelooid leer. Immigranten en goudzoekers stelden zich tevreden met ingedeukte vilthoeden en het handjevol beroepsmensen, zoals bankiers, advocaten en dergelijke, gaf de voorkeur aan een hoge hoed. Clive merkte de verschillende modes tegenwoordig op, omdat zijn droom op het punt stond gerealiseerd te worden. De door hem aangevraagde lening was toegekend en hij had een optie genomen op een huurcontract voor een van de winkels die in Kent Street werden gebouwd, het bezit van niemand anders dan de mysterieuze Mr. Xiu.

De tussenpersoon vertelde hem dat Mr. Xiu talloze zakelijke belangen in Maryborough had, maar de stad zelden bezocht.

'Een ontmoeting met hem is niet nodig, Mr. Hillier. Ik kan u alle benodigde inlichtingen verstrekken,' sprak hij gewichtig.

'Wilt u hem niettemin mijn gelukwensen overbrengen. Ik ken Mr. Xiu persoonlijk.'

'Werkelijk?'

'Zeg alstublieft tegen Mr. Xiu dat ik hem van harte uitnodig met mij te dineren de eerstvolgende keer dat hij in de stad is.'
'Maar natuurlijk, Mr. Hillier. Natuurlijk.'
Clive had geen idee of Mr. Xiu het zich verwaardigde in het openbaar te eten en of de hotels een Chinees zouden willen serveren, maar hij had het aanbod gedaan en kon waarschijnlijk altijd wel ergens een privé-ruimte regelen. De man intrigeerde hem en aangezien hij hier investeerde, vormde hij een goed contact voor een beginnend zakenman.

Clive bewoog zich handig tussen de mensen door met zijn klembord, een potlood achter zijn oor gestoken en een stuk krijt in de hand om kisten en vaatjes drank te markeren, toen hij haar ineens zag. Emilie! Ze baande zich een weg tussen de groepjes mensen en hun bagage door.

Hij snelde achter haar aan, riep haar naam tot ze achterom keek en hem zag, maar ze schonk hem geen glimlach – de toevallige ontmoeting verschafte haar kennelijk geen plezier – enkel een kort knikje. Maar ze bleef in elk geval op hem staan wachten.

Ze is toch echt lieftallig, dacht hij terwijl hij haar naderde, met dat mooie kleine hoedje op haar donkere haar. Hij kon niet voorkomen dat hij zijn armen om haar heen sloeg en haar uitbundig kuste.

'O, lieve schat! Ik ben zo blij dat je weer thuis bent. Ik maakte me zorgen over je. Heb je mijn brief ontvangen?'
'Nee.'
'Dan ben je die wellicht net misgelopen. Je was al zo lang weg dat ik me afvroeg of je het leuk zou vinden dat ik je kwam opzoeken daar. Is alles in orde?'
'Ja, Clive. Met mij is alles goed.'
'Zo praat je anders niet.'
'Vermoedelijk niet,' zei ze verbitterd. 'Vind je het vervelend als ik nu ga? Ik heb geen zin om hier rond te hangen.'
'Ja, dat vind ik erg vervelend.' Hij troonde haar mee naar de barak van de douane. 'Wacht hier even, dan breng ik je naar huis.'
'Dat is niet nodig. Ik kan best lopen.'
'Emilie, het wordt al laat. Er is niets te eten bij jou thuis. Luister nu even naar me. Blijf hier wachten. Ik ben zo terug.'

Ze weigerde zijn sjees te verlaten en dus deed hij boodschappen voor haar, liet de winkelier allerlei spullen inpakken waarvan hij dacht dat ze die nodig had plus een fles Duitse wijn en een vette Duitse worst, waar Clive de laatste tijd nogal dol op was.

Hij opende de deur van het huisje en bracht haar tas naar de slaapkamer, terwijl zij een beetje gedesoriënteerd bleef staan, en dus schonk hij twee glazen wijn in, waarvan hij er een aan haar gaf met de mededeling dat ze aan tafel moest gaan zitten.

'Goed, begin maar bij het begin.'

'Weet je dat ik ben ontslagen?' vroeg ze somber.

'Ja, ik heb het gehoord. Ik heb Bert Manningtree gesproken en hem eens flink de waarheid gezegd, maar hij zei dat het helemaal van zijn vrouw uit was gegaan. Hij had geen flauw idee. Hij wil je graag terug...'

'Het maakt niet uit. Ik zou niet terug willen.'

'Emilie, dat is maar beter. Je kunt wel wat rust gebruiken. Maar ik begrijp nog steeds niet hoe je zo betrokken bent geraakt. Ik bedoel, dat je je zorgen maakt is één ding...'

'Ik was het Mal verschuldigd,' fluisterde ze.

'Hoe bedoel je? Hem verschuldigd?'

'Voor dit huis, onder andere.'

'Wat?'

'Je herinnert je misschien dat Mal de goudvelden verliet met redelijk wat contanten op zak, zo'n vierhonderd pond?'

'Ja. Dat klopt. Zoiets was het.'

'Nou... die heeft hij aan mij gegeven.'

'Gegeven? Waarom?'

'Clive, ik ben moe. Ik ben het zo zat dat ik dit telkens weer moet uitleggen. Ik ben er momenteel gewoon niet toe in staat. Je bent erg lief, maar ik zou het bijzonder waarderen als je me vanavond alleen liet.'

Hij zuchtte. 'Goed dan. Maar je moet je hier niet gaan verstoppen. Je hebt niets verkeerds gedaan. Kin omhoog. Ik kom morgen terug.'

In de daaropvolgende dagen wist hij beetje bij beetje de gebeurtenissen die haar huidige zenuwzwakte hadden veroorzaakt uit haar los te peuteren. Hij wenste hartgrondig dat zij hem had geraadpleegd alvorens in allerijl te vertrekken voor haar hulpactie, maar hij onthield zich van commentaar. Hoewel haar naïviteit haar in de publiciteit had gebracht, was ze blij dat Kemp haar vriendelijk had behandeld. Aangezien zíj Mal had gezien toen die al op de vlucht was, hadden ze haar in staat van beschuldiging kunnen stellen omdat ze waardevolle informatie over een gezochte misdadiger had achtergehouden. Ze leek nog steeds niet te beseffen dat ze een groot risico had genomen door zich bereid te tonen alles te vertellen in de hoop zijn onschuld te bewijzen.

Was ze verliefd op Mal? Dat was vooralsnog moeilijk vast te stellen. Ze maakte zich nog altijd zorgen over hem, maar Clive dacht een zweem van irritatie in haar stem te horen vanwege de problemen waarin ze door hem verzeild was geraakt.

Clive wilde vragen of Mal haar ooit in het huisje had opgezocht, maar hij durfde niet. Emilie zou er niet om liegen... Als Mal hier inderdaad was geweest, wilde hij dat liever niet weten. Hij gaf inmiddels veel om Emilie, maar hij moest behoedzaam te werk gaan; ze was overstuur, ze had zijn vriendschap en steun nodig en zat niet te wachten op een ongeduldige minnaar.

Vervolgens kreeg hij alles over haar familieproblemen te horen. De zuster was woedend geweest dat ze omgang had gehad met een crimineel. Terwijl hij zat te luisteren, moest Clive een lach onderdrukken. Dat lag nogal voor de hand. Zijn eigen zuster zou hem het huis hebben uitgegooid onder soortgelijke omstandigheden. Maar Ruths verloofde, dat wil zeggen haar ex-verloofde, was een heel ander verhaal.

'Die vent lijkt me geen zuivere koffie.'

'Je zou een hekel aan hem hebben. Hij is een afschuwelijk persoon. Ruth is beter af zonder hem. Ik geloof niet dat ze ooit echt van hem heeft gehouden, het leek gewoon een geschikte regeling.'

'Van twee kanten wellicht.'

Eindelijk wist Emilie weer een glimlach op te brengen. 'Maar ik heb in elk geval de akten van mijn land en Ruth heeft haar geld. Meer dan ze had verwacht. Hij heeft geprobeerd een deel ervan achterover te drukken. Akelige vent.'

Clive vroeg zich af of de kous daarmee af was. De twee dames hadden Bowles een betaling aan het Genootschap voor Emigratie toevertrouwd, die volgens hem met een diplomatenpostzak veilig in Londen zou aankomen. Hij betwijfelde dat een personeelslid voor privé-doeleinden toegang zou hebben tot de officiële postverzending en het zou hem niks verbazen als die aflossing in de zakken van Mr. Bowles was beland. Maar het had weinig zin Emilie op dit moment met die conclusie te belasten. De tijd zou het leren. Het zou maanden duren voor de post over was, en tegen die tijd zou Emilie beter in staat zijn dit soort nieuws te verwerken. Als het geld – een aanzienlijk bedrag – niet bij het Genootschap was aangekomen, zou Emilie wellicht nogmaals een beroep kunnen doen op haar advocaat, Mr. Lanfield, die erg efficiënt en zakelijk klonk.

Geleidelijk maakte Emilie zich los van het door haarzelf opgelegde isolement, aangemoedigd door haar buren, Mrs. Mooney en natuurlijk Clive, die lange wandelingen over idyllische plattelandsweggetjes – ver buiten de stad – met haar maakte. Ze was als de dood dat ze in de stad op straat zou worden nagestaard of in de voetsporen van haar eigen schandelijke reputatie zou moeten treden, en niets dat de anderen zeiden kon haar ertoe overhalen om weer deel uit te gaan maken van de gemeenschap. Clives vriendelijkheid overweldigde haar en ze besloot dat haar eerdere gedrag bekrompen en ongepast was geweest. Ze had niet het recht om hem te veroordelen vanwege die vrouw, Fleur. Het zou haar verdiende loon zijn geweest als hij net zo als Ruth en Mrs. Manningtree – en wie weet nog meer in deze stad – had gereageerd. Hij was jaloers geweest op Mal, en ze had hem nog meer redenen gegeven om overstuur te raken... veel meer dan een heer normaliter zou kunnen tolereren, maar Clive bleef haar trouw steunen. Lieve Clive. Er kwam een vriendelijke brief van de missionarissen op Fraser-eiland, die haar smeekten om de positie van lerares Engels voor de aboriginals op zich te nemen; een betrekking die bijzonder hartverheffend was en een groot dienstbetoon tegenover God. Hoewel ze er met niemand over praatte, nam Emilie het aanbod serieus in overweging. Het zou boeiend zijn, een echte uitdaging, iets totaal anders, dat haar wellicht kon bevrijden van het akelige gevoel van minderwaardigheid dat haar dagen zinloos maakte. En had Mal niet gezegd dat het eiland ongelooflijk mooi was?

Alweer Mal. Ze was intussen haar ergernis jegens hem te boven gekomen, hoewel haar bezorgdheid bleef. Ze kon hooguit voor hem bidden. De kranten leken hun belangstelling voor de zaak wederom te hebben verloren, maar ze wist dat het verhaal elke dag nieuw leven ingeblazen kon worden en dat ze zich op een of andere manier moest harden voor dat moment.

Vervolgens kwam Mr. Manningtree op bezoek, in gezelschap van de kinderen. Ze renden het pad af en sloegen hun armen om haar heen en Emilie huilde, terwijl hun vader stralend stond toe te kijken.

Ze hadden tekeningen voor haar gemaakt en een bramentaart van Kate en een ananas met een roze strik van Nellie meegebracht.

Toen de opwinding een beetje was gezakt en de kinderen haar tuin aan het verkennen waren, vroeg Mr. Manningtree op de voor hem kenmerkende, rechtstreekse manier wat ze momenteel deed.

'Niet veel,' erkende ze beschaamd.

'Dat zeiden ze al. Ik zie u nooit meer in de stad. Zie u eigenlijk nergens. Bent u soms een kluizenaar geworden?'

'O, nee.' Emilie keek nerveus een andere kant op. 'Ik ga alleen niet veel de deur uit.'

'Waarom niet? Ik kan niets veranderen aan uw ontslag. Ze heeft een ander meisje ingehuurd, de dochter van een van de plantagebezitters, maar ik geloof niet dat dat meiske veel weet. Ze kan niet eens pianospelen. Maar wat die andere kwestie betreft, uit wat ik heb gelezen lijkt het me dat u de juiste stappen hebt genomen wat die jongeman betreft.'

'Ja, Mr. Manningtree. En ik geloof nog altijd dat hij onschuldig is.'

Hij knikte. 'Nou, als dat zo is, juffie, dan maakt hij een beroerde tijd door, dat weet ik wel. Maar hoe zit het met u? Bent u van plan om uzelf hier te blijven opsluiten en medelijden met uzelf te hebben?'

'Neem me niet kwalijk?'

'Het is waar, of niet soms? U bent te bang om uw gezicht ergens te vertonen. Ik had gedacht dat u meer pit had. U bent niet de eerste, noch de laatste, die mijn vrouw ontslaat. Daar laat u zich toch zeker niet door kisten?'

'Het was niet plezierig, Mr. Manningtree, een grote schok eigenlijk. Maar dat met die kranten was erger.' Emilie voelde een snik in haar keel. 'Het is allemaal best moeilijk.'

'Nou, én? Ik had nooit gedacht dat u de dingen die belangrijk zijn uit het oog zou verliezen, en u bent nog wel een hoog opgeleide jongedame.'

'Ik begrijp het niet.'

'Dan moet u maar eens goed nadenken. De mensen hier hebben allerlei tragedies meegemaakt en zijn desalniettemin weer opgestaan. Pionieren is geen grap; kinderen sterven, en het is vechten om een bestaan tegen alles wat dit vervloekte land op je pad brengt... Ik ben geen vlotte prater zoals u, maar u hebt hier inmiddels lang genoeg gewoond om te begrijpen dat niets in deze omgeving je komt aanwaaien.' Hij nam een paar grote passen om naar de kinderen te kijken, die tussen de struiken verstoppertje speelden.

'Wij hebben ons eerste kind verloren,' zei hij verbitterd. 'Geen dokter. Ik dacht dat mijn vrouw gek werd. Hij was nog maar een jaar oud. Een kleine schat was het...'

'Het spijt me zeer.'

'Ja, nou ja. U moet om zich heen kijken, dat bedoel ik maar te zeggen. Maar er is nog iets. Ik heb een stuk grond aan March Street aan de gemeente geschonken, zodat ze daar een school kunnen gaan bouwen. En verdomd, ze lijken eindelijk met de bouw te beginnen. Het wordt een school met slechts één klaslokaal, ik heb de plannen gezien, maar meer kan er op dit moment niet af. U zou er snel bij moeten zijn en solliciteren naar die baan.'

Nu zijn preek ten einde was, draaide hij zich weer om. 'Tjeemig, dit is een verdraaid mooi plekje, met dat uitzicht en zo. Die oude Paddy wist wel wat hij deed. Een beste vent, die Paddy. Ik kan de kinderen maar beter weer naar huis brengen.'

Emilie liep naar hem toe en haakte haar arm in de zijne. 'Weet u nog toen u me van de boot haalde toen ik hier aankwam? Ik durf nu wel te bekennen dat ik doodsbang voor u was. Ik wist toen nog niet hoe aardig u bent, Mr. Manningtree. U moet me wel een verwaand nest gevonden hebben.'

'Een beetje,' erkende hij. 'Hier komen, jongelui! We moeten gaan, anders komen we te laat voor het eten.'

Clive stond versteld toen ze ermee instemde om naar de stad te komen, wandelend, in haar eentje, zodat ze samen konden lunchen in het hotel van Mrs. Mooney. Maar het was niet gemakkelijk. Op elke hoek moest ze de neiging onderdrukken om terug te keren door zich te concentreren op de ochtend zelf... Het was nu al warm en dat deed haar aan Ruth denken, die voortdurend over het weer klaagde.

'Het is warm of warmer, Emilie. Wat ik er niet voor over zou hebben om weer eens hagel of sneeuw te zien.'

'Vroeger vond je dat vreselijk, en thuis was het altijd zo koud...'

Eenmaal in de stad had Emilie geen flauw benul of mensen haar aanstaarden of niet. Ze had haar strohoed uitgekozen, niet alleen omdat de linten bij haar zomerjurk pasten, maar omdat hij dienstdeed als oogklep; links en rechts van haar zag ze praktisch niets. Ze overpeinsde de berisping van Mr. Manningtree, niet echt overtuigd van het feit dat ze toegaf aan zelfmedelijden, maar voldoende geprikkeld door zijn opmerkingen om deze inspanning te leveren. Ze had het gevoel dat ze helemaal weer van voren af aan moest beginnen, wandelend door de hoofdstraat van Maryborough met dezelfde verlegenheid die ze tijdens haar eerste dagen hier ook had ervaren.

Misschien moet ik inderdaad opnieuw beginnen, dacht ze, maar toen zag ze Clive, die voor het hotel op haar stond te wachten, en ze was zó opgelucht dat ze hem bijna tegemoet rende. Die lieve Clive, hij zag er zo aantrekkelijk uit, zo zelfverzekerd, en toch was het overduidelijk dat hij dol op haar was. Zodra hij haar zag, verscheen er zo'n verheugde blik op zijn gelaat dat Emilie ervan bloosde; ze dacht dat hij haar ter plekke ging kussen. Dat deed hij – uiteraard – niet, maar toen hij haar bij de arm pakte, heel stevig, ervoer Emilie zelf ook een zekere blijdschap. Ze vond het heerlijk om bij Clive te zijn.

Mrs. Mooney gebruikte de lunch met hen en ze praatten luchtig over allerlei dingen. Mrs. Mooney was, op advies van Duitse vrienden, bezig tafels en stoelen te organiseren om in de tuin naast het hotel een terras in te richten, zodat ze de gasten ook in de frisse lucht kon bedienen.

'En wat waren ze ontsteld toen ik zei dat ik er een of ander dak boven wilde maken, op de hoeken omhooggehouden door palen,' zei ze lachend. 'Ze zeiden dat ik de hele essentie van het idee niet begreep, maar zíj snappen het juist niet. Heet is het toch wel, warm genoeg om buiten te zitten, maar niet als er in de regentijd geen dak boven zit. De zomerse regenbuien hier zijn erger dan de ergste stortbuien die ik ooit heb meegemaakt.'

Clive en Emilie waren het met haar eens dat het een fantastisch idee was, maar Clive had ook zo zijn plannen. Na de lunch wilde hij de dames meenemen naar de winkel die hij had gehuurd en hun ideeën over de inrichting horen voor hij er een timmerman bij riep. Hij had tevens zijn eerste catalogi met herenkleding van een warenhuis in Sydney ontvangen en binnenkort kwam er een vertegenwoordiger langs.

'Ik dacht dat je zelf naar Brisbane zou gaan om voorraden in te slaan,' zei Emilie.

'Dat wilde ik ook, tot ik een gesprekje voerde met Mr. Xiu.'

'Wie is Mr. Xiu?'

'Een Chinese heer, een absolute bron van kennis. Hij heeft hier en daar inlichtingen ingewonnen en vertelde me dat de groothandelaars in Sydney goedkoper en betrouwbaarder zijn.'

'Dat is erg aardig van hem.'

Mrs. Mooney knikte. 'Slim ook. Hij heeft er tenslotte geen baat bij dat zijn huurders failliet gaan. Maar Clive zal het uitstekend doen, let op mijn woorden. We kunnen wel een fatsoenlijke kledingwinkel, zoals hij die gaat opzetten, gebruiken hier.'

Terwijl ze zaten te praten, zag Emilie andere gasten komen en gaan, maar niemand wierp haar de geniepige blikken toe die ze had verwacht. Er was totaal geen ongewenste aandacht voor haar persoontje, en geleidelijk aan ontspande ze en kreeg ze het gevoel dat het ergste voorbij was. Althans voorlopig.

'Ik hoorde dat ze eindelijk een school gaan bouwen,' zei Mrs. Mooney, 'en een klein vogeltje heeft me ingefluisterd dat jij misschien wel onze nieuwe onderwijzeres wordt, Emilie.'

'O, nee. Werkelijk. Ik weet zeker dat ze iemand zoeken die veel meer bevoegd is dan ik. Hoe bevalt het uw dochter op kostschool? Hebt u de laatste tijd nog iets van haar gehoord?'

Emilie wist subtiel van onderwerp te veranderen, maar toen ze terug naar het huisje slenterden, was Clive toch nieuwsgierig.

'Wist je dat van die school?'

'Ja. Mr. Manningtree heeft het me verteld. Hij wil dat ik solliciteer naar die baan. Maar ik zou niet durven. Ik zou mijn sollicitatie naar de gemeenteraad moeten sturen, en ik weet zeker dat ze die niet eens in overweging zullen nemen, na die vervelende toestand.'

'Dat weet ik zo net niet. En je bent zeker bevoegd.'

Emilie bleef staan en wendde zich tot hem. 'Clive, eerlijk, lieverd. Ik kan niet solliciteren. Je weet toch dat de reputatie die ik zelf heb verdiend me vooruit zou snellen. Sommige mensen zijn misschien zo vriendelijk om het door de vingers te zien, maar veel anderen niet. Als ik zelf in de raad zat, zou ik het niet goedkeuren. Ik heb niet het voornemen om mezelf in een positie te manoeuvreren waarin ik word afgewezen. Dus kunnen we die school alsjeblieft vergeten?'

'Natuurlijk. Met alle genoegen. Ik verwacht van mijn vrouw ook niet dat ze werkt.'

Emilie staarde hem aan. 'Pardon?'

'O, hemel, het ontglipte me ineens! Nu heb ik de boel verknoeid. Ik wilde wachten tot je wat was aangesterkt...'

'Je vrouw?'

Hij haalde verdrietig zijn schouders op. 'Dat zei ik, ja. En ik meen het, maar ik wilde het aanzoek in een wat romantischer omgeving doen, niet hier, zo staand in de bocht van een landweg. Ik houd van je, Emilie, en ik smeek je om mij de eer te verschaffen mijn echtgenote te worden.'

Emilie was zo overdonderd dat ze zich een dwaas voelde, omdat ze niet wist hoe ze moest reageren.

Hij nam haar bij de arm en begon het landweggetje met haar af te lopen. 'Ik had de vraag niet zo abrupt op je moeten afvuren. Je hoeft nu, of zelfs volgende week, nog geen antwoord te geven.' Hij lachte. 'We kunnen het huwelijksaanzoek voorlopig opzijzetten, als je wilt.'

'Ja, dank je,' antwoordde ze kalm. 'Het is nogal een verrassing. Ik... had eigenlijk... nooit nagedacht over een eventueel huwelijk. Ik neem aan dat ik al te zeer opging in mijn eigen zorgen.'

'Gaat het om Mal?'

Emilie huiverde. 'Mal? Ik weet het niet. Ik weet het echt niet, Clive. Ik kan er gewoon niets aan doen dat ik over hem inzit. Hij is onschuldig. Het is zo onrechtvaardig.'

Ze was opgelucht dat hij het onderwerp verder liet rusten.

'We praten er een andere keer nog wel eens over, Em. Maar onthoud goed dat ik van je houd. Ik geloof dat we samen erg gelukkig zouden kunnen worden, maar de beslissing is aan jou.'

Hij bleef niet. Hij kuste haar op de wang en liet haar bij de voordeur achter; Emilie was teleurgesteld. In zichzelf. Een huwelijksaanzoek was bepaald geen alledaagse gebeurtenis. Ze had op z'n minst enige emotie kunnen tonen in plaats van zo verward te reageren. Ze hoopte dat ze Clives gevoelens niet had gekwetst. En wat had ze over Mal gezegd? Ze wist het niet goed meer. Het was moeilijk haar gevoelens voor Mal te omschrijven, zelfs voor zichzelf. Die avond dat hij naar het huisje was gekomen, was zo romantisch, zo opwindend geweest. Alsof er niemand anders op de wereld bestond.

Ze liep naar het raam en keek uit over de rivier. De wereld en de mensen daarin bestonden wel degelijk en er lag een wereld van verschil tussen de levenswegen die deze twee mannen zouden kiezen. Maar er was ook een groot verschil tussen vriendschap en liefde. Op haar manier, zo erkende Emilie uiteindelijk tegenover zichzelf, hield ze zowel van Mal als van Clive. Maar ze vroeg zich op dit moment af of haar gevoelens voor Mal niet puur voortkwamen uit loyaliteit. Ze kende hem feitelijk helemaal niet goed. Als ze hem opnieuw kon ontmoeten, met hem zou kunnen praten...

Een onaangename gedachte bleef hangen. Stel dat Mal geen belangstelling meer voor haar had? Hij was haar wellicht dankbaar voor haar hulp, maar hij had een verschrikkelijke tijd achter de rug en zijn genegenheid voor haar zou verdwenen kunnen zijn. Emilie zuchtte. Wat zou Ruth vinden van Clives aanzoek? Niet veel goeds. Hem keurde ze evenmin goed.

Emilie zette haar dameshoed af, liet die op de tafel vallen en slenterde wat doelloos door huis. Het was vervelend om de hele tijd vrij te zijn, als je niets te doen had en niemand had om mee te praten. Ze moest echt iets verzinnen om zichzelf bezig te houden. En ineens miste ze haar huis in Brackham, het gezinsleven dat ze altijd vanzelfsprekend hadden gevonden voordat hun vader hertrouwde, het dorp, het feit dat ze iedereen kende... Er was altijd wel iets te doen in Brackham, al was het maar een bezoek brengen aan de uitleenbibliotheek van Mrs. Collett. Hier was geen bibliotheek, geen boekwinkel...

'Alleen een slager, een bakker en een kaarsenmaker,' sprak ze teleurgesteld, en ze vroeg zich af hoe deze plaats er twintig jaar geleden uit moest hebben gezien, toen de eerste kolonisten zich vestigden.

'Een hel op aarde,' dacht ze huiverend. Volgens Mr. Manningtree woonden de meeste van die eerste kolonisten hier nog steeds. Het zou een interessant experiment zijn om hun ervaringen te boek te stellen; hoe ze met vijandige aboriginals waren omgegaan, hoe ze een nederzetting in de bush – die zo dicht was als een oerwoud – aanlegden, zonder enige toevoerlijn om hen te ondersteunen. Waarom waren mensen, vooral immigranten, in 's hemelsnaam bereid om zich aan een dergelijk gedurfd experiment te wagen? Het zou interessant kunnen zijn om dat eens van hen zelf, uit de eerste hand, te horen. Misschien kon Mr. Manningtree haar introduceren. Dan had ze in elk geval iets om handen.

Hoofdstuk 14

Strafpleiter Quentin Allenby was kort en bondig. 'Snap je het dan niet, ouwe jongen? Onze cliënt sluipt terug. Wie weet is Carnegie inderdaad de enige man ter wereld die niet weet dat goudcommissaris Griffen zijn eigen bewakers heeft doodgeschoten. Of misschien is hij het domweg vergeten. Dat maakt hem nog geen moordenaar. Onthoud goed dat hij een slachtoffer was, waardoor hij zonder veel moeite enkele aristocraten zal kunnen vinden die willen getuigen van zijn goede karakter en die indruk kunnen maken op de rechter en de jury. Als ze al nodig zijn. Houd ook in gedachten dat híj niet terechtstaat.'

Lanfield knikte. 'Dat begrijp ik, maar ik verwacht eigenlijk dat je zijn verhaal kunt ontzenuwen. Hij is nu al erg nerveus...'

'Nervositeit is niet het voorrecht van de schuldigen in een rechtszaal; onschuldige mannen genoeg die hun zenuwen niet de baas kunnen tijdens een dergelijke beproeving.'

'Dat weet ik,' reageerde Lanfield prikkelbaar. 'Maar je kunt hem vast en zeker laten struikelen...'

'Op welk punt? Uit wat je me daarnet vertelde, blijkt dat hij nog altijd glashard beweert dat Willoughby deelnam aan de overval. Het zal vrijwel onmogelijk zijn om hem op basis van die vraag van zijn stuk te brengen. De politie lijdt nog steeds onder de publieke kritiek in deze kwestie, dus hebben ze een veroordeling nodig, en Willoughby is hun man. Ze zullen hem afschilderen als een dief, een oplichter, en een desperado die geen enkel berouw toont voor de afschuwelijke misdaad die hij heeft begaan.'

Hoewel Allenby beweerde dat hij de zaak enkel in het ongunstigste licht besprak om zijn eigen argumenten op een rijtje te krijgen, kreeg Lanfield de indruk dat de strafpleiter er spijt van had dat hij de zaak op zich had genomen en dat maakte hem neerslachtig. Tot nu toe was hij er zeker van geweest dat Willoughby van alle blaam gezuiverd kon worden als ze konden bewijzen dat Carnegie zich, op z'n minst, had vergist. Dat was het enige dat ze nodig hadden. De politie leek zwak te staan, maar nu kon ze kennelijk toch goed beslagen ten ijs komen.

Terwijl hij terugkeerde naar kantoor, dacht hij nog eens na over Allenby's laatste opmerkingen.

'Aangezien duidelijk is dat niet alle partijen Carnegie verdenken, zal ik zijn verklaringen nog eens in detail doornemen. Hij is failliet. Door de verkoop van zijn huis kon hij de meest dringende schulden aflossen, en wat zijn gokschulden betreft, welnu, mijn beste kerel, die worden in onze huidige maatschappij amper als misdadig beschouwd. Wat hier overigens los van staat, aangezien hij niet terechtstaat. Wat deze heer zelf betreft, moet ik zeggen dat hij er ofwel op geen enkele manier bij betrokken is en dat hij om die reden, als bekend slachtoffer, alle recht heeft om kwaad te zijn over dergelijke wrede verdenkingen, ofwel veel slimmer is dan men denkt. Snap je mijn probleem?'

Tot zijn verbazing zat brigadier Pollock in de hal op hem te wachten. 'Wat kan ik voor u doen, meneer?'

'Ik moet met u praten, Mr. Lanfield. Dringend. Ik moet binnenkort weer naar huis, maar mijn werk hier is nog niet voltooid.'

'Dat is toch zeker een zaak voor uw meerderen. Maar kom vooral binnen.'

Hij hing zijn hoed en zijn wandelstok aan de kapstok in de hal en nam de brigadier mee naar zijn kamer, een ongeduldige blik werpend op de stapel dossiers die zijn secretaris op zijn bureau had gelegd. Hij ging zitten en gebaarde Pollock om hetzelfde te doen, waarna hij hem fronsend aankeek.

Pollock liet zijn slungelachtige gestalte in de stoel vallen en leunde voorover. 'Mr. Lanfield. Er is een kans dat de Willoughby-zaak volgende week begint.'

'Dat meende ik ook. We zullen erop voorbereid zijn.'

'Ik ben blij dat te horen, maar kunt u de zaak winnen?'

'We hebben er alle vertrouwen in.'

De brigadier schudde zijn hoofd. 'Ik wou dat ik dat ook had. Carnegie vormt de sleutel, dat weet ik gewoon. Maar u zult niet meer uit hem kunnen persen dan wíj hebben gedaan. Gaat u Baldy Perry ook oproepen?'

'U weet dat dat niet kan. Hij heeft niets met deze zaak te maken.'

'Ik geloof van wel.'

'Wat zou ik met hem moeten? Oproepen als getuige voor de verdediging? Belachelijk. Ik kreeg geen toestemming om hem te ondervragen, uit angst dat ik de kleine kans die jullie zagen om hem met de misdaad in verband te brengen zou verpesten; nu stelt u ineens voor dat ik hem oproep.'

Pollock haalde zijn schouders op. 'Nee, dat doe ik niet. Niet echt tenminste. Het is alleen dat ik zo langzamerhand verdomd wanhopig word. Als u Willoughby kunt vrijpleiten, is de zaak nog altijd onopgelost...'

'Ik ben bang dat dat uw probleem is.'

'En als dat niet lukt, zou dat – naar ik vermoed – een rechterlijke dwaling zijn.'

'U meent dat hij onschuldig is?'

'Dat zou kunnen, maar dan nog, hij kan die overval nooit in z'n eentje hebben gepleegd, dus daarmee is de zaak nog niet opgelost.' Hij haalde een gehavend leren zakje tevoorschijn, rolde geoefend een sigaret en stak die aan met zijn hand eromheen, alsof hij nog steeds buiten was en niet binnen in dit tochtvrije kantoor.

'Luister, Mr. Lanfield. Er is nog iets dat we niet hebben geprobeerd. Ik houd Carnegie al een tijdje in de gaten...'

'Hebt u hem gevolgd?'

'Niet aldoor. Ik wilde niet dat hij me zou zien. Ik heb ook iemand van het Chesterbureau op de zaak gezet.'

Lanfield stond perplex. 'Betaalt de politie een privé-detective?'

'Nee, dat doe ik,' sprak Pollock fel. 'Zoals ik al zei, ik ben wanhopig, mijn baan staat op de tocht. Het goud en de contanten van de overval liggen mogelijk nog steeds ergens verstopt.'

'En u dacht dat hij u ernaartoe zou leiden. Naar een of andere geheime bergplaats? U bent echt wanhopig.'

'Ik wist niet wat ik precies zocht. Iets anders. Een bijzondere plek die hij zou bezoeken. Een louche juwelier misschien. Ik weet het niet. Of iemand met wie hij normaal gesproken niet zou omgaan.'

'En wat hebt u ontdekt?'

Pollock haalde wederom zijn schouders op. 'Niet veel. Behalve dat hij elke donderdag voor de lunch naar zijn club gaat en elke zondag naar de kerk. De anglicaanse kerk in Paddington. De rest van de tijd hangt hij thuis rond, samen met zijn broer. Ze laten alle proviand bezorgen. Er is werkelijk niets verdachts aan.'

De advocaat was teleurgesteld, maar liet niet merken dat zijn nieuwe hoop alweer was vervlogen.

'Ik snap niet wat dit alles met mij te maken heeft.'

'Er is nog een kans. Ik vraag u om een gunst. Het is ongebruikelijk, maar uw medewerking is van essentieel belang.'

'In welke hoedanigheid?'

'Ik meen dat u ook lid bent van zijn club. Als u uw best zou willen doen om hem aanstaande dinsdag terloops te ontmoeten en hem enige informatie zou willen toespelen. Enige belangrijke informatie...'

'O nee, dat lijkt me niet. Ik ga er sowieso nooit op dinsdag heen; de club zit op die dag altijd nogal vol met gepensioneerden en de bediening is dan slecht.'

'Alstublieft, meneer. Voor deze ene keer. Ik wil dat u hem vertelt dat de politie een man in hechtenis heeft genomen die zich erop beroemt rijk te zijn...'

'U bedoelt die Perry?'

'Ja, maar noem in godsnaam zijn naam niet. Zeg alleen dat hij een crimineel type is die geen normale bron van inkomsten heeft, maar ineens rijk is geworden en dat de politie hem wantrouwt. Dat ze vermoeden dat hij de andere gezochte overvaller is...'

'Bent u gek geworden, Pollock? Dit is niet ongebruikelijk, dit is ronduit schandelijk. U verwacht dat ik in mijn eigen club toneel ga spelen. Nee, ik peins er niet over.'

Pollock hield vol. Hij gebruikte allerlei argumenten, werd zelfs boos, maar Lanfield bleef weigeren.

'Jezus!' riep Pollock ten slotte uit. 'Zoveel vraag ik niet. Alleen een paar woorden met hem wisselen. Een beetje nieuws. U zou het hem vriendelijk kunnen vertellen. U hoeft geen toneel te spelen, zoals u beweert. Het is waar. Ik wil alleen niet dat Perry's naam wordt genoemd. Nog niet tenminste. Hij zal het misschien vragen. Dan zegt u dat u dat niet weet. Dat het een gerucht is dat u hebt opgevangen.'

'En dan?' vroeg Lanfield, die enigszins bijdraaide.

'Zijn reactie kan belangrijk zijn. Hij zal geïnteresseerd zijn, dat is zeker. Misschien bang. Maar stel dat hij echt gelooft dat we zijn medeplichtige in de bak hebben? Die zou kunnen doorslaan. De mogelijkheden zijn eindeloos. En ik zal buiten staan om te kijken waar hij na afloop heen gaat. Je weet maar nooit.'

'Hoogst ongepast!'

'Maar u doet het?'

'Weet Kemp hiervan? Of iemand anders?'

'Nee. Alleen u en ik.'

'Wel, laten we dat zo houden. Als de gelegenheid zich voordoet, zal ik misschien wat zeggen,' snauwde hij. 'Ik weet het niet. Ik beloof niets.'

Pollock was al opgestaan, er kennelijk op gebrand om te vertrekken voor de man van mening zou veranderen. 'Doe alleen uw best,' zei hij vastberaden. 'Ik zou u zeer dankbaar zijn, Mr. Lanfield. Op een of andere manier moeten we de waarheid uit Carnegie zien te schudden; hij zit er tot over zijn oren in, denk ik.'

In de Herensociëteit in Edward Street gonsde het van de gedempte stemmen, of eigenlijk zogenaamd gedempt, want er waren maar weinig leden die rustig converseerden zoals de regels voorschreven. Nu en dan weerklonk er in de rookkamer boegeroep of een schaterlach, die verschillende hoofden deed omdraaien en wenkbrauwen deed fronsen of iemand geërgerd met de krant deed ritselen. Maar anderszins was het een normale middag waarop Robert Lanfield bij het venster zat en deed alsof hij helemaal opging in de pagina's van een beursbulletin. Hij hoopte dat Carnegie deze donderdag zou overslaan en hem daarbij zou ontslaan van de waarschijnlijkheid dat hij zichzelf totaal voor gek zou zetten. Een kelner bracht hem een glas sherry.

'Blijft u voor de lunch, meneer? Het is niet uw gebruikelijke dag. Moet ik een tafel voor u reserveren?'

'Nee, dank u.' Hij nam een potlood en maakte zuchtend zinloze aantekeningen over de goudaandelen in een dun notitieboekje, ter-

417

wijl hij overwoog ertussenuit te glippen. Juist op dat moment kwam Carnegie binnen, precies op tijd, precies zoals Pollock had voorspeld, en bovendien liep hij recht op Lanfield af. Eén vreselijk moment lang dacht Robert dat de man van plan was bij hem te gaan zitten, maar Carnegie knikte iemand verderop toe en passeerde hem, waarop Lanfield hem aansprak. Hij stond op, alsof hij op het punt stond te vertrekken, en blokkeerde Carnegie de doorgang met een verraste begroeting. Hij voelde zich dwaas.

'Nee maar, Carnegie. Blij u weer op de been te zien. Voelt u zich al wat beter?'

'Enigszins.'

Lanfield aarzelde voor hij een pas opzij deed, want hij weifelde inderdaad of hij deze klucht moest doorzetten of niet, maar zijn nieuwsgierigheid kreeg de overhand.

'Wacht even. Ik heb een nieuwtje gehoord dat u wellicht zal interesseren.'

'En dat is?' reageerde Carnegie zonder enthousiasme.

'Kom even hier staan. Ik moet het u gewoon vertellen! Het is bijzonder spannend.' Robert groeide in zijn rol. 'De politie denkt dat ze weer een van die bandieten te pakken hebben. Een van uw aanvallers.'

'Wie?' vroeg Carnegie koeltjes.

'Ik heb de naam niet goed gehoord. Kennelijk is het een crimineel type, een of andere rouwdouwer die zich verdacht maakte door te pochen dat hij een rijk man was. Echt typerend voor dat soort stumpers, die niet bekendstaan om hun gezonde verstand. Kan zich niet verantwoorden voor zijn plotselinge rijkdom...'

Carnegies bleke huid kreeg een groene tint.

'...geen zichtbare bron van inkomsten, maar wel ruim in het geld! Ze zeggen dat hij zich rond die tijd in Maryborough heeft opgehouden.'

'En u weet zijn naam niet?' vroeg Carnegie krassend.

'Ik kan er echt niet meer opkomen. Ik heb de naam in elk geval nooit eerder gehoord. Maar u zult zien dat ze straks hangen. Ik dacht dat u dat wel even zou willen weten...'

'Ik geloof zeker dat ik het te zijner tijd wel zal horen. Dank u wel.' Carnegie schoot weg in de richting van enkele heren in een verre hoek van de zaal, en dat was dat.

'Zonde van mijn tijd,' mompelde Lanfield bij zichzelf, toen hij zijn notitieboekje in zijn vest stopte en de rookkamer verliet.

Later die dag stond Pollock weer op de stoep om hun waarnemingen naast elkaar te leggen. 'Weer niets bijzonders. Hij bleef tot na drieën en ging toen linea recta naar huis.'

'Het was sowieso een dwaas idee,' snauwde Lanfield. 'Ik kan enkel vertellen dat hij opvallend groen werd toen hij het nieuws hoorde en naar de naam van de man vroeg, maar voor de rest kwam er geen enkele reactie. Dus houdt u dit alstublieft stil, Pollock, anders word ik een mikpunt van spot.'

Maar Pollock liet zich niet van de wijs brengen en bleek zelfs niet teleurgesteld. 'U hebt de informatie doorgespeeld. Dat is de eerste stap.'

'Hoezo eerste stap?'

'We moeten nu verder,' zei hij grijnzend, 'anders gaan onze nuttige voorbereidingen verloren.'

Lanfield luisterde verbaasd naar de uitleg van de brigadier over de volgende stap. 'Onmogelijk! Geen sprake van!'

'Het is niet onmogelijk. We moeten het proberen. U moet het doen voor Willoughby. Ik moet het proberen, ik moet het gewoon proberen!'

'Kemp zal het nimmer toestaan.'

'Kemp is op het oog iemand die volgens het boekje werkt, maar hij is afkomstig uit Sydney. Ik vermoed dat hij regelmatig iets door de vingers ziet, mits hij het belang ervan inziet. Hij had me kunnen ontslaan, maar dat heeft hij niet gedaan. Hij is een eerlijk man. Ik weet dat hij Carnegie niet vertrouwt, en het knaagt aan hem dat hij niets uit die man heeft weten los te krijgen.'

'Wat wilt u eigenlijk dat ik doe? In dit dwaze voorstel is voor mij geen rol weggelegd.'

'Zeker wel. U moet Kemp overhalen. Ik ben maar een bescheiden plattelandsagent.'

'Ik peins er niet over om zo'n plan met Kemp te bespreken.'

'Willoughby zal hangen. Ik wil dat niet op mijn geweten hebben.'

'Dat kunt u niet voorspellen. En hoe dan ook. Stel dat deze schertsvertoning niet werkt?'

'Dan staat u een zwaar gevecht te wachten, geloof me. Ik heb vanochtend vernomen dat Lilley een veroordeling wil, en snel ook. Onze procureur-generaal ligt onder vuur in de pers.'

Lanfield had Kemp uitgenodigd voor een drankje bij hem op de club. Kemp had de uitnodiging, uit nieuwsgierigheid, aanvaard maar weigerde in de club af te spreken; hij ging liever naar een gewone pub. Hij stond aan de bar van de River Inn, in zijn burgerkleding, toen de advocaat binnenkwam en om zich heen keek, op zoek naar een haakje voor zijn hoge hoed, dat er uiteraard niet was. Lanfield zag eruit als een vis op het droge in de lawaaierige kroeg, die vooral werd bezocht door arbeiders maar, zo dacht Kemp lachend, dat was zijn probleem. Hij had zich zitten afvragen of Allenby de advocaat tot deze ontmoeting had aangezet om de kans op een schuldbekentenis, vertrouwelijk, alvast te peilen voordat hij de kwestie met de openbaar aanklager zou opnemen. Advies. Wilde hij advies of informatie misschien? Kemp voelde zich niet gerust over de zaak tegen Willoughby, hoewel zijn vriend Lilley had gezegd dat de bewijzen waterdicht waren. Hij was er allerminst gerust op. En dan nog iets. Lilley, voor alles een politicus, had samen met de gevangen bandiet McPherson op de foto gewild, maar Kemp was het verzoek vergeten. Tegen de tijd dat Lilley hem eraan had herinnerd, was de beroemde Schot allang de rivier af gestuurd om zijn tijd uit te zitten op het zwaarbeveiligde gevangeniseiland. De minister was niet onder de indruk.

Kemp schudde die kwestie van zich af en verwelkomde Lanfield. 'Wat kan ik voor u bestellen?'

'Cognac met water, alstublieft, Kemp. Fijn dat u me wilde ontmoeten.'

'Het is me een genoegen,' reageerde Kemp. 'Ik houd van deze kroeg. Het bier is hier uitstekend.'

Ze praatten wat over de milde, zonnige winter in Brisbane, over hun – naar nu bleek – wederzijdse interesse voor tuinieren, over de exotische planten die in de Botanische Tuin groeiden en bloeiden en over koetjes en kalfjes, terwijl Kemp geïnteresseerd afwachtte en zag hoe een paar glazen cognac deze gereserveerde man deden ontspannen, die kennelijk iets te zeggen had maar duidelijk tijd nodig had om terzake te komen.

Het was vrijdagavond, en in het westen vertoonde de hemel de opzienbarende roze tinten van de zonsondergang. Mrs. Kemp zou op hem zitten wachten, maar Kemp wilde dat deze man een stap zou zetten. Of ervan af zou zien. Of misschien was dit toch niet meer dan een gezelligheidsontmoeting.

Maar uiteindelijk kwam het dan toch. 'Ik wilde iets met u bespreken, hoofdinspecteur. Het is nogal ongebruikelijk en het zou me niets verbazen als u botweg weigert, maar ik wil het niettemin graag voorleggen.'

'Maar natuurlijk.'

Kemp luisterde terwijl Lanfield zijn verdenkingen tegenover de goudcommissaris opsomde, maar uiteindelijk schudde hij zijn hoofd.

'Het spijt me. Dit is oude koek voor mij. Ik heb het allemaal al honderd maal bestudeerd. Ik kan er niets mee.'

Lanfield knikte. 'Ja. Mijn strafpleiter, Allenby, meent dat Carnegie de politie in alle opzichten te slim is af geweest.'

Kemp had net zijn kroes bier opgepakt en gooide zijn hoofd in zijn nek bij die opmerking. 'Dat zou ik niet willen zeggen! We zijn ons niet onbewust van het feit dat er meer achter zit.'

'Natuurlijk niet.' Lanfields stem klonk sussend. 'Maar u kent Allenby. Hij is nogal geïrriteerd dat de politie geen ja of nee zegt in de kwestie Carnegie. Het zaait nogal wat twijfel, zeg maar.'

'Welnee. Als Willoughby eenmaal is veroordeeld, krijgen we het hele verhaal wel te horen. Hij zal niet alléén ten onder willen gaan, let op mijn woorden.'

'Maar Willoughby wordt niet veroordeeld. Daar zorgen wij voor, en dat betekent dat de politie opnieuw door het publiek bespot zal worden.'

Kemp fronste. 'Waar wilt u naartoe? Dit is een ernstige zaak, een gruwelijke misdaad, maar wij staan op dit moment buitenspel. We moeten het recht op zijn beloop laten. De kroon tegen Willoughby.'

'En Carnegie?'

'Die vervloekte Carnegie! Zijn getuigenis wordt gehoord, en daarmee is de kous af.'

'Ik ben teleurgesteld dat u het zo gemakkelijk opgeeft, Kemp. Ik heb voor uw aankomst hier van Lilley allerlei goeds over u gehoord.'

'Wat moet ik anders?'

'Er is een kans.'

'Welke?'

Dit keer was het Lanfield die het plan uiteenzette en een vastberaden poging deed om overtuigend te klinken, hoewel hij er weinig van verwachtte. Hij was minder wanhopig dan Pollock.

Kemp staarde hem aan. 'Wat? Wat wilt u dat ik doe?'

Opnieuw legde Lanfield het plan en de mogelijkheden uit.

'Meer is het niet,' zei Kemp. 'Een stom spelletje. Een kermisattractie. Wie heeft dit alles bedacht? Willoughby? Het is net iets voor hem.'

'Nee. Ik heb hem vanochtend gesproken. Het is een grote opluchting dat ik hem terug in onze gevangenis heb, zodat ik niet telkens de hele dag kwijt ben... maar nee. Hij heeft hier absoluut geen aandeel in. Wij dachten dat we, aangezien we niets opschieten met die verklaringen van Carnegie, het met een andere methode moesten proberen.'

Kemp ging ervan uit dat het plan afkomstig was van hem en Allenby en was geïntrigeerd door hun vermetelheid.

Lanfield vertelde verder. 'Wat hebt u te verliezen? Niets. Een paar uur van uw tijd. Niemand hoeft het in feite te weten, mocht het mislukken. Eerlijk gezegd, Kemp, was ik zelf ook niet bepaald gecharmeerd van het plan, het is eigenlijk maar een experiment. Het zou echter interessant kunnen uitpakken...'

De hoofdinspecteur zag de hemel rood kleuren, terwijl de zon achter de heuvels verdween. Hij draaide zich om en zag dat de lantaarns werden ontstoken en stralend aan de houten balken hingen. Hij zag de lichten van een veerboot fonkelen toen deze voorbijvoer. Hij dacht aan Carnegie en de slapeloze nachten die die ellendige kerel hem had bezorgd. En toen begon hij te lachen. Hoofden draaiden zich om en grijnzend lieten andere kroeggangers zich meevoeren in zijn vrolijke stemming.

'Waarom ook niet!' zei hij. 'Het is volkomen geschift, Lanfield.

Maar waarom zouden we het niet proberen? Als het mislukt, zand er-over. Maar we zwijgen hierover als het graf.'

Lanfield stemde bereidwillig met hem in. 'Geloof me, ik wil er lie-ver nooit meer iets over horen.'

'Wat dacht u van zondag, bij de kerk?'

'Ik ben het weekend weg. Maar ik denk dat dat ook te snel is. We dachten aan volgende week donderdag, bij zijn club.'

'Dat wordt erg krap.'

'Precies. Maar het is slechts een experiment.'

'Goed dan. Donderdag.' Kemp kreeg de indruk dat Allenby een onwillige Lanfield tot deze samenzwering had overgehaald, maar het kon hem niet schelen. Van Allenby was bekend dat hij een radicaal type was. Echt een acteur in de rechtbank. Het zou interessant zijn hoe het stuk afliep.

'Waarschijnlijk leidt het tot niets,' zei hij later tegen zijn vrouw. 'Ik weet eigenlijk niet waarom ik me heb laten ompraten. Maar ik hoop in vredesnaam dat er wat gebeurt. We moeten een beslissing nemen over Carnegie.'

'Dat is waar,' zei ze. 'Als die arme man werkelijk onschuldig is, moet hij de draad van zijn leven weer kunnen oppakken. Hij heeft ge-noeg geleden.'

De nachtmerries waren weer begonnen. Allyn meende dat hij zich er-van bevrijd had toen hij was neergestreken in de rustige omgeving van zijn broers huis, dat hij de ellende achter zich had gelaten. Toen zijn vrouw nog leefde, weigerde John standvastig hem nog meer geld te lenen, maar sinds haar overlijden was het geestelijk vermogen van zijn broer duidelijk achteruitgegaan. Toen hij terugkeerde uit het noorden, trof hij John tot zijn schrik dwalend door het huis aan, ver-ward en gedesoriënteerd, en hij was het met hun predikant eens dat het een broederlijk gebaar zou zijn als hij bij zijn broer zou intrekken en de oudere man zou verzorgen, zodra hij zijn eigen huis had ver-kocht.

De predikant hoefde niet te weten dat dit het toevluchtsoord was dat Allyn zo wanhopig nodig had, hoewel hij zich bewust was van het feit dat Mr. en Mrs. Allyn Carnegie uit elkaar waren. Dat onder-werp werd zorgvuldig vermeden.

Daarop volgde nog een schok. Allyn kwam erachter dat zijn broer niet zo welgesteld was als hij had gedacht en, op zijn somberste mo-menten, gaf hij zijn neef daarvan de schuld. Hij was ervan overtuigd dat Johns zoon, toen deze het grote landgoed had overgenomen, zijn vader voor een aanzienlijk bedrag had benadeeld, maar hij klaagde er niet over. Hij kon zich niet veroorloven om zijn neef tegen zich in het harnas te jagen, uit angst dat dit huis en de tweeduizend vierkante meter waarop het stond verkocht zouden worden, zodat de oude

man weer naar het westen zou moeten verkassen en hij zelf weer dak-
loos zou worden. Hij en John hadden momenteel voldoende om van
te leven, en Allyn genoot van het leven als een gepensioneerde heer.
Na al die vreselijke toestanden had hij het gevoel een rustig leven te
hebben verdiend. Zijn belangstelling voor de maatschappij en voor
het gokken was hij kwijt, maar hij bezocht de club elke week trouw
om de schijn op te houden en met oude vrienden te praten.

Toen ze Willoughby gevangennamen, besefte hij dat hij voor de
rechtbank zou moeten getuigen en dat baarde hem tijdelijk zorgen,
maar hij was in deze vredige omgeving sterker geworden en hij verzekerde zichzelf ervan dat hij enkel hetzelfde verhaal voor de zoveelste
keer moest vertellen, waarna hij er voorgoed van af was. Een rechtszaal kon onmogelijk erger zijn dan de kwellende verhoren die hij in
Maryborough had moeten doorstaan, toen hij echt ziek van bezorgdheid was en nog altijd pijn leed vanwege zijn verwonding.

Hij had zelfs meer zelfvertrouwen gekregen nadat hij de angst die
Pollocks bezoek veroorzaakte had overwonnen, omdat de plattelandsagent geen stap verder was gekomen. Hij wist donders goed, net
als Allyn, dat het verhoor tijdverspilling was geweest. Hij was te slim
voor die boerenpummel.

En dan was er Lanfield, die uit naam van Willoughby zat te vissen,
in de hoop dat hij zou erkennen dat er een vergissing in het spel was.
Het was niet van belang dat hij zich vergist had in de identiteit van
McPherson; die fout kon hij eenvoudig uitleggen. Hij kende Mc-
Pherson niet. Maar hij zat gebeiteld wat zijn beschuldigingen jegens
Willoughby betrof. Niks vergissing. Er waren tijden dat Allyn zichzelf feliciteerde dat hij zo slim was geweest Willoughby erbij te betrekken. Hij vond het werkelijk een geniale zet. En de arrestatie van
Willoughby was het bewijs daarvan. Hij had de politie de zondebok
gegeven waar ze zo om zat te springen. Had hij dat niet gedaan en
zouden er nu, na al die tijd, nog steeds geen verdachten zijn, dan hadden ze hem ongetwijfeld veel vaker lastiggevallen. Hij maakte zich
niettemin ongerust over Lanfields spottende opmerking over de Griffen-zaak. Natuurlijk wist hij daarvan, daar had hij het idee vandaan
om zijn eigen overval te ensceneren. Griffen was een stommeling. Een
of ander verhaal verzinnen dat zijn bewakers waren verdwaald in de
bush, terwijl hij onschuldig ronddwaalde en hen zogenaamd zocht.
Idioot. Hij verdiende het om opgehangen te worden.

Allyn wist dat hij had moeten erkennen dat hij de zaak kende. Iedereen wist ervan. Maar wat dan nog? En wie kon het iets schelen?
Lanfield had hij eveneens met een botte weigering afgescheept. Ook
zo'n tijdverspilling. Tot hij de advocaat in de club tegenkwam.

Lanfield verkeerde in de veronderstelling dat hij goed nieuws
bracht, maar Allyn was bijna flauwgevallen. Alleen door de afgelopen
lange maanden, waarin hij had geleerd zijn evenwicht te bewaren on-

danks de wrede verhoren, hadden voorkomen dat hij door de mand was gevallen. Zijn hart had gebonkt, zijn mond was kurkdroog en toch was hij erin geslaagd om rustig weg te lopen en zich bij zijn vrienden te voegen alsof er niets was gebeurd. Een werkelijk opzienbarend stukje zelfbeheersing. Hij had rustig gedineerd, bedaard, vastberaden om niet te laten merken dat er iets mis was, ook al was hij door de pijnscheuten in zijn maag doodsbang dat zijn darmen hem in de steek zouden laten. Hij deelde in het wantrouwen dat zijn vrienden voelden over de introductie van een of ander nieuwerwets telefoonsysteem – het gesprek van de dag – en wist het uit te houden tot en met het dessert, waarna hij op het voor hem gebruikelijke tijdstip vertrok.

Hij pakte zijn hoed en wandelstok, ging naar buiten en sloeg linksaf de straat in, waarna hij met kwieke tred voor het gebouw langs liep en vervolgens het steegje insloeg dat hem bij de stallen bracht, waar zijn paard stond te wachten. Halverwege het keienstraatje strompelde hij en moest hij steun zoeken tegen de muur, zich hevig verzettend tegen de aandrang om te braken.

Maar hij was thuisgekomen, en tegen die tijd had hij geen last meer van misselijkheid, die evenwel had plaatsgemaakt voor de ene na de andere angstgolf.

Wie had de politie gearresteerd? Het was typerend voor die sukkel om de naam te vergeten. Wat had hij gezegd? Dat de man niet bekend was. Met andere woorden, dat hij niet op de lijst met gezochte misdadigers stond. Dat kon Perry zijn. Een rouwdouwer die opschepte dat hij rijk was en niet kon uitleggen wat de bron van zijn rijkdom was. Dat klonk precies als die idioot. Hij had alle goud en contanten van de overval en hij was stom genoeg om erover op te scheppen en het als een gek uit te geven.

Maar misschien ook niet. De man die ze in hechtenis hielden kon een willekeurig iemand zijn. Een gewone dief die, uiteraard, niet geneigd was de schuld voor een geslaagde overval op zich te nemen. Eigenlijk was er niets om bezorgd over te zijn, hield Allyn zich voor; hij zag spoken, maakte van een mug een olifant, werd zenuwachtig van de arrestatie van een gewone dief.

Die nacht droomde hij dat de vermoorde mannen in zijn kamer waren, rondom hem stonden te mompelen, waarbij hun stemmen rommelden als de donder, terwijl ze werden vergezeld door andere mensen, vreemden. Taylor zette zijn hoed af en gaf die rond om geld in te zamelen, maar Allyn had geen geld. Hij probeerde dit aan hen uit te leggen, maar de dreiging in de kamer werd zo angstaanjagend dat hij begon te gillen dat ze moesten oprotten. Dat ze hem met rust moesten laten.

Zijn geschreeuw wekte John, die binnen kwam schuifelen om te vragen of hij ook iets had gehoord.

'Nee. Ga maar weer slapen.'

Dagenlang speurde hij de kranten na op zoek naar een melding over de arrestatie, de verdachte, niet in staat om te bepalen of dit een goed of een slecht voorteken was. Lanfield had gezegd dat de man uit Maryborough kwam of dat hij zich daar destijds had opgehouden. Hij had het gesprek zo vaak in gedachten weer laten voorbijkomen, dat hij zijn exacte woorden niet meer wist. Dat kon inhouden dat het om Perry ging. Wat haatte hij Perry verschrikkelijk. Hij zag hem al met een wellustige blik naar de opbrengst kijken, glunderend dat hij Allyn Carnegie te slim af was geweest, hangend in bars en bierhallen en bordelen, waar hij zich belangrijk voordeed, opscheppend... met duizenden ponden, een fortuin, tot zijn beschikking. Allyn bad dat de Here God hem zou laten doodvallen. Hij was een moordenaar. De hel was nog te goed voor hem.

Maar hij was ook een lafaard, een kwelgeest en een lafaard. Stel dat de politie hem inderdaad te pakken had? Wat had hij verder gedaan om de aandacht op zich te vestigen? Wat had hij gezegd? En wat zou hij uitkramen als ze hem die moorden ten laste zouden leggen? O, mijn God, wat zou hij zeggen om zijn eigen hachje te redden?

Overdag maakte Allyn lange wandelingen om de angst te bestrijden en 's nachts werd hij wederom gekweld door afschuwelijke dromen. Hij probeerde ze te omzeilen door flink wat cognac te drinken, wat enigszins hielp, maar dan werd hij vervolgens 's ochtends wakker met hevige hoofdpijn en nog veel grotere angsten. En al die tijd wachtte hij, vrezend dat ieder moment een man in uniform naar hun huis kon komen rijden, maar er kwam niemand.

In de wetenschap dat het uiterst belangrijk was om de schijn op te houden dat alles normaal was, nam hij zijn broer op zondagochtend mee naar de kerk, zoals altijd, waar hij opgewekt een gesprekje voerde met de predikant en hem zelfs beloofde het tuinfeest van de kerk de daaropvolgende zaterdag bij te wonen... 'mits John zich goed genoeg voelt'.

Of het kwam door het huis van God of door alle vrolijke mensen om hem heen, wist Allyn niet, maar hij werd overvallen door enorme droefheid toen hij in zijn rijtuigje naar huis reed. Hij was niet zozeer berouwvol – hij voelde niets voor de mannen die hun leven hadden gelaten – maar hij had wel degelijk, vanuit de grond van zijn hart, spijt van het avontuur. Hij had spijt dat hij ooit aan een dergelijke riskante onderneming was begonnen. Zelfs een faillissement en de onvermijdelijke schande waren beter dan de hel die hij door eigen toedoen had moeten doorstaan, als gevolg van wat hij destijds als de perfecte misdaad had beschouwd. De nasleep liet een bittere smaak na. Zijn partner had het geld gestolen en dus was alles voor niets geweest. De pijn, de nutteloze arm, de eindeloze angst, zijn vrees voor de wet... alles voor niets. Zelfmedelijden brak zijn hart.

Maar nog steeds repten de kranten er niet over. Op donderdagochtend kleedde hij zich met zorg, bond zijn lange haren van achteren samen zoals een heer van het platteland zou doen, maakte Johns gouden zakhorloge met ketting vast aan zijn vest en prutste tijden met zijn witte zijden halsdoek, waarna hij de dienstmeid riep om zijn donkere geklede jas te borstelen, zodat er geen roos of pluisje de glanzende stof zou bederven. En in plaats van in deze uitdossing te gaan paardrijden, nam hij het rijtuigje. Dit was een belangrijke dag; hij moest onbezorgd lijken, natuurlijk, maar hij hoopte Lanfield opnieuw tegen te komen en op een of andere manier een gesprekje te kunnen aanknopen, zodat hij kon informeren of de politie al meer nieuws had over de verdachte. Zodat hij in alle onschuld kon vragen: 'Hoe heette hij ook alweer?'

Of iets van die strekking.

Hij repeteerde het gesprek keer op keer terwijl hij over de steile heuvels reed, langs de politiekazerne en afsloeg richting de rivier, op weg naar Roma Street; hij deed zijn best niet te huiveren toen hij het hoofdbureau van politie passeerde en vroeg zich af of hij ooit bevrijd van angst zou kunnen leven. Toen hij via Turbot Street naar Edward Street reed, manoeuvreerde hij het rijtuigje de smalle stallen in. Stalknechten snelden toe om het over te nemen toen een van de heren van de club uitstapte, maar hij schonk hun nauwelijks aandacht. Allyn zette zijn hoed goed, trok zijn jas recht, pakte zijn wandelstok en slenterde de steeg in. Vandaag zou hij er wellicht achterkomen wat er precies gaande was en zijn voorbereidingen moeten treffen, zo besloot hij. Hij moest het weten. Hij was op van de zenuwen aan het einde van deze verschrikkelijke week, elk geluid deed hem opspringen en zijn linkeroog vertoonde een zenuwtic. Hij bleef zichzelf voorhouden dat het Perry niet kon zijn, dat het iemand anders moest zijn, maar afgezien daarvan maakte alleen de gedachte aan Perry hem al woest. Perry had hem verslagen; die sukkel was succesvol waar de politie had gefaald. Die vervloekte bedrieger.

'Wat is dit allemaal?' had Perry gevraagd toen Pollock en zijn baas zijn cel waren binnengewandeld en de kleren op zijn brits hadden gegooid.

'Dit is hoofdinspecteur Kemp,' zei de brigadier, 'en je doet exact wat hij je opdraagt, als je een beetje verstandig bent.'

Perry staarde. 'Dat zijn kleren voor buiten. Ben ik vrij?'

Kemp knikte. 'Dat zou kunnen. Zorg dat hij zich wast en breng hem daarna hier terug.'

De gevangene stelde het niet op prijs dat zijn hoofd onder een koude kraan werd geduwd, terwijl een agent hem schoonboende met prikkende zeep. 'Hé, let een beetje op. Ik krijg zeep in mijn ogen. Wat ben je van plan?'

Ze waren niet van plan uitleg te geven. Hij kreeg een ruwe handdoek om zich af te drogen, waarna hij werd teruggeleid naar zijn cel, waar Kemp zat te wachten.

'Trek die kleren aan.'

Perry snapte er niets van. Gevangenen die werden vrijgelaten kregen nooit keurige kleren zoals deze, maar hij was slim genoeg om zich niet te beklagen. Het waren echt spullen van een heer, die kleren, maar deze geüniformeerde pummels kenden het verschil waarschijnlijk niet eens. Op het eiland was Perry's taille smaller geworden en zijn bierbuik verdwenen, dus paste de broek hem goed. Het overhemd was gestreept en voelde plezierig aan, en Baldy keek naar de andere kledingstukken, terwijl hij durfde te wedden dat ze er niet voor betaald hadden, dat de kleren wellicht van een overledene waren. Ze waren chic. Echt chic. Ze gaven hem zelfs een vest, een rood met glanzende gouden draden, en een keurig colbert dat bij de broek paste. Het zat wat krap om de schouders, maar het ging.

'Hier, doe deze ook maar voor.' Pollock gooide hem een fraaie, bonte vlinderdas toe en een paar gepoetste laarzen.

Gekleed in deze opsmuk, keek Baldy zelfvoldaan om zich heen. Hij zag er even keurig uit als de praalzieke kerels die altijd rondhingen op de kermis. Fraaier zelfs.

'Kan ik nu gaan?'

De nors kijkende Kemp stond in de deuropening. 'Je tijd zit er nog niet op, maar wie weet heb je geluk. We hebben een baantje voor je, maar als je het verpest ga je linea recta terug naar het eiland. Beschouw het maar als een voorwaardelijke vrijlating.'

'Wat is dat?'

'Je ontslagbriefje.'

'Oké, ik vat 'm. En als ik het niet verpest, mag ik dan ook deze kleren houden?'

Kemp haalde zijn schouders op. 'Ja.' En Baldy kon zien dat hij er niet blij mee was, maar hij had tenslotte ook zijn rechten. Hij kon de gevangenis niet verlaten in zijn bajeskloffie, ze moesten hem toch kleren geven, dus kon hij net zogoed deze opeisen.

'Wat is het voor baantje?' vroeg hij, plotseling achterdochtig over deze voorwaardelijke vrijstelling of hoe het ook mocht heten.

'Legaal, voor de verandering,' gromde Kemp. 'Neem hem mee, brigadier. Geen handboeien, maar als hij probeert te ontsnappen, schiet je hem neer.'

'Wat?' riep Baldy uit. 'Ik houd me koest, dus is er geen reden om te schieten. Breng me nu maar naar dat baantje.'

Kaal maar met bakkebaarden, schoongeboend en keurig in zijn dure pak en opzichtige accessoires werd Perry meegevoerd via de kille stenen trap en door de poort in de omheining van de kazerne om eindelijk weer onbelemmerd frisse lucht te kunnen inademen.

Vlakbij stond iemand met een rijtuigje te wachten en toen ze hem waren genaderd, overhandigde hij Pollock een holster en een pistool. Baldy keek chagrijnig toe, terwijl de brigadier de holster omdeed, en maakte zich zorgen dat een kogelgat het beste pak dat hij ooit had bezeten zou ruïneren.

Toen Baldy behoedzaam had plaatsgenomen in het rijtuigje, riep Kemp Pollock terzijde. 'Raak deze niet kwijt, brigadier,' sprak hij knarsetandend.

Hij keek hen hoofdschuddend na, nog altijd bezorgd over de ophanden zijnde schertsvertoning, die een oefening in nutteloosheid leek te zijn, maar hij had erin toegestemd en dus kon hij maar beter voortmaken. Geen voorstelling zonder Jan Klaassen, mijmerde hij terwijl hij de kazerne weer inliep en de poort achter zich vergrendelde. Toen grijnsde hij. Die Baldy zag er op en top uit, daar had Pollock wel voor gezorgd. Hij onderdrukte een lach toen hij naar de stallen slenterde.

Zijn paard stond al klaar, net als de drie gewapende bereden politieagenten, die hij al had geïnstrueerd. Hij haalde zijn horloge tevoorschijn...

'Mooi. We hebben ruim de tijd. Vergeet niet, ik wil dat jullie allemaal te voet zijn. Zorg dat de paarden verdekt opgesteld staan. Een aan elke kant. En jij, Forrest, jij geeft Pollock een seintje als het tijd is om in te grijpen. Geen politiefluitje gebruiken trouwens. Onthoud de signalen goed en zorg dat je onzichtbaar bent. We krijgen maar één kans.' Hij steeg op en keek om. 'En let op Perry. In godsnaam, laat hem niet ontsnappen.'

Omwille ook van mij, voegde hij er zwijgend aan toe, toen de zware hekken van de poort openzwaaiden om hen eruit te laten. Perry laten ontsnappen zou heel wat uitleg vergen.

Ze stonden naast het rijtuigje in de drukke Edward Street, vlak bij de ingang van de Herensociëteit, een gebouw waarvoor Baldy Perry geen enkele belangstelling had.

'Wat doen we hier?' vroeg hij.

'Ik weet niet zeker of dit de bewuste plek is,' antwoordde Pollock, om tijd te winnen, maar toen kwam zijn mannetje van het Chesterbureau langs en knikte hem toe. Mooi, Carnegie was onderweg. De brigadier voelde een golf van opluchting. Hij was bang geweest dat de ex-commissaris misschien van gedachten was veranderd en ineens had besloten vandaag niet te komen of zijn plannen had gewijzigd. Hij had zelfs redenen kunnen hebben om door de stad te wandelen, wat de ontmoeting extra moeilijk hoewel niet onmogelijk gemaakt zou hebben. Maar nee. Tot dusver verliep alles volgens plan.

Hij stak een sigaar op en keek Perry aan. 'Wil je ook een?'

'Ik dacht van wel, brigadier.' Perry was ingenomen met zichzelf toen hij de sigaar met een zucht opstak, genietend van dit onverwachte extraatje.

Toen hoorde Pollock een zacht fluitje, waarop hij zich schrap zette. Hij moest dit gewoon goed doen. Hij nam Perry met zich mee en liep door de straat, langs het clubgebouw, richting de steeg ernaast. 'Jezus,' riep hij ineens. 'Ik wist dat ik op de verkeerde plek was. Luister, jij loopt door naar de stallen, en wee je gebeente als je iets probeert, ik ben vlak achter je. Ik ga terug en zal tegen Jack zeggen dat hij het rijtuig naar de achterkant rijdt.'

'Wat?'

'Gewoon doorlopen!'

'Ook goed.'

Nog altijd genietend van zijn sigaar, slenterde Baldy de steeg in. Het kon hem niet schelen wat hij moest doen, hij was buiten, dat was het belangrijkste, en dit was niet het moment om geintjes uit te halen. Het zou hem niets verbazen als ze een of ander baantje voor hem hadden in die stallen ginds; hij kende de omgeving goed. Hij zou zo lang blijven als nodig was, dus konden ze de tering krijgen, en daarna zou hij langzamerhand terugkeren naar Maryborough om iets op te halen wat daar al een hele tijd op hem lag te wachten. Hij snoof het aroma van de sigaar op. En hij zou zich, om te beginnen, een honderdtal van dit soort sigaren aanschaffen.

Uit de vochtige schemering van de steeg zag hij vanaf de andere kant een heer aankomen, wiens hoge hoed afstak tegen het licht, een chique meneer, een echte heer. De gewoonte dwong hem ertoe even snel achter zich te kijken – Pollock was nog niet terug – want dit was altijd een favoriet plekje van overvallers geweest. Dat was het misschien nog, dacht hij, maar vandaag gedroeg hij zich netjes, en bovendien werd hij geschaduwd door een agent... Hij ging wat branieachtiger lopen en tikte het sigarenpeukje weg, want hij was nu zelf ook een heer en hij droeg de kleding om het te bewijzen. Hij was even goed als die vent daar en was niet van plan een centimeter voor hem te wijken. Baldy ging wat meer in het midden van de steeg lopen, waar platte arduinsteen een ondiepe goot vormde, en liep met grote passen verder.

Ze waren nog slechts enkele meters van elkaar verwijderd toen hij Carnegie herkende. Carnegie! Allemachtig! En Pollock, die dicht achter hem aan kwam! Hij durfde niet achterom te kijken; in plaats daarvan boog hij zijn hoofd en keek een andere kant op, in een poging zijn gezicht te beschermen tegen de blikken van de man vóór hem. Ze werden verondersteld elkaar niet te kennen. Hij moest gewoon doorlopen...

Allyn had de brede figuur die hem tegemoetkwam allang gezien en was aanvankelijk een beetje nerveus; talloze heren waren in dit steegje al beroofd, hoewel het tegenwoordig overdag zelden meer gebeurde. Hoe dan ook, deze kerel was fatterig gekleed, constateerde hij, en zeer onwaarschijnlijk een overvaller, wellicht een of andere louche zakenman. Hij kwam hem bekend voor. Hij had iets vertrouwds.

Carnegie hield zijn hoofd opgeheven, maar nam de man niettemin van top tot teen op. Op een of andere manier boezemde de man hem angst in; hij was erg groot. Carnegie greep zijn wandelstok stevig beet om zichzelf te kunnen verdedigen, mocht die charlatan het in zijn hoofd krijgen om hem van achteren aan te vallen.

Het volgende moment staarde hij de man met open mond aan. Hij kende hem. Hij keek nog eens goed en herkende Perry, die zijn gezicht inmiddels had afgewend, in de hoop dat zijn voormalige partner, Allyn Carnegie, hem niet zou herkennen. Het was hem bijna gelukt ook, zo chic als hij gekleed ging, en waarom ook niet – zo dacht Allyn meteen – waarom niet met al dat geld om te besteden? Maar geen enkel bedrag of fraaie nieuwe kleren konden die waardeloze schurk voor hem verbergen.

Allyn zag bloed. Alle ellende, frustraties en angst kwamen weer boven toen hij Perry met zijn wandelstok aanviel met een gewelddadigheid waarvan hij nooit had geweten dat hij die bezat, terwijl hij tegen de klootzak begon te schreeuwen: 'Jij smeerlap! Jij vuile hond! Dacht zeker dat ik je nooit zou vinden. Ik vermoord je, lelijke klootzak...'

Perry duwde hem van zich af. 'Nee! Nee! Loop door, idioot. Ik ken je niet! Wegwezen!'

In zijn aanval van razernij besefte Carnegie niet dat de reus niet normaal reageerde, dat de schurk hem met één klap had kunnen vellen. Toen hij in de gaten kreeg dat Perry hem enkel wilde ontvluchten, greep Carnegie hem bij zijn overhemd om dit te voorkomen, terwijl hij op zijn borst sloeg en scheldwoorden naar zijn hoofd slingerde. De wandelstok vloog uit zijn handen, maar het kon hem niet schelen; hij wierp zich op Perry, schoppend en slaand, hem bij zijn kraag grijpend alsof hij hem wilde wurgen, zonder hem een seconde los te laten, terwijl Perry al die tijd probeerde hem van zich af te schudden...

'Donder op, idioot!'

Plotseling stonden er agenten om hen heen die de schurk probeerden te redden, waarop Carnegie alleen nog maar woester werd. 'Deze man viel mij aan,' schreeuwde hij met schrille stem, keer op keer, tot de rust eindelijk weerkeerde en Perry triest zijn hoofd schudde.

'Je bent gek, Carnegie,' zei hij. 'Volkomen stapelgek, verdomme.'

Halverwege de steeg ging de deur van de dienstingang van de club open en Carnegie knipperde met zijn ogen toen hij daar nog een vertrouwd figuur zag staan. Het was Kemp. Wat deed die hier? Hij was geen lid. Hoe dan ook, het was nuttig dat hij er was. 'Deze kerel viel mij aan,' riep hij. 'Arresteer hem.'

'Is dat zo?' vroeg Kemp aan Perry.

'Ja. Ik heb hem aangevallen. Hij provoceerde me.'

Carnegie stond opgewonden te blazen, nog altijd over de rooie, met zijn pak in de kreukels en zonder hoed en wandelstok, die ergens op straat lagen. Hij zocht ernaar toen de ernst van de situatie tot hem doordrong, omdat hij ineens besefte waarom Perry zo verzoeningsgezind was.

De agenten wachtten af. Kemp pakte Carnegies wandelstok op en overhandigde die aan hem. Hij leek geen enkele haast te hebben. Er kwam een politieman de steeg in stevenen, een lange, slungelige kerel. Pollock! Allyn keek hem verbijsterd aan.

'Ik geloof dat jullie heren elkaar kennen,' zei Kemp uiteindelijk.

'Ken hem niet,' zei Perry, en Carnegie, die zijn evenwicht hervond, knikte hevig, instemmend met de man.

'Ik heb hem nog nooit eerder gezien.'

Een van de agenten bemoeide zich ermee. 'Hij noemde hem Carnegie.'

De ander gaf ook zijn mening. 'Ik kwam uit de stal en zag dat Carnegie Perry aanviel.'

'Niets van waar,' schreeuwde Carnegie. 'Niet waar.'

'Toch wel,' sprak de agent hem tegen.

'Maakt niet uit,' zei Kemp vermoeid. 'Ik heb alles gehoord. Mannen, jullie nemen Perry mee naar de cel. En u, Mr. Carnegie, gaat met ons mee. U heeft het een en ander uit te leggen.'

'Waarover? Ik peins er niet over! Hoe durft u!'

Maar Kemp hield vol. Hij negeerde de protesten van Carnegie en gaf Pollock het bevel om de voormalige goudcommissaris onmiddellijk af te leveren op het hoofdbureau van politie. Het viel hem op dat de brigadier voor één keer sprakeloos was. Hij had gegokt en gewonnen, en zo te zien had hij nu moeite om het allemaal te bevatten.

Kemp stevende door het steegje om zijn paard op te halen, terwijl hij nadacht over Pollocks verwonderde reactie.

'Verdomd nog aan toe! Ik geloof niet dat die schelm werkelijk geloofde dat het zou werken. Het was gewoon een laatste wanhoopspoging, en hij heeft me erin meegesleurd.' Kemp had aldoor al het vermoeden dat het idee niet van Lanfield afkomstig was. Maar hij had ook geweten dat Carnegies zenuwen niet waren voorbereid op zo'n plotselinge schok; de man was een wandelende geest, even geloofwaardig als een munt met twee koppen. Kemp zou Carnegie altijd in de gaten zijn blijven houden.

Maar nu eerst, dacht hij fronsend, aandacht voor de combinatie Carnegie en Perry. En als ze dit keer goed zaten, verdiende de brigadier de eer daarvoor.

Baldy moest zijn fraaie pak weer inleveren. Hij liep alweer rond in zijn linnen bajeskloffie in de gevangenis van Brisbane, waar hij met iedereen ruziemaakte. Hij ontkende, hij loog, hij veranderde van koers en raakte totaal in de war of hij Carnegie nu wel of niet kende, en hoe en waarom. De verhoren begonnen weer van voren af aan, dankzij die dwaas Carnegie. Baldy wist nu dat het afgesproken werk was geweest en dat, als Carnegie zich zo snugger had getoond om gewoon door te lopen, hij binnen een week of twee weer vrij man was geweest. Maar hij had niets te maken met die overval. Niets. Hij had Carnegie waarschijnlijk wel eens gezien op de goudvelden; zodoende kende hij zijn naam. En hij had hem aangevallen in dat steegje. Waarom niet? Hij leek een goede vangst en er keek niemand. Stom? Met al die agenten in de buurt? Goed. Hij had gewoon niet nagedacht. En wat dan nog?

Baldy, overlevende van talloze verhoren en aframmelingen, was nog altijd een moeilijk geval. Pollock was bereid de Duitse botenbouwer erbij te halen.

Carnegie daarentegen was radeloos. Vernederd. Hij eiste dat er een advocaat aanwezig zou zijn bij alle verhoren, en dat verzoek werd ingewilligd, maar ze hielden hem niettemin in hechtenis om hem te ondervragen, en ondertussen was Jesse Fields op het meest opzienbarende verhaal uit zijn carrière gestuit.

De kop in de *Courier* luidde: 'Voormalige goudcommissaris aangehouden voor ondervraging'. De hele stad was in rep en roer. De hinderlaag en de moorden bij de Blackwater-kreek vormden andermaal sensationeel nieuws.

Mal zat in dezelfde gevangenis, maar werd ineens overgeplaatst naar een ander cellenblok toen Baldy werd binnengebracht. Zodra hij de krant, die stiekem rondging in de gevangenis, had gelezen, liet hij zijn advocaat komen.

'Op dit moment kunnen we niets doen,' zei Lanfield tegen hem. 'We moeten gewoon afwachten en kijken wat eruit komt.'

'Maar ik wil Carnegie spreken. Ik heb hem het een en ander te zeggen. Ik krijg die klootzak wel aan het praten.'

'Dat is niet mogelijk. Het beste dat je nu kunt doen, is je gedeisd houden. Ik heb een verzoek ingediend om de zaak te verdagen, en dat lijkt ingewilligd te worden.'

'En ik zit hier maar. Ik ben onschuldig. Ik heb niets verkeerds gedaan. Mijn leven is aan diggelen. Het is niet eerlijk.'

Hij vroeg naar Emilie. Hij wilde haar zien. 'Weet u zeker dat ze naar huis is gegaan?'

'Ja, dat heb ik vorige week toch verteld?'

'Ik wou dat ze even had gewacht.'

'Mr. Willoughby, die jongedame heeft zich een bijzonder goede vriendin getoond. Ik geloof niet dat je enig idee hebt hoezeer ze heeft geleden onder het feit dat haar foto en haar verhaal in de krant stonden en dat ze het mikpunt van roddels was, enkel en alleen vanwege haar omgang met jou.'

'Ja, dat weet ik best en dat spijt me buitengewoon.'

'Vergeef me als ik zeg dat je het totaal niet begrijpt. Jongedames van haar stand zouden elke publiciteit – laat staan de verachtelijkheden die jij haar hebt aangedaan – als een kwelling ervaren. Jouw waarden liggen mijlenver verwijderd van de hare. Ze heeft jouw vriendelijkheid tegenover haar beloond door alle juridische kosten op zich te nemen, en ik stel voor dat het daarbij blijft.'

'Hoe bedoelt u?'

'In 's hemelsnaam, laat haar toch met rust. Moet ik het soms spellen?'

'Vindt u haar aardig?'

'Absoluut. Er is nu een grote kans dat de beschuldigingen worden ingetrokken, maar of dat wel of niet het geval is, als je enigszins om Miss Tissington geeft, dring je jezelf niet langer aan haar op.'

'Vindt u mij een mislukkeling?'

Lanfield wreef met een vinger achter zijn oor en keek nauwlettend naar zijn cliënt. 'Je bent wat je wilt zijn. Miss Tissington is wat zij verkiest te zijn. Jij bent eenvoudig niet van hetzelfde slag. Je zou haar een enorme gunst bewijzen als je dat zou begrijpen.'

Mal had ruimschoots de tijd om over dit ongewilde advies na te denken. Hij had ervan gedroomd weer vrij te zijn, om Emilie weer op te zoeken, en nu begon het langzaam tot hem door te dringen dat het een waandenkbeeld was geweest. Maar hij hield nog steeds van haar. Wat kon hij anders? Ze was zijn hele wereld. Wat was er verder om voor te leven? Hij had haar een lange brief geschreven, waarin hij zich verontschuldigde voor alle moeilijkheden die hij haar had bezorgd en haar bedankte, en waarin hij met de moed van de pen had beschreven hoezeer hij van haar hield en dat alles weer goed zou komen zodra ze weer samen waren. Maar moest hij die brief wel versturen? Hij droomde van haar zachte karakter en haar onschuld en zag zichzelf zoals hij in werkelijkheid was, een zwerver in feite, niet geschikt om in haar voetsporen te volgen.

Toen Pollock hem kwam opzoeken met opnieuw allerlei vragen, die allemaal waren bedacht om Carnegie te strikken, antwoordde Mal somber, ongeïnteresseerd. Het kon hem allemaal geen moer meer schelen.

De brigadier was verbaasd. 'Wat is er aan de hand? Je zou vrijgesproken kunnen worden.'

'Wie zou dat iets kunnen schelen? Je hebt geprobeerd me aan de galg te krijgen, klootzak.'

'Ik deed enkel mijn werk. Ik probeerde je te beschermen, weet je nog, en toen ben jij ervandoor gegaan. Maar je maat Hillier bleef je trouw. Hij heeft me behoorlijk op mijn donder gegeven toen hij voor jou op de bres sprong.'

'En waar zit hij nu?'

'In Maryborough. Hij is manager van de entrepotwinkel daar.'

Dat nieuws betekende op dat moment weinig voor Mal, maar later schoot hem een idee te binnen. Als hij Emilie niet mocht schrijven, dan kon hij Clive toch schrijven. Zodat hij aan hem kon vragen hoe het met haar ging... hem uitvragen over haar... ze woonden tenslotte in dezelfde stad. Lieve Emilie.

Net als zijn vier celgenoten ging Mal plichtsgetrouw in het gelid staan toen de traliedeur werd ontgrendeld, om zich bij de rij van honderden gevangenen te voegen die op weg waren naar de kantine, eerder belast door zijn eigen gedachten dan door de gevangenisdiscipline.

Carnegies advocaat was een kleine, gezette man met mollige handen, waarmee hij voortdurend op Kemps bureau sloeg, terwijl hij raasde en snoof over de grove belediging dat deze waardige, vooraanstaande heer als een ordinaire misdadiger op straat was opgepakt. Hij dreigde de politie te vervolgen voor deze onrechtmatige arrestatie. Hij waarschuwde Kemp dat hij een nieuwkomer in Brisbane was en dat hij moest leren dat hij heren als Mr. Carnegie niet op deze manier kon behandelen, niet in deze stad althans. Hij sprak over vrienden met hoge functies die een dergelijke laatdunkende behandeling van een goede, vriendelijke man niet zouden tolereren, en zo ging hij maar door totdat zelfs Carnegie, die als een hoopje ellende naast het bureau van Kemp zat, ongedurig begon te worden.

Uiteindelijk vroeg Kemp, niet onder de indruk, of hij wilde plaatsnemen.

'Ten eerste, meneer, staat uw cliënt niet onder arrest zoals hij lijkt te denken; hij is eenvoudig meegenomen voor ondervraging. U hebt tijd gehad om met uw cliënt te overleggen, dus u weet ongetwijfeld dat het om een ernstige kwestie gaat.'

'Dat weet hij absoluut niet,' riep Carnegie uit. 'Ik heb geen flauw idee waarom ik hier ben.'

'Echt niet? Dat verbaast me. Maar even voor de goede orde, zodat iedereen hier weet wat hier gaande is, u wordt vastgehouden, Mr. Carnegie, op verdenking van betrokkenheid bij de moorden en de goudroof bij de Blackwater-kreek vlak buiten Maryborough.'

De advocaat wankelde op zijn benen, zo verbijsterd was hij. 'Belachelijk! Dit kan niet waar zijn.' Hij draaide zich abrupt om en keek Carnegie aan. 'Dit kunnen ze je niet aandoen, Allyn. Het kan echt niet! Het is absurd!' Hij stamelde en Kemp vermoedde dat Carnegies man al wel aanvoelde dat hij zich op glad ijs bevond.

'Natuurlijk is het absurd,' snauwde Carnegie. 'Ik wens onmiddellijk te vertrekken.'

'Alles op z'n tijd,' zei Kemp. 'We hebben iemand in hechtenis, een bekend crimineel, van wie we veronderstellen dat hij een aandeel in die misdaad heeft en bovendien, volgens onze informatie, een bekende van u is, Mr. Carnegie.'

'Dat is een leugen!'

'Niets ligt verder van de waarheid,' herhaalde de advocaat verbijsterd.

'We zullen zien. Ik heb twee agenten klaarstaan om uw cliënt te ondervragen, meneer. Een van mijn eigen inspecteurs, en een brigadier uit Maryborough die Mr. Carnegie onderhand goed kent.'

'Ik weiger ondervraagd te worden en ik ben beslist niet van plan om met Pollock te praten. Dit zijn opnieuw pesterijen en die heb ik al veel te lang getolereerd.' Carnegie stond op. 'Ik wens nu te vertrekken.'

Kemp negeerde hem. Hij verliet zijn kantoor en gaf de inspecteur en Pollock de nodige instructies. 'Jullie hoeven niet omzichtig te werk te gaan. Confronteer hem met alles wat jullie hebben. Perry's verhaal is inmiddels een grote gatenkaas. Leg de overval nog maar eens uit zoals wij het zien, tot aan het moment dat Perry per boot met het goud is ontsnapt. Alsof Perry jullie heeft ingelicht. En breng de Griffen-zaak ter sprake; dat zal die advocaat de stuipen op het lijf jagen.' Zijn stem klonk hardvochtig. 'Mensen hebben het voortdurend over de goudbuit, maar er zijn wél drie mannen omgekomen. Vergeet dat niet. Mijn intuïtie schreeuwt me toe dat deze twee onder één hoedje hebben gespeeld; het is aan jullie om het te bewijzen.'

Hij wendde zich tot de inspecteur. 'Carnegie is een gladjakker; laat Pollock het woord voeren, maar luister aandachtig naar elk woord dat hij zegt. Mat die klootzak af. Het kan me niet schelen hoelang het duurt.'

Allyn probeerde te bevatten dat er rondom hem een storm opstak. Er hing een dreiging in deze ruimte, die erger was dan welke nachtmerrie ook, en hij smeekte zijn advocaat om een einde te maken aan de beschuldigingen en leugens, maar het enige dat die dwaas kon, was hem troost bieden en zeggen dat het niet lang meer zou duren. Het waren geen beschuldigingen, het waren enkel vragen. Allyn schreeuwde tegen hem dat hij het mis had.

'Zie je dan niet wat hier gaande is, idioot? Ik word gepakt op een valse aanklacht. Ze hebben twee van de overvallers. Perry en Willoughby: zij hebben het gedaan! Ik niet. Ik ben neergeschoten!'

'Dus nu erkent u dat Perry een van de overvallers was?' vroeg de inspecteur rustig.

'Dat heb ik niet gezegd. Hoe moet ik dat weten?'

De vragen kwamen in golven, net als de misselijkheid, en al die tijd kwamen ze terug op Perry en wat hij hun had verteld, volhoudend dat Carnegie Perry wel degelijk kende, dat was vastgesteld, dus waarom loog hij daarover? En dat Perry samen met hem op de goudvelden was geweest.

'Niet bij mij,' jammerde hij. 'Nee. Nooit. Ik hem nog nooit in mijn leven gezien. Dit is gruwelijk. Ik voel me niet goed. Ik heb een dokter nodig.'

Ze brachten thee en biscuitjes en deden de lampen aan. De twee gezichten tegenover hem achter het bureau leken groteske afmetingen te hebben aangenomen om vervolgens weer kleiner te worden, en Allyn moest zijn hoofd afwenden. Hij wou dat hij flauwviel of een flauwte kon fingeren, maar zelfs dat lukte hem niet.

Pollock leunde achterover. 'Hoe kunt u beweren dat Willoughby erbij was, terwijl Perry ontkent dat dat zo is?'

'Perry heeft het mis. Hij weet dat Willoughby erbij was.'

Allyn hoorde zijn advocaat luidruchtig inademen, waarna hij zijn vette handen, getooid met een lelijke robijnen ring, op het bureau plantte. 'Genoeg is genoeg, voor vandaag.'

Maar Pollock hield voet bij stuk. 'Als we dit verhoor nu niet afmaken, zal uw cliënt hier een nacht moeten blijven.' Hij keek naar Allyn. 'In de cel.'

Allyn zat met zijn hoofd in zijn handen terwijl ze daarover bekvechtten, totdat de inspecteur tussenbeide kwam. 'Eén ding vind ik nogal belangwekkend. Het goud. Perry is een rijk man, dat zegt hij tenminste zelf. Hij lacht erom, beweert dat hij zich de beste advocaten in het land kan veroorloven. Hoe zit het met u, Mr. Carnegie?'

'Wat heeft dat met mij te maken?'

'Alles, ben ik bang, gezien Perry's getuigenis. Het lijkt een langdurige kwestie te worden; dat is meestal zo in dit soort zaken. Perry zegt dat Willoughby er niet bij was. Maar hij kan het niet alleen gedaan hebben. Hij heeft u erbij betrokken door u te herkennen, Mr. Carnegie, en u heeft die gunst beantwoord met een gunst door te erkennen dat u hem ook kende. Waarom heeft u hem eigenlijk aangevallen, Mr. Carnegie?'

'Dat heb ik niet. U hebt gehoord dat hij dat ontkende.'

'We hebben getuigen...' zei de inspecteur droogjes.

Er kwam geen einde aan de vragen. Allyn voelde dat hij instortte. Hij huilde, niet uit zelfmedelijden maar uit woede dat Perry een rijk man was, dat Perry alles had verpest uit pure hebzucht. Dat Perry hem voor de rechter liet slepen, niet zoals nu, als een arrestant, maar als een verdachte. Hij zag het eindelijk in en kromp ineen. Hij snikte. Zijn advocaat, die sukkel, die eerder geboeid dan onthutst was, zat wat nutteloos te dreinen terwijl de twee mannen met hun grimmige gezichten hem zwaar onder vuur namen, over de vermoorde mannen, over Taylor, zijn boekhouder, een goede, eerlijke man die een vrouw en drie kinderen had. En Allyn zag de nachtmerrie van de mannen die in zijn slaapkamer stonden te mompelen weer aan zich voorbijtrekken en realiseerde zich ineens dat de anderen die erbij waren hun kinderen waren. Hij had ergens gelezen dat de bewakers en Taylor samen negen kinderen hadden, die hij bovendien bij de begrafenis had gezien. Die kinderen, die daar zwijgend naast de weduwen stonden...

'Ik heb ze niet neergeschoten,' gilde hij. 'Jullie moeten me geloven.

Ik heb ze niet vermoord. Dat heeft Perry gedaan. Daarna heeft hij mij neergeschoten. Hij heeft het goud. Alles.' Hij greep zijn advocaat bij de arm. 'Zeg het tegen hen. Ik heb geen rooie cent. Dat weet je. Hij is mijn neef. Hij weet dat ik op zwart zaad zit. Zeg het dan... Ik heb er niets mee te maken. Hoe zou ik dat kunnen?'

De twee politieagenten keken zwijgend toe hoe de huilende man zich in de armen van zijn advocaat liet vallen en er bij zijn neef nog steeds op aandrong om het uit te leggen, om hun duidelijk te maken dat dit allemaal een vergissing was, dat hij een slachtoffer was, begrepen ze dat dan niet?

Er volgden enkele zeer verwarrende dagen voor Allyns advocaat, zijn neef George, ook een Carnegie. Hij had de deskundigheid noch de moed voor een zaak als deze, was er niet aan gewend lastiggevallen te worden door journalisten en vond het verschrikkelijk dat zijn familienaam door het slijk werd gehaald. George was woest op Allyn dat hij hem in deze beerput had meegesleurd. Als hij enig idee had gehad waarom Allyn was aangehouden, dan had hij zichzelf op een slinkse manier niet-beschikbaar verklaard. Helaas, andere juristen die hij had benaderd waren slimmer dan hij en bleken stuk voor stuk bezet.

Uiteindelijk besloot hij John Carnegie te bezoeken om de ernstige aard van deze beschuldigingen te bespreken en mogelijk de pijnlijke kwestie van zijn honorarium ter sprake te brengen, aangezien in de familie bekend was dat John de portemonnee beheerde. De moed zonk hem echter in de schoenen toen hij twee mannen op de veranda aan de voorkant van het huis zag zitten. Hij had gehoopt John onder vier ogen te kunnen spreken. Erger nog, de twee mannen die hem somber verwelkomden bleken dominee Trimble en de jonge Tom te zijn, Johns zoon, een lomperik onder de gunstigste omstandigheden.

Het duurde niet lang voor Tom door het geklets heen prikte en hem maande ter zake te komen, zoals hij het noemde.

'In de eerste plaats heeft mijn vader de indruk dat Allyn vanwege zijn faillissement moet voorkomen, dus dat laten we zo. Ik wil niet dat deze kwestie in zijn bijzijn wordt besproken.'

'Juist.' George Carnegie knikte.

'En onder geen voorwaarde kan van hem verwacht worden dat hij het geheel of een deel van de juridische onkosten van mijn oom op zich neemt.'

George haalde ongelukkig zijn schouders op en vroeg zich af wie van de andere familieleden hij nog kon benaderen.

'Ik ben echter blij dat je er bent, George. Wat is er in vredesnaam aan de hand? Zit er een grond van waarheid in de beschuldigingen die rondgaan? Het klink allemaal te gek voor woorden.'

George deed zijn best om de zaak uit te leggen, met alle moeilijkheden en ongelukkige bekentenissen van dien, die niet alleen waren afgelegd door die andere vent, Perry, maar ook door Allyn zelf, terwijl hij ondertussen tegenover de jonge Tom de boze kritiek over zijn eigen rol moest weerleggen. Goedkoop en gemakkelijk advies van deze jonge parvenu over hoe hij zus of zo had moeten doen om zijn oom te beschermen, tot George protesteerde dat deze zaak aan hem was opgedrongen.

'Het heeft geen zin om mij de schuld te geven,' snauwde hij. 'Ik had geen flauw idee dat Allyn werd verdacht. Ik schrok me wezenloos. Het is allemaal heel afschuwelijk. Normaal gesproken doe ik nooit strafzaken.'

'Maar je krijgt hem toch wel vrij? Het is duidelijk één groot verzinsel. Hij is een Carnegie! De familie zou generaties lang zwartgemaakt worden door een schandaal als dit.'

'Dan zal de familie me moeten bijstaan. Tenzij je wilt dat hij voor moord wordt veroordeeld, zul je die boodschap onder de familieleden moeten verspreiden. Ik heb een strafpleiter nodig, een plaatselijke dan wel iemand uit Sydney. Jullie kunnen niet verwachten dat ik de last alleen draag, dat kan ik eenvoudig niet.'

'Je moet. Die strafpleiters kunnen de pot op. Je kent oom Allyn, je weet toch dat hij niet in staat zou zijn tot zo'n smerige samenzwering.'

George zweeg. Hij was kwaad over Toms houding. Hij wist dat Allyn dit zelf had veroorzaakt, dat zijn eigen antwoorden op vragen van de politie hoogst beschuldigend waren en dat hij een langdurig proces vreesde. De naam Carnegie werd nu misschien door het slijk gehaald, maar het was niets vergeleken met straks, na afloop van de rechtszaak.

De predikant kwam voorzichtig tussenbeide. 'Mag ik even wat zeggen?'

'Zeker,' zei George. Trimble had hem tenminste niet telkens onderbroken tijdens zijn uitleg.

'Denk je dat Allyn schuldig is, George?'

'Maar natuurlijk niet,' snauwde de jonge Tom.

George keek over de leuning van de veranda naar de hoge, statische gombomen die verderop bij de poort de wacht hielden, en hij hoorde de lokroep van een kurrawong, en het antwoord erop dat ergens uit de verte kwam.

'Maakt het verschil? Ik moet hem verdedigen, ik zit eraan vast. Snappen jullie dat niet?'

'Dan verzoek ik jullie dringend te knielen en te bidden om de waarheid.'

George noch Tom was in de stemming voor een gebed, maar dominee Trimble had hen al snel op hun knieën voor het onzevader, gevolgd door een hartstochtelijk pleidooi tegenover God om de waarheid te onthullen, waarbij hij zijn stem verhief, om vlak daarna de aandacht van God op George te vestigen.

438

'Laat uw dienaar spreken! In naam van Jezus, George, spreek! Alleen de waarheid zal ons kunnen troosten. Je mag niet liegen tegenover God. Gij zult niet doden, zegt de Heer, en wie durft hem te trotseren? Gij zult niet stelen, zegt de Heer, George, tegen jou. Heeft zijn dienaar Allyn deze geboden overtreden?'

'Moge God ons helpen, dat heeft hij,' dreunde George op. 'Wat moeten we doen?'

'Amen,' zei dominee Trimble triomfantelijk, terwijl hij opstond en zijn broek afklopte.

Ook de andere twee stonden op, en Tom pakte een zakje tabak dat op een bankje lag. 'Dat is verdomme fraai. Wat moeten we nu?'

De dominee wist het. 'Er is maar één koers die we kunnen varen. Allyn moet bekennen tegenover de Heer en zijn aanklagers. Hij moet smeken om vergeving zolang het kan. Ik weet dat George niet lichtzinnig tot die conclusie is gekomen en, nadat ik jouw verhaal heb aangehoord, ik evenmin.'

'Hij moet hem niettemin verdedigen,' drong Tom aan, maar dominee Trimble was het er niet mee eens.

'De Heer is onze rechter. George mag niet bedriegen. Onze rechtbanken zijn toch al veel te vaak een toevluchtsoord voor zondaars. Misdadigers liegen en plegen meineed om zichzelf vrij te pleiten, en ze betalen advocaten om hen te helpen Gods waarheid zo te verdraaien dat ze er zelf goed af komen. Veel van jouw collega's, George, offeren op het altaar van bedrog hun godvruchtigheid op. Je moet geen zondaar van jezelf maken, zelfs niet om je geliefde neef te redden.' Hij boog zijn hoofd. 'Gods wil geschiede.'

'U vindt dat hij schuldig moet pleiten?' fluisterde George, die nerveuze blikken richting Tom wierp.

'Als hij schuldig is, zal dat moeten. Er is geen alternatief.'

Tom luisterde aandachtig. 'Daarmee zou deze toestand eerder tot het verleden behoren, of niet?'

'Maar ze zullen hem ophangen,' protesteerde George.

Tom haalde zijn schouders op. 'Uit wat jij ons net hebt verteld, hebben ze hem bij de lurven, George. Ze zullen die klootzak sowieso laten hangen. Excuses voor mijn taalgebruik, dominee.'

Trimble knikte vergevingsgezind. 'We moeten erheen, George, wij samen. We zoeken Allyn op en bidden met hem. We zullen hem vertrouwen in de Heer geven, want dat is wat die arme ziel op dit moment nodig heeft. Hij moet de waarheid vertellen, van A tot Z, zonder zijn toevlucht te nemen tot juridische intriges, om Gods wil, want Onze-Lieve-Heer zal een berouwvolle zondaar nooit in de steek laten. Het lot van ieder van ons ligt in Gods handen.'

Op het hoofdbureau van politie deed het gerucht de ronde dat Carnegie had bekend dat hij Baldy Perry had ingehuurd voor een hinderlaag, die nog veel koelbloediger was dan de samenzwering die indertijd door goudcommissaris Griffen was uitgedacht. Ze praatten over de hardnekkigheid van Pollock, de brigadier van het platteland, die in zijn vastberadenheid de moed had gehad om deze misdaad op te lossen, en ze vermoedden dat hij hiermee een promotie had verdiend. Ze lachten, opgetogen als ze waren door het gerucht dat hoofdinspecteur Kemp een radicale stunt had uitgehaald door een confrontatie tussen Perry en Carnegie op touw te zetten, terwijl de twee niet wisten dat ze werden gadegeslagen. De agenten die getuige waren geweest van de val en de ruzie tussen de twee onverlaten zwoeren dat het waar was.

'Toen was het uit met het spel,' zeiden ze. 'Goeie genade, de baas mag dan saai en een echte zwoeger lijken, hij is heel slim. Hier kan hij met recht trots op zijn.'

Maar waar was het goud? Dat leek niemand te weten.

En hoe zat het met Willoughby? Zijn advocaat had zo langzamerhand een spoor getrokken naar het kantoor van Kemp om alle beschuldigingen tegen Sonny niet ontvankelijk te laten verklaren, en het leek vrijwel zeker dat Kemp akkoord zou gaan, zodra hij de verklaringen van de andere twee ondertekend en verzegeld in zijn bezit had.

De bereden politie was attent. Ze hadden medelijden met Willoughby, besloten te helpen en stuurden een telegram naar brigadier Moloney in Chinchilla, de man die Sonny had opgebracht.

Op de eerste verdieping worstelde Kemp zich door achterstallig werk, dat zich in de afgelopen drukke dagen flink had opgestapeld. Een plotselinge windvlaag deed de losse paperassen opwaaien en dus stond hij op uit zijn draaistoel om het raam te sluiten, waarbij hij even de tijd nam om in de duisternis te staren, waar de gaslantaarns flikkerden, die schijnbaar door een onzichtbare hand waren aangestoken. Hij zag een lange, slungelachtige figuur de straat oversteken en zuchtte. Sinds Carnegie was bekeerd en de hele ziekelijke samenzwering had geopenbaard, had Perry ook zijn aandeel daarin opgebiecht, maar ze zaten nog altijd in hun maag met het goud en de honderden Engelse ponden en Australische soevereinen. Waar was de opbrengst van de roofoverval? Wat hadden ze met de buit gedaan?

Hij stond nog steeds voor het raam toen Pollock binnenkwam. 'En?'

'Niets, tot dusver. Perry zegt dat hij exact heeft gedaan wat hem is opgedragen. Ze hebben het goud en de contanten in zakjes gestopt. Carnegie heeft hem geholpen de zakjes in de boot te laden. En vervolgens is hij met de buit de rivier overgestoken, precies zoals ik vermoedde, naar de plek waar zijn paard op hem stond te wachten.'

'Nadat hij Carnegie had verwond?'

'Ja. De oude Baldy is woest op Carnegie. Hij wenst nu dat hij hem ter plekke overhoop had geschoten en er in zijn eentje vandoor was gegaan. Hij zit aan één stuk door te blaten en te jammeren. Kennelijk heeft Carnegie hem verrot gescholden.... Het was de bedoeling dat Baldy hem enkel een vleeswond zou bezorgen en niet zijn hele arm aan diggelen zou schieten.'

Kemp lachte grimmig. 'Het klinkt alsof hij heeft geweifeld.'

'Ja. Dat is nóg een reden waarom Carnegie zo razend op Perry is. Hoe dan ook, Carnegie mocht natuurlijk niet gezien worden met de buit, vandaar dat Baldy de opdracht kreeg om de vangst naar de stad te brengen. Dat heeft hij gedaan. Hij reed aan de overkant van de rivier terug en nam zonder enige problemen de veerboot naar de stad.'

'Dat zou kunnen. Gewoon een ruiter die net als het andere verkeer wil oversteken. En toen?'

'Daarna heeft hij de buit, zoals hem was opgedragen, onder het huis van Carnegie begraven.'

'Godallemachtig! Heb je een zoekactie ingesteld?'

'Ja. Ik heb een telegram gestuurd naar het politiebureau. Ik neem aan dat ze bij lantaarnlicht al aan het graven zijn. Hoe dan ook, Baldy beweert dat hij zich een paar weken gedeisd moest houden, tot de ophef was gezakt. Daarna zou hij wederom naar het huis van Carnegie gaan, zodat ze in het holst van de nacht de buit eerlijk konden verdelen. Maar hij haalde die afspraak niet. Hij ging weer werken in de haven, raakte betrokken bij een dronkemansgevecht en eindigde in het gevang.'

'Dat betekent dat Carnegie het goud heeft.'

'Daar lijkt het wel op. Carnegie had hem bevolen om onder geen enkele omstandigheid contact te zoeken, behalve die ene ontmoeting in de nacht, dus Baldy kon zijn partner niet laten weten waar hij zat. Hij dacht dat de buit veilig was verstopt; hij hoefde alleen maar zijn straf uit te zitten om daarna bij zijn partner zijn deel op te eisen.'

'En Carnegie kon het zich niet veroorloven om het bedrag met hem te delen.'

Pollock lachte. 'Niet met iemand als Perry. Niet tenzij hij ook wilde sterven. Geen wonder dat Baldy in de nor zat te pochen dat hij een rijk man was.' Hij leunde tegen de vensterbank, terwijl Kemp weer in de stoel achter zijn bureau ging zitten. 'Maar we zitten nog wel met een probleem. Carnegie beweert dat hij de zakjes nooit heeft gezien. Dat Baldy zich niet aan de afspraak hield. Hij zegt dat hij wachtte en wachtte, maar dat Baldy nooit is komen opdagen. Volgens hem is hij bedrogen.'

'We zullen zien. Ik hoop dat het er nog ligt. Carnegie zou het weleens verplaatst kunnen hebben.'

De brigadier knikte. 'Ik hoop ook dat we het vinden. Baldy's verhaal lijkt geloofwaardig. Hij heeft immers niets meer te verliezen. Hij

441

weet dat hem de strop wacht. Maar die vervloekte Carnegie, hij lijkt te denken dat als hij zich schuldig verklaart – omdat hij zelf niemand heeft doodgeschoten – hij er waarschijnlijk met een lichte straf onderuitkomt.'

'Waar heeft hij die wijsheid vandaan?'

'Hij vertrouwt op God. Hij houdt met klem vol dat hij de buit nimmer onder ogen heeft gehad en dus niet van diefstal kan worden beticht.'

Kemp keek stuurs. 'Een verdomd goede reden om de buit verborgen te willen houden. Om er zogenaamd niets van af te weten.'

'In zijn ogen. En om de schat op zijn plaats te laten in de periode dat wij voortdurend langskwamen, totdat wat hij onze pesterijen noemde ophielden. Hij kon het zich veroorloven om geduldig te zijn.'

'En Willoughby? Wat dat betreft liegt Carnegie zonder meer. Hij probeert vast te houden aan een kern van waarheid in zijn verklaring. Soms herinnert hij zich Willoughby, en wanneer we het verhaal dan opnieuw doornemen, vergeet hij hem totaal te noemen. Verrassend genoeg was Baldy eerlijker. Hij zei: "Die stomme Willoughby weet nergens van."'

'Hij zegt dat Willoughby als stroman diende, door Carnegie gebruikt om de politie bezig te houden.'

'Dat heeft Willoughby zelf ook al die tijd volgehouden.'

'Dat is logisch. Maar wacht even, Baldy vertelde dat hij die jongen niet eens goed heeft gezien. Hij hoorde vlak na zonsopgang alleen iemand wegrijden. En dat was maar goed ook! Het was moeilijk genoeg om twee kerels snel neer te schieten zonder dat er een derde in het spel was...'

'Twee!'

'Ja. Ik dacht wel dat je dat verheugend nieuws zou vinden. Hij heeft alleen de bewakers neergeknald. Carnegie heeft Taylor in de rug geschoten.'

'Die leugenachtige smeerlap!'

Pollock trok een grimas. 'God zal daar niet blij mee zijn, Mr. Carnegie.'

De volgende middag liet de politie van Maryborough Kemp weten dat ze elke centimeter grond onder en rond het huis van Carnegie hadden omgespit, helemaal tot aan de grenzen van zijn erf, en dat ze ook zijn huis grondig hadden doorzocht maar niets hadden gevonden. Kemp was zó kwaad, dat hij zijn plaatsvervanger stuurde om Carnegie met dit nieuws te confronteren.

'Verspil geen tijd. Zeg hem dat we weten dat hij Taylor heeft neergeknald en dat hij in het bezit is van het gestolen goud en de contanten. Maak hem duidelijk dat hij maar beter kan gaan bidden, omdat hij ter dood veroordeeld zal worden. Kortom, dat hij maar beter schoon schip kan maken en kan vertellen waar de buit van de overval verborgen ligt. Het goud en het geld moeten gewoon terug naar de rechtmatige eigenaren.'

De plaatsvervanger keerde onverrichter zake terug. 'Hij beweert nog steeds dat hij niemand heeft vermoord en dat hij niet weet waar het geld is. Noch het goud.'

'Nou ja, laat maar zitten dan. Als de grote dag dichterbij komt, piept hij wel anders. Zodra hij zich realiseert dat hij op weg is naar de galg. Waarschijnlijk is het nog niet tot hem doorgedrongen.'

Maar voor Allyn Carnegie waren er geen verhoren meer. Geen angst en geen vernederingen meer. Geen cellen meer. Bij het aanbreken van de dag, toen de ijzeren celdeuren opengingen, werd hij dood aangetroffen in zijn cel, hangend aan een tralie met een touw gemaakt van beddentijk. Allyn Carnegie had besloten om zijn geluk te beproeven bij de Heer, liever dan in de rechtbank.

Ze bevonden zich allemaal in dezelfde gevangenis. Toen Baldy het kreeg te horen, gierde hij van het lachen. Hij zocht zelfs Willoughby op tijdens het luchten.

'Weet je dat die klootzak mij de schuld van de moord op Taylor in de schoenen probeerde te schuiven? En dat heb ik nooit gedaan.'

'Nou, én?' reageerde Mal kwaad. 'Je hebt die andere twee wel neergeknald. En jij probeerde de schuld ook bij mij neer te leggen.'

'Ik niet, maat, Carnegie. Ik heb nooit beweerd dat jij erbij was. Ik heb je juist een dienst bewezen. Je zou me moeten bedanken. Ik heb gezegd dat je niet meer dan een stroman was. Die verdomde Carnegie gaf de *traps* enkel een haas om op te jagen. Je naam is gezuiverd, jongen.'

'Waarom zit ik hier dan nog steeds? Je liegt, Perry. Waarom zou je dat voor mij doen?'

'Omdat ik wil dat je míj een dienst bewijst. Je staat nu bij me in het krijt. Jimmy McPherson zit nu vast op het eiland. Hij heeft vijf jaar gekregen.' Hij nam Mal even apart en fluisterde: 'Als ik er niet meer ben, moet je hem een boodschap overbrengen. Zeg tegen hem dat ik als een welvarend man ben gestorven. Ik heb het beter gedaan dan wie van hen ook.'

'Waar heb je het in vredesnaam over?'

'Maakt niet uit,' gromde Perry. 'Geef hem alleen die boodschap. En regel wat tabak voor me voor je de nor verlaat.'

De dag leek eindeloos terwijl Mal zwoegde en betwijfelde of zijn naam inderdaad was gezuiverd, terwijl hij 's nachts enkel ongeduld en woede voelde. Hij schopte tegen zijn celdeur en schreeuwde tegen de bewakers dat ze hem moesten vrijlaten. Ze negeerden hem en lieten het aan zijn celgenoten over om hem met een pak slaag te bedreigen als hij niet snel zijn kop hield.

Lanfield had de volgende dag een rechtszaak, maar hij was Willoughby niet vergeten. Hij stuurde zijn secretaris met zijn verontschuldigingen...

'Mr. Lanfield wilde niet dat u een minuut langer dan noodzakelijk in de gevangenis zou blijven,' legde hij uit. 'De politie heeft alle beschuldigingen jegens u ingetrokken, u bent een vrij man.'

'Is het voorbij?' vroeg Mal ademloos, toen een lachende bewaker het hek openmaakte. 'Weet u het zeker?'

'Jawel, meneer.'

'Ah, moge God u zegenen! En wilt u de baas namens mij bedanken?' Hij danste praktisch door de stenen gangen, naast de secretaris, terwijl hek na hek werd ontsloten en ze uiteindelijk op de binnenplaats uitkwamen. Toen dacht hij er ineens weer aan. 'Luister, kunt u zorgen dat ik wat tabak krijg? Ik heb een medegevangene beloofd...'

'Zeker. Mr. Lanfield heeft me opgedragen voor u te zorgen. Ik ben alleen bang dat u hier een tijdje zult moeten wachten tot ik alle paperassen heb ingevuld, maar ik zal de tabak straks meenemen.'

De binnenplaats was klein en kaal, als een stenen doos met hoge muren, met aan weerszijden traliehekken, maar boven hem zag hij een stukje blauw en Mal zuchtte. Het was een mooie dag. Een werkelijk prachtige dag.

Nog voor hij bij het hek aan de overkant was, dat een bewaker al voor hem opende, haalde de secretaris hem in.

'Mr. Willoughby. Vergeef me. Ik was zo opgewonden dat mij de eer ten deel viel uw vrijlating te regelen, dat ik het bijna was vergeten. Ik heb een brief voor u.'

Mal pakte hem behoedzaam aan. Hij zag het nette, nauwkeurige handschrift en vermoedde dat hij van Emilie was. Van wie anders? Ondanks de vreugde dat hij van haar hoorde, opende hij de envelop zo voorzichtig als hij kon met zijn grote, onhandige handen, in een poging de envelop niet meer te scheuren dan strikt noodzakelijk was... maar hij bleek van Clive te zijn. Een antwoord op zijn eigen brief. Hij wierp een vluchtige blik onderaan de brief om te kijken of er een groet van Emilie stond, maar helaas. Hoe dan ook, het was aardig van Clive om te schrijven, besloot hij berustend.

Clive was blij te horen dat het goed met hem ging. Hij was ervan overtuigd dat hij met een kantoor als dat van Mr. Lanfield achter zich heel binnenkort vrij zou komen, dus hoopte hij Mal te zien wanneer alles achter de rug was. Clive zou zijn huidige baan bij de entrepotwinkel binnenkort opgeven om een eigen kledingzaak in Maryborough te openen... Mal sloeg de details over dat initiatief over, omdat hij ergens verderop Emilies naam had zien staan.

Emilie doet de hartelijke groeten. We zijn er trots op dat we beiden vanaf het begin van deze beproeving in jouw onschuld hebben geloofd.

Mal giste naar de betekenis van beproeving, maar het woord *beiden* maakte hem enigszins achterdochtig.

Je vroeg naar Emilie. Het gaat nu veel beter met haar, maar ze was uiteraard van streek dat de kranten het op haar hadden gemunt, dat was een hele schok voor haar, dat moet ik erkennen, hoewel ze volhoudt dat jij daar geen schuld aan hebt. Ze is een moedige jongedame en ik denk dat ze sowieso naar Brisbane was afgereisd, ondanks de prijs die ze daar persoonlijk voor moest betalen.

Mal knikte. Ze was een moedig, lief meisje, maar dat hoefde Clive hem niet te vertellen. Dank je hartelijk.

Ze heeft het een tijdlang moeilijk gehad. Haar zuster heeft haar de deur gewezen. Ook in deze stad was ze het mikpunt van roddels, en bovendien verloor ze haar baan als gouvernante. Allemaal heel oneerlijk, maar ook hier vieren schandalen hoogtij.

'Ach, mijn hemel, wat spijt me dat,' kreunde Mal. 'Arme Emilie.' Hij las verder. Wat had ze nog meer voor haar kiezen gekregen?

Maar nu komen we allemaal weer tot rust na het goede nieuws dat Carnegie en zijn handlanger zijn gearresteerd, wat jouw vrijlating zeer waarschijnlijk zal bespoedigen. Ik moet je zeggen dat ik om Emilies hand heb gevraagd. Ik ben me zeer bewust van het feit dat het huisje in feite van jou is en ik wens de aankoopprijs aan jou terug te betalen...

Mal verfrommelde de brief in zijn handen. Ging Clive met Emilie trouwen? Nee! *Nee!* 'Emilie is mijn meisje!' riep hij ontzet uit. Hoe had dit kunnen gebeuren? Toen herinnerde hij zich dat hij Clive had gevraagd om zichzelf aan haar voor te stellen. Verdomme! Daar had hij zelf op aangedrongen. Stomkop die hij was.
'Dat zullen we nog wel eens zien,' zwoer hij, toen de secretaris weer terug was. 'Hebt u de tabak?'
'Ja. Ik hoop dat dit het goede merk is.'
Mal haalde zijn schouders op. Wat kon dat nou schelen? Hij bonkte op de poort. 'Ik ben iets vergeten.'
De bewaker keek de secretaris met een onderzoekende blik aan,

waarop deze knikte. 'Goed. Maar schiet op, Sonny. Je hoeft hier niet langer rond te hangen.'

Hij rende door het lege cellenblok, wierp nog een vluchtige blik op de lange rijen cellen boven zich met de lange, van hekken voorziene gangpaden, en verraste de bewaker bij de binnenplaats.

'Je hebt zeker moeite met afscheid nemen?' zei hij lachend.

'Ik heb iemand beloofd wat tabak te brengen,' zei Mal.

'Oké, geef maar aan mij. Ik geef het wel door.'

Mals ogen fonkelden. 'Ach, kom op, maat. Laat me dit goed doen. Ik wil mijn belofte niet breken; ik ga zo langzamerhand verdomme denken als een dwangarbeider.'

'Vooruit dan maar. Vijf minuten. D'r in en d'r uit, anders ga je zo weer mee in de telling.'

Hij haastte zich door de groepjes mannen heen die doelloos over de grote binnenplaats slenterden en zag al snel Perry's omvangrijke figuur tegen een muur geleund staan. Perry stond alleen, en Mal herinnerde zich dat andere gevangenen geneigd waren mannen die naar de galg gingen te mijden. Dat brengt ongeluk, hadden ze hem verteld, maar hij vermoedde dat er meer achter zat; er waren maar weinig die goed uit hun woorden konden komen. Ze zouden niet weten wat ze tegen hem moesten zeggen.

'Hier is je tabak,' sprak hij hijgend, verbaasd dat hij door deze korte inspanning zo buiten adem was, wat hij overigens weet aan de maanden van passiviteit in deze omgeving.

'Mooi zo,' zei Baldy, het pakje aannemend. 'Zul je niet vergeten mijn boodschap door te geven?'

'Nee, ik zal het niet vergeten. Maar je kent McPherson. Hij zal bewijs willen. Als je begrijpt wat ik bedoel.'

'Ja,' zei Baldy spottend. 'Maar hij kan de pot op, net als de rest van hen. Het is van mij. En van de kroko's. Niemand zal het ooit vinden. Zorg alleen dat hij te weten komt dat ik als een rijk man ben gestorven. Ik heb hem verslagen. Het hele circus is met Carnegie ingestort.'

'O, nou ja. Ik wens je veel sterkte, Baldy.'

'Noem me geen Baldy,' snoof hij. 'Mijn naam is Angus.'

Mal sprintte terug naar de wachtende kantoorbediende, die hem informeerde dat ze nu eerst bij de balie langs moesten om hem uit te schrijven. Toen dat klaar was, voerde de secretaris hem mee naar de achterkant van het gebouw, maar Mal weigerde.

'Ik heb niks verkeerds gedaan. Die klootzakken hebben een half jaar van mijn leven ingepikt en ik krijg er helemaal niets voor terug. Ik heb het recht om via de voordeur te vertrekken.'

'Heb geduld,' zei de secretaris. 'Dit doen we alleen om tijd te winnen.'

Ze kwamen geen bewakers meer tegen en liepen ongestoord via de

kleine, benauwde kantoren naar buiten, eindelijk het zonlicht tegemoet. Hij was vrij! Mal wilde dat hij zich er beter onder voelde, maar
dat was niet het geval. Hij fronste toen er meteen een politieagent op
hem af kwam lopen. Wat moesten ze nu weer van hem?

'Herken je me niet?' vroeg hij, en Mal kneep zijn ogen halfdicht.

'Aha, ja. Moloney uit Chinchilla. Ik was van plan je op te zoeken...'

'Niet nodig,' zei Moloney grinnikend. 'Kijk hier maar eens.'

Andere leden van de bereden politie begonnen te klappen toen ze
zijn paard, Striker, naar voren leidden, dat er piekfijn uitzag met gevlochten manen, een glanzende vacht en voorzien was van een nieuw
zadel, hoofdstel en bit.

'Jezus!' Mal slikte toen Striker recht op hem af kwam en zijn maatje begon te duwen en te besnuffelen.

'Ik zei toch dat ik goed voor hem zou zorgen,' zei Moloney. 'De
jongens hebben me ingeseind dat je binnenkort vrijgelaten zou worden en dus heb ik hem voor je meegenomen.'

Hoofdschuddend aaide Mal zijn paard. 'Godsamme, Striker! Ik
had niet gedacht dat ik hem ooit weer terug zou zien. Bedankt, mannen. Voor agenten zijn jullie een fatsoenlijk stel.'

Toen de kleine plechtigheid achter de rug was, gingen de agenten
ieder hun eigen weg, maar Moloney bleef. 'Is alles goed met je, Sonny?'

'Tuurlijk,' antwoordde hij kortweg. 'Afgezien van de strepen op
mijn rug ter herinnering aan het eiland.'

'Dat spijt me. Ik deed enkel mijn werk door je te arresteren. Zand
erover?'

'Zand erover.'

'Nou, als je ooit eens in Chinchilla komt, moet je me opzoeken.'

'Ik geloof niet dat ik mezelf vertrouw die kant uit te gaan,' zei Mal
grijnzend. 'Dan zou je mijn oom weleens bungelend aan zijn hielen in
het kippenhok kunnen aantreffen.'

Het volgende moment waren Mal en Lanfields secretaris alleen.

'Dat was heel ontroerend,' zei de kantoorbediende tegen Mal. 'En
wat een prachtig paard.' Hij haalde voorzichtig een opgevouwen
briefje van vijf pond tevoorschijn. 'Mr. Lanfield wilde u dit meegeven. Een man kan de gevangenis niet verlaten zonder een cent op
zak.'

Mal keek naar het biljet. 'Van wie is dat geld? Van Lanfield of van
Miss Tissington?'

'O! Mijn hemel. Ik neem aan dat het op de rekening komt.'

'De rekening die door Miss Tissington wordt betaald?'

'Vermoedelijk.'

'Dan bedank ik.'

'Maar u moet iets op zak hebben, Mr. Willoughby.'

'Ik bedank.'

Om de impasse te doorbreken, doorzocht de secretaris zijn zakken. 'Luister. Ik heb hier een paar shilling. Negen, om precies te zijn... neem die alstublieft aan.'

'Krijgt u die terug van de baas?'

'Maar natuurlijk, meneer. Vergoeding. Dagelijkse onkosten, inclusief de tabak.'

'Mooi. Maar zorg ervoor dat Miss Tissington het niet hoeft te betalen. Deze toestand heeft haar al meer dan genoeg gekost.'

Ze schudden elkaar de hand en de jonge kantoorbediende keek toe hoe de beroemde Sonny Willoughby de poort uit reed, een vrij man. Daarna verbeterde hij zich in gedachten. De eertijds beroemde Sonny Willoughby. Het publiek vergat snel. En het kon niemand iets schelen hoe die arme jongeman had geleden. Hoe hij was opgejaagd en opgesloten, niet alleen in deze gevangenis maar ook op het gevreesde gevangeniseiland Sint-Helena. Het kon niemand een moer schelen.

Aanvankelijk was hij erop gebrand om linea recta naar Maryborough, dat slechts een paar honderd kilometer noordwaarts lag, te rijden, maar het was zo'n genot om vrij te zijn, om te kunnen gaan en staan waar hij wenste, dat Mals oude gewoonten al snel weer boven kwamen drijven. Hij kon geen kermis weerstaan, en na minder dan een dag de kustweg te hebben gevolgd, slenterde hij alweer rond tussen de tentjes en de kramen, waar hij hartelijk werd verwelkomd door oude vrienden en bekenden. Hij wist dat hij niet te veel tijd moest verspillen, want hij had een opdracht. Clive had enkel gezegd dat hij Emilie ten huwelijk had gevraagd. Niet dat ze had toegestemd. Het was belangrijk dat Mal haar persoonlijk zou spreken. Maar hij zag tegen de ontmoeting op, zag ertegenop dat hij moest horen haar te zijn kwijtgeraakt aan Clive, en boven alles vroeg hij zich af waar hij de brutaliteit vandaan haalde om te denken dat een dame als Emilie hem als een geschikte echtgenoot zou beschouwen.

Mal was zijn zelfvertrouwen kwijt. De vernedering in de gevangenissen had zijn werk gedaan; het zou enige tijd duren voor hij de verpletterende vernederingen die hij had moeten ondergaan te boven was. En vervolgens had Lanfield hem bijna de fatale klap toegediend door er wreed op te wijzen dat Emilie veel te goed voor hem was. Clive had in zijn arrogantie min of meer hetzelfde beweerd en geen seconde stilgestaan bij het alternatief: dat Emilie misschien in Mal was geïnteresseerd en niet in hem. Hij had het vanzelfsprekend gevonden dat Mal niet eens in beeld was. Het waren vooral de dingen die hij níet had gezegd, die Mal dwarszaten en verdriet deden. Alleen het kille nieuws van zijn aanzoek, alsof een kerel als Mal niet meetelde. En misschien was dat ook wel zo, in Emilies ogen. Als hij aan al haar zorgen dacht, kon hij wel door de grond gaan. Hij wilde dat Clive hem niet had verteld dat ze haar baan was kwijtgeraakt en dat ze zo overstuur was geweest door alle publiciteit. Mal besefte dat hij daar de schuld voor moest dragen, en op een dag zou hij zich tegenover haar verontschuldigen. Het proberen goed te maken met haar.

Toen alle kraamhouders en kermisklanten en de immer aanwezige waarzeggende zigeuners weer verder trokken, ging Mal met hen mee. Tenslotte gingen ze in noordelijke richting, naar een andere stad. Hij leek dezelfde onbekommerde vent te zijn, maar veel van zijn eigenwijsheid was er in de nor uitgeslagen. Hij had deze mensen nodig, hun geruststellingen, hun ongedwongen acceptatie van hem, en hij had enorm veel behoefte aan een beetje plezier. Hun gelach was als een versterkend middel en hij putte troost uit de momenten die hij 's avonds laat met hen rond het kampvuur doorbracht, luisterend naar hun sterke verhalen en hun complete onverschilligheid ten opzichte van de heersende regels.

Ze maakten een omweg via een paar provinciesteden in het binnenland alvorens ze terugkeerden naar de kuststeden, en Mal bleef bij hen. Hij hielp met de dieren, de kampuitrusting, accepteerde nu en dan een paar shilling, maar maakte zich doorgaans onbetaald nuttig. Hij deed vrolijk dienst als lokeend, waarbij hij prijzen won die hij later ongezien teruggaf, om het publiek aan te moedigen een kansje te wagen, en hij speelde kaart met rijke heren, met gebruikmaking van gemarkeerde kaarten, onverschillig over het feit dat hij zonder vals te spelen waarschijnlijk ook wel van hen zou hebben gewonnen, omdat duidelijk was dat de jongemannen die vol bravoure naar de kaarttafel kwamen wel een paar lessen in het spel konden gebruiken.

Mal had geen medelijden met hen. Hij observeerde hen in hun tweed colberts en ribfluwelen broeken en dure laarzen, met hun vriendinnen aan de arm, terwijl ze veel plezier hadden, en de afgunst sloeg toe. Zij waren niet opgejaagd, niet in de bak geslingerd, niet afgeranseld of geketend en vervolgens vrijgelaten zonder het minste of geringste excuus. Alsof zij een of ander beest waren dat nonchalant uit de kudde werd losgelaten.

De meisjes brachten hem tijdelijk verlichting en deden gedachten aan die sombere tijden even naar de achtergrond verdwijnen. Ze verdrongen zich om hem heen. Sommigen herkenden hem als de beroemde Sonny Willoughby, wat zijn vrienden lachend een 'bijkomende attractie' noemden. Een van de kermisklanten wilde Sonny's roem zelfs gebruiken als aandachtstrekker voor zijn vlooiencircus, maar dat hield Mal tegen. Mals haar was weer tot een dikke blonde bos aangegroeid en de knappe, jonge klusjesman werd een doelwit voor zowel ongetrouwde als getrouwde vrouwen. De zigeuners beweerden dat hij mannelijker was geworden, vanwege zijn beproevingen, en waarschuwden hem voor slechte vrouwen, terwijl hij lachte om hun geflirt en hen soms voor een paar uur meenam naar zijn tent. Ze boden troost, hun lichamen waren zacht en willig, en Mal had medelijden met hen, alsook met zichzelf. Ooit sloeg hij hen op hun achterwerk en verliet hij met hen de tenten, armen om elkaar heen, lachend, de grap ervan inziend, maar tegenwoordig was hij humeurig, verward, geen goed gezelschap. Zijn vrolijke spontaniteit had hij ergens onderweg achtergelaten.

Allora, de aartsmoeder van de zigeuners die, hoewel ze onderhand in de zestig moest zijn, lang zwart haar had, versierd met kleurige kralen, maakte zich zorgen om hem. Ze zei dat hij onder botsende sterren leefde die slecht met elkaar konden communiceren. Er waren er te veel. Ze babbelden alleen wat tegen hem. Wilden hun zin hebben. Ze zei dat ze een mooie jongedame zag en schoonheid, die zijn leven de moeite waard zou maken, schoonheid waar hij die ook aantrof. Zijn persoonlijke genot. Alle kleuren van de regenboog. Dat was het zigeunerbloed in hem.

Zoals gebruikelijk kon Mal er geen touw aan vastknopen; hij betaalde haar zijn penny en drukte een vluchtige kus op haar wang.

'Je gaat ons verlaten,' zei ze.

Mal knikte. 'Ja. Ik moet verder.'

'Van een wreed eiland naar een vriendelijk eiland?'

'Ik denk het. Ik heb veel om over na te denken.'

'Jij doet wat je wilt doen,' zei ze, en gaf hem de penny terug. 'Ik kan je niet helpen, mijn lieve jongen. Denk nog eens aan ons.'

Hoofdstuk 15

Dagenlang publiceerde de *Chronicle* geruchtmakende artikelen over de ontwikkelingen in de Blackwater-zaak. Walt White was niet in staat geweest zelf veel informatie te verzamelen, maar omdat al dat wachten hem persoonlijk deed branden van nieuwsgierigheid, veronderstelde hij dat dit dezelfde uitwerking zou hebben op zijn lezers.

Toen hij eindelijk van Jesse hoorde dat er twee mannen voor ondervraging waren opgepakt, kon hij zijn ongeduld niet langer bedwingen. Boos stuurde hij een telegram naar de verslaggever in Brisbane: *Niet voldoende. Wie?*

Toen het antwoord kwam, staarde hij ongelovig naar de twee namen... *Angus Perry en Allyn Carnegie.*

Perry, wie hij ook was, kon hem gestolen worden, maar Carnegie! Dat was pas nieuws! Voorpaginanieuws. Hij schoot in de gebruikelijke stress, schreeuwde bevelen en dook in allerlei dossiers om alle achtergrondinformatie die hij over Carnegie kon vinden op te duikelen en greep vervolgens een pen om dit verhaal zelf op papier te zetten. Want had hij niet aldoor beweerd dat Carnegie erbij betrokken was? Of niet? Hij wist het niet meer. Maar het maakte niet uit; zijn pen vloog over het papier.

Na bijna een week van kwellend afwachten, was hij in staat te schrijven, te kraaien, dat Carnegie in staat van beschuldiging was gesteld! Samen met een of andere misdadiger die Angus Perry heette, voor wie Walt vooralsnog geen enkele belangstelling had. Dat kwam later wel. Maar wat te denken van Sonny Willoughby? Over hem was met geen woord gerept. Dit was een verhaal dat zich in Maryborough afspeelde. Walt had er de pest aan het in stukjes en beetjes te brengen. Hij liep de deur van het politiebureau plat en eiste meer informatie, maar het enige dat hij te weten kwam, was dat Carnegie het brein achter de overval was en dat hij Perry had ingehuurd om de aanval in te zetten. Voor de pen van Walt was dit geen theorie, het was een feit, en hij ging verontwaardigd tekeer tegen de man die het vertrouwen dat hem was geschonken zo wreed had geschonden. De volgende dag wilde zijn voorpagina in schreeuwende koppen weten waar *ons* goud was gebleven. Was de politie de goudroof soms vergeten?

Hij had het zo druk door alle opwinding en de dagelijkse verslagen die Jesse hem deed toekomen dat hij Willoughby bijna was vergeten, tot hij een onopvallend zinnetje tegenkwam. 'Beschuldigingen tegen Willoughby ingetrokken. Vanochtend vrijgelaten'.

Walt knikte bedachtzaam. Niemand was nog in Willoughby geïnteresseerd, maar hij kon er wel iets moois van breien. Hij ging op zoek naar Miss Tissington.

Toen ze haar voordeur opende, wenste hij haar goedendag en begon zichzelf voor te stellen, maar ze onderbrak hem. Koeltjes.

'Ik weet wie u bent, Mr. White. Wat kan ik voor u doen?'

'Ik vroeg me af of ik even met u kon praten. Over de gebeurtenissen die zich momenteel afspelen aangaande de Blackwater-kwestie.'

'Dat kan niet, meneer. Ik heb niets te melden.'

Ze was een heel knap meisje, wier donkere haar en blanke huid de diepblauwe ogen benadrukten, maar haar strenge houding verpestten het plaatje. Walt zuchtte. Er was meer dan een juffrouw als deze voor nodig om hem buiten de deur te houden.

'Mijn beste jongedame, ik heb heel interessant nieuws voor u. Zeg niet dat ik me die moeite had kunnen besparen.'

'Wat het ook is, u kunt het me hier vertellen,' antwoordde ze, haar voordeur resoluut bewakend.

'Vanzelfsprekend, maar het is nogal warm. Zou ik ten minste een glas water van u kunnen krijgen?'

Walt onderdrukte een glimlach toen ze toegaf en hem binnenliet, terwijl ze een glas water voor hem haalde.

Hij nam het glas met gespeelde dankbaarheid aan en keek om zich heen. 'Werkelijk, u heeft deze kamer bijzonder fraai aangekleed. Heel wat anders dan in de dagen van Paddy. Niets zo aangenaam als de invloed van een vrouwenhand, zeg ik altijd maar. Het komt nu ineens in me op dat mijn krant ook wel een vrouwelijk tintje zou kunnen gebruiken. Het gezichtspunt van een vrouw ontbreekt in de *Chronicle*.'

'Is dat wat u met mij wilde bespreken, Mr. White?'

'Het is een gedachte, jongedame, een interessante gedachte. Die kan ik niet zomaar loslaten. Een goed opgeleide jongedame zoals u zou misschien de juiste persoon zijn om voor mij te schrijven, over vrouwenzaken, huishoudelijke kwesties, verzorgde woninginrichting en de laatste mode, dat soort onderwerpen... Maar goed, daar praten we een andere keer wel over. Denk er vooral eens over na. Mag ik gaan zitten?'

Ze kon moeilijk weigeren, maar bleef zelf staan terwijl hij op het randje van de bank plaatsnam, zijn hoed naast zich.

'Welnu, Miss Tissington, ik dacht dat het u wellicht zou interesseren dat Mr. Willoughby is vrijgelaten. Alle beschuldigingen tegen hem zijn ingetrokken. Het zal morgen in de *Chronicle* staan.'

Kennelijk had het meisje haar buik vol van verslaggevers, want haar gezicht veranderde niet van uitdrukking. 'Ik ben blij dat te horen.'

'En terecht. U hebt bewezen dat u een echte mensenkenner bent, aangezien u altijd in zijn onschuld bent blijven geloven. U moet uitermate opgelucht zijn.'

'Ik heb er verder niets op te zeggen, Mr. White.'

'Maar vindt u niet dat hij wreed is behandeld door de politie? Een onschuldig man, opgejaagd door het hele land. Gevangengezet op Sint-Helena?'

'Wilt u me nu alstublieft excuseren, Mr. White? Ik heb dingen te doen.'

Schouderophalend stond hij op. 'Maar natuurlijk. Ik wens me niet op te dringen. Ik dacht alleen dat u het misschien graag wilde weten.'

Ze liep naar de deur, opende die en nodigde hem uit te vertrekken. 'Dank u wel.'

'Komt hij nu weer hierheen? Ik zou hem dolgraag interviewen. Zijn gezichtspunt kon wel eens heel interessant zijn.'

'Ik heb geen idee.'

Ach, nou ja, dacht hij, ik kan hier toch wel iets van maken. Het is geen totale tijdverspilling. Miss Tissington was verheugd om het goede nieuws te horen, enzovoort...

Op haar stoep draaide hij zich om. 'Ik meende het over die column. Zou u belangstelling hebben om eens wat voor mij te schrijven, Miss Tissington? U wordt er uiteraard voor betaald.'

Ze leek opgelucht dat het gesprek bijna voorbij was en stond zichzelf een kort knikje toe. 'Ik zal erover nadenken, Mr. White.'

'Mooi. Wip maar een keer langs op kantoor, dan zullen we het bespreken. Wacht niet te lang.'

Eindelijk een glimlach. 'Dank u.'

Eenmaal terug op kantoor, besloot hij haar bij nader inzien met fluwelen handschoenen te behandelen. Hij wilde haar nu niet beledigen. Ze zou veel waardevoller kunnen zijn als medewerker van de *Chronicle* dan als een stukje vergankelijk nieuws in een omvangrijk verhaal dat vanuit allerlei gezichtspunten al was verteld.

'Ja,' zei hij bij zichzelf. 'Wie kon beter voor de dames schrijven dan een stijlvolle jonge Engelse vrouw? Wie?'

Emilie zonk neer op een stoel bij de tafel, aan het eind van haar Latijn. Uitgeput. Het was voorbij. Ze had zich altijd voorgesteld dat ze op de dag dat Mal eindelijk zou worden vrijgesproken, mocht het ooit zover komen, enthousiast zou zijn, zou dansen van vreugde en het meteen aan de hele wereld zou willen vertellen, maar ze voelde alleen opluchting, vermoeide opluchting. Ze was blij voor Mal, ingenomen, zoals ze in haar bedekte antwoorden tegenover Mr. White had laten blijken, maar de druppelsgewijze informatie die hen vanuit Brisbane bereikte over Carnegie en die andere kerel was een eigen leven gaan leiden. Het was een pijnlijke ervaring geweest om de kran-

453

ten elke dag opnieuw af te speuren op feiten, in plaats van op veronderstellingen, terwijl de politieonderzoeken doorgingen tot er eindelijk knopen werden doorgehakt en de twee mannen in staat van beschuldiging werden gesteld. Zelfs toen werd er met geen woord gerept over Mals lot, tot, heel plotseling en onverwacht, Mr. White bij haar op de stoep stond.

Ze had onmiddellijk beseft dat hij voornemens was om haar wederom bij het verhaal te betrekken. Hij was niet gekomen om haar het nieuws uit vriendelijkheid te brengen, en nu nam ze hem zijn bezoek kwalijk. Ze was verheugd geweest, blij voor Mal, maar Mr. White had haar gedwongen terughoudend te reageren, bang als ze was om enige emotie te tonen, uit angst dat haar reacties op een ongepaste manier zouden worden weergegeven in de krant. Hij had haar spontaniteit geblokkeerd alsof hij haar met een stenen muur had geconfronteerd.

Maar Mal? Vrij. Waar was hij naartoe gegaan? En hoe voelde hij zich in 's hemelsnaam? Het zou haar niets verbazen als hij de gevangenis boos en gekwetst had verlaten. Daar had hij alle recht toe. Anderzijds was hij van nature een opgewekt persoon, zijn aard zou hem helpen hieroverheen te komen. Emilie besefte dat hij een bijzonder positieve instelling nodig zou hebben om al zijn grieven achter zich te laten, maar als íemand het kon dan was Mal het wel. Ze zag zijn brede, schaamteloze grijns, vol bezieling en vertrouwen, nog voor zich en wilde dat ze hem kon schrijven om hem het allerbeste te wensen. Misschien zou hij naar Maryborough komen nu hij vrij was. Het zou een enorme opluchting zijn om hem weer te zien.

De boeren een stukje verderop aan het landweggetje waren een kleine coöperatieve zuivelhandel begonnen, dus besloot Emilie een wandeling te maken om daar wat boter en kaas in te slaan en mogelijk ook wat bacon, waarvan ze had gehoord dat die overheerlijk was. Een uitje zou haar goed doen, ze zou alles even van zich af kunnen zetten, haar de gelegenheid geven om te genieten van de vreugde die ze zou moeten voelen. Mal was vrij. Zij en Clive voelden zich nu helemaal op hun gemak in elkaars gezelschap. Emilie had het gevoel dat ze hem haar hele leven al kende, zoveel hadden ze altijd te bepraten, zeker omdat ze allebei immigranten in dit land waren. En wat te denken van het aanbod van Mr. White om in zijn krant te schrijven? hielp ze zichzelf herinneren. Ze zou het dolgraag accepteren. Dus waarom eigenlijk niet?

Toen ze terugkeerde van de zuivelhandel stond Clive op haar te wachten, opgewonden vanwege het nieuws dat zich inmiddels door de stad had verspreid, dankzij de roddels in het telegraafkantoor.

'Ik weet het,' zei ze. 'Mal is vrijgelaten. Mr. White kwam het me vertellen.'

454

'Laat hem naar de maan lopen. Ik wilde je het goede nieuws brengen. Die arme Mal, wat zal hij een beroerde tijd hebben gehad. Ik vraag me af wat hij nu gaat doen.'

'Ik hoop dat hij hierheen komt, Clive. Hij zal zijn vrienden hard nodig hebben na al die ellende.'

Clives gezicht betrok. 'Je kent hem niet echt, Emilie. Hij heeft overal vrienden zitten. Hij was mijn partner op de goudvelden, weet je nog? Hij is altijd aardig, mensen mogen hem graag. Of wilde jíj hem persoonlijk graag zien?'

'Ik wil graag weten of het goed met hem gaat. Ik zou niet willen dat hij dacht dat ik hem ben vergeten.'

'Dat doet hij niet. Ik heb gedaan wat je me hebt gevraagd en hem in die brief via zijn advocaat de hartelijke groeten laten overbrengen. Jouw advocaat. Die heeft hij ongetwijfeld gekregen. Maar verwacht je hem hier terug om jou te bedanken voor je hulp?'

Emilie wendde zich af. 'Ik heb geen behoefte aan zijn dank. Je weet dat het oorspronkelijk zijn geld was.'

'Daarvan ben ik me absoluut bewust,' sprak hij tandenknarsend. 'Je wilt hem terug, of niet soms? Je hoopt dat zijn dankbaarheid hem hierheen zal lokken. Ik word deze situatie zo langzamerhand uiterst beu. Dat Mal altijd maar tussen ons in moet staan...'

'Hij staat niet tussen ons in. Hij is een vriend, en we zouden ons om hem moeten bekommeren.'

'O, nee. Hij is meer dan dat. Hij was stapelgek op jou, dat weten we allebei. Dat is hij waarschijnlijk nog en dat vind je maar wát leuk. Mal is niet jouw type, maar dat heb je nooit willen erkennen. Je was gevleid door zijn aandacht, vond hem romantisch! Ben je nu verliefd op hem of niet? Het is de hoogste tijd dat we dit eens bespreken.'

Emilie haatte het de waarheid te bekennen. Ze wenste dat Clive de zaak had laten rusten. Ze wist al heel lang dat haar genegenheid voor Mal een bepaalde fase was geweest, eerder een roes dan iets anders, aangespoord door haar gevoel voor loyaliteit dat ze inmiddels had herkend. Ze zuchtte. 'Nee, dat ben ik niet. En ik wou dat je ophield me zo te pesten. Je weet toch dat ik van jou houd.'

Hij was dolgelukkig. Hij nam haar in zijn armen en zwaaide haar in het rond. 'Dan is daarmee alles gezegd! Wil je met me trouwen, Miss Tissington?'

'Ja.'

'Geweldig! Prachtig! Heerlijk!' Hij kuste haar. 'Laten we een datum prikken. Wanneer zullen we trouwen?'

Maar Emilie was terughoudend. 'We prikken binnenkort een datum, Clive. Dat wil ik graag. Maar luister naar me. Ik wil je niet weer overstuur maken door over Mal te praten, maar het zou aardig zijn als we wisten hoe we hem konden bereiken, dat we het hem lieten weten.' Ze was bezorgd dat Mal hier weer zou komen opduiken, zomaar ineens, om er abrupt achter te komen dat ze met zijn vriend was getrouwd.

'Hij weet het,' zei Clive onbezorgd. 'In die brief heb ik geschreven dat ik om jouw hand heb gevraagd.'

Emilie was ontzet. 'Je hebt het hem verteld terwijl hij nog in de gevangenis zat? Clive, hoe heb je zo wreed kunnen zijn?'

'Ik wilde dat hij wist hoe ik me voelde. Hij had het recht dat te weten. Had je liever gehad dat hij nog altijd in de veronderstelling verkeerde dat jij op hem zat te wachten? Hij heeft tussen de regels door kunnen lezen dat we ondertussen meer dan vrienden zijn geworden. Het is beter zo.'

Emilie schudde haar hoofd. 'Mijn hemel. Ik weet niet wat ik ervan moet denken. Ik voel enkel medelijden met hem. Klinkt het verwaand als ik zeg dat ik hoop dat hij vergeten is hoe dol hij op me was?'

'Nee. Het klinkt realistisch.' Clive lachte. 'Hoewel ik het moeilijk zou vinden jou te vergeten. Dit is onze gelukkigste dag tot nu toe, Emilie. Laten we het zo houden.'

Gods wegen zijn ondoorgrondelijk. Toen de brief arriveerde, viel Ruth op haar knieën om de Heer te danken, om Hem ervan te verzekeren dat ze haar vertrouwen altijd in Zijn dierbare handen had gelegd. Ze nam de tijd om een gebed voor de doden op te zeggen en verontschuldigde zich tegenover Hem zelfs voor haar ongevoeligheid, nee, voor haar schijnbare ongevoeligheid, maar ze legde uit dat het verzacht werd door het andere nieuws, door het effect dat deze droevige gebeurtenis zou hebben op het leven van de twee dames Tissington, die zo ver weg woonden. En die zo wanhopig veel heimwee hadden.

Nadat Emilie was vertrokken, was het Ruth niet voorspoedig vergaan op haar school. Er was een nieuwe directrice aangetrokken, een vrouw die zelf in Londen een opleiding had gevolgd en met lof was geslaagd voor haar lerarenexamen. Ze was ontzet dat verschillende leraressen van de school, onder wie Ruth, geen formele opleiding hadden genoten en wees erop dat een dergelijke opleiding al sinds 1850 in Sydney bestond.

Vanaf die dag was Ruth gewaarschuwd. De regering in New South Wales had inmiddels een lerarenopleiding opgezet in Sydney en, als voortvloeisel daarvan, een lerarenregister opgesteld.

'Ik kan u niet in dienst houden, Miss Tissington. Ik kan alleen geschoolde leraressen gebruiken. U bent niettemin nog jong genoeg; u zou naar Sydney moeten gaan om de opleiding te volgen. Voor de onderbouw duurt de opleiding slechts een jaar, en ik weet zeker dat u met vlag en wimpel zult slagen.'

'Maar ik geef de oudere meisjes Frans, letterkunde en muziek. U weet dat ik goed onderlegd ben in die vakken.'

'Dat begrijp ik ook wel. En die meisjes hebben geluk dat ze les krijgen van u. Maar Brisbane zal binnen afzienbare tijd een echte wereldstad zijn en we moeten met de tijd mee. Ons schoolgeld is niet kinderachtig, zoals u heel goed weet. In ruil daarvoor moet ik de beste leraressen bieden die we kunnen krijgen. Bevoegde leraressen. Geen huisonderwijzers. Elke lerares bij mij op school moet een erkende opleiding hebben gevolgd aan een erkende onderwijsinstelling. Het zal u genoegen doen om te weten dat ik dit aanbod niet heb gedaan aan de andere onderwijzeressen die ik moet vervangen, Miss Tissington, maar als u bij mij terugkeert met een onderwijsdiploma, zorg ik dat u meteen een functie krijgt.'

'Maar ik kan me niet veroorloven een jaar in Sydney te gaan wonen zonder enige bron van inkomen. En ik stel me zo voor dat er lesgeld betaald moet worden...'

'Dat verwacht ik ook. Miss Tissington, als een dergelijke opleiding uw belangstelling niet kan wekken, kunt u beter weer gouvernante worden. Families in het westen zullen u zeer erkentelijk zijn voor uw diensten en ik wil met alle plezier een aanbeveling voor u schrijven. Maar er is geen haast bij. Ik neem de gediplomeerden pas aan wanneer ze beschikbaar zijn...'

Ruth was beledigd. Ze snapte niet hoe studenten, die tekortschoten in de vakken die zij beheerste, betere leraressen zouden kunnen zijn. Onderwijsinstellingen! Het waren geen universiteiten, maar gewoon plekken waar mannen en vrouwen leerden hoe ze zich moesten gedragen in de klas. En dat viel in een week te leren.

Ze had een brochure van de directrice gekregen waarin het leerplan stond beschreven. Het leek haar weinig zinvol, en tot haar grote schrik las ze dat ze haar dagen in de klas zou doorbrengen met andere vrouwen, maar ook met mannen. Allemaal onder de dertig. Nu haar stuk land was verkocht, zou ze het wellicht een jaar kunnen uitzingen, maar het idee om in Sydney, die vreemde stad, te moeten wonen en mogelijk een schrijftafel te moeten delen met een man, alsof ze een of andere boerenkinkel was, deed haar in paniek uitbreken. Alleen al de gedachte dat ze weer naar het westen moest om bij een of andere krankzinnige familie in het binnenland te gaan wonen, maakte haar misselijk. Ze moest Emilie waarschuwen dat ze met deze nieuwe regels te maken zou krijgen, alhoewel ze vermoedde dat dergelijke nieuwigheden enige tijd nodig zouden hebben om haar zuster in die bedroevende buitenpost te bereiken.

Wat te doen? Verlamd door paniek deed ze niets. Ze meldde zich niet aan voor de opleiding in Sydney, noch vroeg ze om referenties van de directrice om haar in staat te stellen naar de toekomst te kijken. Ruth was aan het einde van haar Latijn. Ze zag geen uitweg meer. Ze had de rest van het bedrag dat ze het Genootschap was verschuldigd al opgestuurd, inclusief de laatste betaling die Emilie haar had gegeven. Ze wilde niet weten hoe Emilie erin was geslaagd aan dat geld te komen zonder dat ze haar land had verkocht, omdat ze – ondanks hun meningsverschillen – wist dat Emilie een braaf meisje was. Ze was dwaas, kinderachtig bijna, zoals ze verwikkeld was geraakt in die absurde avonturen, even verdorven als de vrouwen die met de noorderzon waren vertrokken, op zoek naar romantiek.

Maar meer was het niet, wist ze, Emilie die een of andere onterecht beschuldigde losbol te hulp was geschoten. Zeker, Ruth had de kranten gelezen. Ze was naar de openbare bibliotheek gegaan en had alle artikelen over de beroemde Sonny Willoughby doorgespit en zich vervolgens op de hoogte gehouden van alle nieuws. Ze had zijn foto gezien. Hij was knap op een losbandige manier. Het type man dat haar vader de deur gewezen zou hebben. Maar Emilie was in die onbeschaafde omgeving alle gevoel voor fatsoen verloren, en hoe eerder ze daaruit werd gered, hoe beter.

Ruth was ervan overtuigd dat een vriendelijke buur door de Heer was geleid toen die een brief besloot te schrijven om hun te vertellen dat hun stiefmoeder, Mrs. Tissington, was overleden. Ze was bezweken aan de pokken, evenals vijf andere arme zielen in het dorp. Terwijl ze de brief herlas, kon Ruth nog altijd geen sympathie opbrengen voor de vrouw, maar ze maakte zich zorgen om haar vader. Kennelijk was ook hij ernstig ziek geweest, maar hij had het gehaald, hoewel hij sterk verzwakt uit de strijd was gekomen en niemand had om voor hem te zorgen. Ze hadden hem dikwijls horen zeggen hoezeer hij zijn dochters miste...

Ruth miste hem ook. Ze gaf dat mens de schuld voor het feit dat ze een wig tussen hen had gedreven, dat ze zoveel verdriet had veroorzaakt.

Daarop volgde het verzoek...

De arme man is bedlegerig, en de dokter denkt dat dat zo zal blijven. Wijlen Mrs. Tissington had Meg Glover als dienstmeid ingehuurd en zij is er nog steeds, maar ze is niet de meest geschikte persoon...

'Meg Glover!' riep Ruth uit. Wat had haar stiefmoeder bezield dat ze die slonzige oude sloof had ingehuurd? Ze was dik en lui en verre van eerlijk. Dat wist iedereen. Hatelijk bedacht Ruth ineens dat niemand anders waarschijnlijk voor wijlen Mrs. Tissington had willen werken, omdat ze zelf zo'n heks was.

... om een huishouden te runnen, zoals u zult begrijpen, maar we mogen niet ingrijpen. Daar zorgt Meg wel voor. Mr. Tissington is een vriendelijke heer, alom gerespecteerd, en het baart ons zorgen omdat hij duidelijk betere zorg nodig heeft.

Het spijt me dat ik de brenger van dit slechte nieuws moet zijn, maar we vroegen ons af of u misschien iets beters voor uw vader zou kunnen regelen. Ik weet dat het hem enorm zou opbeuren om u of Emilie te zien.

Ruth was in een jubelstemming. Dit was een echt een reden, geen excuus, om naar huis terug te gaan. Om deze verschrikkelijke stad te verlaten en terug te keren naar de plek waar ze thuishoorden. Naar hun eigen huis. Ze zouden in Brackham terugkeren als beroemdheden, veronderstelde ze. Ze waren naar de andere kant van de wereld gereisd, hadden interessante ervaringen opgedaan en waren in staat gebleken zelf de overtocht naar Londen, in de eerste klas, te betalen. Dankzij de verkoop van die percelen grond. Zo had Mr. Bowles toch zijn nut gehad, dacht ze glimlachend. Bovendien reisden andere mensen van het goede slag ook eerste klas. De terugreis zou gewoonweg een genoegen zijn. Ruth begon al plannen te maken om te informeren welk schip geschikt was om te nemen.

Voor het eerst in haar leven was Ruth werkelijk opgewonden en keek ze reikhalzend uit naar een plezierige reis en een triomfantelijke thuiskomst. Ze zouden hun vrienden uitnodigen om hun te vertellen over hun reizen, en misschien kon ze zelfs een paar artikelen schrijven voor de plaatselijke krant, waarbij ze de onaangename details van hun ervaringen achterwege zou laten. En Emilie kon haar beruchtheid achter zich laten. Daarover hoefde niemand iets te weten.

Die avond dacht ze even na over haar vader, vlak voordat ze een brief aan Emilie ging zitten schrijven waarin ze haar zou meedelen dat ze teruggingen naar Engeland op het eerste beschikbare, geschikte schip, omdat ze thuis dringend nodig waren.

Als plichtsgetrouwe dochter maakte Ruth zich weliswaar zorgen om haar vader, maar ze moest toch erkennen dat hij zijn huidige situatie aan zichzelf had te wijten. Hij was zo gecharmeerd geweest van dat akelige mens dat hij haar kant had gekozen, tegen die van zijn naaste familieleden. Hij was een andere persoon geworden. Soms had Ruth heimelijk naar hen geluisterd terwijl ze in de slaapkamer waren, de kamer naast de hare, en ze had gebloosd bij de gedachte wat daar mogelijk gaande was, te horen aan het gepiep en gebonk. Zelfs toen al was ze ervan overtuigd geweest dat seks zijn hoofd op hol had gebracht en dat dergelijk gedrag op zijn leeftijd zeker als onwaardig beschouwd moest worden, maar dit kon ze niet aan haar jongere zuster uitleggen. De vrouw had die oude dwaas gewoon ordinair verleid, zijn leven en zijn fraaie huis overgenomen en vervolgens zijn dochters de deur gewezen. Met zijn twijfelachtige instemming.

'Wel, oude man,' zei ze, 'nu heb je ons nodig. Het klopt als ze zeggen: Wie wind zaait, zal storm oogsten. Ze is weg en nu heb je niemand.'

Toen ze eenmaal begon aan de brief voor Emilie, wees ze haar erop dat hun vader zich gelukkig kon prijzen dat zijn dochters vergevingsgezind van aard waren. Ze hoopte dat hij zich goed genoeg voelde om de Heer te danken dat ze terugkwamen.

Er vonden allerlei veranderingen plaats in de stad, nu de haven werd uitgebreid om meer schepen te kunnen herbergen en er steeds meer immigranten arriveerden, die allemaal op zoek waren naar werk. Langs de Mary-rivier vestigde zich een groot aantal scheepsbouwers en het leek alsof alle bedrijvigheid voortvloeide uit de groei in die bedrijfstak. In Wharf Street werden nieuwe winkels en hotels geopend en, als gevolg daarvan, werd het ook in de andere straten in de buurt drukker en verdwenen braakliggende percelen in de stad in rap tempo. Terwijl Emilie door de straat naar de winkel van Clive liep en alle veranderingen in ogenschouw nam, werd ze bekropen door het gevoel dat haar leven stabieler werd. Het was een prettig gevoel, geruststellend, om deel uit te maken van deze groeiende stad, om zoveel mensen te kennen en als plaatselijke inwoner te worden herkend en het vanzelfsprekend te vinden mensen op straat te groeten.

Ze droeg een verlovingsring, een gouden met een kleine saffier, die hier in de stad was vervaardigd. 'Betoverend,' zeiden de mensen.

Hoewel zij noch Clive eraan had gedacht om hun verloving in de *Chronicle* aan te kondigen, had de hoofdredacteur ervoor gekozen om het nieuws in een artikel te verwerken, waarin Clive werd beschreven als een energieke jonge zakenman en Emilie als 'onze eigen Miss Tissington', aangezien Emilie erin had toegestemd om wekelijks een column voor hem te schrijven, waarvan er inmiddels twee waren verschenen. In de eerste gaf ze kooktips, die ze geheel had overgenomen van Mrs. Dressler, haar enthousiaste buurvrouw, en in de tweede gaf ze pas geïmmigreerde vrouwen die zich in de omgeving vestigden allerlei adviezen. Als gevolg van die aankondiging in de krant was Emilie tot haar verbijstering meermalen door dames op straat, vooral kennissen overigens, aangehouden omdat ze haar veel geluk wilden wensen en de ring wilden bewonderen, maar ze paste zich tegenwoordig gemakkelijk aan en had geleerd zich niet meteen beledigd te voelen.

Ze verwonderde zich erover dat ze het tegenwoordig allebei zo druk hadden, alsof de verloving het tempo van hun leven had verhoogd. Clive vond het opzetten van een winkel, zoals hij het noemde, niet zo eenvoudig als hij zich had voorgesteld. De voorraad die hij had besteld uit de catalogi voldeed niet aan zijn verwachtingen. Hij klaagde dat ze hem opscheepten met minderwaardige kleren, in de veronderstelling dat een koper in de binnenlanden niet beter zou weten, en besloot uiteindelijk dat hij toch een korte zakenreis naar Brisbane moest maken om zelf inkopen te doen. Daarnaast leek de winkel, nu de timmerman bezig was de inrichting aan te brengen, enigszins klein, en het ergste was, vond Clive, dat er in het belendende pand een schoenmaker was getrokken. Hij vond het een vervelende gedachte dat de geur van leer en lijm de rustige sfeer van zijn winkel zou verpesten.

Emilie lachte erom. Ze wist dat hij de problemen wel zou oplossen, en te oordelen aan de belangstelling die de mannen in de stad nu al hadden getoond, had hij straks geen gebrek aan klandizie. Niettemin had ze hem overgehaald de nogal imposante namen die hij voor zijn zaak had bedacht te vergeten. Ze dacht niet dat Maryborough al rijp was voor een Herenmodezaak of een Elite Kledinghandel. Een eenvoudige naam als 'Herenkleding' zou verlegen klanten niet doen terugschrikken, en het bleef een enorme verbetering vergeleken met de marktachtige winkels die hun spullen buiten, naast de zadels en de laarzen, te koop aanboden.

Zelf had ze het ook druk, met haar schrijven maar ook met de plannen voor het huisje, dat ze van plan waren nog voor hun huwelijk uit te breiden. Een degelijke keuken was in elk geval nodig, in plaats van het huidige kleine bijgebouwtje, alsmede enkele andere aanpassingen om een stel te kunnen huisvesten. Emilie wenste dat ze zich er niet zo schuldig over zou voelen. In haar ogen was het huisje in feite van Mal. Maar waar zat hij? Zijn vrijlating had weken geleden plaatsgevonden, en ze hadden helemaal niets van hem vernomen. Ze wilde met hem praten. Ze wilde hem persoonlijk inlichten over hun aanstaande huwelijk. Om erachter te komen hoe het met hem ging. Of hij het aankon.

Clive was niet in de winkel, maar Emilie bleef even staan kletsen met de timmerman, die beloofde dat hij aan hun huisje zou beginnen zodra deze klus achter de rug was. Vanaf daar liep ze naar de manufacturenhandel om rond te kijken en te bepalen wat een getrouwde vrouw zoal aan linnengoed nodig had. De meeste meisjes van haar leeftijd, thuis in Engeland, zouden intussen een huwelijksuitzet hebben verzameld met allerlei fraaie handgeborduurde spullen, maar daar had Emilie Tissington, wereldreiziger, geen tijd voor, dacht ze glimlachend. En vandaag kon ze zich er ook niet druk over maken. Ze kocht een paar witte handdoeken en slenterde de winkel weer uit.

Verder moest ze gaan nadenken over haar bruidsjurk. Emilie wachtte vol ongeduld op nieuws van de costumière, die in Brisbane rollen witte zijde en kant had besteld, maar kennelijk waren die nog steeds niet binnengekomen. Ze zuchtte. Haar bruidsjurk! Ze had altijd gedacht dat ze in de historische kerk van Brackham zou trouwen. Wie had ooit verwacht dat ze de gang naar het altaar zou maken in een piepkleine houten kerk midden op een kaal veld?

Het postkantoor was haar volgende halte. Ze had Ruth geschreven dat ze zich had verloofd en stelde voor dat ze de datum in de zomer-

461

vakantie zouden prikken, zodat ook Ruth aanwezig kon zijn, en of ze dan alsjeblieft haar bruidsmeisje wilde zijn. Emilie herinnerde zich dat Ruth aanvankelijk niet bepaald enthousiast was geweest over Clive, maar dat alles intussen was veranderd. Emilie wist dat als ze hem zou ontmoeten, zij hem aardig zou vinden.

Haar gedachten keerden terug naar Mal, en plotseling had ze een idee waar hij zou kunnen zijn. Fraser-eiland. Hij was dol op dat eiland, vooral op zijn Orchideeënbaai. Misschien had hij zich daar teruggetrokken. Daar kon ze gemakkelijk achter komen. Ze besloot een brief te schrijven aan haar vrienden, de missionarissen...

Ruths brief, haar antwoord, lag op haar te wachten, maar Emilie kon hem moeilijk openscheuren in het drukke postkantoor; ze moest hem voorlopig in haar handtas stoppen, hoewel ze hem dolgraag wilde openen. Wat een verrassing moest het voor haar zuster geweest zijn toen ze las van haar verloving en het aanstaande huwelijk! En dat ze werd uitgenodigd om naar Maryborough te komen. Eindelijk. Emilie was zo opgewonden dat ze niet kon wachten tot ze thuis was. In plaats daarvan nam ze plaats op een bankje voor de kruidenier en maakte de envelop open.

Er zaten twee brieven in, allebei keurig opgevouwen.

Ze opende de eerste, die bestond uit een enkel vel.

Lieve Emilie,
Ik had de ingesloten brief net klaar, toen ik de jouwe van de vijfde ontving, dus hierbij een aanvulling. Zoals je correct vermoedde was het nieuws van jouw verloving inderdaad een verrassing, maar gezien je grillige gedrag van de laatste tijd, vraag ik me af waarom. Je verwacht toch niet dat ik mijn goedkeuring hieraan kan geven? Ik ken de man niet, noch wens ik hem te leren kennen. Ik kan niet anders dan veronderstellen dat je een tik van de molen hebt gekregen, nu je – zo snel na die laatste rampzalige escapade – alweer in een relatie bent verwikkeld geraakt. Gelukkig ben ik in staat om je van een geldig excuus te voorzien om jezelf uit deze situatie te bevrijden, zoals je kunt lezen in mijn andere brief. Je moet onmiddellijk ontslag nemen en zo snel mogelijk naar Brisbane afreizen, zodat we samen naar Engeland kunnen terugkeren.

Emilie stond perplex! Waar had Ruth het over? Terug naar Engeland? Boos ontvouwde ze de andere vellen, waarin ze las dat haar stiefmoeder was gestorven, dat hun vader hun zorg dringend nodig had en dat Ruth inmiddels plannen had gemaakt voor hun terugreis en voor hun toekomst thuis, tussen het juiste slag mensen.

Verward en gekwetst ging Emilie op weg naar huis. Ze had Ruth nog niet verteld dat ze was ontslagen, maar dat deed er nu niet meer toe. Ze was kwaad over Ruths houding, over haar beledigende opmerkingen ten aanzien van Clive, die deze brief absoluut niet onder ogen mocht krijgen, en haar veronachtzaming van Emilies huwelijksplannen. Alsof haar zuster te stom was om een goede keuze te maken.

'Alleen omdat jij je hebt vergist,' mompelde Emilie somber, terwijl ze stampend de straat uit liep, 'wil niet zeggen dat ik dat ook doe. Clive is een goede man. Hij is niet te vergelijken met die akelige Daniel Bowles.'

Maar vader... Wat dat betrof, was ze het eens met Ruths reactie; hij was nu een zieke man, en ze moesten niet blijven stilstaan bij oude grieven. Hij had duidelijk verzorging nodig, maar waarom door hen allebei? Ruth kon naar huis gaan om voor hem te zorgen, aangezien ze graag terug wilde, maar hij had hen niet alletwee nodig.

Emilies eerste reactie op de brief van haar zuster was een boze brief waarin ze al haar opgekropte emoties beschreef. Ze wees erop dat ze het aldoor bij het rechte eind had gehad wat Mr. Willoughby betrof, en dat de uitkomst niet rampzalig was geweest maar haar houding rechtvaardigde. Ze beschuldigde haar zuster ervan ongevoelig en trouweloos te zijn en stortte zich vervolgens op de verdediging van Clive... maar die brief verscheurde ze later, waarna ze opnieuw begon, in een rustiger stemming, nadat ze haar gal had gespuwd. Ruth was haar enige zus. Het zou niet helpen om haar te bestoken met beledigingen. Wat had het voor zin om de kloof tussen hen te vergroten?

Ze was trots op haar waardige reactie. Natuurlijk moest Ruth naar huis en naar vader terugkeren, zeker nu hij haar nodig had, en ze moest ook vooral de hartelijke groeten overbrengen van Emilie. Haar verloofde was echter een goede, fatsoenlijke man en ze was echt van plan met hem te trouwen. Daarom vroeg ze Ruth naar Maryborough te komen voordat ze zou afreizen naar Engeland, om deel uit te maken van de vreugdevolle gebeurtenis die het huwelijk van haar zuster zou zijn. De datum daarvan kon afgestemd worden met de datum van Ruths vertrek.

Emilie hoopte dat haar bruidsjapon tijdig klaar zou zijn, aangezien het er alle schijn van had dat Ruth haar baan met onmiddellijke ingang wilde opzeggen.

Er gingen twee weken overheen voor Emilie weer iets van Ruth hoorde, en deze keer was haar zuster verzoeningsgezinder, maar nu gaf ze Emilie weer een andere reden tot zorg.

Je lijkt vastberaden om met Mr. Hillier te trouwen. Zegt dat je veel van hem houdt. In dat geval weet ik zeker dat Mr. Hillier je niets in de weg zal leggen als je hem duidelijk maakt dat het noodzakelijk is dat je zo spoedig mogelijk terugkeert naar Engeland. Vader is een oude man, die bovendien erg ziek is. Hij heeft de wens geuit om zijn dochters te zien. In jouw geval waarschijnlijk voor het laatst, aangezien je erop gebrand lijkt om van dit land je nieuwe vaderland te maken. Ik begrijp niet hoe je hem deze laatste wens zou kunnen ontzeggen, noch dat Mr. Hillier zou weigeren om jou in dit stadium verlof te geven...

'Verlof!' Emilie snoof. Zo'n bezoekje zou praktisch een heel jaar in beslag nemen, wat Ruth wellicht de hoop gaf dat ze het huwelijk zou afzeggen en niet slechts uitstellen. Maar kon ze weigeren om te gaan?

Emilie besprak het probleem met Clive, maar hij wilde de beslissing niet voor haar nemen.

'Het is aan jou, Em. Ik zou teleurgesteld zijn als ons huwelijk moest worden uitgesteld, maar als jij het gevoel hebt dat je op dit tijdstip thuis hoort te zijn, moet je vooral gaan.' Hij haalde zijn schouders op. 'Ik ben hier nog steeds als je terugkomt.'

Emilie werd dagenlang door de kwestie gekweld, en pas toen Clive vertelde dat hij aan het einde van de week naar Brisbane zou afreizen en haar zou vergezellen naar haar zuster, kon ze een besluit nemen.

'Ik dacht dat het misschien leuk zou zijn om op kerstavond te trouwen,' zei ze verlegen.

Hij was verrast. 'Maar wilde Ruth niet voor die tijd vertrekken?'

'Ja. Maar ze reist alleen.'

'Ga je niet mee?'

'Nee. Ik heb een lange brief aan mijn vader geschreven, hij zal het wel begrijpen. Dat zal wel moeten. Ik heb gezegd dat hij goed voor zichzelf moet zorgen, aangezien Ruth onderweg is naar huis en dat we, als we onze draai hier hebben gevonden, in een later stadium met z'n tweeën naar Engeland zullen komen. Dat ik mijn echtgenoot aan hem zal komen voorstellen.'

Clive slaakte een zucht van verlichting. Hij sloeg een arm om haar heen. 'Goddank. Ik wilde niet echt dat je zou gaan, maar... dat maakt nu ook niet meer uit. Kerstavond zei je? Lieve schat, het is me een eer om op kerstavond met jou in het huwelijk te treden. Wil je met mij mee naar Brisbane om Ruth uit te zwaaien?'

Emilie huiverde. 'Ik geloof het niet. Hier zit ik een stuk veiliger. Ze zal woest zijn, ik heb geen zin in de zoveelste ruzie.'

'Dan zal ik haar opzoeken, mezelf voorstellen en jou verontschuldigen. Dan hebben we elkaar tenminste een keer ontmoet.'

Emilie lachte. 'Wees niet verbaasd als ze je met de nek aankijkt.'

Hij keek haar vastberaden aan. 'Dat zal niet gebeuren. Ik sta het niet toe. Zo te horen moet jouw zuster eens leren wat beminnelijker te zijn.'

De wegen waren zó druk met reizigers tegenwoordig dat niemand veel aandacht schonk aan de eenzame *bushman* die door Gympie reed, en verbaasd constateerde dat de belangrijkste route van het goudveld inmiddels was veranderd in een dorpsstraat met een relatief permanent karakter. Mal reed evenwel door, bleef de weg volgen. Hij was er in werkelijkheid slechts één keer langsgekomen, maar in zijn gedachte kende hij elke centimeter ervan. Hij had voldoende tijd gehad om erover na te denken.

Hij sloeg zijn kamp op bij de Blackwater-kreek, een flink stuk de bush in, om gezelschap en de onvermijdelijke gesprekken over wat zich hier had afgespeeld te vermijden. Hij voelde geen enkele emotie meer wat de overval betrof. Geen enkele. Hij had alle tijd van de wereld en snuffelde kalmpjes aan wat door het struikgewas, omhoogkijkend naar de bomen die de open plek omzoomden en die destijds Baldy de scherpschutter een schuilplaats hadden geboden. Vervolgens haalde hij zijn schouders op en liet zich van de oever naar beneden glijden, naar de plek waar Baldy – volgens de politie – de roeiboot destijds verstopt moest hebben. Langs de vluchtroute. Er waren geen ruiters en geen andere bandieten geweest, alleen die domme oude Baldy. En er waren hier geen geesten, alleen het zachte geruis van hoge bomen. Mal rolde zijn slaapspullen uit en maakte zich klaar voor de nacht. Hij sliep prima.

De volgende ochtend reed hij verder in de richting van Maryborough, maar hij omzeilde de stad zelf en nam de veerboot naar de plantages aan de overkant van de rivier. Toen hij terugkeerde, nam hij een besluit. Hij zou Emilie en Clive niet opzoeken. Hij was op weg naar Fraser-eiland, in zijn ogen de mooiste plek ter wereld. Hij moest er gewoonweg weer naartoe, om de stank van de gevangenis, van de beschaving kwijt te raken. Om opnieuw weg te dromen in het regenwoud, dat bol stond van de mysteries, waar voetsporen een zeldzaamheid vormden, waar hij kon schreeuwen en schreeuwen en schreeuwen zonder dat iemand hem tot stilte maande. Mal wist met een bijna dierlijke zekerheid dat hij zich aan deze wijkplaats moest vastklampen om zijn ziel te laten herstellen, om zichzelf van alle gedachten te reinigen en weer gezond te worden. Rennen. Vissen. Zwemmen. De enorme golven trotseren. Slapen. Gewoon van vermoeidheid. En wachten.

De boodschap van dominee Betts, hoofd van de zendingspost op Fraser-eiland, kwam per post in de tijd dat Clive weg was. In antwoord op haar schrijven liet hij haar weten dat Mr. Willoughby inderdaad op het eiland vertoefde.

Emilie aarzelde niet. Ze moest en zou Mal zien. Het was de hoogste tijd dat ze eens met elkaar praatten. Ze haastte zich naar de haven om te informeren hoe ze op het eiland kon komen. Het bevoorradingsschip zou pas over een week weer die kant op gaan, maar ze werd verwezen naar een kleine tweemaster van een houtmaatschappij die daar mensen aan het werk had, en de gezagvoerder stemde erin toe om haar de volgende morgen mee te nemen.

'We vertrekken zodra het licht wordt, mejuffrouw. Kunt u hier zo vroeg zijn?'

'Maar natuurlijk. Maar neem me niet kwalijk, meneer, hoe laat is dat ongeveer?'

Hij lachte. 'Om ongeveer vijf uur, mejuffrouw. Maar het lijkt een mooie dag te worden voor een tocht naar de overkant van de baai.'

En dat werd het. Een prachtige dag. Emilie was de enige vrouw aan boord, maar de bemanning behandelde haar vriendelijk, en zodra de tweemaster de Mary-rivier had verlaten en de blauwe wateren van de baai op voer, ging ze tevreden in de kleine kajuit zitten, ongeïnteresseerd in alle onbewoonde eilanden die ze passeerden, tot de tweemaster uiteindelijk aanlegde bij een lange steiger.

Dominee Betts was er, verbaasd om haar te zien. 'Mijn hemel! Miss Tissington! Wat aardig om u weer te zien. Hebt u een ogenblikje geduld? Ik moet deze heren nog even spreken. Daarna neem ik u mee naar de zendingspost.'

Emilie keek naar de kustlijn. Het was laag water, en hoewel het leek alsof er wit zand onder de graspollen schuilging, was het strand nogal modderig en vol door krabben veroorzaakte gaten. Het leek in niets op de uitgestrekte witte zandstranden waar Mal zo lyrisch over was geweest. Het strand werd begrensd door een dichtbegroeid woud en Emilie werd ineens nerveus. Ze had zich beter moeten voorbereiden op deze expeditie. Op Clive moeten wachten. Dit was een angstaanjagende plek, een thuishaven van de aboriginals. Alle vreselijke verhalen die ze had gehoord over moord en verminking op dit enorme eiland kwamen weer boven, en Emilie wenste dat ze terug kon rennen naar de tweemaster, maar de dominee bleek inmiddels klaar te staan om haar aan land te begeleiden.

Terwijl ze over een zanderig pad door het spelonkachtige bos sjokten, weidde de dominee uit over de schoonheid van hun omgeving, maar Emilie was verre van gerustgesteld. Ze beaamde dat de hoge bomen prachtig waren, maar ze lieten het zonlicht slechts hier en daar tussen het groen doorsijpelen. En het pad was zó donker en werd aan weerszijden begrensd door zoveel grote tropische planten dat het leek alsof de duisternis zelf groen was. Een trucje van het gereflecteerde licht, veronderstelde ze zenuwachtig.

Toen ze eindelijk de bocht omsloegen en bij de zendingspost aankwamen, bleek ook dat een schrik, alsof de wandeling door de wildernis haar terug in de tijd had gebracht. Ze vroeg zich af wat ze precies had verwacht... een goed onderhouden witte kerk met een schoolgebouw en een keurig huis voor de dominee en zijn vrouw, of iets dergelijks waarschijnlijk, maar zeker geen nederzetting die bestond uit blokhutten met slechts een rieten dak, die in de schemering tussen de bomen voor haar opdoken.

'We zijn er,' zei Betts trots, 'oost, west, thuis best.'

Toen ze de hutten naderden, kwam er een aantal zwarte kinderen op hen af gerend die giechelden bij het zien van hun bezoeker, en daarna kwamen ook de oudere aboriginals naar buiten om naar hen te staren en te glimlachen terwijl ze passeerden. Het viel Emilie op dat ze, merkwaardig genoeg, waren gekleed in heel oude, slecht passende kleren, alsof ze hun spullen rechtstreeks uit de armenbus hadden ontvangen, tot ze zich realiseerde dat dit waarschijnlijk het geval was. De pogingen van de zendelingen om naakte lijven te kleden. Maar het leek niemand te deren. Ze beantwoordde hun glimlach vriendelijk en stond toe dat twee kindjes haar bij de hand pakten om haar naar Mrs. Betts te brengen, die voor een van de hutten stond en haastig haar schort afdeed.

Ze waren teleurgesteld om te vernemen dat Miss Tissington had besloten om zich niet bij de missie aan te sluiten, maar waren niettemin zeer ingenomen met haar bezoek, en dus werd ze binnen afzienbare tijd langs al hun primitieve voorzieningen geleid.

Terwijl ze met hen rondwandelde, raakte Emilie onder de indruk van hun toewijding en hun trots over de zendingspost en ze wenste dat ze eraan had gedacht om een of ander geschenk, een gift, mee te brengen, omdat duidelijk was dat ze van alles veel nodig hadden. De zendingspost was erg arm, maar het ontbrak haar gastheer en zijn vrouw niet aan enthousiasme en ze leken ongelooflijk gelukkig hier.

's Ochtends tijdens de thee in hun hut vertelde ze hun waarom ze Mr. Willoughby kwam opzoeken, en omdat ze het gevoel had dat ze recht hadden op uitleg vertelde ze ook over zijn achtergrond.

Mrs. Betts stond versteld. 'We hebben natuurlijk over hem gehoord. In de kranten werd hij Sonny Willoughby genoemd. We hebben in Brisbane over hem gelezen. Is dat de man die u bedoelt? Ach, die arme man! Wat een beproeving moet dat zijn geweest. En u beweert dat hij hier zijn toevlucht heeft gezocht toen de politie op jacht naar hem was. Wat een slimmerik!'

'Geen wonder dat hij hier is teruggekeerd na al die tijd in het gevang,' voegde haar man toe. 'Ik ben voor mijn werk weleens op Sint-Helena geweest, en het is een afschuwelijk oord, zelfs voor geharde criminelen, maar het moet geestdodend zijn voor een onschuldige man. Hoe gaat het nu met hem?'

'Ik weet het niet, maar ik heb het gevoel dat ik, als vriendin, op z'n minst een poging moet doen om daar achter te komen.'

Mrs. Betts knikte. 'Wat goedhartig van u, Miss Tissington. Ik wou dat we geweten hadden wie hij was; we hadden hem misschien raad kunnen geven als hij daar om verlegen zat. Maar hij leek me aardig opgewekt.'

'Weet u misschien waar hij momenteel zit?'

Ze schudde haar hoofd. 'Dit is een heel groot eiland. Bijna honderd kilometer lang en voor het overgrote deel onverkend gebied. Hij zou overal kunnen zijn.'

'Hij heeft wel eens gezegd dat Orchideeënbaai zijn favoriete plek is, maar ik denk dat hij die naam zelf heeft verzonnen. Het moet aan de oceaanzijde van het eiland liggen.'

Betts trommelde met zijn vingers op tafel. 'We hebben het hier eerder over gehad. Het was niet meer dan een gok van mijn kant, maar je hebt Indian Head, en een paar inhammen waar enkele kreken rechtstreeks in de oceaan uitmonden. En wat orchideeën betreft, die groeien hier op sommige plaatsen inderdaad in overvloed. Helaas is Mrs. Betts noch ik niet thuis in de plantkunde om een studie van orchideeën te maken, hoewel we ervan overtuigd zijn dat hier soorten voorkomen die bij de deskundigen nog onbekend zijn. Hoe dan ook, wat Mr. Willoughby betreft. Laat me eens voor u informeren. Onze aboriginals komen en gaan, ze kunnen wellicht enig licht kunnen werpen op zijn huidige verblijfplaats.'

Terwijl ze zaten te wachten, stelde Emilie voor dat ze mogelijk een collecte in Maryborough kon organiseren om de zendingspost te steunen. Met geld of goederen.

'We zouden u bijzonder dankbaar zijn, Miss Tissington. We zijn in staat zelf de meeste voedingsproducten te verbouwen, maar we zouden erg blij zijn met schoolboeken voor beginners, schrijfwaren en uiteraard met medische voorraden. De houthakkers zijn erg vriendelijk. Ze brengen ons regelmatig voedselpakketten als ze verse voorraden hebben ontvangen van het vasteland.'

Terwijl Mrs. Betts kletste over hun werk op het eiland en vrolijk verhalen oplepelde over overvallen door 'moeilijke' zwarten die hun aanwezigheid niet op prijs stelden, viel Emilie van de ene verbazing in de andere, en ze vroeg zich af wat deze mensen zo dapper of dwaas maakte.

'U zei dat de houthakkers hier ook nederzettingen hebben? Waarom hebt u de zendingspost niet dichter bij hen in de buurt gebouwd?'

'O, nee. Dan zouden we aan ons doel voorbijschieten. Onze meisjes moeten zich niet onder de houthakkers gaan begeven. Hemeltje lief, bewaar me.'

Betts keerde verheugd terug. 'Ik heb hem gevonden. Twee van onze jongens weten waar hij woont. Hij verblijft niet in een van de houthakkerskampen, maar – voorzover ik heb begrepen – op een plek precies ten oosten van hier. Het is een flinke trektocht, dus als u het niet erg vindt om op een ezel te rijden, zal ik u erheen brengen.'

Emilie slikte. 'Een ezel?'

'Ja, maar maak u geen zorgen, ze zijn heel rustig. Heel lief eigenlijk, dat zult u merken.'

O, nou ja, dacht Emilie, terwijl zij en Mr. Betts op een ezel aan hun safari over het eiland begonnen, voorafgegaan door twee van hun 'jongens', twee grijsharige aboriginals, het is weer een nieuwe ervaring. Maar ze maakte zich ineens weer zorgen over Mal. Als ze hem vonden, zou hij het dan vervelend vinden om gestoord te worden? Tenslotte had hij geen poging ondernomen om contact met haar te zoeken.

Haar kleine ezel stapte bedaard voort, over kleine heuvels die hun begeleiders hobbels noemden, en door idyllische beekjes, dieper en dieper het woud in, waar het gekwetter en geroep van vogels de boventoon voerde. Bij elke bocht die het nauwe pad maakte, verwachtte Emilie te worden besprongen door wilde zwarten, maar ze zag niemand. Het was alsof ze de bewoonde wereld achter zich hadden gelaten. Was dat de reden waarom Mal hier was teruggekeerd? En zo ja, wat deed zij hier dan? Dit was een grote vergissing.

De overgang van de schemerige sfeer van het oerwoud naar de oceaankust was zo plotseling dat Emilie tijdelijk werd verblind door het felle zonlicht. Zelfs haar kleine rijdier gooide zijn kop in de nek, in een poging aan het licht te wennen.

Vanaf de hoge duin staarde Emilie vol ontzag naar het uitgestrekte brede zandstrand en de oceaan daarachter. Het strand was zo leeg, zo onverzoenlijk, alsof ze hier niets te zoeken hadden, wat haar gevoel inbreuk te maken versterkte, en ze luisterde maar half naar wat de dominee zei.

'We laten de ezels hier achter, Miss Tissington, en gaan lopend verder. De jongens zeggen dat Mr. Willoughby zijn kamp een eindje noordwaarts van dit pad heeft opgeslagen. Zoals ik al dacht, bij een kreek. In verband met drinkwater, snapt u wel.'

Ze liet zich van haar ezel glijden en klopte op zijn kop, onwillig om afscheid te nemen omdat ze het resultaat van de lange tocht vreesde, hoe het ook zou uitpakken. Het zou een teleurstelling zijn als ze Mal niet vond, maar misschien was een ontmoeting wel veel vervelender. Hij had er alle recht toe om geïrriteerd te zijn of het amusant te vinden dat zij zo achter hem aan zat. Haar gezicht verkleurde.

Emilie had niet gehoord wat Betts tegen haar had gezegd en hij veronderstelde dat haar blos uit vrouwelijke bezorgdheid voortkwam.

'Het is goed,' zei hij. 'Wij gaan wel voor.'

'Neem me niet kwalijk, Mr. Betts?'

Hij glimlachte. 'Zodat u uw schoenen en kousen kunt uittrekken. Anders redt u het niet in dit diepe zand als u de duin afdaalt. Blootsvoets is onder deze omstandigheden heel passend.'

'O. Juist. Ik begrijp het.'

Het was niet alleen passend, zo constateerde ze, maar ook heel plezierig om op deze kinderlijke manier van de duin af te lopen, terwijl haar voeten in het warme zand wegzonken en -gleden. Ze genoot van het gevoel dat het glimmende schone zand op haar voeten veroorzaakte; het deed haar ontspannen. Bij elke stap voelde ze zich beter. Ze wilde over het strand rennen en pootjebaden in de zee, om de koelte van dat schitterende, uitnodigende water te voelen, maar ze hielp zichzelf herinneren: kom op, je bent nu volwassen, gedraag je.

Ze vonden zijn kamp, een hut gemaakt van hout en palmbladeren, en de dominee fronste zijn wenkbrauwen. 'Ik ben blij dat we gekomen zijn. Het is tot daaraan toe dat Mr. Willoughby hier voor zijn rust komt, voor een vakantie, maar we kunnen natuurlijk niet toestaan dat hij op de inboorlingen gaat lijken. Dat kan absoluut niet.'

Maar Emilie was verrukt. Ze keek even in de hut en zag dat deze kaal was, afgezien van een paar biezen matten en zijn bezittingen, die hij nonchalant in een duister hoekje had gegooid. Het deed haar denken aan de boomhut die haar vader voor zijn dochters had gebouwd toen ze klein waren, hoewel ze natuurlijk geen uitzicht hadden zoals hier. Een ongehinderd uitzicht op de oceaan, op de krachtige, kolkende, groene branding die als het constante geraas van treinverkeer kwam aangerold. Terwijl ze stond te luisteren, dacht ze er nog eens over na. Nooit eerder had Emilie een dergelijk immens strand gezien zoals dit, een strand met een heuse branding, en ze vroeg zich af hoe het zou zijn om, onder de sterren, naar dit zich eindeloos repeterende geluid te luisteren. Alsof je naar de eeuwigheid luisterde. Ze moest haar uiterste best doen om in de realiteit terug te keren en begon het gebied achter de hut te verkennen, terwijl de mannen het strand op liepen.

Daar stroomde ook een van die heldere, zanderige beekjes, en inderdaad, tussen het groen groeiden er massa's orchideeën in allerlei kleuren. Sommige droegen gele bloemen, die met hun ranken verankerd zaten aan enorme, dikke boomstammen; paarse orchideeën, blauwe en witte zaten majestueus op hun plek en aan de overkant van de beek zag ze roze, bleekroze bloemen. Tot nu toe had Emilie orchideeën enkel in boeken zien staan; ze wenste nu dat ze haar schildersspullen bij zich had om een aantal ervan vast te leggen. Dit was echt de Orchideeënbaai, waar het klimaat precies goed was om deze prachtige planten tot bloei te laten komen, en Emilie voelde zich nederig dat Mal, de gemakzuchtige Mal, zoveel om de natuur gaf. Ze betwijfelde of het Clive überhaupt zou opvallen.

Op dat moment riep de dominee haar. 'Er komen mensen aan!'

Emilie rende over het strand naar de plek waar zij bij de waterrand stonden.

'Daarginds.' Betts wees. 'De jongens zagen hen. Ik kan ze amper onderscheiden. Wie komt eraan?' vroeg hij.

'Aboriginals,' antwoordde een van hun gidsen. Hij hield zijn hand boven zijn hoofd en kneep zijn ogen halfdicht. 'Aboriginals. Vissers, samen met één blanke.'

De dominee was nerveus. 'Misschien kunt u beter naar de hut gaan, Miss Tissington.'

Maar Emilie was geboeid. Ze zag hen nu ook, ver weg in de waternevel die de branding veroorzaakte, spookachtige verschijningen, uitgerekt, niet in perspectief. Het was moeilijk te bepalen of ze stilstonden of bewogen, en zo ja, in welke richting.

De gids rolde met zijn ogen. 'Beter dat u en de juffrouw hier blijven, baas. We zullen kijken of het goedaardige kerels zijn.'

Emilie keek toe hoe ze over het strand renden en wendde zich tot de dominee. 'Lopen we gevaar?' vroeg ze hem ronduit.

Zijn 'Nee, nee, nee!' was niet echt overtuigend, maar vreemd genoeg was Emilie allerminst bang. Ze redeneerde dat als de zwarten inderdaad vijandig zouden zijn, ze daar op dit moment weinig aan zouden kunnen veranderen. Ze konden moeilijk wegrennen en zich verstoppen, aangezien ze duidelijke voetsporen in het smetteloze zand zouden achterlaten. Maar ze hoopte wel dat als er een blanke in hun gezelschap was, het Mal was en niet een of andere vreemde die verwilderd was. Het leek uren te duren voor de figuren in de verte konden worden geïdentificeerd als zwarte stamleden, en nog voor de dominee iets zei, wist Emilie dat Mal erbij was; ze herkende zijn loop, die ontspannen sprongen, en zijn blonde haardos.

'Gaat u alstublieft naar de hut, Miss Tissington,' zei Betts. 'Die zwarten zijn niet gekleed.'

Met die woorden rende hij naar zijn gidsen, die hem wenkten, om de nieuwkomers te onderscheppen en de dame zodoende de aanblik van naakte mannen te besparen.

Emilie wendde haar hoofd met tegenzin af, verscheurd door de behoefte om vast te stellen dat het inderdaad Mal was en niet haar verbeelding, hartgrondig wensend dat hij het echt was. Het was laag water en ze liep zwaarmoedig over het harde, natte zand naar de zachte uitgestrektheid daarachter, haar lange rok opzijwaaiend en vechtend tegen de opstandigheid. Stel dat het Mal was? Dit was het breedste strand dat ze ooit had gezien. En het eenzaamste. Maar er naderden mensen. Onlogischerwijs dacht ze aan Ruth, die onder deze omstandigheden rennend dekking zou hebben gezocht en haar ogen beschermd zou hebben tegen het naderende schandaal, maar goed, Ruth zou hier sowieso niet terecht zijn gekomen. Ruth zou een man nimmer zo hebben nagejaagd zoals Emilie had gedaan. Ook zou ze niet blootsvoets door het zand ploeteren, ondanks het vastkoekende zand. Hoe waren ze toch zo snel uit elkaar gegroeid? Lag het aan dit land? Of waren ze altijd al heel verschillend geweest en was hun levenshouding minder duidelijk totdat ze gedwongen waren ieder een eigen weg te gaan? Emilie dacht aan haar moeder, een leergierige

471

vrouw, die alles wilde weten en een verdienstelijke schilderes was geweest. Zij zou het hier fantastisch hebben gevonden. In tegenstelling tot haar vader. Hij zat stevig verankerd in Brackham, waar hij zijn hele leven had gewoond. Net als Ruth. Zij hoorde daar ook thuis.

Emilie maakte zich los van Ruth ver voordat ze Mals hut had bereikt en keerde zich om. Het kon haar niet schelen of er een heel bataljon naakte zwarten op haar af kwam; ze moest en zou weten of Mal bij hen was.

En op dat moment zag ze hem. Hij snelde over het strand naar haar toe, de anderen ver achter zich latend. Zijn bovenlijf was ontbloot en hij droeg alleen een ruwe linnen werkbroek, die tot aan zijn knieën nat was van het zeewater, en hij zag er zo goed, zo gebruind, zo gelukkig en bovenal zo... mannelijk uit. Ze beefde. Maar ze kreeg geen tijd om na te denken; hij nam haar in zijn armen en zwaaide haar zo uitbundig in het rond dat het zand uit zijn haar en zijn ongeschoren gezicht haar wangen schuurden.

'Emilie! Je bent het echt! Godallemachtig! Ik hoopte zo dat je zou komen.'

'Zet me neer. Hoe wist je dat ik hierheen zou komen?'

Hij liet haar los, deed een stap achteruit en grijnsde. 'Betts vertelde me dat je naar mij had geïnformeerd. En hier sta je dan.'

Emilie probeerde haar waardigheid te hervinden. 'Je had mij ook kunnen opzoeken, Mal. Het was wreed om mij te laten piekeren. En het was niet eenvoudig om hier te komen. Ik moest voor dag en dauw opstaan om vervoer te hebben naar dit eiland, en vervolgens moest ik een urenlange rit naar deze plek maken. Ik had geen idee dat het allemaal zoveel moeite zou kosten, want dan was ik er nooit aan begonnen. Dankzij dominee Betts ben ik toch aan land gegaan, dus denk maar niet dat dit een plezierig uitstapje is. Dat is het niet. En dan moet ik ook nog weer terug.'

'Je kunt altijd blijven,' zei hij plagend.

'Zit niet zo te schertsen. Ik was oprecht bezorgd over je, en besef nu dat ik me niet druk had hoeven maken.'

'O. Ik had durven zweren dat je blij was toen je me het strand op zag komen. Had ik het mis?'

Hij plaagde haar nog steeds, maar ze moest erkennen dat hij gelijk had.

'Nou dan.' Hij pakte haar bij de arm. 'Zullen we dan een wapenstilstand sluiten? Het spijt me dat ik zo'n lastpost ben. Alweer. Kom mee naar de hut, daar is het koeler. Betts denkt misschien dat hij een paar nieuwe bekeerlingen heeft gevonden, maar ik schat zijn kansen niet hoog in. Ik kan je een glas water aanbieden en wat vis, als je voor het middageten wilt blijven.'

'Ik weet het niet,' zei ze onzeker. 'Ik geloof dat Mr. Betts onze lunch heeft.'

472

'Mooi. Dan gaan we picknicken.'

Emilie werd ineens kwaad. 'Mal! Ik ben hier niet om te picknicken. Ik was, ik maak me ongerust over je. Hoe gaat het nu eigenlijk écht met je, na alles wat er is gebeurd? Na al die...'

'Ik wil er niet over praten,' zei hij kortaf, maar toen hij zich omdraaide zag Emilie zijn rug, met daarop de littekens, en ze wist onmiddellijk waardoor die waren veroorzaakt.

'O, mijn God! Ze hebben je afgeranseld! O, Mal, het spijt me vreselijk.'

'Dat is niet nodig,' reageerde hij opstuivend. 'Het laatste waar ik behoefte aan heb is jouw medelijden. Oké, ze hebben me afgeranseld. Wie kan dat verdomme wat schelen? Iedereen op Sint-Helena is wel een keer gegeseld, het was de toegangsprijs.' Hij voerde haar mee zijn hut in. 'Geen stoelen, maar de matten houden het zand buiten. Vind je het erg om binnen te zitten?'

'Nee, absoluut niet.'

Voor hij plaatsnam, kuste hij haar op de wang. 'Je hebt me niet eens de tijd gegund om te zeggen dat je er mooier dan ooit uitziet, Emilie. En ik ben je zeer dankbaar. Ik sta bij je in het krijt, omdat je Lanfield hebt ingehuurd om me te redden. Zolang ik leef, sta ik bij je in het krijt.'

Zijn plotselinge stemmingswisseling bracht Emilie in verlegenheid, maar ze was zich inmiddels sterk bewust van het feit dat zijn persoonlijkheid was veranderd; er zat ergens iets scheef.

Toen hij terugkwam met een mok water voor haar en in kleermakerszit naast haar ging zitten, voerden ze een onsamenhangend gesprek dat werd gedomineerd door stiltes... als oude vrienden die zich bij elkaar op hun gemak voelden. Het was erg kalmerend in zijn hut. Ze praatten over het eiland, de orchideeën, de zendingspost. Emilie zei dat ze niet langer voor de familie Manningtree werkte, maar artikelen schreef voor de *Chronicle*, en Mal was onder de indruk. Hij zei dat hij waarschijnlijk op het eiland een baan als houthakker ging zoeken en roerde, wat zelfverzekerder inmiddels, het onderwerp Lanfield aan.

'Hoe ben je hem op het spoor gekomen? Hij is een slimme oude vogel, gewiekst.'

Emilie begon het uit te leggen, maar vertelde even later hoe ze verstrikt was geraakt in de netten van de politie en de advocaten, en over alle publiciteit, en dat haar zuster zo beledigend was geweest en het klonk al met al allemaal zo verwarrend dat ze er plotseling om moesten lachen, omdat het een bevrijding voor haar was om terug te kijken op die tijd.

'Het ergste moest nog komen,' zei ze. 'Ik ontmoette Ruths verloofde, een afgrijselijke vent, de secretaris van Mr. Lilley, een parlementslid...'

'Lilley? Die heb ik eens ontmoet. Hoewel ik destijds niet wist wie hij was. Hij stond op een podium en sprak de menigte toe... dat was de dag waarop ik jou heb ontmoet. Er was een rel. Ik zei immers dat je beter de andere kant op kon gaan...'

'Goeie genade, da's waar ook! Heb je zijn secretaris, Daniel Bowles, die dag dan ook ontmoet?'

Mal grijnsde. 'Nee. Ik ben niet blijven plakken.'

'O, nou ja. Mr. Bowles was zó kwaad dat ik in de krant stond dat hij de verloving heeft verbroken.'

'Wat had hij ermee te maken dan?'

'Helemaal niets. Het was een tactische zet, vermoed ik. Hij was druk doende mijn zuster te bedriegen en haar geld te ontvreemden. Maar we hebben het allemaal teruggekregen... alleen omdat ik dreigde Mr. Lanfield in te schakelen.'

'En dat allemaal vanwege mij?'

'Niet echt. We hebben Ruths verloofde tenminste kunnen lozen voor het te laat was.'

Hij leunde voorover en pakte haar hand. 'En hoe zit het met jouw verloofde, Emilie? Is dit een verlovingsring?'

Ze knikte. In verlegenheid gebracht.

'Clive heeft me geschreven. Ga je met hem trouwen?'

'Ja.'

Langzaam stond Mal op, waarna hij in de deuropening naar de zee ging staren. En toen haalde hij zijn schouders op. 'Nou ja. Je had het slechter kunnen treffen. Zoals met mij.'

Emilie krabbelde overeind en ging naast hem staan. 'Zeg dat alsjeblieft niet. Je weet hoeveel ik om je geef, Mal.'

'Maar waarom dan?' vroeg hij schor.

Die vraag bracht Emilie van haar stuk. 'Ik weet het niet. De manier waarop ik van Clive houd is anders dan de manier waarop ik om jou geef, dat is alles.'

'Het was niet mijn bedoeling dat het zo zou lopen, anders had ik hem nooit gevraagd jou op te zoeken. Je was mijn meisje. Ik wilde bij je zijn.'

Ze pakte hem bij de arm en glimlachte naar hem. 'Weet je dat wel zeker? Was je werkelijk van plan om je in Maryborough te vestigen met een onderwijzeres? Denk je niet dat je dat enigszins saai zou hebben gevonden?'

'Misschien niet, als dat jouw toekomstideaal zou zijn!'

Daarmee was alles gezegd, en dat beseften ze ook op dat moment. Emilie lachte. 'Mal! Wat ben je toch een dromer. Jij vindt het verschrikkelijk om gebonden te zijn, en ik zou me schuldig voelen.'

Ze liepen naar de rand van het water en tot haar grote vreugde stapten ze het ondiepe water in, de bruisende golven uitdagend hen te vangen. Even later liepen ze hand in hand gewoon wat te slenteren.

'Ik heb een soort afwijking,' zei ze uiteindelijk. 'Ik voel me altijd wel ergens schuldig over. Het lijkt wel of ik het voor mezelf nooit goed kan doen.'

'Hoezo? Noem eens een voorbeeld.'

'Wat jou betreft, bijvoorbeeld.'

'Ik overleef het wel,' reageerde hij droogjes.

'En dan wat mijn zuster aangaat. En mijn vader. Hij is ziek. Ze willen dat ik naar huis ga. Als ik niet ga en hij sterft, vergeef ik het mezelf nooit.'

'Jezus, Emilie. Stel dat hij overlijdt tijdens de terugreis naar Engeland? Dan sta je mooi te kijken. Probeer toch niet alles naar je hand te zetten. Je weet nooit hoe het balletje rolt, en je moet gewoon roeien met de riemen die je hebt, meer niet.'

'Ik neem aan dat je gelijk hebt. Maar er is nog iets. Het huisje. Dat is van jou, Mal. En je hebt nog altijd geld op de bank staan. Je zult het nodig hebben.'

Hij bleef stilstaan. 'Jij hebt Lanfield betaald. En als er nog geld over is, interesseert me dat geen ene moer. Het was aldoor al van jou. Maar luister goed. Dat huisje is van jou. Niet van Clive. En je moet erop toezien dat dat zo blijft. Als appeltje voor de dorst, mijn lief.' Hij tuurde over het strand. 'Het lijkt erop dat Betts daar weer aankomt. We kunnen de picknick maar beter vergeten. Ik kan niet met je praten als hij in de buurt is.'

Ze knikte. 'Ik moet sowieso terug. Ik wil niet dat de boot zonder mij vertrekt.'

Hij legde zijn arm om haar heen, terwijl ze hetzelfde spoor terug volgden. 'Ik ben blij dat je bent gekomen, Emilie.'

'En ik ben blij dat we vrienden kunnen blijven.'

'Dat weet ik niet zo zeker. Dat moeten we afwachten. Maar je hebt gezegd dat je om me gaf. Dat was het mooiste moment van vandaag.'

Ze knikte ietwat onzeker. 'Ja, maar je weet wat ik daarmee bedoelde.'

'Ik geloof het wel. Maar met broederliefde neem ik geen genoegen.'

Hij omhelsde haar en trok haar dicht tegen zich aan. 'Kus me ten afscheid, Emilie. Ik zal de bruiloft niet bijwonen.'

Dominee Betts naderde, maar draaide zich snel om toen hij het jonge stel innig omarmd zag staan. Hij floot zijn zwarte jongens om de ezels te gaan halen. Want het was tijd om te vertrekken.

Slot

De grote, oude Chinese jonk voer met volle vierkante zeilen noordwaarts langs de kust van Queensland, door wateren die werden afgeschermd door het Great Barrier Reef, op weg naar China. De bemanning werkte hard. Ze wisten stuk voor stuk dat ze, nu ze Maryborough hadden verlaten, geen andere aanloophavens zouden tegenkomen tot ze de Australische wateren allang achter zich hadden gelaten, en zelfs dan zouden ze hun voorraden aanvullen op eenzame eilanden, die door de douane niet eens als officiële havens waren aangemerkt. De enige vracht van het schip bestond uit een treurige verzameling doodskisten met de stoffelijke overschotten van Chinezen van uiteenlopende rangen en standen, die voor de begrafenis terug werden gebracht naar hun vaderland; mannen die in hun tuinderijen waren gestorven of op de goudvelden, of waar dan ook. Ze moesten terug naar hun voorvaderen. Er zaten zelfs lichamen bij van dames met aanzien. Een droevige maar noodzakelijke reis.

De bemanning wist ook, hoewel ze er geen opmerkingen over durfde maken, dat een onbekend aantal van die stoffelijke overschotten goud voor de familie bij zich droeg, goud dat niet was aangegeven en niet was ontdekt, en op deze manier de door de ambtenarij zo bejubelde uitvoerrechten wist te omzeilen. Verder waren er aan boord vijf passagiers, vier Chinese heren en daarnaast een of andere kennelijk onbeduidende blanke man, die midden in de nacht bij de monding van de Mary-rivier aan boord was gebracht, voor het schip de Herveybaai was overgestoken en om Fraser-eiland heen was gevaren, om daarna het ruime sop te kiezen. De vijf passagiers hadden gerieflijke hutten in de boeg en stewards die hun maaltijden verzorgden en in andere behoeften voorzagen, meer hoefde de bemanning daarover niet te weten. Hoewel er werd gefluisterd dat een van de heren meester Xiu was en een ander zijn persoonlijke secretaris, die zo hooggeplaatst was dat hij recht had op een eigen hut. Er werd echter tevens gezegd dat de secretaris, een enorme kerel met een kale kop en een vlecht, tegelijkertijd de lijfwacht van Mr. Xiu was, bedreven in de oosterse gevechtskunsten, dus ook hij werd met eerbied behandeld.

Tot de passagiers behoorde ook Mallachi Willoughby, die dit alles als vanzelfsprekend accepteerde, alsof het een alledaagse bezigheid was om het onbekende tegemoet te zeilen op dit geweldige Chinese schip. Hij vond het vermakelijk dat het haveloze schip benedendeks zo voortreffelijk was uitgerust. Mal hield wel van de Chinese brutaliteit. Die had hem altijd al aangesproken.

Hij stond op het hoge dek en was diep onder de indruk van de omgeving. Het leek alsof hij bij elke stap in zijn leven plekken was tegengekomen waarvan hij dacht dat ze de mooiste ter wereld waren, maar elke keer werd die schoonheid elders weer overtroffen. Hij verwonderde zich over de juweelachtige zee van deze Whitsunday Passage, de naam die Mr. Xiu hem had ingefluisterd en die alles over deze wateren leek te weten. De zee was saffierblauw, een explosieve kleur, de eilanden smaragdgroen. Hij zou hier uren achtereen kunnen staan, domweg genietend van de kleuren, terwijl het schip voortzwoegde.

De bries bracht een lichtgekruide geur mee van de bossen en bloemen op de eilanden, van zout en zonovergoten stranden... een geur, zoals lavendel, zoals de kleine zakjes die zijn moeder onder haar kussen en in de la van haar toilettafel had bewaard. Een vrouwelijke geur, dromerig. Hij had graag gewild dat zijn moeder Emilie had ontmoet, ze hadden het samen ongetwijfeld goed kunnen vinden. Dat zou leuk geweest zijn.

Mal zuchtte... een dagdroom om met zich mee te dragen, waarheen deze lavendelbries hem ook zou brengen.

Het was niet moeilijk geweest om Mr. Xiu te traceren. Hij had brieven gestuurd naar het nieuwe postkantoor in Gympie, dat hij daar op doorreis had opgemerkt, en naar Maryborough en zelfs naar Cooktown, de belangrijkste haven voor de nieuwe goudvelden. Het was een begin. Maar een van de brieven had de meester bereikt en die had gereageerd op het opgegeven postadres: p/a Methodistenzendingspost, Fraser-eiland.

Mal dacht aan zijn paard. Hij had Striker als geschenk naar Mrs. Foley laten sturen, en de stalknecht die hij had betaald om het dier te bezorgen gewaarschuwd dat Foley en zijn maten, daarboven in de heuvels, meedogenloze types waren. Als Striker niet in topconditie werd afgeleverd, zouden ze hem weten te vinden en ter plekke neerknallen. McPherson zou de komende jaren nog achter slot en grendel zitten; misschien zou de vrouw een wat normaler leven kunnen leiden nu hij uit de buurt was. Ze zou verbaasd maar ingenomen zijn als ze het paard onder ogen kreeg, en Mal hoopte dat ze nog eens aan hem zou denken. Hij had een zwak voor Mrs. Foley.

Hij had getwijfeld of hij het paard naar Clive zou sturen, als huwelijkscadeau, maar bedacht zich uiteindelijk. Zo vergevingsgezind was hij nu ook weer niet.

En wat Emilie betrof... Tja, je weet nooit hoe het balletje rolt, had hij gezegd. Als ze hem boven Clive had verkozen, wat amper denkbaar was – dat moest hij erkennen – zou het allemaal anders zijn geweest. Daar zou Emilie wel voor gezorgd hebben. Emilie en haar schuldgevoel. Ze had het niet kunnen verdragen. Ze zou hem in vliegende vaart hebben meegesleurd naar Pollock... Mal lachte. God, wat was ze mooi. Maar zo misplaatst op het eiland, met haar kleine blanke voeten trippelend door het zand, de keurige witte blouse en de marineblauwe das die bij haar rok paste. Op het moment zelf had hij veel zin gehad om samen met haar, gekleed en al, in de warme golven te vallen, wensend dat het haar ook geen zier kon schelen en dat ze puur voor de lol met hem in zee had willen rollebollen.

Ze zou nooit te weten komen dat hij haar er bijna in had geduwd, niet met boos opzet, maar in een poging de muur van fatsoen die tussen hen stond af te breken. Jemig, wat hield hij veel van haar! Hij wenste vurig dat ze dit fantastische avontuur samen met hem kon beleven. Maar met wensen kwam je nergens; je moest de dingen zelf uitzoeken, zelf regelen.

Emilie. Hij had geluisterd hoe ze over haar zuster sprak. Hoe ze in twee volkomen verschillende werelden leken te leven en dat haar dat zoveel verdriet bezorgde. Ze had zich niet gerealiseerd dat ze dezelfde soort kloof omschreef die er tussen twee andere mensen bestond: Emilie en Mal. Maar Emilie en Clive behoorden tot dezelfde soort. Had hij dat diep in zijn hart altijd geweten? Misschien wel.

Mal liep over het dek om een laatste blik te werpen op het vasteland, terwijl dat langzaam uit het zicht verdween. De oude Baldy was inmiddels heengegaan. Terug naar de Schepper. Trots dat hij had gewonnen. Trots dat hij erin was geslaagd een overval uit te voeren die alle prestaties van McPherson in de schaduw stelden. Hij en Carnegie hadden het geheim mee in het graf genomen, zo wilde het verhaal. De contanten en het goud waren nooit teruggevonden. Weg. Spoorloos.

Maar de oude Baldy brandde van verlangen om het aan iemand te vertellen. Om te bewijzen dat hij de wedloop had gewonnen. Hij kon het geheim niet verklappen, want dan had hij verloren. Sterven terwijl de buit in zijn bezit was, nog altijd kunnen opscheppen dat hij een rijk man was, dat betekende dat hij tot het einde toe de winnende kaart in handen had. Maar hij moest het aan iemand kwijt, al was het maar een hint, en Mal was bereid te luisteren. Er was een kort moment geweest waarop de wereld even stilstond. Toen Baldy de clown had uitgehangen. 'Het is van mij. En van de kroko's.'

Die avond, toen Mal de bewuste plek bij de Blackwater-kreek opnieuw bezocht, stond hij op de oever en keek uit over de Mary-rivier, waarvan hij wist dat die onveilig werd gemaakt door krokodillen.

De volgende dag omzeilde hij Maryborough en stak de rivier per veerboot over om aan de andere kant langs de rivier terug te rijden, totdat hij zich recht tegenover de monding van de kreek bevond. Omdat hij alle tijd van de wereld had om na te denken, had hij twee dagen hoog op de rivieroever gekampeerd. En gewoon een beetje rondgesnuffeld. Hij zag de krokodillen dutten, hun gele ogen altijd waakzaam. Baldy's krokodillen. Ze misten niets. Ze bewogen zich pijlsnel, met hun gretig happende kaken. Monsters. Ze hadden Baldy ongetwijfeld in de gaten gehouden. Wanneer? Toen hij de buit verstopte natuurlijk. Ergens in deze buurt. Baldy had de opbrengst van de overval nooit meegenomen naar de stad. Hij had Carnegie bedrogen. Soort zoekt soort. De buit was een schat waarvan hij nooit had durven dromen. Maar hij had te veel gezopen en was uiteindelijk in de nor beland. Nou, én? De schat was nog altijd van hem. Lag op hem te wachten. Hij was een rijk man. Daarvan was Mal overtuigd.

Hij nam het gebied zorgvuldig in ogenschouw, er rekening mee houdend dat een lichte roeiboot enigszins kon afdrijven. Je kon niet simpelweg een gat graven, je kon het gras of de bomen of de struiken niet zodanig verstoren dat het niemand zou opvallen, je moest uiterst zorgvuldig te werk gaan. Boomwortels. De bomen in de omgeving, met name de oude vijgenbomen, waren zo stokoud dat ze wortels hadden zo dik als een gespierde mannenarm. Mal had niets te verliezen. Hij werd niet meer gehinderd door schuldgevoelens. Hij hield zijn blik strak op de krokodillen gericht, terwijl hij hakte en porde in de wortels van die bomen, de ene na de andere. Slangen, die hij in hun rust verstoorde, deden een uitval naar hem, de muskieten zwermden om hem heen en de spinnen kropen over zijn armen terwijl hij diep in de holten bezig was, zoekend, tastend naar iets dat daar niet thuishoorde...

'Jezus,' mompelde hij hoofdschuddend. 'Ik had het bijna opgegeven. Maar die vervloekte kroko's lagen daar alsmaar beneden, die slimme rotzakken, alsof ze iets wisten dat ík niet wist.'

Eentje schoot op hem af. Joeg hem razendsnel de oever op. Pas toen realiseerde Mal zich dat Baldy ze niet zou hebben uitgedaagd; hij zou het hoger gezocht hebben. Ver buiten het bereik van de krokodillen.

'Je had het mis, Baldy, moordlustige klootzak,' zei Mal zuchtend. 'Je bent arm gestorven. Je hebt verloren. Ik ben de winnaar.'

Al die tijd dat Emilie bij hem in zijn hut had gezeten, lag zijn bagage nonchalant in een hoekje. Zijn slaapmat was dik, gevuld met kapok, maar sinds die dag bij de Mary-rivier had Mal zijn spullen door niemand anders laten dragen. Hij was sterk, en altijd wanneer hij zijn slaapmat met daarin al zijn bezittingen én de schat optilde, deed hij alsof het niets woog. Zoals dat zou moeten. Een pakketje dat een man eenvoudig over zijn schouder gooide om te dragen.

Het was een dode last, herinnerde hij zich glimlachend, maar wie lette er nou op een bagagerol? Xiu had uiteraard provisie gekregen en alles verder geregeld, waaronder de garantie voor een veilige reis.

Chung Lee naderde hem buigend. 'Zijn excellentie, meester Xiu, vraagt of u bij hem komt dineren, meneer.'

'Ja. Zeg maar dat ik de uitnodiging graag aanneem. Ik kom zo beneden.'

Mal tuurde nog eens richting het vasteland. 'Zorg goed voor haar, Clive. Anders kom ik terug.' Daarna nam hij de trap van het dek naar beneden in één sprong, want zijn oude uitbundigheid was inmiddels hersteld. 'Wat nu, Mr. Xiu?'